CHIENS DE LA NUIT

KENT ANDERSON

CHIENS DE LA NUIT

roman

Traduit de l'anglais
par Jean Esch

CALMANN-LÉVY

Titre original américain :
NIGHT DOGS

(Première publication : Dennis McMillan Publications,
Tucson, Arizona, 1996)

© Kent Anderson, 1996

Pour la traduction française :
© Calmann-Lévy, 1998

ISBN 2-7021-2850-5

Remerciements

Jan Foster et le sergent Helen Foster
Jim Bellah
J.T. Potter
et tous les autres bons flics de l'Avenue.

John et Linda Quinn
James et Julie Durham
Chas Hansen
Robert et Arlene Morris
Howard Smith
Mark Christensen
John Milius

Et, bien sûr, Judith

Ce livre est dédié à la mémoire
de l'officier Dennis A. Darden, matricule 403,
de la police de Portland.

Tué en service,
alors qu'il était seul.

Avertissement de l'auteur

Bien que se déroulant à Portland, où j'ai exercé le métier de policier au milieu des années 70, Chiens de la nuit *est avant tout un roman, un monde fictif autonome, et j'ai modifié les noms des rues, les décors, afin d'alimenter cet univers. Tous les personnages, les faits et les dialogues sont le produit de mon imagination.*

Je suis fier d'avoir été membre des services de police de Portland, et en écrivant ce livre, j'ai été aussi honnête que je peux l'être. Quelques lecteurs le trouveront peut-être dérangeant ou « choquant ». La vérité produit parfois cet effet chez certaines personnes.

La situation est bien plus dramatique aujourd'hui qu'en 1975.

Introduction

Nous sommes au milieu des années 70, l'Amérique s'efforce d'oublier son humiliante deuxième place aux Jeux de la Guerre organisés dans le sud-est asiatique ; une défaite subie parce que nous n'avions pas les objectifs précis, la volonté de fer et le courage vital des Vietnamiens. Le rêve américain a reçu une sévère raclée, et depuis, on dirait que tout fout le camp. Les riches sont de plus en plus riches et arrogants, les pauvres de plus en plus pauvres, et personne ne se souvient de la défaite et des leçons de la guerre. Coincés entre la gueule de bois prometteuse des années 60 et la menace imminente des années 80, une décennie d'avidité sans limite, les gouvernements successifs sont aussi perplexes et indécis que durant la guerre ; en outre, ils ont taillé à la hache dans les subventions, et les rues sont pleines désormais de désespérés et de fous incurables.

Le tissu urbain américain n'a pas tenu le coup. Les rapports privés sont devenus zone sinistrée, les quartiers des lieux de combats où tous les coups sont permis, et les villes s'auto-détruisent sans merci. Nos animaux familiers eux-mêmes se retournent contre nous ; les chiens retrouvent leur état primitif, se rassemblent en meutes sauvages, et il est parfois nécessaire de les éliminer, puisque les flics ne peuvent pas abattre leurs propriétaires.

C'est en tout cas ce que pense Hanson, un jeune officier de police, ancien du Vietnam. Les seuls êtres à posséder une très vague notion de la réalité de la situation sont ces hommes et ces femmes en première ligne : les flics de terrain.

Hanson, qui parcourt les rues misérables du « North Precinct », se considère comme le dernier rempart, la mince frontière bleue qui empêche les criminels et les fous de détruire les quartiers où vivent les classes moyennes. Il semble également être l'un des rares à se soucier véritablement du sort des gens de la rue ; gardien autant que flic, il exerce la justice plus que la loi parmi ceux dont il a la charge. Dans ces rues, Hanson est le roi-philosophe, celui qui nettoie à mains nues les écuries sanglantes.

Sa tâche est compliquée par les batailles qu'il se livre à lui-même. Il déteste avec une fougue lucide les « esprits de gauche bien-pensants », parce qu'ils ne comprennent pas la dynamique de la rue, et aussi parce qu'il considère ses propres penchants « libéraux » comme une sottise et une faiblesse. À l'image de beaucoup d'individus trop exigeants à leur propre égard, Hanson aspire au soulagement que lui procurerait une relation avec un autre être humain. Mais il a déjà assez de mal à communiquer avec lui-même. Alors, il se contente de ses discussions avec son collègue flic, de la visite occasionnelle d'un ancien compagnon du Vietnam, qui à force de se bourrer d'antalgiques pour soulager ses blessures de guerre est devenu dealer de cocaïne, et de ses relations épisodiques avec une femme encore plus dépravée, semble-t-il, que les zombies abrutis par la drogue qui hantent les rues de son secteur. La plupart du temps, Hanson parle surtout à son chien, Truman, un petit bâtard famélique qu'il a sauvé d'une mort certaine à la fourrière, après le décès de son ancien maître et contre l'avis de tous ses collègues.

Quand votre métier est votre *seule* vie, c'est une vie bien solitaire, et quand ce métier est sanglant, complexe et dangereux, votre vie l'est aussi. Malgré tout, curieusement, Hanson survit. Les scènes de rue sont au cœur de ce roman — moments de courage et de compassion, instantanés de colère et de révélation, des scènes de brutale illumination comme des éclairs inattendus. Au milieu de tout cela, Hanson conserve sa fierté et son sens du devoir, mais surtout, il ne se montre jamais condescendant envers les habitants de son secteur. Tout au long du livre, malgré la colère, la violence ou les insultes, Hanson traite ses protégés avec respect et dignité. Ils le savent et lui rendent la pareille. Voilà à quoi ressemble la vie d'un bon flic de terrain. Ce qu'elle devrait être. Hanson est le genre de policier dont on a grand besoin dans les rues.

Jamais on n'a écrit un polar comme celui-ci. L'écriture est aussi puissante que le matériau, les personnages sont peints avec autant de brio que les plus beaux graffitis, les dialogues sont aussi percutants qu'une brique lancée dans une vitrine, et la prose aussi précise et aiguisée qu'un cutter qui tranche une gorge.

Chiens de la nuit n'est pas seulement un très bon livre, c'est un livre capital. Il nous rappelle des choses importantes, une époque que trop de personnes préfèrent oublier, la perte de confiance et de raison d'être après la guerre ; et il nous rappelle également que ces gens qui vivent dans les terrains vagues de la société nous ressemblent terriblement, avec leurs espoirs et leurs rêves, leur courage et leurs déceptions ; et ils méritent le respect que nous nous réservons généralement à nous-mêmes. Lisez ce roman, savourez-le, pensez-y, et jouissez de la paix de votre foyer.

James CRUMLEY
Missoula, octobre 1996

Prologue

Tous les 15 juin, au commissariat de North Precinct, la relève A et l'équipe de nuit partaient tuer des chiens. Quand on les interrogeait à ce sujet, les huiles de la police et les politiciens locaux se contentaient de sourire et de secouer la tête. Ce n'était, disaient-ils, qu'une vieille légende parmi d'autres, attachée à ce commissariat

Les flics de North Precinct les appelaient les « Chiens de la nuit » ; des bêtes redevenues sauvages, ou à demi sauvages, qui rôdaient dans les quartiers après le coucher du soleil. Descendants d'animaux de compagnie, battus et abandonnés par leurs maîtres, ils s'étaient trouvés libres ensuite de se reproduire et de mettre bas dans les rues. Certains prenaient juste le temps de manger le placenta avant de laisser crever leur progéniture. Mais d'autres allaitaient et surveillaient leur portée vagissante. Décharnés, les yeux jaunes, les gencives ensanglantées à cause de la malnutrition, ils transportaient leurs chiots à l'abri, un par un, dans un nouvel endroit presque chaque soir, par instinct. Ou par amour. Oui, on pouvait appeler ça de l'amour, mais aucun des flics de North Precinct n'employait jamais ce mot.

Les survivants étaient sveltes et rapides ; ils avaient du sang de pitbull et de doberman et pesaient dans les vingt-cinq à trente kilos. Tout animal plus petit finissait par mourir de faim, s'il n'était pas d'abord repéré et tué par des chiens plus gros que lui, ou acculé dans un coin par des enfants armés de pierres et de battes de base-ball, ou bien surpris au milieu de la chaussée par les lumières aveuglantes des phares de voiture

17

après la fermeture des bars. Une mort rapide était la seule chance que connaîtraient ces chiens avant qu'une pelleteuse ne les balance dans une décharge puante ou qu'on les jette dans la « Poubelle des animaux morts », derrière la chambre à gaz de la SPA.

Les Chiens de la nuit transportaient dans leur fourrure un parfum de peur et de pourriture, et les flics de North Precinct affirmaient être capables de les sentir dans l'obscurité, en train de patrouiller le long des grillages des parkings de restaurants, de rôder autour des poubelles de supermarchés, ou bien tapis, les oreilles plaquées en arrière, dans l'ombre des arches éteintes du McDonald's. Quand venaient les pluies d'hiver et que la nourriture se faisait plus rare, ils mangeaient leur merde et se dévoraient entre eux.

Ils attendaient la tombée de la nuit dans les caves incendiées et obturées par des planches des maisons inhabitées que les gens du quartier avaient d'abord utilisées comme dépotoir, avant d'y mettre le feu et de les regarder brûler, assis sur les marches devant chez eux, avec des bouteilles de Colt.45 et de King Cobra Tallboys à la main, guettant l'arrivée des pompiers.

La plupart des flics auraient choisi d'abandonner ces chiens à leur vie misérable, s'il n'y avait pas eu autant d'animaux fous, rendus agressifs par les accouplements consanguins, la nourriture putride, les lésions cérébrales. Certains flics pensaient que c'était le stress de leur combat quotidien pour survivre qui les rendait ainsi. Chacun avait sa théorie sur le sujet, mais en définitive, ça ne changeait rien.

Quand une voiture de patrouille était contactée par radio à cause d'une attaque de chien, pour « réclamer une ambulance », les flics découvraient généralement un gamin trop jeune pour avoir pris peur. Des Noirs, des Blancs, des immigrés clandestins venus du Mexique, totalement immobiles sur le sol, essayant de s'éloigner de cette douleur qui redoublait quand ils criaient. Leurs yeux ne laissaient rien paraître, les pupilles étaient immenses et lointaines au milieu de leur visage ensanglanté, comme s'ils venaient d'assister à un miracle.

Parfois, les chiens attaquaient aussi des adultes, et même des policiers, comme s'ils souhaitaient mourir, devenant plus téméraires et plus dangereux en été, quand les gens s'attardaient dehors la nuit, et que la rage se répandait. Elle arrivait en même temps que la chaleur, charriée par le vent de la nuit et les animaux nocturnes devenus fous : des opossums préhistoriques avec des yeux de cochon et des dents effilées qui poussaient des cris aigus dans les ruelles. Des rats sur les trottoirs en pleine journée, apathiques et hébétés. Des ratons laveurs sifflant dans les orties et les herbes hautes au bord des ruisseaux pollués des terrains de golf. Des chats sauvages, des chauves-souris tombant du ciel, des mouffettes au regard absent qui sortent des West Hills en titubant, s'étouffant avec leur langue, le cœur parcouru de frissons sous l'effet du virus qu'elles transportent, un fléau plus ancien que les villes ou la civilisation ; des messagers, peut-être, envoyés par une promesse menaçante et meurtrie que nous avons trahie et laissée pour morte à l'époque où le monde n'était encore que ténèbres et océans gelés.

Une nuit, très tard, au club de la police, quelques-uns des flics de North Precinct évoquèrent le sujet. Ils buvaient depuis un bon moment déjà, lorsqu'un certain Hanson déclara que ce n'était pas vraiment la faute des chiens.

Et merde, à qui faut s'en prendre alors ?

Quelqu'un au fond de la salle reposa brutalement sa bière.

On s'en fout ! Qu'ils crèvent.

1

Portland, Oregon, mai 1975

IL N'AVAIT CESSÉ de pleuvoir toute la semaine, un crachin de printemps, presque du brouillard, et aucun des deux flics qui descendirent de la voiture de patrouille n'avait pris la peine d'enfiler un imperméable. Le *dispatcher* les avait envoyés « se renseigner sur l'état de santé » d'un vieil homme qui vivait seul, pour voir s'il n'était pas mort. Une voisine avait appelé la police. Elle ne l'avait pas vu depuis une semaine et elle s'inquiétait. Elle avait peur d'ouvrir sa porte, expliqua-t-elle, à cause de tous ces crimes.

Juste au-dessus de son insigne doré de policier, Hanson avait épinglé un badge « smile », visage jaune souriant, retrouvé au fond de son casier de vestiaire au moment de prendre son service cet après-midi. Il l'avait découvert en décembre dernier, sur le corps d'un gamin victime d'une overdose dans les toilettes d'une station-service, assis sur la cuvette des chiottes. La seringue était encore enfoncée dans son bras, à demi remplie d'héroïne, de la *China White* qui arrivait en masse du sud-est asiatique, via Vancouver, avant d'emprunter l'autoroute.

Tandis que les deux flics contournaient la maison du vieil homme, Hanson garda un œil sur les fenêtres et vérifia le fermoir de sécurité de son holster, par automatisme, comme il le faisait des dizaines de fois durant son service.

La haie de rosiers mal taillée qui entourait le jardin avait subi les assauts d'un violent orage la nuit précédente, et le sol était jonché de pétales, veinés de rouge et translucides, semblables à des paupières éparpillées dans l'herbe humide. Le jardin embaumait la rose.

21

Dana, le plus costaud des deux flics, frappa à la porte avec sa torche électrique, en criant « Police ! ». Hanson ramassa un pétale de rose, le renifla, et le déposa sur sa langue.

— Police ! cria Dana.

Les fenêtres étaient fermées, gauchies et condamnées par la peinture ; ils parvinrent malgré tout à forcer l'une d'entre elles et à la soulever de quelques centimètres.

— Je parie qu'il est pas parti en voyage, commenta Hanson lorsque l'odeur s'échappa de la maison.

Quand Dana décocha un violent coup de pied dans la porte de derrière, la poignée tomba sur le sol et la petite fenêtre se brisa. Un rideau crasseux et gras se trouva aspiré à travers le carreau cassé. Dana récidiva et la porte trembla. Un bout de verre chuta sur le sol en béton de la véranda.

— Peut-être que tu deviens trop vieux pour ça, dit Hanson.

Dana lui sourit, un peu essoufflé, prit un demi-pas d'élan et frappa de nouveau dans la porte avec son talon. Cette fois, l'encadrement se fendit en éclats, et le battant s'ouvrit brutalement, dans un nuage de poussière et de lambeaux de peinture.

Dans la cuisine, un brûleur de la cuisinière électrique rougeoyait faiblement, et sa chaleur vint caresser la joue de Hanson dans l'air confiné et douceâtre. Des assiettes sales s'empilaient près de l'évier dans lequel stagnait une eau de vaisselle grise, agitée par des larves de moustiques.

— Police ! cria Hanson. Nous somme officiers de police !

Ils osaient à peine respirer tandis qu'ils pénétraient dans le living-room.

Des milliers de mouches vertes masquaient les fenêtres, semblables à des rideaux de perles, scintillant dans la lumière grise, cognant contre les carreaux.

Le vieil homme était dans le living-room, allongé sur le dos. Sa poitrine et son ventre avaient enflé, creusant son dos à la manière d'un lutteur qui fait le pont, comme s'il continuait à se débattre pour tenter de se relever. Ses yeux, sa barbe et ses cheveux ébouriffés projetaient des reflets blancs argentés, grouillant de vers ; les vaisseaux capillaires éclatés ombraient son visage, tel un maquillage grossier. Il était vêtu d'un ensemble caleçon long et tricot qui se boutonnait sur le devant, et son corps était si gonflé que tous les boutons avaient sauté, ouvrant le sous-vêtement du col jusqu'à l'entrecuisse.

La poitrine et le ventre du vieil homme étaient d'un blanc cireux, translucide, marbrés d'horribles hématomes là où le sang s'était accumulé après la mort. Un des pieds était noir comme de la fonte. Les deux flics s'approchèrent du cadavre, en respirant par la bouche. La chaudière ronflait sous le plancher, vomissant de la chaleur. Les mouches bourdonnaient et cognaient contre les vitres. Soudain, quelque chose frôla la jambe de Hanson ; il pivota, en portant la main à son arme.

C'était un petit chien, la truffe grisonnante, le poil tout râpé derrière les pattes. Il levait la tête vers eux, impavide, avec la dignité des vieux chiens. Ses yeux aveugles étaient d'un blanc laiteux.

— Tout doux, mon gars, dit Dana. On est de la police. (Il s'agenouilla et, lentement, caressa la tête du chien.) Il fait chaud ici, hein ?

Il retourna dans la cuisine et revint avec un bol rempli d'eau que le chien lapa lentement, ne s'arrêtant qu'une fois le bol vide.

Ils coupèrent la chaudière, puis chassèrent les mouches agglutinées devant les fenêtres de devant pour pouvoir les ouvrir. Hanson aperçut alors l'enveloppe fixée au mur avec du ruban adhésif, au-dessus du téléphone. À la place de l'adresse, il y avait ces mots : « Quand je serai mort, faites en sorte, s'il vous plaît, que cette enveloppe soit remise à ma fille, Sarah Thorgaard. Son numéro de téléphone est inscrit en dessous. Merci. » C'était signé « Cyrus Thorgaard ». Et sous sa signature, il avait ajouté : « Ce serait gentil de vous occuper de mon chien, Truman. »

Hanson composa le numéro indiqué ; un homme répondit :

— Allô ?

— Officier Hanson, de la police. Pourrais-je parler à Sarah Thorgaard, je vous prie ?

— C'est le nom de jeune fille de mon épouse. Elle est absente pour le moment.

Dehors, sur le trottoir, un homme vêtu d'un blouson en nylon noir et d'un pantalon écossais à pattes d'éléphant s'était arrêté pour regarder la maison.

— Que se passe-t-il ?

— J'ai bien peur que son père soit décédé, dit Hanson. À son domicile d'Albina Street.

Sur le trottoir, l'homme s'éloigna finalement, mais s'arrêta de nouveau pour regarder la maison. Le téléphone bourdonna dans l'oreille de Hanson.

— Ça ressemble à une mort naturelle, ajouta-t-il. Nous avons trouvé une enveloppe adressée à votre épouse. Pouvons-nous passer vous l'apporter à votre domicile, monsieur... ?

— Jensen. Non, c'est inutile, je vais venir la chercher.

— Euh... il est mort depuis un certain temps déjà, et peut-être que...

— Je préfère ne pas voir de voiture de police dans l'allée devant chez moi. Je peux être là dans dix minutes.

— Très bien, répondit Hanson en regardant l'homme sur le trottoir s'éloigner vers l'extrémité du pâté de maisons.

Après avoir raccroché, il se rendit dans la chambre. Il se demanda, en voyant les couvertures repoussées, si le vieillard ne s'était pas levé, afin de ne pas mourir dans son lit. Des rangées de livres occupaient les rayonnages vitrés qui allaient d'un mur à l'autre ; des magazines étaient empilés par terre, juste en dessous : *Scientific American*, *Popular Mechanics*, *National Geographics*, un machin baptisé *Science and Design*, publié en Angleterre ; la plupart datant des années 30. Hanson en prit un au hasard et le feuilleta. Le vieil homme avait encadré des paragraphes et souligné certaines phrases, au crayon. Sur une des pages, dans la marge, il avait écrit : « Ce genre de conclusion facile et ambiguë constitue le cœur du problème. Ils ont peur de prendre les décisions difficiles. »

Certains livres dataient des années 1800. Hanson en choisit un où le mot VAPEUR était gravé en lettres d'or sur la reliure en cuir. Sous le titre, une Terre dorée tournoyait, propulsée en orbite par deux gigantesques tuyaux coudés, l'un jaillissant de l'océan pacifique, l'autre d'Afrique du nord, tous les deux projetant des nuages de vapeur dorés. L'ouvrage regorgeait de graphiques et de tables numériques, de schémas en coupe de valves et de systèmes de chauffage, de belles gravures de chaudières à vapeur. Comme si le livre contenait toutes les règles d'un univers prévisible gouverné par la vapeur, un monde ordonné et fiable.

Des photos couvraient un mur entier, de vieilles photos où les mains et les visages des personnes qui passaient à l'arrière-plan laissaient des traînées floues, à cause du mouvement. Sur ces clichés, le vieil homme, encore vivant, regardait Hanson, et son âge variait de vingt à cinquante ans ; ici, il portait une moustache, là une barbe, il posait au milieu des tuyauteries d'un groupe électrogène, ou debout à côté d'un coupé Ford sur une route de terre, ou bien il brandissait un chapelet de truites, et sur chacune de ces photos, il semblait regarder Hanson, comme s'il avait quelque chose à lui dire, quelque chose que celui-ci essayait de comprendre depuis très longtemps. Un fusil de chasse Winchester à double canon était posé à la verticale dans le coin de la chambre près du lit. Hanson le prit, le coinça contre son épaule, puis l'abaissa et le cassa d'une pression du pouce. Le culot en cuivre de deux chevrotines brillait dans la culasse.

Par la porte de la chambre, Hanson contempla le vieil homme dans la pièce voisine. Il repensa à l'orage de la nuit précédente, et il imagina les éclairs, semblables aux flashs des vieilles photos, illuminant toute la maison, éclairant la pièce l'espace d'un instant, la figeant dans le temps. Le vieil homme, le chien, les rideaux de mouches, vert et or, grouillant devant les fenêtres.

La voix de Dana s'éleva à travers le plancher, lui demandant de le rejoindre au sous-sol.

— C'est lui qu'a fabriqué ça, déclara Dana en actionnant le plateau chromé d'un tour. Ces pales en fer carburé ont été meulées à la main. Regarde un peu, dit-il en tapant sur le pied en fonte. Les paliers, le bâti, et tout le reste. Les bons artisans fabriquent eux-mêmes leurs outils. Y a même une forge là-bas, ajouta-t-il en tendant le doigt. Il pouvait fondre du métal. Dans son sous-sol ! Et viens voir un peu par là... Vise un peu cet établi...

— Hé oh, y'a quelqu'un ?

Le médecin légiste venait d'apparaître en haut de l'escalier, le visage empourpré, vêtu d'un costume gris froissé. Il ressemblait à un représentant de commerce traversant une mauvaise passe.

— Il est bien mûr, dites donc.

Le soleil avait fait son apparition, l'herbe fumait. Dana aida le légiste à décharger la civière de son break, tandis que Hanson sortait le sac mortuaire, et l'espace d'un instant, l'odeur âcre du plastique caoutchouté, semblable à l'air stagnant qui s'échappe d'un pneu, l'étourdit sous un flot de souvenirs.

Ils glissèrent d'abord le sac ouvert sous le corps du vieil homme, avant de le refermer autour de lui, comme un sac de couchage en caoutchouc, et de tirer la fermeture éclair. Hanson passa ses mains sous les épaules boursouflées, pendant que le légiste prenait les pieds.

— Allons-y doucement, dit ce dernier. Tout doux...

Le bruit évoquait un peu quelqu'un qui se redresse brutalement dans une baignoire. Le poids du corps bascula ; le sac mortuaire leur échappa et tomba sur la civière où il tremblota et vacilla.

— Et merde ! s'exclama le légiste... Merde. Ah, quelle semaine. Lundi, il a fallu que j'aille ramasser un parachutiste dont le parachute s'était pas ouvert. Si vous voulez mon avis, ce soi-disant « sport » est complètement idiot. Et le lendemain, il y a eu ce salopard – s'cusez l'expression – qui s'est flingué dans sa cuisine, en laissant la cuisinière allumée. Le corps a explosé, pof, avant que j'arrive. 45 degrés qu'il faisait dans cette caravane. Chiffre officiel. J'avais accroché un thermomètre. Franchement, c'est de l'inconscience, du je-m'en-foutisme, pas vrai ? Les gens ne réfléchissent pas. Si vous voulez vous foutre en l'air, parfait. Ça vous regarde. Mais faites preuve d'un peu de respect envers les autres, au moins. Le monde continue de tourner, je vous signale.

La présence d'un officier supérieur était nécessaire dès lors qu'il y avait mort d'homme, même naturelle, et le sergent Bendix se tenait devant la maison, près de sa voiture de patrouille, en train d'écouter, en hochant parfois la tête, l'homme vêtu d'un pantalon kaki et d'une chemise de soirée bleue qui venait d'arriver dans une Mercedes grise. Le légiste repartit au volant de son break, tandis que Dana et Hanson se dirigeaient vers les deux hommes. L'uniforme en laine de Hanson était encore humide, lourd et chaud sous le soleil. Un mois à attendre, pensa-t-il, avant de passer aux chemises à manches courtes. Bendix les regarda approcher, se tapotant la poitrine, les yeux fixés sur Hanson.

— Le badge, murmura Dana à son collègue.

Hanson baissa la tête vers le visage jaune qui lui souriait sur sa chemise.

— Mister « Smile » dit : « Si vous aimez tout le monde, tout le monde vous aimera. »

Il ôta le badge et le déposa dans sa poche de poitrine.

Les deux agents saluèrent M. Jensen d'un signe de tête, tandis que Bendix se chargeait des présentations.

— C'était un homme très intelligent, déclara Jensen. Un ingénieur. On pourrait même dire un inventeur. Bien que ses inventions ne lui aient jamais rapporté un sou. C'était un chouette quartier dans le temps ici, ajouta-t-il en regardant Hanson. Mon épouse y a grandi.

Hanson répondit par un hochement de tête.

— Nous avions les moyens pourtant de l'installer ailleurs, dans un foyer. Un endroit plus agréable, je veux dire. Où il aurait été avec des gens de son âge. Mais il ne voulait même pas en entendre parler, dit Jensen en regardant vers la maison où un rouge-gorge hirsute, posé dans le jardin, la tête inclinée, contemplait un carré d'herbe sèche.

— Oui, le refus, commenta le sergent Bendix.

Le rouge-gorge se mit à picorer le sol.

— Le refus d'affronter l'idée de sa mort, dit le sergent Bendix. C'est fréquent à cet âge.

L'oiseau s'envola lorsque la Cadillac rouge sang d'Aaron Allen jaillit d'une ruelle à l'extrémité du bloc. La sono à fond la caisse, des haut-parleurs volés et scotchés à toutes les portières. Elle marqua un temps d'arrêt, vibrant sur place, les vitres teintées relevées, puis traversa la rue et disparut dans la ruelle d'en face.

— Il disait qu'il tuerait quiconque voulait l'obliger à déménager, dit Jensen.

— Et le chien ? demanda Dana.

— Hein ?

— Un vieux chien, grand comme ça à peu près.

— Il est toujours vivant ?

— Affirmatif, monsieur.

— Bon, et alors quoi ? (Il se tourna vers Bendix.) Sergent, vos hommes pourraient-ils se charger de ce problème ? (Il consulta sa montre.) Je dois organiser l'enterrement. Et ensuite, il faudra que je trouve un moyen de me débarrasser de cette baraque, et de toutes les merdes qu'elle contient...

— Nous nous occuperons du chien, M. Jensen, déclara le sergent Bendix. N'est-ce pas, les gars ? dit-il en se tournant vers Dana et Hanson.

— Pas de problème.

— Je vais récupérer l'enveloppe, annonça Hanson.

27

Celle-ci était scotchée au mur, juste en dessous d'un grand diplôme encadré stipulant que Cyrus Thorgaard était membre de la Confrérie internationale des mécaniciens. C'était un document en couleur, avec des bords dorés. Dans chaque coin, de belles gravures représentaient des hommes au travail : en train de façonner un tube d'acier argenté sur un tour, de mesurer des marges de tolérance avec un compas, d'autres se tenaient devant une forge, au milieu de nuages de chaleur et de fumée, jaunes et dorés. Le centre du diplôme était occupé par une gigantesque machine à vapeur noir et argent actionnée par des individus solidement bâtis, coiffés de casquettes de mécaniciens.

— Rends-moi service, dit Dana. Occupe-toi d'aller interroger ce connard. J'ai peur de dire quelque chose qui me pourrait me valoir plusieurs jours de suspension.

— Hé, tu deviens sacrément sentimental avec l'âge, commenta Hanson en arrachant l'enveloppe du mur.

— Tu sais où va finir ce truc ? demanda Dana en regardant le diplôme. Tu sais ce qu'il va en faire, et de tous les outils, tous les bouquins ? Tout ce que contient cette baraque ? Si les enfoirés du quartier foutent pas le feu avant ? Après avoir embarqué tout ce qu'ils pourront échanger contre de la came ?

Par la porte restée ouverte, il observa Jensen et Bendix.

— Il va tout balancer. Il prendra même pas la peine d'en faire cadeau à quelqu'un. Non, il va payer un type pour qu'il emporte tout à la décharge.

Les yeux levés vers les deux flics, le chien les écoutait.

— Toi, tu viens avec nous, dit Dana en s'accroupissant pour caresser la tête de l'animal. Ne crains rien.

Après le départ de Jensen et du sergent Bendix, Dana descendit chercher un marteau et une poignée de clous au sous-sol et fit le tour de la maison pour clouer la porte de derrière et condamner la fenêtre.

Hanson, lui, parcourut toute la maison pour éteindre les lumières et fermer les fenêtres. Il faisait semblant de ne pas entendre le chien derrière lui, qui essayait de le suivre. Il jeta un dernier coup d'œil dans la chambre, s'agenouillant devant les étagères pour lire les titres des livres sur les rayonnages du bas, en caressant les reliures. Une dernière fois, il examina les photos, espérant presque une illumination, mais le soleil s'était déplacé, rejetant les photos dans l'ombre, et dès lors, la lumière ne cesserait de décliner. Il était trop tard, il ne restait plus qu'à finir de boucler la maison.

Après plusieurs faux départs, le chien sauta sur le lit, difficilement, retrouva sa place habituelle au pied, et se coucha en boule.

— Je parie que tu penses que demain matin, tout sera pareil qu'avant, hein ? dit Hanson en s'adressant à l'animal. Encore une nuit à passer, et quand tu te réveilleras, M. Thorgaard sera endormi dans son lit comme d'habitude.

Si le chien l'entendit, il n'ouvrit pas les yeux.

— Tu es tout seul désormais, mon vieux, ajouta Hanson, puis il détourna la tête comme s'il avait entendu un bruit dans la pièce voisine. Dehors, le monde est cruel, ajouta-t-il lentement, semblant se remémorer peu à peu ces mots. Pour les chiens aussi.

Les vrilles des plantes grimpantes laissées à l'abandon masquaient la fenêtre de devant et s'infiltraient à l'intérieur de la pièce à travers le cadre en bois, empêchant de fermer, et Hanson dut dégager le lierre cassant avec ses doigts. Il grimaça lorsqu'il s'érafla les jointures sur la baguette d'isolation, mais ce fut sa seule réaction, et il continua à arracher le lierre mort. Enfonçant plus profondément la main dans le cadre de la fenêtre, il en extirpa un nid fait de feuilles, de corde pourrie et de bourre de matelas. Les trois souriceaux desséchés semblaient porter des masques de Halloween. Les insectes avaient dévoré les yeux jusqu'à l'intérieur des crânes minuscules, et les orbites vides ressemblaient à d'immenses yeux de momies, insondables.

Hanson balança le nid par la fenêtre, et à travers une percée dans le lierre, il aperçut de nouveau le type. Il avait une coupe afro merdique, pareille à de la bourre. Les pattes d'éléphant de son pantalon couvraient ses chaussures, les revers élimés par le frottement sur le trottoir ; sa veste en Skaï était boutonnée jusqu'en haut, les poignets attachés. Pour cacher les traces de piqûre, pensa Hanson.

L'homme jeta un coup d'œil vers le bout de la rue et récupéra une cigarette à demi fumée coincée derrière son oreille.

— « Je fais que regarder, m'sieur », dit Hanson en essayant encore une fois de refermer la fenêtre.

— Toujours en train de guetter, lança-t-il au chien pardessus son épaule. À l'affût d'un truc facile à faucher. D'un sac à arracher, ou d'un vieux qu'ils peuvent assommer quand il vient de toucher son chèque de pension. N'importe quoi. Ensuite, le vieux bouffe des boîtes pour chien et du pain rassis jusqu'à la fin du mois.

Le chien avait dressé l'oreille ; ses yeux vitreux et aveugles restaient sereins face à la colère de Hanson.

— À moins qu'il se brise la hanche en tombant sur le trottoir et qu'il meure de pneumonie. Abandonné dans une saloperie d'hospice. Tout seul. Allongé, jusqu'à ce que ses poumons soient pleins à ras bord et qu'il se noie, dit-il en tirant sur la fenêtre et en tapant dessus du plat de la main.

D'une pichenette, il jeta sa cigarette dans le jardin, puis fit demi-tour pour s'éloigner.

— Saloperies de fouineurs, grogna Hanson. Ils attendent qu'il fasse nuit. Ils se baladent dans les parages ou ils restent assis dans leurs bagnoles pourries. À attendre..., dit-il en luttant avec la fenêtre pour la fermer. Nom de Dieu !

Il pivota sur ses talons et traversa la chambre à grands pas, jusqu'à la porte, où il se retourna vers le chien.

— Je reviens tout de suite. Hé ! Toi, là-bas ! (Il poussa la porte à moustiquaire.) Viens voir ici. Tu cherches quelqu'un peut-être ? demanda-t-il en marchant vers le type. Tu t'es perdu ?

— Je fais rien de mal.

Un bec-de-lièvre rafistolé le faisait zézayer légèrement.

— Tu viens d'arriver en ville ?

— Je...

— Peut-être que je peux t'aider à trouver une adresse.

— J'me promène, c'est tout.

— Je sais très bien ce que tu fais. C'est quoi ton nom ?

— Mon nom ?

— Ouais. Tes potes, comment ils t'appellent ?

— Curtis. Ils m'appellent Curtis. Mais vous ne...

— Curtis comment ?

La pomme d'Adam du type montait et descendait comme s'il allait vomir, empêchant son nom de sortir.

— Barr.

— Fais voir tes papiers.

— Mes papiers ?

Les coups de marteau de Dana, à l'arrière de la maison, résonnaient dans tout le quartier. Hanson se rapprocha de l'homme, jusqu'à ce que leurs poitrines se touchent presque ;

30

il se dégageait de lui des effluves de marijuana, de sueur rance, et une puanteur aigre semblable à de la viande avariée, l'odeur qui imprègne l'air des prisons.

— Tu me montres tes papiers, dit Hanson en le regardant cette fois pour de bon. Ou tu préfères te retrouver en taule ?

— En taule ?

Hanson le foudroya du regard, comme s'il essayait d'enflammer la coiffure afro asymétrique. Les coups de marteau cessèrent.

— Pourquoi faut toujours que vous emmerdiez les gens, dit le type en relevant une jambe de son pantalon patte d'éléphants. C'est vrai quoi... merde !

Il descendit la fermeture éclair de sa bottine, baissa sa chaussette et en extirpa son portefeuille.

— Une pièce d'identité avec photo, précisa Hanson.

L'autre piocha un permis de conduire ramolli par la sueur.

— Il n'est plus valable, déclara Hanson en tenant le document du bout des doigts. C'est quoi ton adresse actuelle ?

— Celle qu'est marquée là-dessus.

— Fais-moi voir *ça*, dit Hanson.

— Ça quoi ? demanda Curtis en refermant son portefeuille. J'vous ai montré mon...

— Le récépissé, dit Hanson en désignant la feuille jaune qui dépassait du portefeuille. Voyons voir.

— Oh, putain, mec...

— Fais voir.

La prison municipale lui avait délivré le récépissé la veille au soir. On l'avait libéré le matin même.

— Ce papier dit que tu t'appelles Quentin Barr. Alors, c'est quoi ton vrai nom, hein ? Curtis ou Quentin ?

— Curtis, c'est... mon surnom, quoi.

— Pourquoi on t'a coffré, Quentin ?

— C'était une erreur, ils ont dit. Une histoire de cambriolage. Mais moi, j'ai rien...

— Où est ta casquette ? demanda Hanson qui étudiait le récépissé. Ils ont noté que tu avais « une casquette en daim marron ».

— J'en sais rien, monsieur l'agent. Ils l'ont paumée.

— Tu devrais porter plainte. (Hanson lui rendit la feuille jaune.) Je veux plus te voir traîner dans ce quartier.

— Hein ? Quoi ?

— Regarde-moi, dit Hanson, sans hausser le ton.

Les coups de marteau reprirent de plus belle ; l'écho se répercutait contre les maisons d'en face. Quentin regarda l'oreille de Hanson, par-dessus son épaule ensuite, puis ses yeux descendirent vers sa poitrine.

— Regarde-moi, j'ai dit.

Il le regarda enfin, avec les yeux d'un animal battu et boiteux, prêt à mordre au premier signe de faiblesse.

— Zone interdite, déclara Hanson. Si jamais il se produit un cambriolage, ou même une simple tentative de cambriolage, n'importe quoi, ici, dans *ce* quartier, je te retrouverai, Quentin.

Ce dernier ouvrit la bouche ; sa pomme d'Adam s'agitait en silence.

— Tu dois crever de chaud avec cette veste. Je parie que t'aimerais bien relever tes manches.

Quentin essaya de sourire ; sa lèvre supérieure tressaillit.

— Au revoir, dit Hanson. Bonne journée. Monsieur.

Le vieux chien paraissait indifférent lorsqu'ils l'installèrent à bord de la voiture de patrouille, comme s'il les avait attendus durant toutes ces journées et toutes ces nuits, seul dans la maison avec le cadavre.

Il demeura assis sur la banquette arrière, derrière la grille, tandis qu'ils traversaient le ghetto, passant devant les cinémas pornos et les boutiques calcinées, les ivrognes cuvant dans les entrées d'immeuble, et les junkies qui déambulaient, tels des somnambules, sous le soleil.

Hanson ressortit de sa poche le petit badge jaune et lui sourit.

— Mister « Smile » dit : « Tant que vous continuez de sourire, tout ira bien. »

Il l'épingla sur sa chemise de nouveau.

— Bon Dieu, dit-il avec un geste en direction de la vitre derrière laquelle les graffiti rouge et noir défilaient, le long des trottoirs lézardés et sur les vitrines des magasins abandonnés. Tout fout le camp. De plus en plus vite, on dirait.

— C'est depuis que la *China White* a commencé à descendre de là-haut, dit Dana.

— Des fois, je me demande ce qui va se passer. T'as une idée, toi ? Qu'est-ce qui va se passer à ton avis ?

— Ça va encore être pire, répondit Dana, les yeux fixés sur la route.

— Ouais, fit Hanson, alors qu'ils passaient devant une clocharde en train d'insulter le ciel. Je sais. Mais ensuite, qu'est-ce qui va se passer ?

— Ensuite, ça sera la fin du monde. Le pouvoir aux cafards.

Zurbo, un pied dans le plâtre, consigné à l'accueil du commissariat de North Precinct, regardait la petite télé qu'il avait apportée de chez lui. En se penchant pour ouvrir la porte du poste de police, Hanson aperçut le regard de Zurbo dans le miroir argenté convexe installé au fond du hall. Comme tous les bons flics, Zurbo regardait partout à la fois, tout le temps.

— Vous cherchez le bureau des services vétérinaires ? leur lança Zurbo, qui leur tournait toujours le dos, au moment où ils entraient. Ici, c'est North Precinct. Et ici, les clebs on les bute, dit-il en sortant de sous le comptoir son fusil de chasse à double canon scié.

Hanson perçut le bruit lointain des hélicoptères, le vrombissement caractéristique des *Huey*.

— Dis donc, Zurbo, ton orteil cassé doit être guéri, depuis le temps. J'ai l'impression que tu tires au flanc, fit remarquer Dana.

— C'est le toubib qui décide. Moi, je suis qu'un crétin de flic.

— Gagner onze dollars de l'heure pour regarder la télé... mes impôts au boulot, dit Hanson en jetant un coup d'œil vers l'écran.

— C'est quoi ce clébard ? demanda Zurbo.

— Tu veux bien t'en occuper jusqu'à la fin de notre service ? dit Dana en déposant le chien sur le dallage rouge foncé.

— Il a pas intérêt à chier par terre !

— C'est moi qui nettoierai, dans ce cas.

Le son de la télé était baissé, presque noyé sous les appels radio en provenance des voitures de patrouille de North et East Precinct. C'était l'heure des infos de début de soirée, avec des images d'hélicoptères décollant de l'ambassade américaine à Saigon, de civils vietnamiens en chemises blanches essayant de s'accrocher aux patins, et retombant sur le toit, l'un après l'autre, tandis que des soldats américains, simples ombres aux portes des hélicos, leur assénaient des coups de crosse de fusil sur les mains.

Zurbo se leva pour regarder par-dessus le comptoir.

— Hé, ce putain de clebs est aveugle !

— C'est contraire à la Convention de Genève, il me semble, commenta Hanson, en désignant le fusil de chasse d'un signe de tête.

— Chez eux là-bas, peut-être, mais ici, dans le monde, on peut s'en servir contre les civils. Pas de problème. Et si j'appelais les services vétos pour qu'ils viennent le chercher ?

— On le récupère à la fin de notre service.

— OK. Si vous êtes capables de tenir l'accueil une minute, comme des pros, je vais essayer de trouver une couverture pour Médor.

À la télé, un reporter faisait face à la caméra, en hurlant pour couvrir le rugissement des hélicoptères.

— La vache, ils ont montré ça toute la nuit, dit Zurbo.

Des femmes frêles juchées sur le toit du bâtiment tendaient les bras vers les hélicos qui s'en allaient ; le souffle des rotors soulevait les plis de leurs *ao dai* en soie, fouettait leurs longs cheveux noirs.

— Et merde, fit Zurbo.

Il éteignit la télé avec le canon de son fusil et fit le tour du comptoir en boitant. Il se pencha pour regarder le chien et secoua la tête.

— Il a au moins cent ans ce clébard, en années de chien.

— Helen voudra jamais qu'on le garde, dit Dana, tandis qu'ils sortaient du parking pour aller prêter main forte à Larkin confronté à une bagarre familiale, sur le chemin menant à leur secteur. Toi, par contre...

— J'ai pas besoin d'un chien. C'est toi qui lui as dit : « Ne crains rien », pas moi...

— *Cinq Soixante-deux*, dit la voix de Larkin dans la radio, pendant que des gens hurlaient à l'arrière-plan. Vous pouvez pas vous grouiller un peu ?

Hanson décrocha le micro d'un geste brusque.

34

— On arrive, dit-il, en allumant le gyrophare et la sirène, tandis que Dana accélérait pour griller un feu rouge.

Hanson sourit, ses yeux pétillaient, comme s'il se remémorait une farce de gamin.

— Ils les bouffent là-bas, dit-il. À Hong Kong.

— Quoi ? fit Dana, obligé de remonter sa vitre à cause de la sirène.

— Les chiens. À Hong Kong, ils les bouffent.

Cette semaine-là, il y eut une invasion de papillons de nuit, des millions. Au commissariat, on racontait qu'ils pullulaient comme ça, régulièrement, tous les sept ans, mais quelqu'un d'autre affirmait que c'était à cause de la nouvelle centrale nucléaire, là-haut dans le nord. Une longue portion de route, sur le chemin du commissariat, était bordée de lampadaires tout neufs, monotones, plantés à intervalles réguliers, immenses poteaux en aluminium brossé qui se dressaient, puis se penchaient au-dessus de la chaussée comme autant de mains au bout d'un poignet. Les papillons les enveloppaient comme des essaims d'abeilles, se jetant avec obstination contre les grosses ampoules jaunes, jusqu'à ce qu'ils se brisent une aile et tombent sur la route, si bien que les flaques de lumière sur l'asphalte, sous les lampadaires, étaient jonchées de milliers de papillons morts ou agonisants.

Chaque fois que la voiture de patrouille passait sous un de ces lampadaires, en rentrant au poste ce soir-là, à la fin du service, les pneus produisaient un petit bruit de déchirure ; on aurait dit que les rues étaient encore mouillées après la pluie. La puanteur douceâtre du cadavre du vieil homme restait accrochée à l'uniforme en laine de Hanson, comme l'odeur de fumée de cigarette s'accroche aux cheveux de la femme avec qui vous couchez. Dana roulait à vitesse constante, et le bruit de déchirure, régulier et discret, ressemblait à un souffle.

Hanson contemplait la nuit. Il déplaça la paire de menottes qui lui rentrait dans les reins, puis se pencha pour caresser la reliure en cuir du livre qu'il avait glissé sous le siège de la voiture de patrouille, celui où l'on voyait la terre tourner sur elle-même, au milieu des nuages de vapeur dorés.

— Je vais garder le chien, dit-il.

2

L E COMMISSARIAT CENTRAL se dressait comme une falaise au nord du fleuve, gigantesques blocs de pierre taillés dans les carrières au début du siècle par des prisonniers morts depuis longtemps, leurs crimes oubliés. Des barreaux en fer noir protégeaient les fenêtres donnant sur le mât du drapeau et une dalle de granit, taillée dans la même carrière, monument dédié aux sales manies, à la négligence et à la malchance, avec des plaques en cuivre vissées sur le devant, portant les noms des officiers tués en accomplissant leur devoir.

Maintenant que East Precinct avait déménagé pour s'installer dans un ancien supermarché rénové, North Precinct était l'ultime occupant des bâtiments d'origine, chargé du secteur de l'« Avenue » ; habité par les enfants et petits-enfants pauvres, essentiellement noirs, de la main-d'œuvre à bon marché expédiée par trains entiers de Chicago ou d'Atlanta pour travailler dans les chantiers navals, construire les destroyers et les « bateaux de la liberté » qui vaincraient Hitler et les Japonais.

À North, les sergents et les lieutenants se trouvaient là parce qu'ils avaient fait une connerie ailleurs. North n'était pas l'endroit idéal pour bâtir une carrière. Le taux de criminalité, principalement les crimes violents et les crimes avec armes à feu, était le plus élevé de la ville, et en constante augmentation chaque année. Plus de crimes, ça voulait dire plus de confrontations entre policiers et suspects, et plus de risques de dérapage. Le reste de la ville était majoritairement blanc, et la population se foutait de ce que faisaient les négros, du moment qu'ils se le faisaient entre eux ; en revanche, elle était toujours prête à traiter la police de « raciste », et le journal local était dirigé par des gauchistes de la côte est. La meilleure façon de tirer deux ou trois ans d'exil forcé à North consistait à rester derrière son bureau, à en faire le moins possible, en évitant tous les cas de figure qui n'étaient pas clairement mentionnés dans le « Manuel des règles et procédures ».

Mais les simples agents de police en poste à North, les flics de base, demandaient à être affectés à l'« Avenue », car ils étaient plus près du crime, et ils aimaient ce boulot. C'étaient des provocateurs, des frimeurs, des salopards, des camés à l'adrénaline qui revenaient du Vietnam, des spécialistes des heures sup' qui se faisaient soixante mille dollars par an, des « superflics » ayant tous quelque chose à prouver, tant ils craignaient d'être des tapettes ou des trouillards ; c'étaient des purs et durs, des racistes, des sadiques, des maniaco-dépressifs qui se servaient de l'adrénaline et de la fatigue pour tenir leurs démons en respect, et qui paraissaient sains d'esprit tant qu'ils marchaient dans les rues avec un flingue ; des bons flics pour la plupart.

Hanson gravit les marches de pierre deux par deux, la crosse Pachmeyer noire de son Model 39 lui caressant les reins, et poussa la porte en verre dépoli sur laquelle NORTH PRECINCT était inscrit au pochoir en lettres noires. Il suivit le couloir, en passant devant une carte du secteur constellée de punaises de différentes couleurs qui indiquaient les lieux des crimes commis au cours de l'année civile.

— Hanson. Je peux vous parler une minute ?

— Bien sûr, monsieur, répondit Hanson en pivotant sur ses talons pour franchir la porte ouverte du bureau du sergent Bendix. À votre service.

Bendix était au téléphone.

— ... C'est la nouvelle politique maintenant. Droits d'entrée et de sortie réservés exclusivement aux Amérindiens ayant des papiers en règle, s'ils sont à jeun. Ça vient directement du capitaine adjoint... Au moins un quart de sang indien, dit-il en jetant un coup d'œil sous les piles de papiers qui jonchaient son bureau... Oui, exactement... Impossible pour tout le monde, ajouta-t-il, et il raccrocha.

Des certificats délivrés par des centres régionaux de formation de la police, catégories « relevé d'empreintes », « photo-
graphie » et « utilisation du détecteur de mensonge » étaient
accrochés sur le mur derrière lui, sous un diplôme de premier
cycle de psychologie émanant de l'université locale.

— Entrez, dit-il en ouvrant et refermant les tiroirs de son
bureau, cherchant visiblement quelque chose, et asseyez-
vous. Vous n'avez qu'à poser ça par terre, dit-il, désignant
d'un signe de tête le carton rempli de prospectus bleus pour
le magasin de fournitures de la police, dans lequel il avait
des intérêts.

Hanson ôta le carton de la chaise et s'assit, tandis que
Bendix poursuivait l'inspection de ses tiroirs. Les prospectus
annonçaient des « Rabais d'été » sur la poudre à empreintes,
les étuis de cheville en Nylon, et une planche à pince transparente en « Plexiglas balistique ».

— Je jetais un coup d'œil aux feuilles de stats tout à
l'heure, dit-il, abandonnant finalement ses recherches, et j'ai
constaté que Dana et vous étiez tous les deux très en retard en
ce qui concerne les infractions automobiles. À vrai dire, vous
êtes carrément en queue de peloton.

— C'est plutôt agité en ce moment. On n'a pas trop le
temps de s'occuper des chauffards.

— Le lieutenant Pullman m'a posé la question. Essayons
de lui faire plaisir.

Hanson se leva et salua Bendix avec deux doigts, à la
manière des scouts.

— On essaiera d'en épingler un ou deux pour faire plaisir
au lieutenant, déclara-t-il, après quoi il se rendit dans la salle
de rapports.

Il était arrivé de bonne heure, comme à son habitude, afin de
feuilleter les rapports criminels des équipes de nuit et de jour
pour savoir tout ce qui s'était passé dans le secteur au cours
des seize dernières heures.

Il passa rapidement en revue les rapports fixés sur les
planches à pince, les habituelles bagarres familiales, les cambriolages, les vols à l'arraché, et les signalements inutiles des
suspects : « Homme de race noire, 16/18 ans, 1 m 75, stature
moyenne, vêtu de noir. »

Mais un des rapports retint son attention : un électricien au
chômage, de race blanche, trente ans, ancien du Vietnam, un

Marine, titulaire de deux *Purple Heart*[1] décernés pour blessure en temps de guerre. Après avoir rempli les formulaires et observé la période de « décompression » de deux semaines exigée pour l'achat d'une arme à feu, il était retourné au supermarché K-Mart pour prendre livraison de son arme et d'une boîte de balles à charge creuse. Ensuite, il avait regagné son pick-up Ford 250 — immatriculé 312-BOL — garé sur le parking, il avait chargé son arme, enfoncé le canon dans sa bouche, et appuyé sur la détente. D'après l'employé à qui il avait eu affaire, l'homme paraissait pourtant d'humeur joyeuse, il lui avait souri et souhaité une « bonne journée » en repartant avec son Colt Python .357 Magnum. Numéro de série 95623.

Avant que Dana et lui reçoivent leurs .9 mm automatiques double détente, Hanson possédait un Python. Le nec plus ultra du .357 Magnum : structure renforcée, résistance de la gâchette réglée en usine. Une arme magnifique. Ils feraient fondre le Python de l'ex-marine avec le prochain lot d'armes confisquées, entreposées dans la salle des « objets trouvés » : les Rhone et les RG à crosse en plastique, les automatiques calibre .25 de pacotille, des flingues faits pour braquer les épiceries, capables de faire juste clic quand vous pressiez la détente, ou bien de partir tout seul sans prévenir quand vous le teniez dans la main. Le genre de flingues pourris que la moitié des flics de North transportaient dans leurs affaires, des « armes retrouvées par terre », au cas où ils buteraient quelqu'un qui, en réalité, n'était pas armé.

Toutes ces armes étaient balancées dans des bidons de deux cent cinquante litres : de vieux .32 aux canons percés, dont le plaquage chromé s'écaillait, des fusils à canon scié dont les crosses étaient attachées avec du fil de fer, des .22 raccourcis, des Luger de la Seconde Guerre, de vieux Mauser et des Nambu japonais enrayés par la rouille. Des stylos à gaz lacrymogène trafiqués afin de tirer une unique balle de .22, avec autant de risques de faire feu dans votre poche. Des pistolets lance-fusées provenant des surplus de l'armée, ou bien des pistolets de starter à cinq dollars, sans oublier les couteaux à cran d'arrêt, les baïonnettes, les machettes, les cutters, les bolos et les couteaux à linoléum à lame recourbée. Les bouts

1. Décoration militaire décernée pour blessure en temps de guerre. *(N.d.T.)*

de tuyau, les marteaux, les haches, les matraques télescopiques et les poings américains qui vous brisaient les doigts si vous tapiez très fort dans quelque chose.

La municipalité envisageait de fondre toutes les armes en un monument dédié à la non-violence. Hanson se représentait une sorte de sculpture abstraite, baptisée « Ailes » ou bien « Paix ».

Ou plutôt « Triste destin », songea-t-il en jetant un coup d'œil à la pendule, imaginant le Marine assis dans son pick-up, ses joues déchiquetées autour du canon, les flammes qui s'engouffrent dans son nez, brûlant ses yeux par-derrière, faisant exploser ses dents. On pourrait l'appeler « Bienvenue au pays, GI ».

Il raccrocha les planches à pince au mur et alla rincer sa tasse à café, en contemplant une affiche aspergée d'eau au-dessus de l'évier. Un dessin humoristique très réussi montrant deux flics à l'air féroce, deux montagnes de muscles, coincés à l'intérieur d'une voiture de police fonçant à toute allure ; la roue avant gauche roulait sur la gueule d'un doberman, dont la langue et les yeux jaillissaient dans une gerbe de sang formant le mot SPLASH. Les règles concernant la « Chasse aux chiens de la nuit » pour cette année étaient dactylographiées sous le dessin.

1) Les chiens peuvent être écrasés par une voiture de patrouille ou tués à coups de matraque. L'usage des fusils ou des pistolets est autorisé ; toutefois, nous déconseillons le recours aux armes de service, en violation de la législation du département.
2) Les deux officiers présents à bord de la même voiture peuvent chacun réclamer un demi-point par chien abattu. L'un des deux peut également se faire attribuer un point entier.
3) Chaque cible atteinte doit être homologuée par une autre équipe du district. Seuls les MCC, les « meurtres de chiens confirmés », seront comptabilisés.

— *Summertime..., and the livin' is easy...* chantonna Hanson en empruntant l'escalier pour monter aux vestiaires.

Une demi-heure plus tard, les voitures de l'équipe de l'après-midi quittaient le parking, sirènes hurlantes, les lumières rouges et bleues clignotant dans le soleil, tandis que Hanson jetait des notes dans son carnet de service :

40

HANSON. Matric. 487
Équipe A. – North Precinct.

15/6/75 Mardi
Dist. 562. Part. Dana F.

Sgt. Bendix/Atelier n° 39 (rétroviseur toujours pas réparé.)
Temps chaud et ensoleillé (veste encore mouillée de la nuit dernière.)

Contraventions. D'après Bendix, on est « en queue de peloton ».

Vérifier situation heures sup'.

Fox. Soi-disant Force spéciale brigade des Stups. — liste de petits dealers minables « en observation ». « On doit leur foutre la paix. »

CONNARD.

Attaque à main armée d'une boutique dans Lombard St.

Homme de race blanche. Le mot SEXE tatoué sur le majeur de la main gauche. Camionnette pick-up à châssis court, bleu et blanc, peut-être une Chevrolet.

Appeler Falcone ?

Hanson raya le mot « Connard », au cas où son carnet serait confisqué un jour par la justice, et glissa celui-ci dans sa poche revolver. Il sortit le fusil coincé sous son bras et actionna le mécanisme ; le clac-clac de l'acier huilé le fit sourire. Deux voitures plus loin, Zurbo jeta sa mallette dans le coffre d'une des nouvelles Nova, pendant que Neal allumait les lumières sur le toit, lançait un coup de sirène et vérifiait le bon fonctionnement du haut-parleur.

— Hé, Zurbo ! lança Hanson, en chargeant des cartouches rouges de chevrotine double 0 dans son fusil. Tes potes et toi vous avez repris vos petites habitudes de la nuit ?

— J'ai besoin d'heures sup'.

— Ouais, et tu veux le premier meurtre de chien de la nuit confirmé de la saison, ajouta Neal. Dis, tu te souviens d'Ira Forseman ?

— Ira Foreskin[1]. Il est retourné en taule, non ?

1. Jeu de mots : foreskin signifie « prépuce » en anglais. (N.d.T.)

41

— Il vient juste de sortir. Y a trois jours, dit Neal, en riant. Il était complètement défoncé ; il a pissé contre l'arrêt de bus cette nuit. On l'a embarqué pour attentat à la pudeur et port d'arme prohibé. Il avait un tournevis limé dans la poche.

Zurbo secoua la tête.

— Le temps qu'on finisse de remplir les paperasses, deux heures de rab, dit-il. Et vingt-neuf dollars de plus sur ma paye à la fin du mois.

— Grouillons-nous, dit Neal. Faut que je passe récupérer mon linge au pressing avant cinq heures.

Ils débouchèrent dans la rue, et la voix de Zurbo résonna dans le haut-parleur fixé sur le toit de la voiture de patrouille.

« Rendez-vous. Il ne vous sera fait aucun mal. Nous sommes vos amis. Ayez confiance, nous sommes officiers de police. »

Hanson accrocha son fusil à l'anneau métallique sous le tableau de bord, scotcha la « liste rouge » des voitures volées sur la boîte à gants, et donna un coup avec le plat de la main sur la paroi en Plexiglas maculée de salive et de morve qui séparait les sièges avant de la banquette arrière pour vérifier qu'elle était bien fixée. Quand il s'assit, les effluves de tabac froid s'échappèrent de la banquette défoncée, se mélangeant aux odeurs d'huile, d'urine, de sueur et à la puanteur aigre du vomi.

Le petit générateur d'ozone en plastique et aluminium de forme phallique installé sur le tableau de bord ne parvenait pas à filtrer les odeurs. Apparemment, il ne servait à rien. On les avait installés dans toutes les voitures le mois dernier ; ils étaient censés répandre des ions positifs qui réduisaient le stress.

L'année dernière, il avait été question d'utiliser des subventions fédérales pour installer des balises à bord de chaque voiture de patrouille, afin de pouvoir les localiser en permanence sur une grande carte électronique au QG. Les syndicats avaient flingué le projet. Ils ne voulaient pas qu'un quelconque capitaine adjoint s'amuse à coordonner les déplacements des voitures comme un général dans son hélicoptère ; pratique qui avait coûté la vie à de nombreux soldats au Vietnam.

Maintenant que la guerre était finie, le gouvernement ne savait plus comment dépenser son fric, semble-t-il. Ayant perdu au Vietnam, ils avaient décidé de mener « la guerre contre le crime » et, plus récemment, « la guerre contre la drogue », n'hésitant pas à subventionner quasiment n'importe quelle idée débile qui arrivait par la poste. Avant les générateurs d'ozone, il y avait eu les pare-chocs en caoutchouc remplis d'eau, et les amortisseurs de vibrations, pour les voitures de patrouille. La paire pesait presque trois cents kilos ; ils divisaient par deux la vitesse d'accélération et multipliaient d'autant la consommation d'essence. Quant aux lanceurs de filet à air comprimé, les « Immobilisateurs », *Non mortels, plus humains et plus acceptables pour le public*, ils n'étaient jamais arrivés jusqu'aux postes de police.

— Essayons de nous faire un ou deux chauffards, dit Dana en ouvrant la portière et en s'installant au volant, avant le coup de bourre.

Hanson décrocha l'émetteur de la radio de bord pour annoncer leur départ.

— Cinq Soixante-deux, le dernier du peloton au rapport. On démarre.

— *OK, noté Cinq Soixante-deux...* répondit le dispatcher... *il est... 16 h 10... Appel d'une autre voiture ?*

Ils s'arrêtèrent au feu rouge de Greely, où un gamin aveugle, vêtu d'un t-shirt « Black Liberation », traversa la rue juste devant eux, la tête agitée de tremblements parkinsoniens, tandis qu'il avançait en tapotant le sol avec sa canne blanche. Hanson ferma les yeux, imaginant qu'il était aveugle, jusqu'à ce que la voiture redémarre.

— Tiens, je suis tombé sur l'agent Falcone la semaine dernière, dans le centre, dit Hanson. Elle était avec un gars qui avait une tête de vendeur de bagnoles d'occasion.

— Tu vas l'appeler, oui ou non ? Tu veux peut-être que je te serve de chaperon ?

— Faut réfléchir à deux fois avant de coucher avec une femme flic, mon vieux. T'imagines la scène ? Faut d'abord qu'on enlève nos flingues et nos matraques, nos pompes de sécurité, avant de baisser nos frocs d'uniforme qui ressemblent à des sacs à patates. « Attends, ma chérie, je vais t'aider à enlever ton gilet pare-balles. » Ouch-Ouch... Un accouplement de tatous.

Ils tournèrent le dos au fleuve pour emprunter la voie rapide, où Hanson vérifia les plaques d'immatriculation en se reportant à la liste des voitures volées. Un gigantesque réseau de ponts et de rampes d'accès s'entrecroisait au-dessus de leurs têtes ; le vrombissement, la pulsation et l'écho de la circulation ressemblaient au grondement du tonnerre. Le rétroviseur latéral pendait à l'extrémité du support brisé et cognait contre la portière du passager.

— À ton avis, qu'est-ce que tu peux mettre comme petite culotte sous un pantalon d'uniforme ? À moins que toutes les femmes flics portent des caleçons ?

Les énormes moyeux chromés d'un semi-remorque les dépassèrent au moment où ils empruntaient la bretelle de sortie.

— Ce qu'on devrait faire, c'est aller boire un café et prévoir un plan pour la journée. J'ai besoin de me réveiller. On aura encore le temps de choper un ou deux chauffards.

— Voilà une excellent idée, dit Dana. Il nous faut un plan.

Ils empruntèrent Union Avenue en direction du sud, observant les voitures qui passaient, les voitures arrêtées, les plaques d'immatriculation, les conducteurs, les passagers, les piétons... observant les mains et les yeux des gens, leur façon de réagir en apercevant une voiture de police.

— Tu vois cette petite boutique ? dit Dana. Compte tenu de la classification du quartier, on pourrait faire trois apparts' à l'étage. Le proprio en réclame seize mille. Mais Helen pense qu'il va baisser.

— Je fais équipe avec l'empereur des taudis.

— Sans biens locatifs, les impôts nous tueraient, dit Dana, tandis qu'ils continuaient d'observer les portes et les fenêtres, le reflet de la voiture de police qui glissait sur les vitrines des boutiques, les employés et les clients à l'intérieur.

Ils jetaient des coups d'œil dans les ruelles et les rues perpendiculaires, en tendant l'oreille, vitres baissées.

— Tiens, regarde qui est là, dit Hanson, les yeux fixés sur le rétroviseur branlant. LaVonne !

— Dans la vieille Eldorado de Luther, dit Dana.

— Allons faire chier LaVonne.

Dana regarda son collègue. LaVonne Berry figurait sur la liste des Stups de Fox.

— C'est notre secteur, dit Hanson. Et c'est notre *boulot* de faire chier LaVonne. J'en ai rien à foutre, moi, de cette putain de came. Il peut dealer toute la came qu'il veut, mais c'est un sale con. Tu te souviens comment il a pété le bras d'Ira Johnson avec un cric ? Sans raison ! Fox et ses potes des Stups n'auront qu'à trouver quelqu'un d'autre à foutre « en observation ».

Dana ralentit, afin que l'Eldorado soit obligée de s'arrêter à leur hauteur au prochain feu rouge. Les vitres latérales et arrière de la voiture étaient fumées, mais le chauffeur, un jeune Noir musclé, vêtu d'un débardeur doré, avait baissé sa vitre.

— Il va nous ignorer. Tu penses, il voit même pas la bagnole de flic tellement il est cool, ironisa Hanson.

Il le regardait fixement, en se concentrant sur son oreille gauche.

— Hé, LaVonne, murmura-t-il, et sa voix se perdit parmi les bruits de la rue. On est là...

Les muscles du cou de LaVonne se tendirent ; sa tête pencha légèrement vers la gauche.

— LaVoooonne.

Dana, les yeux fixés sur le feu rouge, s'esclaffa.

— LaVooonne. Allons, juste..., roucoula Hanson, alors que le feu de la rue transversale passait à l'orange... un petit regard.

LaVonne tourna lentement la tête, il croisa le regard et le sourire mauvais de Hanson. « Je t'emmerde », articula-t-il sans bruit, et releva les yeux vers le feu. Celui-ci passa au vert, et les pneus de l'Eldorado crissèrent au moment de l'accélération. Dana se faufila derrière lui, en branchant le gyrophare, pendant que Hanson signalait par radio leur emplacement et le numéro d'immatriculation. Ils le suivirent sur plus d'un bloc ; les lumières bleues et rouges se reflétaient sur la vitre arrière fumée. Finalement, Hanson lança un coup de sirène et l'Eldorado bondit par-dessus le trottoir pour pénétrer sur le parking d'un magasin d'accessoires autos en faillite. LaVonne descendit de voiture, verrouilla les portières et s'adossa contre la carrosserie.

— Je pourrais peut-être le convaincre d'aller directement en prison, dit Hanson.

Il s'avança vers lui.

— Salut, LaVonne ! dit-il en agitant son index de manière réprobatrice. J'ai bien vu que tu me matais en douce tout à l'heure.

LaVonne regardait passer les voitures dans la rue, comme

45

si Hanson n'existait pas. Dana se pencha au-dessus du coffre, pour regarder à travers la vitre arrière.

— Tu trimballes de la came là-dedans ? demanda Hanson.

Les biceps du Noir, couturés de vergetures d'effort, roulèrent lorsqu'il croisa lentement les bras ; il inclina la tête et cracha sur le trottoir.

— On a entendu dire que tu vendais des substances dangereuses.

— J'ai pas de temps à perdre, Hanson.

Dana contourna la voiture par-derrière et se pencha pour regarder à travers la vitre fumée, en mettant sa main en visière. LaVonne fit mine de ne rien remarquer, mais Hanson nota la tension dans son cou et dans ses yeux ; il se rapprocha.

— De l'héroïne viet, à ce qu'il paraît.

— Je vois rien à travers ces saloperies de vitres teintées, dit Dana, en relevant la tête au moment où Fox et Peetey passaient au ralenti à leur hauteur, à bord de leur camionnette.

— Si on jetait un petit coup d'œil vite fait à l'intérieur ?

— Z'avez un mandat ?

— Pour être totalement franc... non. Mais...

— Dans ce cas, j'ai rien à vous dire.

— Mais tu pourrais accepter qu'on fouille ton véhicule.

Dana tira sur la poignée de la portière, faisant trembler la voiture. Pendant que Dana continuait son discours :

— Et tu ferais enfin taire toutes ces rumeurs, une bonne fois pour toutes.

LaVonne regarda Dana par-dessus le toit de l'Eldorado.

— Soyez gentils de pas foutre vos pattes sur ma bagnole.

— Ou bien, tu pourrais faire des aveux, enchaîna Hanson, et commencer une nouvelle vie. Tu pourrais même suivre des cours par correspondance en taule, et quand tu sortiras, tu pourras peut-être t'inscrire à la fac, qui sait ? Et obtenir un diplôme de... psychologie, peut-être. L'étude de l'âme humaine. On a besoin de...

LaVonne cracha de nouveau sur le trottoir, juste devant Hanson.

— Ça y est, c'est terminé ?

— Promets-moi d'y réfléchir.

— Tiens, espère, répondit-il en s'empoignant l'entrejambe. Bon, les affaires m'appellent, dit-il en récupérant ses clés dans sa poche.

— J'en ai pour une minute, le temps de remplir le PV, dit Hanson en sortant son carnet de procès-verbaux. (Il fit tourner les pages et commença à écrire.) Tu m'as l'air en pleine forme, vachement impressionnant. T'as soulevé de la fonte en taule ?

— Un PV pour quelle raison ?

— Tu te souviens pas que t'as fait crisser tes pneus ? (La tête penchée sur le côté, Hanson continuait d'écrire.) On appelle ça du « tapage ». Et quand les pneus dérapent comme ça, expliqua-t-il, lentement comme s'il s'adressait à un retardé mental, ça signifie qu'on n'est pas maître de son véhicule. (Il releva la tête et sourit à LaVonne.) C'est une infraction au code.

— C'est une putain de honte, ouais, voilà ce que c'est ! Une putain de...

— De quelle couleur elle est ta voiture ? demanda Hanson en tapotant son carnet avec son stylo. Je sais pas quoi mettre dans la case « Couleur du véhicule ». Orange ?

— Ocre, dit Dana.

— Ocre ? répéta Hanson. Jamais entendu ça.

— Kaki, dit LaVonne. On appelle ça kaki comme couleur.

— Lui, il dit kaki, répéta Hanson en s'adressant à Dana, avec un regard entendu, transpirant sous l'effet de l'adréna-line, au comble de la joie.

— Allez-y, remplissez votre connerie. J'ai des trucs à faire, moi, déclara LaVonne, et il cracha de nouveau, atteignant presque la chaussure de Hanson.

Dana marcha vers l'avant de l'Eldorado, s'arrêtant pour regarder à l'intérieur à travers le pare-brise, examinant la calandre, les pare-chocs, entretenant l'inquiétude de LaVonne.

— Tu peux te présenter au tribunal et exposer tes argu-ments, dit Hanson, en continuant à remplir les cases du PV. Mais si tu craches sur mes chaussures, tu vas te retrouver en taule.

— Sans votre insigne et votre flingue, vous êtes que dalle.

Hanson sourit.

— Oh... je crois pas, dit-il en se rapprochant, et sondant les yeux jaunes injectés de sang de LaVonne, au-delà des iris tachetés de brun, à travers la pupille noire, jusque dans le cerveau. Je crois que je suis immortel. (Il changea de posture, très légèrement, imaginant le sang et la morve coulant du nez cassé de LaVonne.) Tu vois ce que je veux dire ? dit-il, imaginant les lèvres fendues de LaVonne, les dents roses de sang, voyant déjà le tableau, imprimant la douleur sur son visage, la peur dans ses yeux, se rapprochant encore, jusqu'à sentir son haleine. LaVonne se colla contre la voiture, et regarda le ciel.

— Tenez, M. Berry, dit Hanson en lui tendant le PV que LaVonne plia en deux pour le mettre dans sa poche. Merci de votre coopération, monsieur, ajouta Hanson, avec un petit salut militaire. Et bonne journée.

LaVonne remonta en voiture, et ils le regardèrent partir, au moment où Fox et Peetey se garaient derrière la voiture de patrouille.

— Hé, dit Hanson à Dana, ça m'a réveillé ce truc-là. Et vise-moi ça, dit-il en agitant fièrement son PV.

Fox, avec ses lunettes de soleil enveloppantes sur le nez, les regarda marcher sur le trottoir. C'était un grand type, au moins 1 m 90, et sec. Ses cheveux noirs formaient une pointe dans sa nuque, à peine réglementaire.

— On vous a pas mis au courant tous les deux ? lança-t-il en penchant la tête par la vitre, du côté passager.

— Au courant de quoi ? demanda Hanson.

— Faut pas faire chier LaVonne Berry. On a conclu un arrangement avec les Stups ; faut surtout pas lui foutre la trouille.

— On avait vachement besoin d'épingler un chauffard.

Fox le dévisagea.

— Ouah ! s'exclama-t-il. Je parie que les junkies et les putes se pâment littéralement quand tu leur jettes ce regard. En tout cas, c'est l'effet que ça me fait.

Dana posa la main dans le dos de Hanson, pour l'obliger à avancer.

— Désolé, les gars, dit-il. C'était de ma faute.

Fox secoua la tête. Il ôta ses lunettes de soleil et sourit à Dana, comme s'ils étaient deux vieux soldats. Dana était très respecté parmi ses collègues, et beaucoup se demandaient comment il pouvait s'entendre avec Hanson. Fox tourna vers ce dernier ses yeux rougis.

— À l'époque où j'étais ton officier instructeur, dit-il, je pensais que tu deviendrais peut-être un bon flic. J'avais tort. Pour toi, tout n'est qu'une farce. Erreur, mon vieux.

Fox adressa un signe de tête à Dana, et lança à Peetey par-dessus son épaule :

— Allons-y.

Il se renversa au fond de son siège, alors que la camionnette repartait.

— Essayons de choper un autre chauffard, avant d'annoncer au dispatcher qu'on est disponible, dit Hanson. Ça commence à me plaire de jouer à la police de la route.

À l'extrémité du pâté de maisons, une Dodge quatre portes bleu métallisé démarra ; ils la regardèrent se faufiler au milieu des voitures, jusqu'à ce qu'elle talonne la camionnette de Fox. Ce n'était pas quelqu'un appartenant à une des brigades locales.

Une pancarte « À vendre » était accrochée sur la vitre du Hollywood Market, une petite épicerie familiale, et Dana nota le numéro de téléphone sur sa planche à pince lorsqu'ils passèrent devant. La boutique était fermée depuis plusieurs mois, depuis que le propriétaire, M. Constanzo, avait été ligoté et abattu d'une balle derrière la tête. Mme Constanzo, violée et frappée à coups de pistolet au visage, était dans le coma, quasiment morte, quand la police était arrivée sur les lieux. Elle avait été enfermée dans la minuscule salle de bains pendant qu'une bande pillait la boutique, emportant ou détruisant tous les indices éventuellement laissés par les meurtriers.

— La compagnie d'assurances a sans doute fini par s'arranger avec Mme Constanzo, commenta Dana en rétractant la mine de son stylo avant de le ranger dans sa poche.

Hanson pénétra en marche arrière sur le parking désert au coin de Union et Dekum, d'où ils pouvaient surveiller les feux tricolores des deux rues. Mais les automobilistes roulant vers le sud ou l'ouest, eux, découvraient la voiture de police juste avant d'arriver au croisement.

— Combien de contraventions ce mois-ci ? demanda Hanson.

— Trois.

— Moi, deux. J'arriverai jamais à dix avant la fin du mois.

— Il le faut, mon gars, il le faut, dit Dana. Larry le Dingo va piquer sa crise sinon, et il va nous faire chier. Tu l'as bien vu jeter un coup d'œil par la porte pendant l'appel.

« Larry le Dingo » était le surnom du lieutenant Pullman. Deux ans plus tôt, il avait eu à gérer une prise d'otages au commissariat central, et un de ses hommes avait tué un otage

— la grand-mère du gangster, âgée de quarante-huit ans — au moment où elle s'enfuyait par la porte de derrière. Elle avait reçu une balle de fusil calibre.12, de la taille d'une balle de golf. Ça faisait mauvais effet à la télé. Et cela avait valu au lieutenant Pullman d'être transféré à North Precinct ; il se démenait maintenant pour décrocher le grade de capitaine et foutre le camp. Pendant que les feux changeaient régulièrement de couleur, Hanson et Dana observaient une rue d'abord, puis l'autre ; les voitures qui redémarraient, s'arrêtaient. Le feu passa du vert à l'orange, et Hanson s'adressa à une coccinelle rouge qui roulait dans Union Street, au sud :

— Allez, allez, vas-y..., disait-il, penché en avant, la main sur le levier de vitesses. Allez... Grille le feu...

La voiture s'arrêta en douceur.

Ils observèrent les voitures qui roulaient dans Dekum, à l'ouest.

Puis dans Union Street, au sud.

Un jeune Blanc qui conduisait une camionnette portant l'inscription DEWEY, LE DOCTEUR DES SERRURES, peinte sur le côté, s'arrêta au feu et montra Hanson du doigt.

— Alors, on tend un piège aux citoyens innocents ? cria-t-il.

— Personne n'est innocent, Johnny, répondit Dana dans le haut-parleur.

Quand le feu passa au vert, Johnny leur fit un signe de la main et redémarra. Le feu passa à l'orange.

— Au fait, comment va le clébard ? demanda Dana.

— Truman ?

Le feu passa au rouge. Ils tournèrent la tête vers Union Street.

— C'est chouette d'avoir quelqu'un à qui parler, dit Hanson.

— *Cinq Quatre-vingts*, dit la radio.

— Cinq Quatre-vingts à l'écoute, répondit la voiture de patrouille.

— *Cinq Quatre-vingts, on nous a signalé un type à poil dans la rue, au coin de la 17ᵉ et de Killingsworth. Il tient un truc entre ses yeux...*

— Quoi ? Vous pouvez répéter la dernière phrase ?

La radio produisit un bourdonnement au moment où le dispatcher branchait son micro au centre de liaison ; des rires résonnèrent à l'arrière-plan.

— Euh... Cinq Quatre-vingts. C'est ce qui écrit sur ma fiche. « Il tient quelque chose entre ses yeux. »

— OK., on va voir ça, répondit Cinq Quatre-vingts, en ajoutant : On vous tient au courant.

Ils entendirent la radio d'Aaron Allen, avant d'apercevoir la vieille Cadillac qui roulait en direction du nord dans Union. La peinture de la carrosserie à 39,95 dollars, avec des traces de coulures, s'était décolorée, la rouille traversait les finitions comme des rougeurs cutanées. La capote en vinyle, craquelée et marron, se détachait du toit par lambeaux, l'enduit de rebouchage émietté formait une croûte sur les ailerons. Cette voiture évoquait dans la mémoire de Hanson un cadavre démembré qui était remonté à la surface du fleuve l'été dernier.

Les pulsations des basses rebondissaient contre les vitrines des boutiques condamnées par des planches, derrière la voiture de patrouille, de plus en plus fortes à mesure que la Cadillac approchait de l'intersection.

— *Dum*-dum, *Dum* -dum, *Dum* – dum, faisait Hanson, au rythme de la radio, imitant le thème du requin de la musique des *Dents de la mer*, le film que projetaient tous les cinémas cet été-là.

Aucun des quatre adolescents à bord de la Cadillac n'avait plus de quinze ans. Minces et gracieux comme des danseurs, des gosses de la rue sans père, sans moralité ni conscience de l'avenir, ils subvenaient à leurs besoins grâce à des vols de sacs à main, des cambriolages, du vol à l'étalage ou des attaques à main armée.

Le feu passa à l'orange.

— Allez, vas-y, petit salopard, murmura Hanson. Ah, merde ! dit-il en voyant la voiture, aussi grande qu'un yacht, s'arrêter par à-coups, en tanguant sur les amortisseurs usées, avec sa cargaison d'enfants redevenus sauvages qui agitaient la tête et les épaules sur la chanson, tels des serpents qui attaquent, pendant que le DJ beuglait par-dessus la musique.

« ... vous entendez c'que j'dis ? Vous êtes avec le seul, l'unique, le mondialement célèbre, le légendaire Wardell ! Branchez-vous sur moi ! Je vais vous... vider... la tête ! Jusqu'à minuit, lorsque Mister Jones en personne, fidèle au rendez-vous, vous emmènera au bout d'la nuit... La parole est à vous, mes chéris, et j'suis au téléphone avec... comment tu t'appelles, baby ? Raylene ? Salut, Raylene ! Alors, ça boume, Raylene ? Hein ? Oh... Hmm... Non, baby... »

Aaron se tourna vers les deux policiers ; ses yeux de requin étaient noirs comme des têtes de clou.

Le feu passa au vert, et ils repartirent, tandis que Wardell, le DJ, parlait dans une sorte de chambre d'écho : « ... aveeeec les rois des platiiiines... et c'est partiiiii pour la Sex Machine... *get it up now, check it out...* »

Hanson compara le numéro d'immatriculation avec celui figurant sur la fiche « Aaron Allen » dans la boîte à chaussures remplie de photos d'identité judiciaire. Il n'y avait pas de photo sur la fiche. Pour avoir le cliché d'un mineur, il fallait une autorisation du tribunal, quasiment impossible à obtenir.

Une ancienne voiture de police, dont les blasons transparaissaient à travers une couche de peinture noir mat, traversa le carrefour, en laissant derrière elle un sillage de fumée bleue. Le conducteur, un Blanc, regarda fixement les deux flics, derrière des lunettes de pilote de char provenant d'un surplus de l'armée.

— Détérioration de matériel, commenta Dana. Fumée excessive. C'est pas un chauffard.

— Ça ressemble à une voiture de chez nous, dit Hanson.

Le feu tricolore avait accompli deux cycles complets quand Hanson déclara :

— Tiens, Mister Fumée Excessive est sorti de sa bagnole, justement.

Il se trouvait un pâté de maisons plus loin, le dos bien droit, le menton levé, marchant vers eux à grandes enjambées, comme s'il comptait chacun de ses pas. Le soleil de l'après-midi se reflétait sur l'énorme boucle argentée de sa ceinture, et les bouts en acier de ses bottes de cow-boy noires rougeoyaient comme des braises.

— On dirait un écolier obèse qu'aurait grandi, dit Dana.

— Je ressemblais plus ou moins à ça quand j'essayais de défiler au pas, dit Hanson. Mon officier instructeur disait que je marchais comme si j'avais une batte de base-ball dans le cul.

Le type en question était grand et extrêmement pâle, vêtu d'un pantalon noir et d'une chemise noire à manches longues boutonnée jusqu'au col, avec des auréoles de sueur blanches sous les bras. Ses cheveux blonds étaient pratiquement rasés, et il avait une petite radio accrochée à la ceinture, avec un fil qui montait jusqu'à son oreille.

— Ils viennent de le libérer de je ne sais où, dit Hanson, un œil fixé sur le feu tricolore.

— Un individu pas comme les autres, dit Dana. Il est branché sur un monde totalement différent.

Arrivé au coin, le type regarda des deux côtés de l'avenue, exécuta un demi-tour à droite droite et traversa la rue.

— Parfait, commenta Hanson en sortant son arme, qu'il tint cachée juste en dessous de la vitre baissée.

— Aucun dingue ne te résiste, dit Dana, tenant son pistolet entre sa cuisse et la portière. L'ami du psychopathe. Je me demande ce qu'il faut en penser.

Le type marcha tout droit vers la voiture, du côté de Hanson, et se pencha vers la vitre. Derrière les verres en plastique rayés, ses yeux bleus larmoyants étaient dilatés.

— Vous désirez, monsieur ? demanda Hanson en observant les petites mains pâles de l'homme.

— Vous connaissez les consignes, répondit-il en lançant un regard vers la station-service désaffectée, de l'autre côté de l'Avenue, où deux taxis étaient arrêtés côte à côte, pendant que leurs chauffeurs discutaient. On peut pas parler de ça dans la rue.

Son haleine sentait le pop-corn brûlé.

— Pourquoi ?

— Allons, vous le savez bien, dit-il en faisant glisser ses lunettes autour de son cou.

D'un brusque mouvement de tête, il désigna les deux taxis, et comme Hanson continuait de le dévisager, il demanda :

— Vous êtes passé par l'école de police, non ?

Hanson acquiesça, en s'obligeant à respirer par la bouche. L'odeur de brûlé de l'haleine du type envahissait la voiture.

Celui-ci ricana, puis regarda Hanson comme s'il attendait la *vraie* réponse.

— Éloignez-vous un peu de cette voiture, dit Hanson.

Dana ouvrit sa portière ; il posa un pied sur le trottoir.

— Vous vous souvenez pas de moi, vraiment ? OK. C'est pas grave. Tant pis. Mais vous croyez pas que...

Soudain, il se détourna et s'empressa de remettre ses lunettes, tandis qu'un gamin noir passait sur le trottoir, vêtu d'un vieux blouson de fac trop grand, avec un énorme « C » dans le dos. Quand il se fut éloigné, le type regarda Hanson à travers ses lunettes, comme pour dire : « Alors, vous pigez *maintenant ?* » Finalement, il poussa un soupir et demanda à Hanson :

— Que dit votre manuel à ce sujet ?

— Quel sujet ?

— Oh, OK. Très bien. Le mépris. Pour l'instant. Mais ça vous paraît pas *un peu* louche... deux chauffeurs de taxi noirs arrêtés de l'autre côté de la rue ?

Il regarda les deux taxis par-dessus le toit de la voiture de police, ôta son oreillette, la tapota contre la voiture, et la remit en place. Pour écouter.

— Simulation d'incident critique, dit-il. OK ?

— Simulation d'incident critique ? répéta Hanson en se tournant vers Dana, le sourcil dressé.

— Vous avez rien pigé, les mecs, hein ?

Il regarda ses pieds, puis renifla avec mépris. Se penchant à l'intérieur de la voiture, il essaya de sourire, mais son sourire ressemblait davantage à une grimace, comme s'il avait mal aux dents, des dents de la couleur d'une huile de moteur sale.

— C'est quoi l'autre nom pour...

Dana était descendu de voiture ; il recula jusqu'à la portière arrière.

— Et toi, c'est quoi ton nom ? demanda-t-il par-dessus le toit.

Ayant jeté un coup d'œil aux deux taxis derrière lui, le type sortit son portefeuille et, le tenant en dessous de la vitre, il l'entrouvrit, juste assez longtemps pour permettre à Hanson d'apercevoir une carte d'« Enquêteur spécial » provenant d'une pochette-surprise, avec dans un coin sa photo au format timbre-poste.

— Mon nom, c'est Dakota, déclara-t-il en faisant claquer son portefeuille. (Il regarda Hanson.) Je comprends, dit-il. Ça fait longtemps.

Voyant un des deux taxis sortir du parking, il ajouta :

— J'ai plus le temps, les gars. J'aurais pas dû m'arrêter.

Il s'éloigna de la voiture à reculons, comme dans un duel au pistolet, exécuta un brusque demi-tour à gauche et poursuivit son chemin.

Hanson haussa les épaules.

— J'ai jamais vu ce type-là.

— Drôle de bonhomme, n'est-il pas ? dit Dana en rengainant son arme, avant de remonter en voiture.

— Oh oh, fit Hanson en balayant l'air avec sa main. Il reçoit ses ordres par radio.

— *Cinq Soixante-deux. Pouvez-vous vous occuper d'un problème d'origine indéterminée au magasin Safeway au coin de Union et Killingsworth ?*

— On dirait que c'est pour nous, dit Dana en décrochant le micro. C'est parti, déclara-t-il. Qui a appelé ?

— *Le correspondant a raccroché. Il a dit qu'il était au secteur produits alimentaires.*

La salle des rapports sentait le café, la grosse cafetière gargouillait, tandis que l'équipe de l'après-midi achevait de rédiger les paperasses et que la relève de nuit revenait des vestiaires en traînant les pieds.

— Hanson, dit le lieutenant Pullman en passant la tête par la porte entrouverte. Vous pouvez venir dans mon bureau une minute ?

— Tout de suite, lieutenant, répondit Hanson, et il le rejoignit dans le couloir.

Arrivé dans le bureau, Hanson agita à bout de bras le PV de LaVonne.

— Vous voyez, monsieur, je m'occupe des chauffards.

— Asseyez-vous, dit Pullman, avec un hochement de tête approbateur. Je suis content de vous voir. Vous avez fait de l'excellent travail dans cette histoire de fusillade dans l'épicerie.

Il sortit le rapport de sous une pile de vieux « Bulletins de sécurité des agents », expédiés chaque fois qu'un policier était tué en accomplissant son devoir ; des dépêches bordées de noir qui résumaient l'accident et soulignaient, après coup, toutes les conneries commises par le défunt.

— En lisant vos rapports, on sent que vous êtes allé à la fac.

— Merci, lieutenant.

— Félicitations également pour la perquisition du mois dernier. Ce n'était pas à la portée du premier venu.

Hanson acquiesça et se dirigea lentement vers la porte.

— *Appel d'une autre unité ?* demanda le dispatcher à la radio, dans le bureau du lieutenant Pullman.

— L'université, ajoutée à votre formation et votre expérience des Forces spéciales. Une nouvelle race de policiers ! Promis à un brillant avenir... Quel est le problème entre vous et l'inspecteur Fox ? De vous à moi.

— Simple conflit de personnalités, lieutenant.

— J'aimerais que vous mettiez ça de côté pour vous joindre à Fox dans la guerre que nous essayons de mener contre la drogue. Servez-vous de votre expérience et de votre potentiel.

Hanson acquiesça.

— *Je vous écoute, Cinq Quarante.*

— Je voudrais vous avoir dans l'équipe.

À l'étage du dessus, Zurbo brancha son magnétophone, la musique du film *Les Vikings*. « *Qui prend la mer avec Ragnar ?* », brailla-t-il, et sa voix traversa le plafond. Il frappa dans la porte de son vestiaire qui se referma avec fracas.

Agacé, le lieutenant Pullman leva les yeux vers le plafond, avant de revenir sur Hanson.

— Réfléchissez-y.

— Oui, lieutenant.

— Merci de votre collaboration.

— *Reçu Cinq Quarante. Deux adultes sexe masculin, coincés à... 23 h 43.*

À l'autre bout de la ville, dans un quartier miteux, la chambre de Dakota était plongée dans l'obscurité ; elle sentait la cire et le plastique brûlé. La seule lumière provenait du clignotement du scanner de la police, volume au minimum. *Reçu Cinq Quarante... Deux adultes...*

Au deuxième étage du commissariat central, le haut-parleur de la radio crachota sur le mur du fond dans le bureau de Fox, à la brigade des stupéfiants et des mœurs... *deux adultes de sexe masculin coincés à... 23 h 43.*

Fox se renversa dans son fauteuil, les yeux fixés sur l'écran d'ordinateur. Il tapa sur son clavier le nom et le numéro de sécurité sociale de Hanson, et enfonça la touche ENTER.

Hanson fit une halte au bar de l'association sportive de la police, avec l'intention de boire une ou deux bières avant de rentrer chez lui, mais il aperçut Debbie Deets assise seule dans le box du coin, et une demi-heure plus tard, il la suivait chez elle.

Debbie était une groupie de flics, une fonctionnaire qui travaillait aux Archives, un job qu'elle avait choisi pour se retrouver au milieu des flics. Elle était folle des flics, et réputée pour ses talents de suceuse. La peau claire, avec des cheveux bruns coupés court et des lèvres épaisses, c'était une jolie fille qui avait tendance à prendre du poids, surtout durant l'hiver, mais parvenait toujours à perdre les kilos superflus chaque été pour porter des minishorts et des débardeurs.

Elle partageait un appartement avec une colocataire dans une de ces nouvelles résidences destinées aux « célibataires partouzards », un ensemble de constructions en séquoia et cèdre, si récents qu'ils sentaient encore le plâtre et le bois brut. Le nom de la résidence, « Habitat 2 », était gravé dans un rondin de cèdre éclairé par un spot à l'entrée, et Hanson songea à l'empilement sophistiqué de cages à gerbilles que Zurbo avait installé dans son garage pour sa fille.

L'ameublement du living-room se composait de chrome et de verre, de sapin veineux polyuréthané, avec un morceau de tronc d'arbre en guise de table basse et des reproductions high-tech érotiques de femmes et de voitures de sport. Debbie sourit et posa son doigt sur ses lèvres alors qu'ils passaient devant la chambre de sa colocataire. Hanson remarqua que la pierre de sa bague, qui changeait en fonction de son humeur, avait viré au noir.

Elle mit une cassette de John Denver, puis lui apporta une Heineken et une chope glacée. Après avoir examiné les feuilles de la fougère suspendue dans un panier en macramé, elle les aspergea d'eau à l'aide d'un petit atomiseur en cuivre, pendant que Hanson feuilletait un numéro de *Playboy* posé sur la table basse.

— Tu savais, dit Debbie en soulevant les longues feuilles tombantes de la fougère l'une après l'autre pour les arroser, qu'ils ont branché des détecteurs de mensonge sur des plantes vertes, et il paraît qu'elles possèdent des signes d'intelligence. Incroyable, non ?

Hanson lui sourit et hocha la tête, assis au pied du waterbed, se balançant lentement en feuilletant le magazine, essayant de se souvenir quand il était venu ici pour la dernière fois.

— C'est la vérité, elles réagissent au... stimulus, reprit Debbie en l'obligeant à s'allonger sur le matelas qui tressautait en émettant des gargouillis. Amuse-toi bien, dit-elle en lui ôtant ses chaussures. Je reviens tout de suite.

Pendant qu'elle était dans la salle de bains, Hanson examina la bibliothèque vitrée, encastrée dans la tête de lit en bois massif. *La Femme complète. La Femme sensuelle. Je suis bien, tu es bien. Jonathan Livingston le goéland.*

« Le soleil sur mes épaules me rend heureux... », chantait John Denver. « Sacrément *sensible*, ce salopard », pensa Hanson.

Ouvrant le tiroir de la table de chevet, il trouva : *Le Régime qui vous sauve la vie, La Révolution diététique du Dr Atkins,* et *Découvrir l'énergie et vaincre le stress.*

« Le soleil, dans les yeux, parfois me fait pleureeeer... », chanta-t-il avec John Denver, en sortant du tiroir un vieil exemplaire écorné de *Plaisir du sexe*, maculé d'un rond de café sur la couverture, et le feuilleta : dessins sages, mais réalistes de couples et de trios, parfaitement détendus, en train de se caresser, de se tripoter, de se sucer et de se pénétrer dans une sorte de léthargie. « Un bon travail des mains et de la bouche est l'assurance quasi certaine d'avoir un bon partenaire », affirmait le livre.

Hanson étudia un couple en pleine séance de « bondage sans violence », et le texte qui affirmait : « Les chaînes créent un aspect de contrainte, délicieusement affriolant et très en vogue ; en outre, elles sont du plus bel effet sur la peau nue. Assurément, certaines personnes sont excitées à l'idée d'être frappées, et dans ce cas, il faut essayer. »

— Alors ?

Debbie portait un bikini string rouge, trois triangles de Lycra retenus par des liens, avec des nœuds sur les épaules et les hanches. Elle se retourna pour lui offrir une vue de derrière.

— J'ai travaillé mon bronzage, dit-elle.

— Tu es super comme ça, dit Hanson, et c'était vrai.

— Tu te cultives ? demanda-t-elle en désignant le manuel *Plaisir du Sexe* d'un mouvement de tête. Je vais t'aider.

Plus tard, alors qu'elle était couchée sur lui, la tête posée au creux de ses cuisses, elle renversa la nuque, colla ses lèvres contre le bas de son ventre et émit un long sifflement moqueur. Il sentit son gloussement étouffé contre son ventre.

— Alors, c'était comment ? Comment tu te sens ? C'était bon ?

— Super, répondit Hanson en regardant la tasse « smile » posée sur la commode, et qui se reflétait dans le miroir teinté de rose. Génial.

— Ça m'excite de donner du plaisir.

Hanson s'endormit en écoutant le mugissement du vent dans le couloir entre les appartements. Les fenêtres en aluminium vibraient chaque fois qu'un gros camion rétrogradait pour emprunter la bretelle d'autoroute.

Il se réveilla, avec la gueule de bois, en entendant des cris, et le martèlement du *Whole Lotta Love* de Led Zeppelin à travers le mur de la chambre voisine. Il se leva, laissa un mot pour Debbie, et se faufila dans le living-room. Un type blond avec une coupe afro hirsute et une chaîne en or autour du cou était couché sur le divan, en caleçon ; il fumait une cigarette.

— Salut, mec, dit-il. T'irais pas vers l'East side, par hasard ?

— Non, désolé, mentit Hanson. Faut que j'aille dans le centre.

— Pas de problème. Bonne journée.

Hanson quitta l'appartement, en refermant la porte derrière lui.

À l'est, près de l'aéroport, des avions qui attendaient de pouvoir atterrir flottaient dans le ciel comme des ovnis.

3

ILS S'ARRÊTÈRENT pour boire un café au Town Square sans en avertir le dispatcher. L'un et l'autre avaient des portables à la ceinture, des talkies-walkies miniatures leur permettant de capter à distance les messages radio.

Le Town Square était frais et humide, comme l'intérieur d'un réfrigérateur qui aurait eu besoin d'être nettoyé. C'était la « fête des mères », le jour où arrivaient les chèques des allocations, et le bar était bondé.

— Faites gaffe, lança une femme installée au comptoir. Z'avez intérêt à vous tenir à carreaux, v'là la police.

Personne ne tourna la tête, les regards ne quittèrent pas le téléviseur posé sur l'étagère, au-dessus de la caisse. L'image floue, vibrante de bleus et de verts irréels, se déformait, puis retrouvait une apparence normale toutes les trois secondes, tandis que Godzilla avançait en titubant au milieu des citernes d'essence qui explosaient, transformant d'un revers de la main des gratte-ciel en poussière de plâtre et poutrelles tordues.

— Ouais ! beugla quelqu'un au bar. Le loyer ? C'est le loyer que tu veux, enfoiré ? Tiens, mon mec Godzilla va s'occuper de toi !

Une centaine de figurants japonais s'enfuient en hurlant, sous une pluie de blocs de béton. L'un d'eux tend le doigt, et sa bouche ne cesse de remuer — sans émettre un son — jusqu'à ce qu'une voix calme, s'exprimant en anglais, sorte de sa gorge : « Regardez. Voici le monstre. »

— Grouillez-vous, les bridés ! lance quelqu'un assis à une table dans le coin. Foutez le camp !

— On aurait dû l'incorporer dans l'armée, le père Godzilla. Et l'expédier chez les Viets ! Ce putain de pays serait à *nous* maintenant !

Le film céda la place à un présentateur du journal télévisé, qui leva les yeux de son bureau, cravate desserrée. « Les titres de 18 heures, annonça-t-il. Les États-Unis accusés d'avoir abandonné leurs alliés au Vietnam, et, poursuivit-il, avec cette fois un sourire, un regard en coulisses à Las Vegas dans un... »

Hanson contourna la cloison séparant le bar du comptoir du snack, avec ses fleurs en plastique, ternies par la graisse et la poussière, parsemées des cadavres scintillants de mouches vertes.

— Salut, Gladys, dit-il en s'asseyant au comptoir.

Gladys leva les yeux de son magazine, le *Watchtower* ; ses lunettes à montures bigarrées agrandissaient ses yeux.

— Salut, Hanson. Café ?

— Oui, m'dame, si ça vous ennuie pas.

— Et pour moi aussi, dit Dana en s'asseyant à son tour.

— Deux cafés, dit Gladys.

En entendant la voix de Fox dans le portable, Hanson monta le son, les yeux fixés sur l'appareil.

— *Allez-y, Bravo One.*

— Serait-il possible de retrouver la voiture de patrouille au coin de Mississipi et Fremont ?

— *Cinq Soixante-deux ?*

Hanson prit le portable, jeta un regard à Dana, puis parla dans le micro.

— Euh, en fait, on est assez loin du secteur, mentit-il. Près de l'aéroport...

— *Vous êtes la seule voiture disponible, Cinq Soixante-deux. Bravo One veut vous parler sur le canal 3.*

Hanson plaqua le micro contre sa cuisse.

— Nous, on veut parler à personne. OK., je passe sur le 3, dit-il dans le micro en tournant le bouton des fréquences de la radio. Tiens. (Il tendit le portable à Dana.) Tu lui parles, toi.

— Bravo One. Cinq Soixante-deux. Qu'y a-t-il ? demanda Dana.

— *Euh... Cinq Soixante-deux. On est sur un gros coup dans votre secteur, et on aurait besoin de quelques renforts.*

Hanson roula les yeux, en faisant « non » de la tête.

— On n'est pas dans le coin, dit Dana.

61

— *Tant pis, on vous attend. Au fond du parking du Mor-4-Less*[1] *dans Union.*

Dana haussa les épaules.

— Donnez-nous un quart d'heure.

— On est sur un gros coup, répéta Hanson en imitant Fox. Da-da *da*-da *daaaah*-da, fredonna-t-il sur le thème de la série télé *Police Story*. Et merde !

Fox et Peetey n'étaient pas obligés de vivre dans ce secteur, comme Dana et lui, huit heures par jour. Ils débarquaient tout droit par l'autoroute avec des mandats de perquisition pour défoncer des portes, insulter et humilier des suspects et leur famille, saccager des maisons pour chercher de la drogue, et ils repartaient ensuite. Hanson ne voulait pas que les gens du quartier pensent qu'ils travaillaient ensemble, que Dana et lui ressemblaient aux types des Stups.

Gladys déposa leurs cafés sur le comptoir.

— Merci, Gladys, dit-il.

Mais elle s'était déjà replongée dans la lecture de son *Watchtower*, dont la couverture montrait un montage de différentes catastrophes, volcans en éruption, raz de marée submergeant des baigneurs terrorisés, pluies torrentielles, autoroute lézardée par un séisme engloutissant des breaks familiaux, avec ces mots : FIN DU MONDE : CE QUE NOUS APPREND LA BIBLE.

Pharaon franchit la porte du snack, coiffé de son casque de chantier jaune, parlant tout seul.

— ... C'est pas fait. Pas encore fait, jamais fait. Je le sais bien...

Il s'assit à côté de Hanson.

— Alors, messieurs, tout va bien ? demanda-t-il.

— Ça va bien, Pharaon. Et toi ?

— Pharaon connaît la chanson, Hanson. J'ai l'œil sur *toi*.

— Sur moi ? (Hanson se tourna vers Dana, le sourcil dressé.) C'est vrai ?

— Parfaitement vrai.

— Et qu'est-ce que tu cherches ?

— Ça n'a aucune d'importance, sauf pour moi, alors t'occupe pas. C'est pas bon de s'inquiéter. Moi, je fais mon boulot tous les jours, voilà tout, et quand j'entendrai l'appel, je serai prêt. Comme ça, j'aurai droit à ma récompense.

1. Phonétiquement et littéralement : « Plus pour moins ». *(N.d.T.)*

Douze heures par jour, six jours par semaine, Pharaon poussait un caddie du « Safeway » d'un bout à l'autre de Union Avenue. Il avait coincé dans le cadre du caddie un balai qui se dressait au-dessus de sa tête comme un étendard, tandis qu'il ramassait les boîtes de bière et de soda.

— C'est combien le chili ? demanda-t-il à Gladys.

— C'était combien la dernière fois ?

Pharaon se tourna vers Hanson, sourit, et secoua la tête.

— Quarante cents, dit Gladys. Ça a pas changé.

— Sers-moi un peu de chili dans ce cas. Si c'est pas trop te demander.

— Absolument pas.

— On ferait bien de retourner dans la rue, dit Dana.

— Faites bien attention dehors, jeunes gens. Z'êtes courageux et pleins de bonne volonté, mais soyez pas trop courageux. P't'être que vous chassez les démons, mais Satan peut prendre un tas de formes et de déguisements.

Fox et Peetey attendaient dans leur camionnette sans vitres, sur le parking, vêtus de leur tenue des Stups : Fox en veste de treillis et lunettes noires panoramiques, Peetey coiffé d'une casquette rouge à pois blancs, laissant dépasser sa queue de cheval derrière. Torse nu, il portait simplement une veste mexicaine bon marché, afin d'exhiber son torse et ses bras, et de dissimuler le pistolet glissé dans la ceinture de son jean dans le dos.

— Merci d'être venu, Dana, dit Fox quand ils s'arrêtèrent à leur hauteur, ignorant volontairement Hanson. On s'intéresse à un type qui deale dans son appart' au coin de la rue. Un de mes informateurs lui a acheté de la came, et on a un mandat.

— Qu'est-ce qu'il vend ? demanda Dana.

— De l'herbe, ça c'est sûr. Et sans doute de l'héro. Il est sorti de chez lui il y a un quart d'heure environ — j'ai demandé à mon indic de l'appeler pour un deal —, alors on va rentrer chez lui et attendre le retour de ce connard.

— OK, dit Dana, on vous suit.

— Son informateur ! ironisa Hanson, tandis qu'ils suivaient la camionnette jusqu'au coin de la rue. Un junkie ou un poivrot prêt à lui raconter tout ce qu'il veut entendre. Il a même utilisé Riley Marx, « Le Taré », comme indic !

Une Ford Pinto sans pare-brise avec quatre pneus à plat se trouvait devant l'immeuble en parpaings, dont les fenêtres fêlées étaient zébrées d'épais ruban adhésif argenté, alors que d'autres avaient été remplacées par des morceaux de cartons : *Seagrams, Chlorox, New Improved Charmin.*

Ils entrèrent en douce par-derrière et passèrent devant plusieurs portes fermées dans le couloir rectiligne, en direction de la salle de bains commune, tout au bout, d'où provenait le bruit d'une radio.

« ... *c'est certain. N'ayez pas peur, Wardell est là, et il vous dit, faites gaffe à lui !...* » La voix se fondait dans l'introduction nerveuse, inquiétante, du thème de *Shaft.*

Fox s'arrêta devant la chambre 216 et frappa doucement à la porte.

— Robert ! Robert !

Avec un sourire, il déclara :

— C'est le moment d'entrer à la dérobée.

Il sortit de sa poche un petit portefeuille à fermeture éclair, et un jeu de crochets, semblables à de grandes touches de machine à écrire aux formes étranges, et fit son choix.

« ... *c'est qui le privé black, la sex machine de toutes les poulettes ? Ouais, c'est lui, Shaft...* »

Le montant de porte avait été arraché, réparé et repeint une demi-douzaine de fois, et seuls des clous tordus et de la pâte à bois semblaient le faire tenir.

— Attends, laisse-moi essayer, John, dit Hanson. (Il souleva la porte par la poignée et l'ouvrit en poussant.) Alors, que dis-tu de ça, hein ? demanda-t-il en se retournant vers Fox.

— Bravo, mais le type va sans doute s'apercevoir que la porte a été forcée, répondit Fox en désignant les morceaux de pâte à bois séchée qui étaient tombés sur le plancher. Si c'était pour saloper le boulot, j'aurais pu le faire.

— Il suffit de balayer tout ça, dit Hanson, en poussant les débris à l'intérieur avec son pied, et d'entrer.

« *Shaft. C'est un enfoiré de première... Faites gaffe à ce que vous dites...* »

Les quatre hommes entrèrent et refermèrent la porte derrière eux. La pièce exiguë sentait la sueur rance, le tabac froid, la nourriture avariée et le produit anticafards. Ça ressemblait plus à une gare routière qu'à un appartement. Des emballages de hamburger en polystyrène et des cartons de pizzas jonchaient la commode éraflée et le lit défait. Le poster de la playmate de *Playboy* faisait la moue sur le papier peint auréolé de taches d'humidité au-dessus du lit.

Au bout du couloir, quelqu'un actionna une chasse d'eau. Le son de la radio s'amplifia. « *... Et vous savez quoi ? M. Jones est un salopard lui aussi... ouais. Vous avez pigé. Faites gaffe. De minuit jusqu'à l'aube. Il vous fait traverser la nuit... »*

— Et voilà, dit Fox en désignant un cendrier sur la table de chevet couverte d'éraflures et de brûlures de cigarette.

Il y avait suffisamment de marijuana dans le cendrier pour rouler un joli joint.

Hanson éclata de rire.

— Un simple indice, dit Fox. Il n'y a pas de fumée sans feu. Croyez-moi, je fais ce boulot depuis assez longtemps pour savoir ce que je dis.

Ils retournèrent le matelas, vidèrent le contenu de la penderie sur le sol et firent tomber les tiroirs de la commode remplis de vêtements sales roulés en boule.

— Hé, Fox ! dit Hanson. Tu te sens obligé de balancer les fringues de ce type par terre ? Tu peux pas ouvrir simplement ces putains de tiroirs pour regarder ? Nous, on est obligés ensuite de revenir par ici et de fréquenter ces gens-là tous les jours.

— Pas question de foutre les mains dans ce tas de saloperies, répliqua Fox en se retournant. Et ces gens-là, je les emmerde !... Tiens, regarde ! Qu'est-ce que je disais ? s'exclama-t-il en brandissant une seringue.

— Sans blague ! dit Hanson, les bras levés au ciel. Tu as trouvé une *preuve !* Ce type se drogue ! Tu veux que je te dise ? (Il se rapprocha.) Si j'étais obligé de vivre dans ce taudis, je m'enfilerais toute l'héroïne que je peux trouver.

— Tu es complètement givré, mec, dit Peetey. John a raison. T'es un vrai malade.

— Et toi, tu es ce qu'on fait de plus con, rétorqua Hanson.

— Va te faire foutre.

La tête rentrée dans ses larges épaules, Peetey fit un pas vers Hanson.

— Va te faire foutre toi-même, crétin.

— Arrêtez, les gars, intervint Dana en s'interposant.

— Du calme, dit Fox qui regardait par la fenêtre. Voici notre homme.

Les pas se rapprochèrent lentement dans le couloir, et quand l'homme franchit le seuil de la pièce, Fox s'écria :

— Pas un geste !

— On bouge plus ! hurla Peetey, et tous les deux avaient leur arme pointée sur le visage du type.

— On bouge plus !

Le type portait un pantalon et un t-shirt noirs avec cette phrase imprimée sur la poitrine : JE SUIS UN POIVRON. Il écarquilla les yeux, et Peetey se jeta contre lui, le propulsant dans le couloir où il alla rebondir contre le mur. Fox rengaina son arme, pendant que Peetey gardait son High Power pointé vers la tête du type. Fox agrippa son t-shirt à deux mains et l'envoya dinguer de nouveau contre le mur.

— Hé, allez-y mollo, mec, dit le type en s'efforçant de rester passif, réprimant l'envie de lever les mains pour se protéger. Me faites pas de mal.

— Mets tes mains dans le dos, ordonna Fox, en l'obligeant à se retourner pour lui passer les menottes. T'as le droit de garder le silence. Tout ce que tu diras...

— Vous êtes de la police ?

Il se dévissa la tête pour regarder Fox.

— Tu nous as pris pour qui ? demanda Peetey.

— J'en sais rien, moi !

— La ferme, intervint Fox. C'est moi qui cause. Tout ce que tu diras pourra être retenu contre toi.

— Hé, dit Peetey en lui enfonçant son doigt dans la poitrine. C'est vrai ce qu'est écrit là ? T'es un poivron, mec ?

— Tu as le droit de garder...

— Hé, enfoiré, je t'ai posé une question. T'es un poivron, oui ou non ?

— Si tu n'as pas les moyens de t'offrir un avocat...

— Je te conseille de me répondre, connard. T'es vraiment un poivron ? insista Peetey, en le bousculant cette fois. C'est vrai ? Hein ? C'est vrai ?

— Oui, monsieur. C'est vrai.

— Qu'est-ce qu'est vrai ? Dis-le. « Je suis un poivron. »

— Je suis... un poivron.

— J'ai pas entendu !

— Je suis un poivron.

— Ah, parfait, dit Peetey avec un sourire. Ce type est un poivron.

— Tu as pigé tes droits ? demanda Fox. Tu es disposé à parler ?

— Hein ? Quoi ? fit l'homme, regardant alternativement Peetey et Fox.

— Bon Dieu, dit Fox. Espèce d'abruti... Tu as pigé tes droits, oui ou merde ?

— Hé, John ! lança Hanson. Si tu as l'intention de continuer à faire chier ce type, on va vous laisser.

Dana se tenait sur le seuil de la pièce, les mains dans les poches.

— On a besoin de vous pour l'emmener. On peut pas le prendre avec nous dans le van.

— Tu as terminé, Peetey ? demanda Hanson.

Peetey le regarda sans rien dire.

— Très bien. Allons-y. On se retrouve à la prison.

— OK, dit Fox. On l'arrête pour possession de marijuana, vente de marijuana, possession de substance prohibée et refus d'obtempérer.

— Tu as besoin d'emporter quelque chose ? demanda Hanson au type.

— Mes cigarettes. Et j'ai pas refusé d'obtempérer, comme vous dites. Comment j'ai refusé ?

— Où sont tes cigarettes ?

— Dans le tiroir du haut de... euh, la commode.

Hanson trouva le paquet de « Kool ».

— En route.

Arrivés à la voiture de patrouille, Hanson déclara :

— Je vais te fouiller. Tu as un flingue ou un couteau sur toi ?

— Non, monsieur.

— Tu as planqué des lames de rasoir ou des saloperies dans tes poches pour que je me coupe ?

— Non, monsieur.

Hanson découvrit de la menue monnaie, un mégot de cigarette, une page de journal pliée en quatre et un ticket-jeu à gratter de chez McDonald's. Il avait gagné une portion de frites. Hanson déplia la feuille de journal, pour voir si elle contenait de la drogue. C'était la page des petites annonces. Deux offres pour des places de concierge étaient entourées au stylo. Il fourra la feuille dans sa poche et ouvrit la portière de la voiture.

— Allez, monte. Fais gaffe à ta tête.

Il referma la portière.

— J'ai un truc à te dire, murmura Fox en avançant vers Hanson. Peu importe tes sentiments personnels envers moi, j'en ai rien à foutre, tu ne dois *jamais* t'engueuler avec un autre flic devant un prisonnier. Tu gardes ça pour plus tard. Ça la fout vraiment mal. Et surtout, ça met en danger la vie de tous les autres flics dans la rue si on donne l'impression que...

— Va te faire foutre. Et si tu veux faire plonger ce type pour refus d'obtempérer, ne compte pas sur moi pour confirmer devant le tribunal.

— Parfait. Je savais déjà qu'on ne pouvait pas compter sur toi. Je ne suis pas le seul à le savoir. Tu es complètement givré, mec. T'as rien à foutre dans ce métier si t'es pas capable de faire ton boulot. Et je vais te dire une bonne chose...

— Suce-moi la bite, plutôt.

— Fin de la discussion. Je suis un professionnel, moi. On reparlera de ça plus tard, Hanson.

Hanson fit mine de lui adresser un baiser claquant.

— J'adore quand tu joues les durs, John. Bye-bye.

Dana descendit de voiture.

— Allons déposer ce type et retournons au boulot, dit-il.

— Comment tu fais pour travailler avec ce type ? demanda Fox.

— On se retrouve à la prison, dit Dana.

Hanson monta à bord, décrocha le micro et déclara :

— Cinq Soixante-deux ; jackpot avec adulte de race blanche.

— *Cinq Soixante-deux. Jackpot.*

— Hé ! Hé, mec ! dit le prisonnier derrière la protection en Plexiglas. Hé !

Penché en avant, les mains attachées dans le dos, il essayait de conserver son équilibre, tandis que Dana démarrait.

— La ferme, dit Hanson, occupé à rédiger le rapport d'arrestation.

— Hé, j'ai jamais cherché à résister ! dit le prisonnier. J'ai rien fait, moi ! À part me faire tabasser ! Je savais même pas que c'étaient des flics ces types-là, avant qu'ils me passent les menottes !

— Tu croyais que c'était qui ? Le KGB ?

— J'ai jamais vu ces types-là, monsieur l'agent.

— Ça m'étonnerait qu'ils t'accusent de refus d'obtempérer, dit Hanson.

— Mais pourquoi ils m'ont arrêté d'abord ? J'ai rien fait !

— Tu es en état d'arrestation pour possession de marijuana, possession de substance prohibée, et vente de marijuana.

— Hé, j'ai rien vendu du tout !

— Si. Réfléchis bien.

— J'ai pas... Oh, la vache. Le type dans Sacramento. Il arrêtait pas de me demander si je pouvais lui avoir de l'herbe. Chaque fois que je le voyais, il me réclamait de l'herbe. Pas moyen de m'en débarrasser. Je crois bien qu'il est un peu... attardé, ce type-là, ou un truc comme ça.

— Il porte un drôle de chapeau ?

— Ouais. Vous le connaissez ?

— Riley Marx.

— J'ai acheté quelques grammes d'herbe et je lui ai revendue ensuite. J'ai même pas fait de bénef.

— Mais tu en as gardé un peu pour toi, hein ? Tout ce qu'était dans le cendrier.

— Ouais, je m'en suis pris un peu. Pour me dédommager.

— Il t'a dénoncé. Ça veut dire que t'es encore plus stupide que lui. Regarde toutes ces paperasses que je suis obligé de remplir, dit Hanson en brandissant sa planchette. Peut-être que c'est moi le plus crétin des trois finalement.

Il remplit encore plusieurs cases sur le formulaire d'arrestation. À un stop, deux gamins noirs sur des vélos leur firent des signes de la main. « Po-lice », dit l'un d'eux. Ils regardèrent le prisonnier. Hanson s'obligea à sourire et leur rendit leur signe de la main, au moment où ils redémarraient.

— Désolé pour la paperasse, inspecteur.

— Écoute-moi bien, dit Hanson en jetant un regard au prisonnier par-dessus son épaule. Tu connais la chanson. Sois coopératif à la prison. Fais tout ce qu'ils te demandent. S'ils t'inculpent pour vente de marijuana, répète à l'avocat commis d'office ce que tu m'as dit. Explique-lui que tu l'as vendue à un type qui bosse pour la police. Dis que c'était une incitation au délit.

— Quoi ?

— Un coup monté, OK ? Mais si jamais tu dis que c'est moi qui t'ai dit ça, je leur dirai que tu mens et que tu as refusé d'obtempérer.

Ils croisèrent Fox et Peetey dans l'escalier après avoir déposé le prisonnier.

— J'aimerais que vous évitiez mon secteur à l'avenir, les gars, leur dit Hanson.

— Allez, viens, dit Dana en le prenant par la taille pour l'entraîner au plus vite.

— Avec plaisir, répondit Fox dans leur dos, mais apparemment, tu n'es pas capable de t'en occuper tout seul.

— Heureusement que c'est le week-end demain, dit Dana à Hanson. Je te conseille d'aller tirer un coup.

Dans la voiture de patrouille, Hanson dit :

— Tu crois que Peetey et moi nous avons eu une véritable discussion, là-bas dans cette chambre ? « Va te faire foutre », dit-il dans sa barbe.

Puis, haussant la voix :

— « Va te faire foutre toi-même ! »

— Ah ouais ? Vas-y le premier !

Ils s'esclaffèrent.

— Tu sais, Dana, c'est vachement important la communication. La communication, c'est l'élément clé dans n'importe quel boulot. J'ai lu ça dans le journal du dimanche. La COM-MU-NI-CA-TION. Il faut COM-MU-NI-QUER avec les autres si tu veux réussir dans la vie. Eee-yi-eeeyi-yo.

4

— CINQ SOIXANTE-DEUX. *Vous pouvez y aller ?*
Les yeux fixés sur une ruelle droit devant lui, Hanson s'empara du micro accroché à la façade de la radio de bord et le porta à sa bouche.

— Cinq Soixante-deux, dit-il, tandis qu'au fond de la ruelle, un gamin sur un vélo rouge exécutait une roue arrière, à côté d'un container à ordures vert, au moment où ils passaient.

— *Euh... Cinq Soixante-deux... on a un psychologue du Sam Good Hospital qui affirme qu'un de ses patients vient de l'appeler. Il paraît que le gars veut venir le tuer...*

Hanson se tourna vers Dana.

— Ça m'a l'air d'être une bonne idée, dit-il. Un psychologue de moins.

Dana rit.

— *Le plaignant est le docteur Ellis.*

— D'ac', dit Hanson. On va rendre visite à ce brave docteur.

— *Cinq Soixante-deux a pris l'appel. Cinq Quatre-vingts ?*

— Après avoir tué tous les avocats, déclara Hanson en raccrochant le micro, on s'occupera des psys.

— *Cinq Quatre-vingts en couverture,* annonça Zurbo dans la radio. *Veuillez noter que nous sommes loin.*

— *Cinq Quatre-vingts en couverture.*

— *Bravo One disponible. On y fonce.*

C'était Fox.

Hanson posa les yeux sur le haut-parleur cabossé.

71

— Va te faire foutre, Bravo One.

— *Noté, Bravo One.*

— « Bravo One disponible », dit Hanson, prenant une voix plus grave comme le faisait Fox quand il parlait dans son micro. « On y fonce. » Ce connard pique ses répliques dans les séries télé. Il se croit dans *Police Story*. Il se prend pour Kojak.

Dana rit de nouveau.

— Et les crétins qui sont en tôle apprennent leur numéro de dur à cuire en regardant les mêmes conneries. Comme ça, quand ils se retrouvent tous dans la rue, ils peuvent... communiquer.

— Tu pourrais peut-être faire semblant d'être un peu plus normal, suggéra Dana.

Hanson ricana, puis rebrancha le micro.

— Vous avez la description du méchant ?

— *Homme de race noire, 1 m 85, 100 kg, sans doute vêtu d'un treillis. Il prétend avoir une arme. Il s'appelle Marcelle Millon...*

Hanson s'esclaffa.

— Mar*celle* ?

— *Le nom se prononce Millo*n, *pas Milli*on *comme dans un million de dollars,* précisa le dispatcher.

— Pourquoi Marcelle veut-il descendre ce psychologue ?

— *D'après le plaignant, Millon est un vétéran du Vietnam, victime d'une sorte de « syndrome nerveux », c'est écrit là...*

— Syndrome, dit Hanson, tandis que Dana fonçait par les rues conduisant à l'hôpital. Quand ces enfoirés de psys ne connaissent pas un truc, ils appellent ça un « syndrome ».

Il examina une photo anthropométrique coincée dans le pare-soleil branlant, un condamné en cavale qui avait tué un policier avec sa propre arme le mois dernier.

— Millon, dit-il en remontant le pare-soleil d'une petite tape. On connaît un Millon ?

— Ça ne me dit rien.

Hanson se renversa au fond de son siège, cala un genou contre le tableau de bord rembourré et se croisa les mains derrière la nuque.

— Y a un tas d'anciens combattants, des professionnels comme ce type certainement. Ils pètent les plombs, alors ils disent : « C'est pas de ma faute ! C'est à cause de la guerre. J'ai un "syndrome", parce que l'armée m'a obligé à faire un tas de trucs moches. Je suis une victime. »

— Quand même... dit Dana. (Il emprunta la rampe d'accès de l'autoroute et accéléra, tandis que Hanson remontait sa vitre à cause du vent.) Certains ont dû recevoir un sacré choc, là-bas.

— Ce que je crois, moi, répondit Hanson en se tournant vers le profil de son équipier, cheveux ras grisonnants et lunettes à monture métallique, c'est que la plupart de ces gars étaient déjà givrés avant de partir. Et personne ne les a forcés à faire quoi que ce soit. Ils pouvaient refuser de partir et aller en prison. Mais ils sont partis quand même, et maintenant, ils veulent pas assumer leurs actes.

— Peut-être.

— Oh, docteur, gémit Hanson, je fais d'horribles cauche-mars !

— Je crois que tu ferais bien de baiser un coup ou alors...

— Je déteste ce numéro de victime à la con ! dit Hanson. Tu te mets à pleurnicher comme un gosse devant ces connards de gauchistes pour qu'ils te caressent la tête en disant : « Pauvre petit ! »

— T'es dur avec les gauchistes.

Hanson éclata de rire.

— « Oh, docteur... docteur », chanta-t-il. « Docteur Feel-good... »

Ils pénétraient dans le parking derrière l'hôpital quand ils le virent qui gravissait la colline, un gros Noir vêtu d'un treillis, coiffé d'un chapeau de brousse ramolli.

— Bizarre, j'ai l'impression que c'est notre homme, dit Dana.

Des carrés de papier glacé, fixés sur ses bras, son torse et ses cuisses, flottaient au vent comme des plumes en lambeaux, étincelant à chacun de ses pas dans les rayons du soleil. Des photos. Comme ils purent le constater lorsqu'il approcha. Des instantanés 8 × 13 et 18 × 24, les photos arrachées à son mur, épinglées sur son treillis.

— Millon, dit Hanson. C'est Millon.

Hanson travaillait seul cette nuit-là. Dana avait pris sa jour-née, grâce à des heures de récupération, pour aller acheter un sapin de Noël et voir son comptable. C'était une nuit calme dans le secteur ; une pluie fine l'obligeait à brancher les essuie-glaces et à les arrêter toutes les minutes. Il envisageait de demander son transfert à East Precinct.

Helen essayait de convaincre Dana de prendre sa retraite, et Hanson ne voulait pas recommencer avec un nouvel équipier. Il pourrait être nommé sergent s'il se ressaisissait, s'il rentrait dans le droit chemin et s'il...

— *Cinq Soixante-deux... Ça fait un petit moment qu'on a un problème de voisinage dans le secteur de Quatre Quatre-vingts. Mais ils sont coincés par cette agression au couteau, et East Precinct est à court de bagnoles ce soir.*

— Je peux y aller, répondit Hanson. Quelle adresse ?

C'était une cité d'immeubles à un étage dans un quartier situé juste derrière la frontière du secteur de North Precinct, le genre de coin où, dans les moments d'accalmie, ils patrouillaient à la recherche de voitures volées ayant servi à faire une virée, puis abandonnées quand le réservoir était vide, dans l'espoir de piquer une bagnole d'East Precinct.

Un jeune Blanc costaud, en jean, bottes de moto et t-shirt Harley Davidson, ouvrit la porte de l'appartement n° 7.

— Bonsoir, dit Hanson. Que puis-je pour vous ?

— Bonsoir ? répéta l'autre, en levant les yeux vers le crachin qui bruissait au-delà de la lumière du perron. Si vous le dites...

Il avait un anneau doré dans l'oreille et une moustache à la Fu Manchu soigneusement taillée. Le look pirate urbain, songea Hanson.

— Ça fait plus d'une heure qu'on vous a appelés. La prochaine fois, je me débrouille tout seul !

— Quel est le problème ? demanda Hanson.

— Explique-lui, Steve, dit une femme qui venait d'apparaître sur le seuil. J'en peux plus de ce mec ! cracha-t-elle en pointant sa cigarette vers la porte, avant de tirer dessus comme si c'était sa seule source d'oxygène.

Elle portait un short moulant et un débardeur noir, sans soutien-gorge. La trentaine, plus âgée de cinq ou six ans que Steve, elle était mince, avec des cheveux noirs coupés court. Les tatouages commençaient dans le creux de sa gorge, se séparaient et s'enroulaient autour de ses clavicules, plongeaient dans le décolleté de son t-shirt, et se répandaient sur ses épaules. Chaque centimètre de peau qu'apercevait

Hanson, de sa gorge jusqu'au col du t-shirt, était couvert de tatouages, noirs et violets, vert foncé, orange et bordeaux, des couleurs de fruits talés et pourris. Ses bras et ses jambes étaient pâles, intacts.

— C'est ce que *j'essaye* de faire, répondit Steve en la toisant, et en lissant sa moustache pour bien montrer qu'il ne se laisserait pas bousculer. C'est à cause du frère de couleur qui vit à l'étage du dessus, expliqua-t-il en se retournant vers Hanson.

— Il nous rend dingues à force de cogner, dit la femme. Pendant des jours !

Combien de centaines d'heures, se demandait Hanson, en s'efforçant de ne pas la regarder, quelqu'un avait-il passées à travailler sur elle avec une aiguille électrique acérée, pour lui injecter de l'encre sous la peau, en faisant perler le sang.

Dans la pièce, la télé était allumée ; des plongeurs sous-marin munis de projecteurs s'enfonçaient en battant des pieds dans l'eau noire, parmi les bulles argentées.

— Vous lui avez parlé ? Vous lui avez demandé de faire moins de bruit ? demanda Hanson à Steve.

— Ha ! s'exclama la femme en crachant sa fumée de cigarette. Une conversation, vous voulez dire ? Un échange d'idées ? (Elle bouscula Steve pour observer la cour plongée dans l'obscurité.) Avec un abruti de négro dans ce quartier de merde ? Ça risque pas...

— Calme-toi, dit Steve en la poussant à l'intérieur. Je suis en train d'expliquer, OK ?

— Alors, explique ! Je peux pas dormir avec ce vacarme !

— C'est bon, je m'en occupe ! dit-il, en claquant la porte derrière lui.

— J'en ai plus que marre, nom de Dieu ! cria la femme à travers le battant.

— Ah, l'enfoiré, grommela-t-il. Regardez ça, ma fiancée est malade des nerfs, et cet enfoiré de frère de couleur, là-haut, la rend dingue.

— C'est quel appartement ? demanda Hanson.

— Juste au-dessus. Le 14. Faut prendre l'escalier qu'est derrière cette porte.

— OK. Je vais aller lui parler.

— Je suis pas raciste, faut pas croire. Si je m'en prends à un type, je me fous de savoir de quel couleur il est, et je vais vous dire une bonne chose...

— Tu lui diras plus tard ! cria la femme derrière la porte.

— Je vais aller lui parler, dit Hanson.

— Ce « quartier de merde », comme tu dis, était assez bien pour toi le mois dernier ! répliqua Steve.

Hanson entendit la porte claquer derrière lui lorsque, par automatisme, il s'arrêta pour noter le numéro d'immatriculation de la Pontiac verte garée sur l'emplacement correspondant à leur appartement, avant de traverser la cour boueuse.

Empruntant l'escalier intérieur, il déboucha dans le couloir du premier étage, où régnait une odeur de repas brûlés pendant toute une semaine, et où toutes les portes étaient identiques, à l'exception des numéros. Au fond du couloir, une radio était allumée. Hanson imagina un jeu télévisé dans lequel le concurrent devait ouvrir la porte de son choix. S'il ouvrait la bonne porte, il découvrait une jolie fille en bikini étendue sur le capot d'une voiture flambant neuve, s'il se trompait de porte, il tombait sur une meute de dobermans affamés ou un type à poil avec un fusil de chasse.

« Shotgun Hall », tel serait le nom du jeu télévisé, songea Hanson en frappant à la porte de l'appartement 14.

On aurait dit que quelqu'un déplaçait des meubles à l'intérieur. Il frappa de nouveau.

— Police !

Les bruits cessèrent. Après des déclics et des cliquetis de verrous et de quincaillerie, la porte s'entrouvrit, de la largeur d'une chaîne de sûreté. L'homme qui regardait Hanson avait le visage grêlé par l'acné, et portait un chapeau militaire. L'espace d'un instant, Hanson crut le reconnaître.

— Salut, dit-il. Je peux vous parler une minute ?

— Vous avez une pièce d'identité ?

Hanson tira sur sa chemise.

— J'ai cette insigne et cet uniforme. Désolé, j'ai laissé ma casquette dans la voiture.

— N'importe qui peut se procurer un uniforme de flic. Vous avez pas une carte ou un truc comme ça ? Avec une photo ?

Hanson sortit son portefeuille, et montra sa carte d'identité.

— Vous voyez, dit-il, c'est bien moi.

Quand l'homme se pencha pour lire le nom sur la carte, Hanson entr'aperçut une tête de mort sur son t-shirt.

— OK, dit-il. C'est quoi le problème ?

Hanson désigna l'insigne épinglé sur le chapeau militaire.

— 101e aéroporté ? demanda-t-il.

— Exact, dit l'homme. Vous étiez dans quoi, vous ?

— 5e Forces spéciales.

— Hmm. Tu parles.

Hanson éclata de rire.

— J'en suis arrivé au point où j'ai l'impression de mentir quand je dis ça. J'ai connu des gars au 101e.

— Ah ouais ? fit Millon. Où ça ?

— À Phu Bai, quand ils étaient encore là-bas. Moi, j'étais plus haut, Cam Lo, Dong Ha, et ainsi de suite. Plus au nord. Dans un *A-camp*.

Millon approcha son visage de la porte, observa le couloir d'un bout à l'autre, puis ôta la chaîne de sécurité.

— Entrez, dit-il. On n'est jamais trop prudent, vous voyez ce que je veux dire ? Y a plus que des anciens du Vietnam maintenant. On dirait qu'il y en a un à chaque bar. Et la moitié prétendent être des bérets verts. (Il remit la chaîne.) Vous êtes pas de la CIA, hein ?

— Ils ne voudraient pas de moi.

— Entrez.

Dès que Hanson eut franchi la porte, Millon la referma et tira le verrou, avant de coincer une planche dans une paire de crochets métalliques fixés dans l'encadrement renforcé de la porte.

— Hanson, lut-il sur la plaque. Moi, c'est Millon.

Il portait des rangers, un pantalon de treillis trop large et un t-shirt avec une tête de mort souriante sur le devant, et ce slogan : TUONS-LES TOUS, DIEU RECONNAÎTRA LES SIENS. Il ressemblait, se dit Hanson, à un type en état d'alerte 24 heures sur 24, dont le camp est assiégé depuis un long moment.

Les seuls meubles étaient un canapé défoncé et un téléviseur dont l'écran criblé de parasites grésillait comme de la graisse au fond d'une poêle à frire. Des journaux, des magazines et des livres étaient empilés avec soin, de manière parfaite, de chaque côté du canapé. Des dizaines de photos, instantanés et Polaroïds cornés, aux couleurs délavées, étaient punaisées sur le mur au-dessus du canapé. Des soldats faisant le salut militaire avec des boîtes de bière à la main, dans des bars vietnamiens, enlaçant des putes vietnamiennes avec des chignons laqués. Sur d'autres photos, les soldats, torse nu, portaient des chapeaux de brousse et des pantalons de treillis trop larges, appuyés contre des canons d'obusiers 105, le sourire aux lèvres, mangeant des boîtes de ration C, ou posant avec leurs M-16 sur une base d'appui-feu sinistre; la poussière rouge tourbillonnante avait pris des reflets orange et métalliques, certaines silhouettes commençaient à s'effacer.

Il faisait chaud dans la pièce, et Millon sentait l'oignon pourri. Les deux fenêtres avaient été renforcées avec des planches et des barres de fer fixées en travers.

— Ravi de faire votre connaissance, dit Hanson, en cherchant des yeux d'éventuelles armes dans les replis du treillis de Millon.

On accédait au petit coin salle à manger, à l'autre bout de la pièce, par une arche. Une Silver Star attachée à un ruban bleu, blanc et rouge pendait du sommet de l'arche, bien au centre, comme pour chasser le mal.

— Silver Star? demanda Hanson.

— Hmm, fit Millon, en se frottant les yeux.

— On peut pas dire qu'ils les distribuent.

— Hein? Ça veut dire quoi?

— Il n'y a pas beaucoup de gars qui ont la Silver Star.

Le plafond et les murs de l'alcôve étaient recouverts de papier d'aluminium, qui projetait dans toute la pièce une lumière semblable à une force maléfique. Un sommier en contreplaqué était surélevé à l'aide de tasseaux, et le plancher entièrement recouvert par un damier de cadres pour photos en plastique, avec des dos en carton; des dizaines de cadres posés à l'envers, comme un dallage.

— Mon bunker personnel, déclara Millon. Un sacré boulot. Faut encore que je pique des sacs de sable et du fil barbelé.

— Ouais, fit Hanson.

Il jeta un regard en direction de la porte verrouillée, se demandant s'il allait être obligé de descendre Millon avant d'avoir réglé le problème.

— Qu'est-ce que vous me voulez?

— Les gens d'en dessous se sont plaints du bruit. Sans doute quand vous avez renforcé les portes et les fenêtres avec tous ces machins.

La télé grésilla, des décharges bleues d'électricité statique parcoururent l'écran.

— Ah, putain, dit-il avec un sourire, les yeux rougis par la fatigue. C'est cette salope tatouée qui vous envoie ! C'est à cause d'elle tout ça ! dit-il, englobant d'un large geste les fenêtres et le lit en contreplaqué. J'ai besoin de dormir. J'ai essayé de coucher dehors dans ma voiture, mais elle sort la nuit ! À trois ou quatre heures du matin, à poil ! Elle promène ses tatouages. Des fois la nuit, je m'approche de la fenêtre, et elle est juste en dessous. Elle me regarde. La semaine dernière, j'ai installé ce truc-là, dit-il en désignant un rétroviseur de camion convexe fixé sur le montant de la fenêtre. Comme ça, je peux regarder en bas, sans me montrer.

Hanson envisagea d'utiliser le portable pour appeler une voiture en renfort, mais quoi qu'il se passe maintenant, il savait que tout serait terminé avant l'arrivée de ses collègues, à supposer qu'ils réussissent à franchir la porte.

— Je dirai qu'une chose, déclara Millon, y a pas d'autre moyen d'y arriver. La salope tatouée d'en dessous ? Son mec, il me bombarde avec des rayons laser ; c'est *elle* qui le pousse. Oui, je sais ce que vous pensez, ça peut paraître dur à avaler, mais c'est pourtant la vérité. Depuis neuf jours maintenant...

Il se tut brutalement et se gratta la poitrine, comme si quelque chose l'avait piqué, plantant ses ongles sales dans sa peau, au point de faire couler le sang à travers son t-shirt, maculant la tête de mort.

Il cessa de se gratter et reprit son explication, comme si de rien n'était.

— Ça se passe toujours la nuit, quand tout le monde dort.

— Pourquoi ferait-il ça ? interrogea Hanson.

— C'est *elle* qui lui dit de le faire. Ils visent les pieds. Et ici aussi. (Il se pencha et se massa l'arrière des cuisses.) Et dans le cul. Dans les couilles, ajouta-t-il à voix basse. C'est ça qu'elle aime. Parfaitement, dit-il en baissant encore la voix, dans les couilles parfois. Des flammes bleues et jaunes. C'est pour ça que j'ai construit ce truc, expliqua-t-il en pénétrant dans le rougeoiement du papier d'aluminium.

Hanson lui emboîta le pas, scrutant tous les coins de la pièce, à la recherche des armes. Le papier d'aluminium reflétait la lueur bleutée et tressautante de la télé, comme une caverne de glace.

Millon ramassa un des cadres posés sur le plancher et le tendit à bout de bras vers Hanson. C'était un miroir bon marché, et Hanson aperçut son profil et la porte barricadée derrière lui dans le reflet argenté et ondulant.

— Je les paye 1 dollar 89 au K-Mart, déclara Millon. Je leur ai expliqué que c'était pour faire une... œuvre d'art. Il a fallu qu'ils aillent en chercher à l'entrepôt. Ça renvoie une partie des rayons laser. Pas tous. Et je me suis dit que *ça aussi*, ça pourrait aider, ajouta-t-il en désignant le téléviseur. Je le laisse allumé pour créer des interférences.

Il remit le miroir en place, avec soin.

— En fait, ça marche pas très bien, dit-il en arrangeant les autres miroir. La plupart du temps, ça marche même pas du tout. C'est pas assez épais pour arrêter les rayons. Certains jours, je sors avant qu'il fasse noir et je me balade toute la nuit. J'ai un itinéraire régulier, dans les parcs.

Il recula pour examiner la disposition des miroirs, puis se retourna vers Hanson.

— Je sais bien que vous pensez que je suis... (Il faillit dire « fou ».) un menteur.

— Où auraient-ils pu trouver un laser ? demanda Hanson. Pourquoi ces gens se donneraient tout ce mal, hein ? Ce ne sont que des pauvres crétins.

Millon recommença à se gratter le torse.

— Qu'est-ce que je dois faire, hein ? Regardez donc où j'habite ! s'exclama-t-il, en balayant d'un large geste la pièce nue, le visage tour à tour éclairé puis assombri par la lumière du téléviseur. Je pourrais inventer un truc pareil, bordel ? Hein ? Vous croyez que je vous raconterais tout ça si c'était pas vrai ? Je jouerais le dingue pour un putain de flic blanc ? Oh, je sais bien ce qu'on peut penser !

Hanson regardait vibrer les cordes vocales de Millon dans son cou. Un bon direct, en plein dans la gorge, pouvait arrêter n'importe qui. Mais avec un dingue, on n'était jamais sûr de rien.

— Je pensais que vous pourriez peut-être m'aider. C'est pour ça que je vous ai dit la vérité. Là-bas, j'avais des potes blancs. Pour la première fois de ma vie. Mais maintenant que la guerre est finie, tout est redevenu comme avant.

— Je vais leur parler.

— Mon cul ! dit Millon. Enfoirés de Blancs.

Hanson détacha le fermoir de son holster. Il aurait un tas d'emmerdes s'il tuait un Noir désarmé, mais pas question de se battre avec un psychopathe aussi costaud que Millon dans une pièce verrouillée. S'il se sortait de ce piège, il se promit de toujours avoir sur lui une arme alibi à l'avenir.

— Ouvrez la porte, dit Hanson. Je vais aller lui dire d'arrêter les rayons laser.

Millon avait sans doute entendu le bruit sec du fermoir du holster de Hanson ou bien il avait lu dans son regard. Il marcha jusqu'à la porte et souleva la planche.

— Vous lui direz que dalle, pas vrai ? dit-il, tournant le dos à Hanson.

— Je vous donne ma parole que si.

Millon se retourna pour le regarder, en tenant la lourde planche au creux de ses bras, comme s'il essayait d'en deviner le poids.

— Posez ça, laissez-moi sortir, et j'irai lui dire d'arrêter.

— Elle demandera à un autre type de le faire à sa place.

— Je peux rien faire de plus pour l'instant. Si elle recommence, appelez-moi.

Millon appuya la planche contre le mur et s'attaqua aux verrous. Une des photos les plus proches de Hanson capta son attention. Millon paraissait jeune et heureux, comme n'importe qui à cet âge, avec deux autres types, des Blancs, et tous les trois brandissaient un drapeau américain à hauteur d'épaule, en souriant au-dessus. À l'arrière-plan, un hélicoptère de combat Huey décollait d'une aire d'atterrissage, juste derrière l'entrée de la base, et un panneau accroché à un portail proclamait :

BIENVENUE À LA BASE D'APPUI-FEU DAVY CROCKET
Quand vous avez raison, n'abandonnez jamais.

En se dirigeant vers l'escalier, Hanson garda les yeux fixés sur la porte ; les déclics des verrous furent suivis d'un grand *bang* lorsque la planche retomba.

De retour dans la voiture de patrouille, il entreprit de remplir un formulaire de rapport, simple formalité, notant la date et l'heure, sous la rubrique « Troubles du voisinage ». En dessous, dans la partie « Résumé », il écrivit : « RE : Millon ».

Il actionna plusieurs fois le bouton de son stylo et ajouta : « Prénom refusé ».

Ce n'était même pas son secteur. Il aurait pu appeler des renforts et conduire Millon de force à l'hôpital universitaire, remplir tous les formulaires, en espérant que l'interne de garde en psychiatrie l'accepterait. Mais une fois à l'hôpital, Millon se comporterait sans doute comme un type sain d'esprit, et le psy, de garde depuis 24 heures, rendu à moitié fou lui-même par la fatigue, déciderait que Millon ne représentait aucun danger pour lui-même ou pour les autres. Il n'avait rien fait véritablement, et de toute façon il n'y avait plus de lits disponibles ; résultat, Hanson serait obligé de le ramener chez lui. En outre, il avait bientôt fini son service, il n'allait pas se lancer dans les paperasses. D'ailleurs, Millon était le problème du Quatre Quatre-vingts.

La nuit était noire, sans lune ni étoiles, et plus un seul lampadaire ne fonctionnait. Le crachin flottait sur tout ça, comme un brouillard épais, et pendant un moment, Hanson imagina qu'il dérivait dans l'espace à bord de sa voiture de patrouille, seul dans l'univers. Il glissa le stylo dans sa poche et contempla la rue déserte, balayée par la pluie, devant lui, avant de décrocher le micro de la radio de bord.

— Cinq Soixante-deux. Je bascule sur le canal 3 pour interroger le fichier.

La femme vint lui ouvrir. Hanson la toisa, leurs regards se croisèrent.

— Alors ? demanda-t-elle en tirant sur sa cigarette, et ses seins tendirent le léger tissu noir de son t-shirt.

La lampe du perron claquait dans le vent, en grinçant, projetant des ombres. Hanson vit des yeux vides et des bouches ouvertes glisser sous le col du t-shirt, avant de penser qu'il s'agissait sans doute des ombres de la lumière du perron.

Elle ôta la cigarette de sa bouche et, sans quitter Hanson des yeux, elle recracha la fumée sur le côté. Elle se pencha vers lui, le col du t-shirt s'ouvrit, et elle demanda de nouveau, d'une voix douce, presque un murmure :

— Alors ?

Seuls les pourtours de ses seins étaient tatoués, les pointes étaient d'une blancheur immaculée, semblables à des îles dans un océan nocturne de dragons aux corps onduleux.

Hanson avait le visage mouillé par la brume glaciale, et une goutte coula dans son cou. La femme se passa la main dans les cheveux, sa poitrine se souleva, une touffe de poils apparut sous son aisselle. Hanson se demanda quel goût avait sa peau.

— Ce type est un peu dérangé, dit-il, imaginant un goût de sel et de tequila verte.

— Vous m'apprenez rien.

— Il ne dort pas beaucoup.

Un corbeau au bec crochu, sur l'épaule de la femme, sembla lisser ses plumes quand elle fit tomber sa cendre de sa cigarette d'une chiquenaude.

— C'est peut-être ça le problème, ajouta-t-il.

— Il laisse la lumière allumée toute la nuit, dit-elle.

— Il affirme que vous le bombardez de rayons laser.

Elle ricana.

— Je lui ai répondu que c'était difficile à croire.

— Pourquoi vous avez dit ça ?

Hanson sourit.

— J'aimerais parler à votre fiancé un instant.

— Steve ! cria-t-elle en tournant la tête. Steve !

Elle regarda par-dessus son épaule ; les tendons de son cou plongeaient dans son t-shirt comme des serpents.

— Le flic est revenu.

Elle tira sur sa cigarette et se retourna vers Hanson, en le regardant droit dans les yeux de nouveau, tandis que des volutes de fumée s'échappaient de ses narines.

— Vous vous croyez vachement fort, hein ? murmura-t-elle.

Hanson leva la tête lorsque Steve apparut sur le seuil, pieds nus.

— Alors, c'est quoi son problème ?

La fumée de la cigarette de la femme s'élevait dans l'air frais et humide, devant le visage de Hanson.

— Il est dingue, dit-elle.

— Qui ça ? Le négro ou le flic ?

— Le négro prétend qu'on le bombarde avec des *rayons laser*.

— Je vois, dit Steve. Rentre, il fait froid dehors. Je m'en occupe.

— Me dis pas ce que je dois faire, sale con !

— Jamais de la vie, bordel ! Je ne... bon, OK. S'il te plaît ? Ça te va comme ça ?

— T'as intérêt à régler le problème, dit-elle en retournant s'allonger sur le canapé en simili rapiécé avec du ruban adhésif qui se trouvait face à la porte.

— Alors, vous lui avez dit ? demanda Steve.

La femme posa un pied par terre et coinça l'autre par-dessus le dossier du canapé, tendant le tissu de son short qui remonta sur ses longues jambes pâles où tremblotaient des feuilles de palmier vertes et dorées, dans les profondeurs de ses cuisses. Elle fumait en regardant Hanson.

— Si vraiment vous lui envoyez des rayons laser, vous me promettez de ne plus le faire ?

— C'est quoi, cette histoire à la con ? demanda Steve.

— Les rayons laser. Arrêtez de lui envoyer des rayons laser.

S'il lui léchait les cuisses, songea Hanson, elles auraient la même saveur que le picotement dans les narines quand on reçoit un coup de poing dans la figure, le goût cuivré et les étoiles noires.

— Fermons la porte, dit-il, en tendant le bras devant Steve pour tirer la porte derrière lui. J'ai filé votre nom au fichier, et j'ai découvert plusieurs procès-verbaux d'arrestation. Deux fois pour possession et revente de substances prohibées...

— C'est de l'histoire ancienne, tout ça.

Hanson sourit.

— Non. On vous également arrêté pour avoir fourni des substances prohibées à un mineur, et une autre fois pour sodomie sur personne mineure.

— Hein ? s'exclama-t-il, faisant rouler ses yeux de droite à gauche, prêt à s'enfuir.

Hanson écrasa le pied nu de l'homme avec son épaisse chaussure à bout renforcé, le saisit par le col de son blouson en cuir et l'attira contre lui.

— Je te déconseille de t'enfuir, Steve. Je t'abats sans hésiter.

— Je suis pas au courant de cette histoire de sodomie sur une mineure. Je le jure ! La possession de drogue, d'accord, mais je suis pas un violeur d'enfant, moi !

— Je te crois, Steve. Elle faisait sûrement plus âgée, mais aux yeux de la loi, ça change rien. Heureusement, c'est ton soir de chance. Je suis prêt à passer l'éponge si tu me rends un service.

— Quoi ?

Hanson souleva son pied et lâcha le blouson.

— Tu n'as qu'à me promettre de ne plus envoyer des

rayons laser. Dis simplement : « Je n'enverrai plus des rayons laser. »

Hanson sourit en hochant la tête, comme s'il s'adressait à un enfant.

— Allez, dis-le.

— J'arrêterai de faire quoi ?

— D'envoyer des rayons laser ! J'arrêterai d'envoyer des rayons laser ! C'est pas compliqué. Juste une phrase. J'arrêterai d'envoyer des rayons laser. Allez...

— J'arrêterai d'envoyer des rayons laser.

— Excellent. Joli travail, Steve. Bonne nuit, dit Hanson en reculant vers l'escalier. Mais je reviendrai pour vérifier. J'ai les procès-verbaux au cas où tu trahirais ta parole.

Il remonta à l'étage en empruntant l'escalier puant l'urine où les poivrots pouvaient dormir et les junkies attendre que les gens rentrent chez eux après avoir touché leurs allocs.

Il frappa à la porte.

— Millon ! (Il frappa de nouveau.) Millon ! Je leur ai parlé. Il m'a promis d'arrêter.

Collant l'oreille contre l'huis, il entendit le grondement de l'océan et les battements de son pouls. Aucune lumière ne filtrait sous la porte, pas même celle de la télé.

— Je lui ai ordonné d'arrêter. Vous pouvez dormir maintenant. Allez voir l'association des vétérans, parlez à un psy. Dites-lui ce qu'il veut entendre et vous toucherez cette putain de pension d'invalidité. OK ? Millon ?

Il déverrouilla la portière de sa voiture, leva les yeux vers le premier étage de l'immeuble et compta les fenêtres jusqu'à ce qu'il arrive à celle de Millon. Il crut apercevoir une ombre, quelqu'un qui le regardait de là-haut, mais elle disparut lorsqu'une voiture passa avec un chuintement mouillé, et le rétroviseur fixé à la fenêtre s'embrasa dans la lumière des phares.

Il monta à bord et compléta son rapport, en notant : « Problème réglé avant de partir. »

Quand la barmaid du PAA alluma et éteignit plusieurs fois les lumières du bar, à 2 heures du matin, il partit avec Judy Bellah, une des filles des Archives, et ils allèrent chez elle. Elle était petite, avec des cheveux bruns coupés court et une peau pâle. Quand ils se couchèrent, il éteignit pour voir des tatouages se lover sur ses seins, ramper le long de ses côtes, fouetter son ventre et s'enflammer à l'intérieur de ses cuisses comme des lumières noires.

Hanson traversait maintenant le parking de l'hôpital en direction de Millon, adoptant la même foulée, franchissant les bandes jaunes. Finalement ils s'arrêtèrent, séparés par la largeur d'une voiture ; sous les taches d'huile on apercevait le numéro 28 de l'emplacement vide. Millon marchait les jambes arquées, les bras pendant le long du corps, à la manière d'un cow-boy. Bravo One, la vieille fourgonnette d'UPS que conduisait Fox, franchit bruyamment un ralentisseur, quelque part dans le dos de Hanson. Il apercevait Dana sur sa droite, en retrait.

— Vous vous souvenez de moi ? demanda-t-il en tapotant sur sa plaque d'identité avec sa main gauche.

— J'vous connais pas.

Une rafale de vent chargée du parfum du chèvrefeuille passa sur l'asphalte et fit trembler les photos d'APC[1], de tentes, d'hélicoptères faisant tourbillonner la poussière rouge sur les postes d'artillerie sinistres, des instantanés de bunkers, de fil de fer barbelé, de putains en minijupes et bottes en plastique blanc, de soldats — appuyés contre des tanks, saluant avec des boîtes de bière, accroupis à côté d'obusiers flous, les mains plaquées sur les oreilles, tandis qu'un nuage de fumée jaillissait de l'énorme canon —, toutes ces photos papillotaient sur le parking, comme un documentaire ; la plaque d'identité — MILLON — clignotait sur sa poitrine.

— Millon ? Allez...

— Millon n'existe plus.

— C'est bien vous *là*, hein ? dit Hanson en désignant d'un mouvement de tête une photo 13 × 18 accrochée sur sa poitrine. À côté du canon ?

— *C'était* moi. Exact.

1. APC : *Armored Personnel Carriers* (Transports de troupes blindés). *(N.d.T.)*

86

Les yeux fixés sur Hanson, il déplaça les mains à la manière d'un signaleur, des gestes rapides et précis, vers sa poitrine, ses bras et ses cuisses, gardant la pose quelques instants, puis désignant brutalement une photo avec son doigt, avant de recommencer, caressant sa propre image à chaque fois, un rituel aussi étudié qu'une génuflexion.

— Ça c'est moi. Ça aussi. Ça, c'est moi là-bas. Et là..., dit-il avec de grands mouvements de bras de haut en bas, ses doigts frappant les photos tels des serpents. Da Nang. Quang Ti. Cam Lo. Donh Ha.

— Je suis allé dans tous ces coins, déclara Hanson.

— Donc, vous connaissez mon nom.

— C'est quoi votre problème avec ce psychologue ?

Millon détacha son regard de celui de Hanson un court instant, pour regarder par-dessus l'épaule de celui-ci.

— Tous ces policiers pour tuer un pauvre négro minable ?

Un fermoir de holster claqua dans le dos de Hanson ; Millon reporta son attention sur lui.

— Mon problème ? Y a aucun problème. Je vais tuer cet enfoiré.

— Ça n'en vaut pas la peine, mon vieux. Mettez les mains sur la tête et tournez-vous que je puisse vous passer les menottes, et je promets de veiller sur vous. Vous avez ma parole.

— Ce salopard m'a pris la seule chose qui me restait. Mon cœur ! Il m'en restait pas beaucoup déjà, et il me prend ce qui reste chaque fois que je lui raconte quelque chose. « Qu'est-ce que vous ressentez à ce sujet ? », il me demande. Je lui réponds et il me pique mon cœur. Il me file des pilules. « Pourquoi vous ressentez ça ? », il me demande. Je lui réponds et il dit que j'ai tort. « La guerre est finie », qu'il me dit. « Rentrez à la maison. » Qu'est-ce que je ferai à la maison ? Dites-le moi.

Derrière l'hôpital, simple tache dans le ciel, un hélicoptère Huey traversa le soleil, le ronronnement lointain des rotors réduit à un murmure. Tous les deux tournèrent la tête en direction du bruit, un réflexe.

Une autre voiture de police tourna au coin de l'hôpital dans un crissement de pneus, bondit sur le parking et s'arrêta en dérapant. Deux portières s'ouvrirent et se refermèrent violemment. Des chaussures éraflèrent l'asphalte, et la puanteur des freins surchauffés se mélangea au parfum du chèvrefeuille.

— Comment vous comptiez le tuer ?

— J'ai pas fait de plan. Je vais le descendre, c'est tout. Ça c'est un truc que je sais faire.

— Ça signifie que vous avez une arme, dit Hanson.

Quand l'histoire allait se retrouver devant le tribunal, il voulait que cela figure dans le dossier. Le fait que Millon détenait une arme.

Millon tendit le doigt pour désigner une photo épinglée sur son épaule. Avec son index, il se donna une chiquenaude sur la cuisse.

— Vous avez une arme ? demanda Hanson.

Millon plongea la main droite à l'intérieur de sa veste de treillis trop large, ouverte sur son torse.

— Je plaisante pas, dit-il.

La douleur enflammait son regard ; derrière Hanson, il y eut le *clic* discret, bien huilé, d'un cran de sécurité de fusil à chevrotine.

— Il m'a pris mon cœur, mec !

Hanson pensa à ces mystiques qui affirment pouvoir arracher leur propre cœur qui palpite, puis le remettre en place sans la moindre cicatrice.

— Mon cœur.

Hanson s'attendait presque à voir battre dans la main de Millon le cœur ensanglanté et veiné. Il sortit le pistolet de son holster et le tint plaqué contre sa jambe.

— Attendez, dit Hanson. Faites pas ça.

— Vous avez intérêt à me tuer avant que je vous tue, dit Millon.

Du pouce, Hanson ôta la sécurité de son arme, lentement, pour ne pas faire de bruit.

— Rengainez ça, dit-il en regardant fixement la bosse sous la veste, comme s'il pouvait voir à travers le tissu, à s'en faire mal aux yeux. Le motif camouflage du treillis sembla s'assombrir, se modifier, un motif différent qui s'infiltre sous l'autre, comme le crépuscule dans la jungle.

— Vous avez intérêt à me *tuer*.

— Vous ne m'avez pas dit que vous vous appeliez « Marcelle », dit Hanson.

Millon sourit.

— Ah, je me souviens de vous, Hanson.

— Allez, tout peut encore s'arranger.

— Non, c'est trop tard maintenant, répondit-il, et son sourire avait disparu. J'ai fait ce que vous m'avez conseillé de faire ce soir-là. Devant la porte. Vous vous souvenez ?

— Millon, regardez-moi...

— « Allez donc voir un psy de chez les anciens combattants », dit Millon en imitant avec talent la voix de Hanson. « Dites-lui ce qu'il veut entendre. » *Voilà* ce que je vais lui dire ! hurla-t-il en sortant de sous sa veste un poing ensanglanté rempli de métal étincelant.

À l'autre bout du parking, des dizaines de moineaux jaillirent des fourrés derrière une clôture grillagée.

Les détonations des armes à feu semblèrent lointaines, mais Hanson sentit l'odeur de la poudre en s'accroupissant, brandissant son pistolet à deux mains, sans quitter des yeux le torse de Millon, dans un enchaînement de mouvements si familier et rodé, si fluide, que c'était presque relaxant lorsqu'il pressa la détente et que l'arme se cabra dans sa main.

Le fusil de chasse dans son dos fit beaucoup plus de bruit ; la détonation claqua dans son oreille comme un coup de poing de cinéma, sans toutefois rompre sa concentration, le viseur demeurant pointé sur la poitrine de Millon, tandis qu'il appuyait sur la détente et que le pistolet se cabrait de nouveau, et la douille en cuivre disparut en décrivant un arc de cercle dans les airs. Il sentit le *goût* de la poudre lorsque le fusil tira une seconde fois, la bourre enflammée projetant un jet de chevrotine près de lui.

Surpris, Millon cligna des yeux, des taches de rousseur noires firent irruption sur son visage et son front. Le chapeau de brousse s'envola, des photos furent arrachées de son treillis. Il trébucha et tomba, saisi de convulsions sur l'asphalte, décochant des coups de pied au numéro 28 taché d'huile.

Hanson se précipita vers lui, pistolet à la main, tandis que Zurbo accourait de la gauche et Dana de la droite. Fox, vêtu d'un pantalon kaki, de bottes de cow-boy et d'un blouson en cuir léger, abaissa son modèle .29. Son équipier, Peetey, le culturiste, éjecta un chargeur de son .45. Ses cheveux aux reflets roux tombaient sur le col de sa chemise bleue teinte à la main et sur son gilet rouge brodé. Il ressemblait à un clown cruel.

Les sécrétions qui s'échappaient des blessures de chevrotine marbraient le visage et les cils de Millon comme des traînées de mascara. Ses yeux, déjà aveugles mais toujours vivants, se levèrent vers les fenêtres de l'hôpital. Les plombs avaient incrusté des photos dans le tissu de la veste de treillis et elles semblaient faire partie du motif camouflage ; l'une d'elles, que Hanson se souvenait avoir vue dans l'appartement, laissait échapper quelques bulles d'écume rose.

Au moment où Hanson se penchait au-dessus de lui, un Zippo, ensanglanté et grêlé de plombs, glissa de la poche de poitrine de Millon et dégringola sur l'asphalte. Ils en avaient vendu des milliers de semblables aux soldats du Vietnam avec le dessin émaillé de Snoopy, le chien du dessin animé, d'un côté, en treillis et coiffé d'un casque, un cigare dans la bouche, un M-16 calé sur la hanche. De l'autre côté du briquet était gravée une parodie du Psaume 23, très populaire à l'époque du Vietnam : « Même si je traverse la vallée de la mort, je ne crains aucun démon, car je suis le plus grand salopard de toute la vallée. »

Hanson s'agenouilla pour examiner la boule de papier d'aluminium et d'éclats de verre que Millon avait sortie de sa poche, à la place d'une arme. Il l'avait tassée comme une boule de neige autour de la Silver Star, dont le ruban bleu rouge et blanc était poisseux de sang.

Du dos de la main, il caressa le bras de Millon — personne ne s'en apercevrait — en récitant la véritable fin du Psaume 23. « La bonté et la pitié m'accompagneront tout au long de ma vie, et j'habiterai éternellement dans la maison du Seigneur. »

— Cet enfoiré était déjà clamsé avant de dégringoler, commenta Zurbo.

Les yeux de Millon étaient totalement morts maintenant, opaques et visqueux comme les yeux d'un poisson au supermarché, mais la blessure béante dans la poitrine continuait de faire des bulles avec l'air restant dans les poumons.

Hanson se redressa et, du pouce, releva le cran de sécurité de son pistolet, en relâchant le chien, la main crispée comme une serre autour de la crosse ; de petits arcs-en-ciel d'huile et de Hoppe n° 9 s'élevaient de l'acier brûlant.

Un Raven automatique calibre .25 glissa sur le bitume et arrêta sa course dans les replis ensanglantés de la veste de treillis de Millon.

— C'était un tir légitime, déclara Fox, de la façon dont ça s'est passé. D'où qu'on se place. Pas vrai ? (Il regarda les autres flics, l'un après l'autre. Hanson, comme les autres, acquiesça.) Mais vous savez bien comment ça va finir. « La police tue un Noir désarmé. » Les négros vont s'énerver, et ce connard de maire tient à sa réélection. C'était un tir légitime. Facilitons les choses pour tout le monde, ajouta-t-il en désignant d'un mouvement de tête l'arme qu'il avait jetée, le Raven bon marché nickelé, à demi caché par la veste de Millon. T'as manqué de réflexes, Hanson. Ce négro t'aurait dégommé si je l'avais pas flingué avant. J'ai toujours entendu dire que les bérets verts étaient des salopards. Mais faut pas croire toutes les conneries qu'on raconte.

Hanson rengaina son arme et fit craquer ses doigts pour faire disparaître les crampes.

— C'est pas la peine de me remercier, ni rien.

— Va te faire foutre, Fox. Ce type avait la Silver Star.

Des policiers arrivèrent sur place pour entourer les lieux de la fusillade d'un long ruban de plastique jaune sur lesquels se répétaient à l'infini les mots POLICE. ACCÈS INTERDIT, imprimés en noir. Le soleil se couchait quand l'équipe médicale chargea le corps sur la civière et le fit rouler jusqu'au break.

L'hôpital se dressait devant eux comme la paroi d'une falaise, avec ses motifs aléatoires de fenêtres éteintes ou allumées. Derrière l'une de celles qui étaient éclairées au deuxième étage, un soufflet en caoutchouc montait et descendait dans un cylindre de verre, se gonflant et se dégonflant comme un poumon maintenu en vie à l'intérieur d'un bocal.

Des inspecteurs les interrogèrent au sujet de la fusillade, l'un après l'autre, au cinquième étage du commissariat central, dans les locaux de l'Inspection des services. Parlant à voix basse dans le couloir, là où l'employé chargé de l'entretien décrivait des arcs de cercle sur le sol en marbre avec son polissoir chromé qui bourdonnait, et plus tard près du distributeur de Coca dans le réfectoire, ils firent en sorte que toutes leurs histoires concordent. Les détails devaient rester simples et cohérents, c'était le plus important. Tandis qu'ils attendaient dans le couloir, des inspecteurs et des agents en tenue s'arrêtèrent pour les féliciter. Fuller, qui faisait des heures sup' en arrêtant des conducteurs en état d'ivresse, les salua en agitant une liasse de formulaires de consentement implicite et des résultats d'Alcootest, alors qu'il sortait du bâtiment.

91

— Joli boulot, lança-t-il en passant sa main dans ses cheveux en brosse. Encore un enfoiré qu'on sera pas obligés d'arrêter une fois de plus.

Zurbo sortit du bureau et annonça à Hanson que c'était à son tour, avec un signe de tête pour indiquer qu'il n'y aurait pas de problème.

Hanson poussa la porte en acier, dont la poignée en aluminium brossé était aussi grosse qu'une balle de base-ball, pour pénétrer dans un bureau étroit qui sentait l'encaustique et le Brasso. Le revêtement gris des murs avait le même éclat terne que le plancher.

— Asseyez-vous, Hanson, dit Rivas.

Le bureau en acier gris collé contre le mur de gauche, où était assis McCarthy, était un peu plus près de la porte que celui de Rivas sur la droite, si bien qu'il y avait assez de place pour passer entre les deux et atteindre la chaise disposée face à son bureau. Le seul autre meuble de la pièce était un porte-manteau en aluminium.

— Ça ne devrait pas être long.

D'étroites fenêtres à claire-voie, trop hautes pour qu'on puisse voir la rue tout en bas, occupaient toute la longueur du mur extérieur. Il n'y avait pas de portraits de famille, ni de trophées de golf sur les bureaux, ni posters ni dessins humoristiques, aucun certificat décerné par le Elk's Club ou le Rotary n'était encadré sur les murs. Rien à regarder, à l'exception du sergent Rivas, un Portoricain de New York, assis derrière son bureau.

Hanson dut jeter un coup d'œil par-dessus son épaule pour voir McCarthy, un gros flic rougeaud, motard de la police de la route. Ils avaient été obligés d'appeler McCarthy chez lui pour qu'il assiste aux interrogatoires, et il paraissait légèrement éméché.

Rivas posa ses mains à plat sur le bureau et regarda Hanson.

— Vous n'aimez pas la façon dont ça s'est passé ? demanda-t-il, et sa voix résonna faiblement dans la pièce sinistre. À ce qu'il paraît...

— Non, pas du tout. Qui vous a dit ça ?

— Personne ne m'a rien dit. C'est juste une impression qu'on a eue en écoutant les dépositions. Entre vous et Fox... vous voyez, peut-être qu'on a « entendu » des choses.

— Ce type m'a dit qu'il avait une arme. Il a dit qu'il allait me tuer. Tout le monde a attendu le plus longtemps possible avant d'avoir recours aux méthodes expéditives. Moi, j'ai attendu trop longtemps.

— Peut-être que vous avez un problème avec les méthodes expéditives justement, dit McCarthy dans son dos.

Rivas pianotait sur son bureau. Le pouce et l'index de sa main droite étaient couverts de cicatrices et raides. À l'époque où il était encore simple policier en tenue, son équipier et lui rentraient dîner quand une fille de seize ans, furieuse contre son petit ami, avait grillé un stop et percuté par le travers la voiture de patrouille. La vitre était baissée, et la voiture en se renversant avait coincé sa main entre la portière et la chaussée. Il avait été obligé d'apprendre à tirer avec la main gauche pour reprendre son travail. Son équipier, mis à la retraite pour invalidité, s'était tiré une balle dans la tête un an et demi plus tard.

McCarthy respirait comme s'il avait grimpé un étage en courant.

— Vous avez réfléchi à la question ? demanda-t-il.

— Non, répondit Hanson en se retournant un instant, la nuque endolorie.

Il essaya de couper le son de la respiration de McCarthy, et de s'imaginer au bord de la rivière où il allait pêcher quand il était enfant, près des chutes.

— Peut-être que vous devriez y réfléchir ?

Le grondement de l'eau, argentée, bleue et écumante.

— Si vous ne pouvez pas assumer les méthodes expéditives, vous devez ça aux gars qui travaillent avec vous...

— Je n'ai pas réfléchi au problème, répondit Hanson en se retournant sur sa chaise, parce qu'il n'y en a pas. J'ai tué bien plus de types que vous ne...

— Ce gars-là, dit Rivas. Vous avez vu son dossier militaire ? Forces spéciales. Troupes aéroportées.

Hanson se rassit au fond de sa chaise. Le veston à col étroit de Rivas était tissé avec une sorte de fil métallique. Il pendait au portemanteau en aluminium derrière lui, informe, l'air maladif.

— Ce trip à la GI Joe, c'est pas ça la rue, commenta McCarthy.

— Parlez-nous de votre première rencontre avec cet individu en décembre dernier, demanda Rivas.

— Comme c'est écrit dans le rapport, des voisins se plaignaient qu'il faisait trop de bruit. Il était un peu dingue...

— Il était persuadé qu'on lui balançait des rayons laser dans le cul ! Moi, j'appelle ça un psychopathe de première ! s'exclama McCarthy.

— J'ai envisagé de le conduire à l'hôpital, dit Hanson, mais son comportement, à l'époque ne semblait pas représenter un danger pour lui ou pour les autres. Peut-être qu'il ne prenait pas ses médicaments, tout simplement. D'ailleurs, je pense qu'ils n'auraient pas voulu de lui.

— Il aurait fallu l'enfermer, dans un endroit où on l'aurait *obligé* à prendre ses putains de médicaments. Mais grâce aux gauchistes et à l'ACLU[1], ces salopards ont le droit de se balader librement dans les rues, et on fait appel aux flics ensuite pour mettre fin à leurs souffrances.

— Vous pensez que c'était de la légitime défense ? demanda Rivas.

— Oui. Sans aucun doute. Il avait envie de mourir.

— Dans ce cas, il aurait dû foutre le camp quelque part — à la campagne par exemple, c'était très bien — et avoir le courage de le faire lui-même. Ça nous aurait évité un tas de paperasses inutiles.

Rivas sourit en entendant l'expression « paperasses inutiles », et il regarda par-dessus l'épaule de Hanson.

— Encore un fils de pute qui se fiche pas mal des autres. Évidemment, on peut pas espérer qu'ils apprennent le sens des responsabilités dans la rue, mais on aurait quand même pu croire que son passage dans l'armée lui aurait au moins appris à être un peu plus indépendant et à penser aux autres, déclara McCarthy.

Par la fenêtre, Hanson remarqua pour la première fois un grand panneau publicitaire installé sur le toit d'un immeuble, éclairé par des projecteurs qui donnaient l'impression qu'il flottait dans le ciel noir. Une magnifique blonde, aux yeux pétillants du même vert que son justaucorps, une pellicule de sueur sur le visage et les bras. Légèrement de côté de façon à montrer ses cuisses et ses fesses musclées, et les bretelles de

1. ACLU : *American Civil Liberties Union*, mouvement fondé dans les années 20 par des réformateurs sociaux dans le but de défendre les droits individuels inscrits dans la constitution. *(N.d.T.)*

son justaucorps qui soulevaient et séparaient ses seins ; elle souriait à Hanson par-dessus son épaule, un verre de lait à la main.

— Trente-deux blessures, en comptant les impacts de chevrotine, dit McCarthy en se levant de son fauteuil, grâce à ses bons amis blancs de gauche. Faut que j'aille pisser.

Après qu'il fut sorti, Rivas contempla sa main, tapota sur le bureau, leva les yeux vers Hanson et haussa les épaules.

— C'est quoi au juste votre problème avec Fox ? demanda-t-il.

— Y a pas de problème.

Rivas feuilleta les dépositions posées sur son bureau.

— Conflit de personnalités, dit Hanson. J'aime pas ce type.

— Je vous comprends. On peut pas aimer tout le monde. Il est plutôt du genre obsessionnel. Quand il n'arpente pas les rues, il passe son temps dans le bureau de la criminelle à rentrer des noms dans l'ordinateur. Vous travaillez souvent avec lui, là-bas à North ?

— Non, pas souvent.

— Ils ont pas le même, comment vous dites... « style de vie », dit Rivas. Tiens, ils l'ont allumée, ajouta-t-il en regardant par la fenêtre. Ils ont installé ce panneau il y a quinze jours environ. Ça a enrichi ma vie. Elle fait vachement « saine », hein ? N'empêche, le lieutenant était furax. Il dit que ça crée des « perturbations psychologiques » d'avoir cette fille-là derrière la fenêtre d'une salle d'interrogatoire.

Il reporta son regard sur le dossier de Hanson.

— Le lieutenant a suivi des cours de psychologie, dit-il, pince-sans-rire. Je suis très impressionné par ce dossier. Diplôme universitaire. Deux Bronze Stars dans les Forces spéciales. Comment un gars comme vous se retrouve ici, finalement ?

Le dossier personnel de Hanson était sur le bureau. Une chemise rouge brique portant la mention CONFIDENTIEL tamponnée à l'encre noire. Rivas le tapota avec son doigt.

Impressionné, mon cul ! pensa Hanson.

— Une Bronze Star avec un « V », précisa-t-il. Les autres, ils les distribuent à tout le monde.

— Ah bon ? Vraiment ? Il y a également dans ce dossier des trucs que le ministère de la Défense refuse de communiquer. Ça apparaît sur l'ordinateur.

— J'ai accompli quelques petits boulots secrets, que tout le

95

monde connaît maintenant. Mais ils veulent que ça reste confidentiel malgré tout, vu que ça remonte à sept ans. Simple formalité.

— Rétrogradé à sept ans d'intervalle, commenta Rivas. (Il sortit un chewing-gum de sa poche et ôta le papier.) Ma femme me répétait sans cesse que la cigarette allait me tuer, alors j'ai arrêté de fumer et je me suis mis au chewing-gum. Maintenant, elle trouve que ça fait « prolétaire ».

Il se tourna vers le panneau publicitaire.

— Je crois que le lieutenant a raison, dit-il. Je gaspille l'argent des contribuables en perdant mon temps à m'imaginer en train de lécher la sueur sur son corps.

Il mit le chewing-gum dans sa bouche, mastiqua deux ou trois fois et le coinça dans sa joue.

— Moi aussi j'étais dans l'armée. Mais rien à voir avec vous. Mes six derniers mois, ils m'ont nommé gardien des documents confidentiels à Fort Bliss. C'était à l'époque où le mouvement pacifiste avait la cote, vous vous souvenez ? On a balancé des *caisses* entières de paperasses confidentielles. On les foutait dans l'énorme broyeuse, un truc qui ressemblait à une vieille loco à vapeur. Ça mélangeait le papier broyé avec de l'eau et ça recrachait une sorte de bouillie grise comme de la bouse de vache.

Hanson sourit poliment. Une bande de papier imprimée, pas plus grande qu'un message roulé à l'intérieur d'un *fortune cookie* était scotchée dans le coin du bureau nu. Avec ces mots à l'envers : « La victime d'aujourd'hui est le suspect de demain. »

— Au sujet de ces trucs dans votre dossier, reprit Rivas. Faut que je vous dise, j'ai même passé quelques coups de fil à Washington. C'est classé top secret.

Hanson regarda la belle femme qui lui souriait sur le panneau publicitaire ; on aurait dit que ses seins allaient faire craquer le tissu.

— Rien d'important. Vous connaissez l'armée.

C'était de la légitime défense. On leur accorda un congé de trois jours, conformément à la procédure en vigueur après chaque fusillade mortelle.

Comme à la guerre, se dit Hanson. Vous faisiez un prisonnier ou vous tuiez suffisamment d'ennemis et on vous donnait trois jours de perm'. Il avait toujours trouvé ça chouette, mais pas avec ce type. Un négro qui savait, dès le premier jour où il était rentré du Vietnam, que son avenir était derrière lui. Il savait qu'il était déjà mort à la minute même où il descendait de « l'oiseau de la liberté », aussi mort que cet individu qui se trouvait là-haut au deuxième étage de l'hôpital avec le poumon dans le bocal qui respirait à sa place.

Hanson était ivre en rentrant chez lui. Les interrogatoires concernant la fusillade et les rapports avaient traîné en longueur, si bien qu'il était arrivé tard au club, mais il avait rattrapé le temps perdu en buvant du whisky irlandais à la place de la bière.

Le chien, Truman, était sur la véranda.

— *Buenas noches,* vieux. T'en va pas, dit-il en allant se chercher une bière dans la cuisine. Je reviens tout de suite.

Il revint s'asseoir sur la véranda, à côté du chien.

— Sacrée journée. Pour commencer, j'ai aidé un type à se suicider, et ensuite, il a fallu que j'aille à l'Inspection des services.

Hanson regarda l'éclat de la lune filtrer entre les chevrons de la grange délabrée à l'écart de la maison, et il gratta la bosse entre les oreilles du chien.

— Ça va, toi ? Des fois, j'ai peur que tu sois comme ce type à l'hosto, branché sur une machine qui le maintient en vie alors qu'il devrait être mort.

Il sirota sa bière en regardant le vieux chien aveugle.

— Tu crois que je devrais débrancher la machine ? Peut-être que si tu mourais, tu reviendrais dans le corps d'un chiot tout neuf. Pour recommencer à zéro.

Le chien renifla et s'allongea.

— Je parie que le vieux Thorgaard te manque, dit Hanson en se levant. Moi, tu me connais pas.

Sa bière à la main, il se rendit dans la première pièce de la vieille ferme, et passa devant le grand fauteuil et le poêle à bois pour atteindre la bibliothèque, sur le mur du fond. Il prit sur l'étagère le livre de M. Thorgaard, *Vapeur*, et le feuilleta comme il l'avait fait peut-être une centaine de fois depuis le jour où il l'avait découvert dans la chambre du vieil homme décédé. L'ouvrage relié de cuir, rempli de graphiques, de tables mathématiques, de formules de physique, de diagrammes et de plans de machines à vapeur, avait quelque chose d'autonome et de définitif : Eau + Feu = Vapeur = Énergie. Il l'avait lu du début à la fin. En commençant par la dernière page, à l'envers, jusqu'à la première. Il l'avait ouvert au hasard. Il avait essayé de sauter de page en page, par groupes de deux, de quatre, de huit, à la recherche d'une méthode de lecture. Certaines fois, il s'était volontairement brouillé la vue, pour tenter de découvrir des mots ou des images dissimulés parmi les esquisses de groupes électrogènes, de bateaux à vapeur traversant les Grands Lacs, les visions de désastre — viscères noires et hachurées de chaudières ayant explosé, ensevelies sous des poutres brisées et des gravats de cheminées écroulées — dans l'espoir de pénétrer les mystères fondamentaux de l'eau et du feu, et d'y découvrir des conseils pour vivre de manière honorable au milieu de la folie et de la brutalité, un graphique ou une formule qui lui indiquerait un chemin à suivre, avec courage et miséricorde, à travers un monde où parfois, tard dans la nuit quand tout était calme, il lui semblait entendre la souffrance elle-même sortir de terre pour chevaucher l'air obscur au parfum de pomme.

Il ouvrit le livre à la table qu'il avait apprise par cœur, page 57 :

TEMPÉRATURE DU FEU

Aspect	Température Fahrenheit
Rouge, à peine visible	977
terne	1290
Cerise, terne	1470
pleine	1650
claire	1830
Orange, profond	2010
clair	2190
Chaleur incandescente	2370
violente	2550
aveuglante	2730

Finalement, Hanson referma le livre et le remit à sa place sur l'étagère, décidé à aller se coucher, quand il remarqua, couverte de poussière et à moitié dissimulée sous des manuels d'instruction militaire et de vieux numéros de *Shotgun*

News, la boîte en noyer que son oncle avait sculptée l'année où Hanson était né, l'objet le plus ancien qu'il possédait. Il s'en saisit et, la faisant tourner entre ses mains, il lut l'inscription en lettres gothiques qui ornait les côtés.

Regardez les lys du champ comme ils poussent

Il la reposa, l'ouvrit et sortit le béret vert plié à l'intérieur, le béret qu'il portait au Vietnam. Mais jamais durant les opérations. Ça tenait trop chaud et ça ne protégeait pas les yeux, c'était décoratif, un accessoire inutile quand on y pense. Il le portait uniquement quand ils se rendaient à Da Nang pour parader dans leurs tenues tigrées, mettant au défi quiconque parmi les centaines, les milliers de Vietnamiens et de soldats américains, de se mettre sur leur chemin, ou de les regarder droit dans les yeux, ou simplement de ne pas détourner la tête assez vite. Ça n'arrivait jamais. C'était un pays où les gens croyaient à la mort. Même à Da Nang, un endroit pourtant sûr, on découvrait de nouveaux cadavres dans les rues chaque matin.

Il sortit et déplia le béret en laine verte, avec une bande de cuir, doublé de toile de parachute en nylon couleur camouflage. Un « écusson » noir, une forme de bandeau sur l'œil droit, l'emblème en argent des Forces spéciales épinglé dessus, des flèches croisées sur un poignard, et au-dessus, un drapeau noir émaillé affirmant : *De Oppresso Liber,* « Libérons les opprimés ». Évidemment, ça faisait rire tout le monde. Ils connaissaient la vérité. Quand on leur demandait ce que signifiait cette phrase latine, ils répondaient : « On emmerde les opprimés ». Mais ça signifiait également autre chose pour eux.

Hanson se souvenait encore du jour où on lui avait remis ce béret, à la fin de sa préparation militaire ; il savait alors qu'il mourrait plutôt que de laisser quiconque insulter ce béret, ou de se laisser insulter pendant qu'il le portait. Mais il savait que c'était puéril, aussi idiot que le béret lui-même, et il n'avait jamais confié à personne ce qu'il ressentait.

À l'intérieur se trouvaient les insignes et les médailles. Les ailes de parachutiste Silver American, argent terne et peinture noire, moulé grossièrement. L'insigne de fantassin, argent et émail bleu, avec un mousquet au milieu d'une couronne de feuilles de chêne. Une plaque d'identification avec son nom, son matricule, son groupe sanguin, A +, et ses croyances religieuses : « Aucune ».

Il déposa au creux de sa paume la Bronze Star, avec le « V » du combattant valeureux et le bouquet de feuilles de chêne. Les feuilles ressemblaient davantage à des insectes. Il aurait bien aimé avoir la Silver Star, mais la Bronze Star avec un « V », ça lui convenait. Et il avait le sentiment de l'avoir méritée, ce jour-là, même s'il avait fait uniquement ce qu'on lui avait appris à faire, au cœur de l'action. Il avait repoussé la peur et accepté l'idée de mourir s'il devait mourir, mais pas question d'avoir peur, et pas question de merder à cause de la peur. Il avait tué un tas de soldats nord-vietnamiens ce jour-là, et on l'avait proposé pour la Silver Star, mais finalement il avait obtenu celle de bronze. Évidemment, d'autres gars avaient fait des actions plus courageuses que lui, sans avoir de médaille. D'autres, des officiers principalement, n'avaient rien fait du tout et on leur avait donné la Silver Star. Mais Hanson était satisfait de sa Bronze Star avec le « V ». C'était équitable pour tous. Il ne pensait pas que les gars qui en avaient fait plus que lui sans recevoir de médaille diraient qu'il ne la méritait pas. Même ceux qui avaient été tués. Là-bas au paradis ou dans l'éternité, quel que soit l'endroit où on allait une fois mort, ils diraient : « C'est normal. Il l'a méritée. » Hanson sourit et secoua la tête ; les médailles s'entrechoquèrent quand il les rangea à l'intérieur du béret replié. Qui sait ?

Reposant le béret, il sortit une photo de la boîte. Un Polaroïd avec beaucoup de grain montrant Hanson, Quinn, Silver et Dawson devant le mess, avec à l'arrière-plan l'ombre des montagnes floues. Tous les quatre arboraient de larges sourires et un air mauvais, tenant dans leurs bras des AK pliables, des Thompson, des K suédoises, un Car-15. Quinn et Silver étaient morts depuis longtemps. Hanson les avait regardés mourir.

Dawson était certainement mort lui aussi maintenant. Hanson sourit. « Dawson ». Tout le monde l'appelait « Doc », le seul Noir de l'équipe. Doc était un salopard qui vous foutait la trouille. Sur le parking de l'hôpital, s'il avait été à la place de Millon, il aurait emporté pas mal de flics avec lui dans la tombe.

Hanson déposa le Polaroïd sur le béret et sortit de la boîte une photo en couleur de lui, portant le béret et une paire de lunettes d'aviateur, un sourire jusqu'aux oreilles, brandissant la tête ensanglantée d'un Viêt-cong qu'il tenait par les cheveux, juste à côté de la sienne, et les deux têtes ressemblaient

100

aux masques de la tragédie et de la comédie. La tragédie, le Vietnamien mort, semblait regarder vers le sol, sous ses paupières baissées marbrées de sang, les lèvres boudeuses, comme s'il avait honte de l'humanité.

Hanson ne parvenait toujours pas à éprouver de la honte de l'avoir tué et d'avoir brandi la tête devant le photographe, pas plus qu'il n'en éprouvait à tenir une tête de cerf par les bois. Son intention était de faire imprimer cette photo sur des cartes de vœux pour Noël et de les envoyer chez lui du Vietnam. Il avait envoyé le négatif à un laboratoire photo quelque part en Australie, mais le film avait dû se perdre dans le courrier, car il n'était jamais revenu.

Il aurait voulu leur envoyer à tous une tête coupée, pas uniquement une photo sur une carte de vœux. Ils étaient pour la guerre ou contre la guerre, et ils n'y connaissaient rien. La première fois où il était revenu chez lui, il avait commis l'erreur de leur raconter certaines choses qu'il avait vues et faites, et ils l'avaient regardé comme s'il était un monstre.

Hanson vida d'un trait le reste de sa bière. Eh oui, c'était un monstre. En effet. Il n'y pouvait rien. Tant pis, songea-t-il en rangeant les photos dans la boîte, avant de les recouvrir avec le béret. Heureusement qu'il était devenu flic. Il serait en prison à l'heure qu'il est, ou mort, ou fou comme Millon, s'il n'était pas devenu flic.

Il referma la boîte, la remit sur l'étagère en tapotant dessus affectueusement.

— « Regarde les lys du champ comme ils poussent. »

Voilà bien longtemps qu'il n'allait plus à l'église, mais il adorait la Bible du roi James. Le rythme des mots. « Ils ne labourent, pas plus qu'ils ne tissent... »

Le chien entra dans la maison, les oreilles dressées, tournées vers la voix de Hanson.

— « Et pourtant, je vous le dis, Salomon lui-même dans toute sa gloire jamais ne fut vêtu comme l'un d'eux. » J'ai appris ça à l'armée, dit-il au chien. Je t'ai dit que j'avais été dans l'armée ? Les frangins m'appelaient « Pageman » pendant les classes. J'arrivais à planquer huit ou dix pages de bouquin dans mes poches de treillis, je les sortais en douce et je lisais dans les rangs. Des fois, deux gars se pointaient et l'un d'eux disait : « Hé, vise un peu. Le mec là-bas. Hanson. Tu le connais ? Moi, je l'appelle Pageman, parce qu'il a toujours des pages de bouquin dans ses poches. Il les arrache pour les lire. C'est pas vrai, mec ? » « C'est vrai, je disais ». « Ça t'ennuie pas qu'on t'appelle Pageman, hein ? Je voudrais pas que tu t'énerves et que tu me casses la gueule ou un truc comme ça, uniquement parce que je t'appelle Pageman. » Je souriais et répondais que c'était OK. « C'est quoi que tu m'as dit qu'il y avait dans ces bouquins ? » « Des poèmes. Je te l'ai dit, je me sens mieux quand je les lis. » Le gars souriait, en disant « Merde, alors », et il me filait une claque sur l'épaule comme si j'étais un petit Blanc attardé, et ils repartaient tous les deux en se foutant de ma gueule. « Ce connard avec ces poèèèmes ! » Viens, on va boire une autre bière. L'armée m'a piqué mes poèmes, dit-il, et le chien le suivit dans la cuisine. Et ils m'ont filé une Bible à la place.

Il éclata de rire et regarda le chien.

— Un coup du capitaine Decker, Truman...

C'était une nuit chaude de juillet, après un mois de classes à Fort Bragg, et le capitaine Decker avait choisi d'effectuer une inspection surprise à 3 heures du matin. Decker était légèrement plus grand que Hanson, svelte et bien bâti, mais son uniforme pendait sur sa silhouette comme un costume bon marché, avec l'écusson tape-à-l'œil « Missile Command » sur l'épaule. Il faisait un complexe de ses mains trop petites, mais il portait une grosse bague en or des ROTC[1] de Paterson State college dans le New Jersey, qui les faisait paraître encore plus petites.

Le sergent Washington marchait un pas derrière le capitaine, planchette à la main. Washington changeait trois fois par jour de treillis amidonné et taillé sur mesure, pour avoir toujours l'air impeccable. Il semblait ne jamais transpirer, ni même être essoufflé quand il emmenait la compagnie sur le parcours du combattant ou faire des courses de dix kilomètres. On savait qu'il avait effectué deux séjours au Vietnam, mais il n'en parlait pas.

Decker découvrit les deux livres sous une serviette dans le placard de Hanson, les couvertures maintenues par des élastiques autour des pages déchirées.

1. ROTC, *Reserve Officers Training Corps*, régime correspondant à la Préparation militaire supérieure en France. (*N.d.T.*)

— Des livres de cul ! dit-il en lançant la serviette par terre. Des livres de cul dans ma caserne. Regardez-moi ça ! Sergent Washington ?

— Oui, capitaine.

Henry Johnson, un jeune Noir qui dormait au-dessus de Hanson, se tenait au garde-à-vous à ses côtés. Il sourit lorsque Decker répéta l'expression « livres de cul ».

— Qu'est-ce qui vous fait sourire, Johnson ? demanda le sergent Washington. Possession illégale d'objet pornographique. Article 15. Je ne vois pas ce qu'il y a d'amusant ! Des livres de cul dans la caserne du capitaine Decker ! Faites-moi vingt pompes !

Henry Johnson s'allongea entre les lits superposés et commença à compter ses pompes.

— Une... Deux...

— Soldat, dit Decker en s'adressant à Hanson, vous allez regretter le jour où vous avez introduit cette saleté dans ma caserne !

— Capitaine, ce n'est...

— Repos, soldat ! rugit Washington, dominant Decker de toute sa hauteur.

— Et que se passe-t-il, soldat, reprit le capitaine, une fois que vous êtes excité ? Dans une chambrée remplie de jeunes hommes. Quelles idées vous passent par la tête quand vous lisez ce genre de littérature ? Ça me rend malade rien que d'y penser, soldat !

— Sergent, aurais-je une tantouse dans ma caserne ?

— Pas à ma connaissance, capitaine.

— Dans le New Jersey, là où j'ai grandi, vous savez comment on les appelait, sergent ?

— On les appelait des « pédales ».

— Quatre... Cinq... hurlait Henry Johnson, masquant le rire du capitaine.

— C'est ça qu'on a ici ?

— Je ne sais pas, capitaine.

— Êtes-vous une pédale, soldat... Hanson ? demanda Decker en lisant le nom sur le badge de Hanson.

— Non, capitaine.

— Un pédé ? Un homosexuel ? Sinon, pourquoi vous exciter dans une chambre remplie de jeunes hommes nus et endormis ?

Henry Johnson continuait à faire ses pompes, adressant un sourire crispé au plancher ciré, en comptant à voix haute :

— Huit !... Neuf !...

Decker sourit à Hanson et s'approcha.

— Sergent Washington, dit-il en soufflant son haleine dans le nez de Hanson. Voulez-vous ramasser une de ces cochonneries et me la donner ?

— Quatorze !... Quinze !...

Une goutte de sueur coula des cheveux en brosse de Decker, sur sa tempe.

— Capitaine, dit Hanson, les yeux fixés sur l'oreille gauche de Decker.

— Au garde-à-vous, soldat ! cria le capitaine, tandis que Washington lui tendait le livre.

... On dirait que vous l'avez sacrément usé celui-ci, commenta-t-il en le tenant entre deux doigts. (Sans quitter Hanson des yeux, il arracha l'élastique.) Y'a du bouffage de chatte, là-dedans ? Du cunnilingus ? Des rapports anaux ? dit-il en regardant le livre.

— Seize !... hurla Henry Johnson.

Hanson entendit le bruissement des feuilles ; il risqua alors un regard et vit, à l'envers, les mots « Seigneur » et « Jésus » à toutes les pages. Gerard Manley Hopkins, le poète et jésuite du XIXᵉ siècle que Hanson étudiait au cours du semestre où il avait été incorporé.

Decker orienta le livre vers la lumière.

— Dix-sept... !

Il tourna la page.

— Dix-huit... !

Il referma le livre et regarda la couverture.

— Dix-neuf... !

— Vous avez l'intention de devenir prêtre, soldat Hanson ?

— Oui, capitaine. J'y songe sérieusement depuis quelque temps, et je...

— Vingt ! s'exclama Henry Johnson face au plancher, avant de se relever d'un bond et de se mettre au garde-à-vous à côté de Hanson, en hurlant : Pas de quartier pour les niaks, capitaine !

Decker répondit par un hochement de tête, avant de revenir sur Hanson.

— C'est très bien ça, dit-il. Y a rien à redire...

— J'ai toujours été très croyant, capitaine, mais c'est seulement depuis que je suis dans l'armée que j'ai commencé à...

— Écoutez ce que le capitaine a à vous dire, intervint Washington.

Decker leva la main, les yeux fixés sur Hanson.

— Laissez, je m'en charge, sergent, dit-il en lui tendant le livre. Tenez-moi ça, je vous prie. Comme je le disais, je ne trouve rien à redire, mais il y a un moment et un lieu pour chaque chose. Pour l'instant, nous mettons tout en œuvre pour faire de vous et de tous ces hommes des soldats capables de défendre un pays qui autorise la liberté d'expression et de religion. Vous comprenez ?

— Oui, capitaine.

— Vous voyez où je veux en venir ?

— Oui, capitaine.

— Je vous ai mal jugé pendant quelques instants, mais c'était pour la bonne cause. Dans cette armée qui est la nôtre, la vôtre et la mienne, la Bible est le seul livre qu'un soldat a le droit de lire durant ses classes. C'est clair ?

— Oui, capitaine.

— Quel est la troisième règle ?

— La troisième règle, capitaine, est : « Je ne dois pas abandonner mon poste sans avoir été relevé », capitaine.

— Affirmatif. Continuez comme ça, soldat Hanson.

Il balaya du regard les hommes alignés. Il hocha la tête, les yeux plissés, les lèvres crispées par un petit sourire.

— Une armée est faite d'hommes coriaces, soldat Hanson. Mais nous avons toujours besoin d'hommes de Dieu parmi nous.

Son sourire s'évanouit, il effectua un demi-tour à droite et s'éloigna.

Quand il eut terminé son inspection, le capitaine remit la compagnie sous les ordres du sergent Washington.

— Le soldat Hanson m'accompagne dehors. Les autres, rompez ! Vous voulez devenir prêtre, c'est ça ? lui demanda Washington une fois à l'extérieur. Vous voulez répandre la bonne parole ? Travailler pour le Seigneur ?

— Oui, sergent.

— Allons, vous pouvez raconter au capitaine que vous « envisagez sérieusement » de devenir prêtre. Le capitaine, lui, peut y croire. Mais ne venez pas me raconter ces conneries à moi, comme si j'étais aussi stupide que lui. Pas vrai, mon gars ?

— Oui, sergent.

— Parfait, Hanson. Je préfère ça, dit-il en frappant dans sa paume gigantesque avec le recueil de poésie roulé. Je sais pas ce que c'est cette saloperie, mais je veux plus la voir.

— Oui, sergent.

— Bien. La prochaine fois que vous faites quelque chose qui énerve le capitaine Decker — n'importe quoi —, je serai en rogne après *vous*, et vous le regretterez. C'est bien compris ?

— Oui, sergent.

— Je veux pas que le capitaine Decker soit furieux ou contrarié. Ça pourrait l'obliger à prendre une décision, et peut-être même à agir. Ça veut dire plus de travail pour moi, et plus de temps passé à l'écouter. Je déteste ça. Alors, arrêtez de déconner.

— Oui, sergent.

— Qu'est-ce que vous foutez ici, Hanson ? Vous êtes pas comme ces autres tarés. Enfin merde, vous avez été à la fac. Et pourtant, vous vous comportez comme un crétin parfois.

— J'ai été incorporé, sergent.

— Non, vous vous êtes engagé. Pour trois ans.

— Après avoir été incorporé.

— Bon sang, mon gars. Vous auriez pu demander à faire une spécialité pour éviter d'aller au combat sans vous taper cette année supplémentaire, avec ce diplôme dans votre dossier.

— J'avais besoin de trois ans pour passer l'examen des Forces spéciales. Je me suis porté volontaire pour l'infanterie. Puisque ces salopards m'ont incorporé, autant voir la guerre.

L'espace d'un instant, Hanson crut que le sergent Washington allait le frapper.

— Putain, c'est pas une honte que vous ayez été obligé d'en baver comme ça, juste pour pouvoir ensuite vous faire canarder, alors que vous êtes même pas obligé de foutre le camp là-bas. Dommage pour vous que vous soyez pas noir, Hanson. Si vous cherchez les emmerdes, ils vous en auraient filé, en permanence. Et gratuitement par-dessus le marché ! Bon Dieu, mon gars ! s'exclama-t-il en ôtant d'un geste brusque son chapeau à larges bords. Vous savez pas...

Il frictionna son crâne noir rasé, comme s'il voulait se faire du mal. C'était la première fois que Hanson le voyait sans son chapeau. La cicatrice sur sa tempe était violette dans la lumière du bureau. Il remit son chapeau sur sa tête et ajusta la jugulaire, le regard perdu dans le vague, comme s'il avait oublié que Hanson se trouvait à ses côtés.

— Allez dormir, dit-il en donnant l'impression de se parler à lui-même, et il s'éloigna, la tête droite, l'air sévère, ses bottes lustrées étincelant dans le noir.

— La journée sera longue demain, ajouta-t-il.

Le lendemain, Hanson alla trouver l'aumônier afin de lui réclamer un minuscule exemplaire du Nouveau Testament. Pour la plus grande joie de l'aumônier. Ce dernier possédait un carton rempli de petits exemplaires du Nouveau Testament avec des couvertures noires, dont personne ne voulait. Apparemment, les recrues ne venaient le voir que lorsqu'ils avaient besoin d'une permission urgente ou d'un moyen de quitter l'armée pour de bon, et presque toujours il était obligé de les renvoyer, déçus et furieux.

— Merci beaucoup, monsieur, dit Hanson en serrant la main de l'aumônier souriant, avant de le saluer.

— N'hésitez pas à venir me voir si vous voulez parler, dit l'aumônier.

— Merci, monsieur.

C'était son plus beau jour depuis qu'il était dans l'armée. Ça lui faisait du bien de réchauffer ainsi le cœur de l'aumônier. Et il était content d'avoir quelque chose à lire qu'il n'était pas obligé de cacher.

Dès lors, Hanson emporta le petit livre partout avec lui, apprenant des passages entiers par cœur sous le soleil de la Caroline, dans les chambrées et au mess, dans le foyer enfumé des soldats, le soir, buvant de la bière 3.2 assis à une table du fond quand il y en avait une de libre, ou bien appuyé contre le mur, à l'écart des types en sueur au crâne rasé qui se parlaient en hurlant par-dessus le vacarme du juke-box, des types dont les noms étaient déjà tapés à la machine sur des listes pour le Vietnam.

— J'ai appris par cœur toutes ces conneries dans la Bible du roi James, dit-il à Truman, en éteignant la lumière.

Arrivé au pied de l'escalier, il se retourna et sourit au chien qui levait la tête vers lui dans la lumière de la lune.

— « ... comme ils poussent. » Oui. Pensez-y, vous tous. « Ils ne labourent », récita-t-il en adoptant le rythme des prêtres et des prédicateurs itinérants de son enfance. « Pas plus qu'ils ne tissent. Et pourtant, je vous dis que Salomon lui-même... Salomon lui-même ! hurla-t-il dans la maison vide, le plus puissant roi de son temps, Salomon le sage, si riche qu'il aurait pu se vêtir d'habits d'or pur. Salomon lui-même n'était pas habillé comme aucun d'entre eux. » Bonne nuit, mon vieux, dit-il en gravissant les trois marches menant au palier, d'où il regarda à travers la fenêtre les branches des pommiers se découper sur le fond du ciel.

— « Aussi... », reprit-il en fouillant sa mémoire pour réciter le dernier vers, « ... ne te soucie point du lendemain. »

Les phares d'une voiture, loin de là, sur la route principale, apparurent derrière la colline.

— « ... Car le lendemain se chargera lui-même de chaque chose. »

Les cimes des arbres s'épanouirent un court instant dans l'obscurité lorsque les phares surgirent au sommet de la colline et les balayèrent, alors que la voiture accélérait.

— « Pour ce jour », reprit Hanson, tandis que les phares tremblotaient au milieu des arbres, puis faiblissaient et disparaissaient, « suffit le mal. » Eh bien, dit-il en regardant au dehors à travers son reflet dans la fenêtre redevenue noire, c'est plutôt juste, hein, Truman ? On dirait que ce machin-là fonctionne tout seul. Y a pas grand-chose à faire, dans un sens comme dans l'autre.

Il sortit le pistolet glissé dans la ceinture de son jean, ôta le cran de sécurité avec le pouce et monta se coucher, l'arme à la main comme s'il fouillait une maison inconnue. Il la nettoierait demain matin, songea-t-il. Il était trop ivre ce soir pour nettoyer une arme à feu.

En haut de l'escalier, il hésita, puis se retourna pour appeler le chien.

— Ça te dirait de dormir là-haut, Truman ? Je te ferai un lit avec le sac de couchage. Si t'en as envie.

Il plia le sac de couchage et le posa par terre, près de la fenêtre de la chambre, éteignit la lumière et se coucha. Quand il entendit le chien monter l'escalier en boitant, il s'endormit.

Assis sur le sac de couchage, Truman regardait par la fenêtre, la tête dressée. Évidemment, il était aveugle, mais il donnait l'impression de regarder la lune disparaître derrière le Mont Hood, que les Indiens appelaient Stormbreaker il y a cent ans, à cinquante kilomètres de là.

Cette montagne était là depuis toujours, avec sa face ouest imposante érodée par des millions d'années d'intempéries, faisant face à la mer comme une hache de pierre. Elle se dressait devant les orages venus du Pacifique, les coupant en deux, et le plus gros passait au nord et au sud de la maison de Hanson sans causer de dégâts, tels des wagons de marchandises remplis de tonnerre et d'éclairs.

Hanson gémit dans son sommeil, et le chien se détourna de la fenêtre, l'oreille tendue, jusqu'à ce que l'homme retrouve son calme. Il était tard. Ailleurs, des gens se levaient déjà pour débuter une nouvelle journée.

Dans sa chambre du Nordic Seas Hotel, dans le quartier des clochards, Dakota ouvre les yeux en entendant au-dehors le sifflement du véhicule de nettoyage ; des chemises et des pantalons noirs flottent au-dessus de lui dans la pièce obscure, suspendus à des cintres accrochés au grillage du plafond. La balayeuse tourne au coin de la rue, beaucoup plus bruyante tout à coup, fourrageant dans le caniveau, sa lumière jaune tournoyante macule de taches les vêtements suspendus et les murs de la chambre du premier étage en passant.

Quand elle a disparu, Dakota allume un bout de bougie posé sur le sol et approche de la flamme une racine de gingembre noueuse, jusqu'à ce qu'elle cloque et grille, emplissant la chambre d'une fumée suave, un de ses rituels du matin. Des hommes aux longs cheveux blonds, vêtus de capes à paillettes, semblent émerger de la fumée et de la lumière tremblotante, traversant à grandes enjambées des hordes de tigres et de lions aux immenses crinières, tandis que des panthères noires bondissent au-dessus de leurs têtes, à travers des cerceaux enflammés qui brûlent dans l'obscurité.

Dakota s'assoit dans son lit, le corps glabre et blanc, et il allume la lampe en tirant sur un lacet de chaussure qui pend au-dessus de lui. Il enfile une paire de bottes noires, alors que l'ampoule nue continue à se balancer au bout de son fil, sous le grillage, projetant au plafond des motifs géométriques boursouflés, se reflétant violemment sur les programmes de cirque sur papier glacé et les pages de magazine qui recouvrent les murs, uniquement des photos de Gunther Gebel-Williams, le célèbre dresseur de lions allemand de Barnum & Bailey, dans des tenues et des cages différentes.

Nu à l'exception de ses bottes, la poitrine, les cuisses et les fesses grouillant de cicatrices, aussi pâles et épaisses que des insectes rampants, il exécute un trajet complexe autour des autres bougies disposées sur le sol. Les cierges sont fichés dans des amas d'os de poulet décorés de billes, de pièces de monnaie, de capsules de bouteille et de verre brisé. Dakota s'agenouille devant chaque bougie, l'allume, puis ouvre la fenêtre. Dehors, des pigeons roucoulent et font bruisser leurs ailes sur le rebord de la fenêtre, là où il garde ses provisions.

Tout en bas, dans la rue, des poivrots titubent et grommellent dans le petit jour encore trouble ; le bout incandescent de leurs cigarettes rougeoie dans la ruelle. Une bouteille cogne et se brise contre une poubelle, et quelqu'un hurle : « Et maintenant, tu piges c'que j'veux dire ? »

Dakota arrache le couvercle d'un pot de fromage frais, il le sent, constate qu'il a tourné. Il le mange en restant debout, les yeux fixés sur la fenêtre obscure, avalant de grandes bouchées à l'aide d'une cuillère en plastique, mâchant méthodiquement, avec une rage maîtrisée ; des grumeaux de fromage coulent dans son cou, sur son torse nu. D'un dernier coup de cuillère, il termine le pot et fait passer le fromage avec du Pepsi.

Il ouvre ensuite le cadenas qui ferme le tiroir du bas du bureau couvert de brûlures de cigarettes, et il en sort la flasque de vodka Popov. Il la soulève dans la lumière, l'examine, puis la remet en place. Il l'a achetée il y a presque six mois, et la bague du bouchon est toujours intacte.

Il fouille parmi les flacons non entamés de Thorazine et de Dilantine au fond du tiroir, et sort finalement une Bible qu'il a trouvée dans un Motel Six à Barstow, en Californie, la plus belle chambre dans laquelle il ait jamais dormi. Il avait emporté cette Bible, propre et sentant le neuf comme la chambre, en guise de souvenir. Mais le livre avec ses pages fines comme du papier de soie, aujourd'hui tachées, empestant le désinfectant des cellules et les couloirs des asiles de nuit, est devenu presque aussi important que Gunther et ses fauves.

— Bonjour, vieux, dit Hanson, en refermant la porte de derrière gauchie.

Truman, qui somnolait dehors, au soleil, près du jardin, remua deux fois la queue. L'air sentait les pommiers en fleurs. Le printemps avait été tardif, et quelques fleurs se déposèrent dans les cheveux de Hanson, et sur son sweat-shirt sans manches.

Le Stormbreaker, toujours coiffé de neige, se dressait à l'ouest, aussi parfait et patient que la mort, prêt à l'accueillir le jour où Hanson déciderait de s'y rendre.

La montagne n'était qu'à environ une heure de route. Un agréable trajet, songea-t-il en passant son bras autour du chien, sentant battre son cœur. Il partirait un matin, avec un jean, des tennis et un t-shirt, il abandonnerait le van au bout de la route, et il grimperait jusqu'à la limite des arbres, puis au-delà, pour pénétrer dans le froid véritable.

— Mais pas aujourd'hui, dit-il à Truman. Qui s'occuperait de toi à la place de M. Thorgaard ? D'ailleurs, faut que je coure un peu pour me débarrasser de cette gueule de bois, dit-il en se relevant et en adressant un salut au chien.

« ... Faut partir, faut devenir », chanta-t-il en s'éloignant au petit trot sur le chemin de terre, trouvant son rythme. Para. Fantassin...

Quand il sentit naître un point de côté, il s'adressa à son corps :

— Ça fait mal ? Attends, c'est pas fini...

Il accéléra légèrement le rythme, persuadé que la douleur physique était la seule émotion sur laquelle on pouvait vérita-blement compter.

Le ciel était d'un bleu immaculé.

Il regarda ses jambes, stupéfait comme toujours par la machinerie complexe de ses genoux, de ses chevilles et de ses pieds, puis il se concentra sur le Stormbreaker, sur un point situé juste au-delà de la limite des arbres, jusqu'à ce qu'il se retrouve là-haut, son souffle se transformant en brouillard gelé, abandonnant la douleur au bord du fossé d'irrigation, avec le faux Hanson. Une ruse qu'il avait mise au point afin de continuer à courir quand son corps avait envie d'arrêter.

Du Valium, se dit-il. Avec un litre de vodka. Des somnifères. Atteignant une route, il sautilla sur place pendant quelques secondes, sur la pointe des pieds, puis il bifurqua en douceur et traversa la bande d'asphalte, en reprenant son rythme.

Monoxyde de carbone. Fixer un tuyau sur le pot d'échappement du van, et le faire passer par la vitre. Une bonne méthode. Il avait eu une affaire semblable quelques mois auparavant. Le type avait fait ça dans son garage, un week-end, pendant que sa femme était partie en ville ; il avait cloué la porte du garage et coincé des couvertures en bas. Il était déjà bleu virant au noir quand elle était rentrée à la maison et l'avait découvert, puis appelé la police.

Hanson était assis sur le canapé, en train de finir de rédiger un rapport complémentaire, lorsque l'épouse demanda :

— Y a-t-il d'autres questions auxquelles je n'ai pas répondu ?

Appuyée contre l'encadrement de la porte, elle lui souriait :

— Non, ne vous levez pas, dit-elle. J'arrive.

Elle s'assit à côté de lui, sa jambe frôla celle de Hanson. De dix ans plus âgée que lui, d'après le rapport, c'était une femme sexy, avec des cheveux noirs bouclés et un rouge à lèvres rose.

Elle se pencha sur lui ; ses seins caressèrent son bras, s'écrasèrent contre ses côtes, et elle regarda la planchette posée sur ses genoux.

— C'était bien son genre, murmura-t-elle, l'haleine chargée d'un parfum d'alcool sucré, de se débiner comme un froussard.

La main posée à plat sur la planchette, elle appuya, et Hanson eut alors une érection, dans son pantalon d'uniforme, pendant que le médecin légiste déposait le corps du mari sur la civière et le poussait vers la sortie. Le cadavre s'était raidi en position assise, les genoux relevés et les bras croisés sur la poitrine, comme s'il était penché sur le volant. Ça se voyait, malgré la couverture grise qui le dissimulait. Hanson se souvenait du parfum de cette femme, et la façon dont la lumière de la lampe avait éclairé son décolleté, tandis qu'elle le regardait droit dans les yeux.

Il traversa un chemin de ferme en terre, passa devant les lattes métalliques d'un enclos à bétail, avant de revenir sur la berme. La mort serait certainement une chose intéressante, se dit-il. Voilà longtemps qu'il était prêt.

Il rit, en imaginant le paradis comme un vieux film en noir et blanc, où un ange dit à Dieu : « C'est encore ce type, ce Hanson. Il est sacrément en retard. Tuons-le cette fois. »

« À toi de t'en occuper », répond Dieu, et l'ange a déjà disparu quand Dieu se souvient de quelque chose et s'écrie : « Non, pas lui. Tue quelqu'un d'autre ! »

Le grondement dévala du haut des collines derrière lui, tel le Jugement dernier, si caractéristique dans sa nuque. Des hélicoptères de combat. Deux Cobras sur ses traces, arrivant à toute vitesse. Il maintint son rythme, frissonnant sous l'effet de cette vieille terreur et de la joie, tandis qu'ils se rapprochaient.

Quelques années plus tôt, dans les Northern I Corps[1], par un après-midi ensoleillé du mois de février, Hanson avait fait appel à deux Cobras. Il était pris au piège dans un cratère de bombe avec une poignée d'indigènes des collines, les Montagnards, encerclés par une section de soldats nord-vietnamiens dont les tirs arrachaient des mottes de terre rouge au bord du cratère, et qui essayaient de lancer en cloche des grenades à main. Quand les Cobras arrivèrent en position, Hanson dirigea le feu — roquettes, lance-grenades et canons de 30 vrombissant — en riant, commandant les passages successifs.

Il courait à plein régime maintenant, avec ces Cobras au-dessus de lui, *sur* lui, revivant, l'espace d'un instant, cet après-midi où il avait tué quatorze hommes, la plus belle journée de sa vie.

Ils tonnaient dans le ciel comme des cumulo-nimbus, les hélicoptères de combat Black Cobra, masquant le bleu du ciel, les canons de 30 dépassant de leur nez abaissé, si bruyants désormais qu'il ne pouvait plus rien entendre, ni sentir, ni goûter d'autre ; les effluves brûlants du kérosène qui se consume envahissaient ses narines et ses yeux, comme ce jour-là au fond de l'entonnoir, lorsqu'il avait vu la vérité pour la première fois, comme s'il regardait le soleil en face : Tuer ou Mourir. Le reste n'était que mensonges.

---

1. Norther I Corps : premier corps d'armée, stationné dans le nord du Sud-Vietnam. *(N.d.T.)*

5

APRÈS ÊTRE RENTRÉ, Hanson appela sa mère, en Caroline du Nord, comme il le faisait presque tous les samedis.

Sa grand-mère de quatre-vingt-quinze ans se portait bien, lui dit-elle, et elle adorait la carte qu'il lui avait envoyée. Sa cousine Lee Ann allait se remarier. Et *lui,* comment allait-il ? interrogea-t-elle. Elle priait pour lui tous les dimanches. Tant mieux, dit-il en riant. Il en tirerait le maximum d'avantages.

Elle lui parla de la retraite organisée par sa paroisse au camp Bon Espoir. Sa tante Helen les avait tous bien fait rire.

Il lui annonça qu'il viendrait certainement leur rendre visite à Noël en avion.

Sa sœur serait déçue d'avoir manqué son coup de téléphone, dit sa mère, et elles auraient du mal à attendre jusqu'à Noël. Voilà trop longtemps qu'elles ne l'avaient pas vu. Elles étaient si heureuses de savoir qu'il allait beaucoup mieux que lorsqu'il était parti, il y a presque quatre ans...

Après le repas (steak obligatoire), et le discours du genre « bienvenue à la maison, les gars, vous êtes tous des héros », à Fort Lewis, Hanson avait pris un taxi avec quatre autres soldats, des inconnus, jusqu'à l'aéroport de Seattle. Après un arrêt dans une boutique d'alcools, ils commencèrent à échanger des histoires de guerre et à prévoir la bringue qu'ils feraient en arrivant chez eux. Aucun ne possédait les insignes de l'infanterie de combat, mais Hanson écouta leurs mensonges en hochant la tête et en souriant pendant plusieurs kilomètres, avant de sortir son exemplaire taché de sueur et de sang des « Poèmes de W.B. Yeats » qui ne l'avait pas quitté durant la guerre.

Le trajet était long. Les récits de guerre, la quantité d'alcool et de femmes qu'ils promettaient de s'envoyer bientôt prenaient des proportions homériques, leurs rires s'amplifiaient, pendant que Hanson lisait.

À présent je vais me lever et partir, partir pour Innisfree,
Et une petite cabane, faite d'argile...

À un feu rouge, dans la banlieue de Tacoma, ils décrivirent ce qu'ils aimeraient faire à la femme qui se trouvait dans la voiture arrêtée à leur hauteur, en lançant des grognements et des sifflets quand elle remonta sa vitre.

faite d'argile et de torchis :
Là-bas, j'aurai neuf rangées de haricots,
une ruche pour le miel
et je vivrai seul dans la clairière bourdonnante d'abeilles.

Le E-5 de l'Americal Division, un gros Italien de New York, nommé Dellasandro, commença à filer des coups de coude aux trois E-4, en haussant les sourcils et en roulant des yeux pour désigner Hanson. Quand il eut obtenu l'attention des autres, il demanda :

— Alors, c'est chouette c'que vous lisez, sergent ?

Là-bas, j'aurai neuf rangées de haricots,
une ruche pour le miel,
Et je vivrai seul dans la clairière qui bourdonne.

Dellasandro, dont la lèvre s'ornait d'une épaisse moustache et qui transpirait sous son uniforme, se tourna vers les autres et essaya encore une fois :

— Ce bouquin qu'vous lisez. Ça a l'air vachement bandant, vu la...

— Si je vous tue, dit Hanson en levant les yeux vers lui, on m'enverra en prison. On est presque arrivés à la maison, non ?

Dellasandro opina.

— Oui, oui, exact, sergent.

Après quelques tentatives maladroites pour retrouver leur ambiance de camaraderie, ils s'enfoncèrent dans leur siège et regardèrent le paysage jusqu'à l'arrivée ; seuls les grésillements de la radio et le cliquetis du compteur brisaient le silence. Hanson s'en voulait d'avoir gâché leur retour à la maison, et il ne pouvait que continuer à faire semblant de se concentrer sur son livre. Arrivés à l'aéroport, ils partagèrent le prix de la course et se séparèrent sans un mot. Hanson s'inscrivit sur la liste d'attente du dernier vol Delta en direction de l'est pour rentrer chez lui.

Il était plus de 11 heures du soir quand il récupéra son sac de marin à l'aéroport de sa ville natale. Sa mère et sa sœur n'étaient pas prévenues de son retour, et il envisagea de passer la nuit dans un motel, un endroit où il pourrait quitter son uniforme. Il avait fourré son béret dans sa poche ; mais ses rangers et l'insigne sur sa veste attiraient l'attention, des regards chargés d'animosité le plus souvent, et il ne savait pas combien de temps encore il pourrait continuer à les ignorer. Les stridulations dans ses oreilles s'amplifiaient.

Il appela d'une cabine téléphonique et attendit dehors sur le parking, jusqu'à ce que sa mère et sa sœur, en larmes toutes les deux, viennent le chercher.

Une fois chez lui, il enfila un jean et un t-shirt, et ils restèrent debout jusqu'à 3 heures du matin à bavarder, en buvant la bouteille de Bénédictine qu'elles gardaient pour lui. Hanson en but la plus grande partie, sans que cela lui donne envie de dormir. Quand sa mère et sa sœur partirent se coucher, il resta debout, les mains dans les poches au milieu de cette chambre qui avait été la sienne, la porte fermée derrière lui couverte de tournesols qu'il avait peints une nuit, alors que ses mains tremblaient légèrement sous l'effet du peyotl.

Tout était exactement comme lorsqu'il était parti faire ses classes, plus de trois ans auparavant, à l'exception de la banderole BIENVENUE À NOTRE HÉROS accrochée au plafond. Des petits pots de peinture étaient toujours alignés sur le dessus de la commode qu'il avait peinte façon reptile, en vert avec des écailles violettes. En ce temps-là, tandis que la guerre s'intensifiait, Hanson avait pris du LSD, provenant directement de la communauté de Timothy Leary à Millbrook, un truc tellement récent qu'il n'était pas encore interdit ; le train-train quotidien et les injonctions morales de la société lui paraissaient absurdes tout à coup, vus à travers ses yeux écarquillés quand il se regardait dans la glace, peignant sur son visage des zébrures vertes et bleues, ou le recouvrant d'une couche blanche, ses dents et ses yeux étaient plus jaunes, comme ceux d'un loup. Il enfourchait ensuite sa moto et traversait la ville, en riant ; les phares des voitures venant en sens inverse bouillonnaient comme des chaudières atomiques dans ses pupilles dilatées.

Sur les murs, il y avait les photos de celui qu'il avait été, des clichés en noir et blanc très contrastés, au grain épais, pris par une petite amie qui lui avait écrit pendant un certain temps après son départ pour l'armée. Elle avait épousé un jeune professeur et était allée vivre à Chicago, où elle s'était suicidée. Sur ces photos, il avait les cheveux sur les épaules, la tête légèrement tournée, regardant au loin, au-delà de l'objectif, « comme Prince Valiant », songea-t-il. Seuls ses yeux étaient nets, le reste de son visage se fondait dans un flou artistique. Il ricana d'un air gêné et tourna son regard vers son portrait au crayon, exécuté par un professeur de dessin de passage, à l'époque où Hanson payait ses cours à la fac en posant comme modèle. Sur le mur opposé, un portrait imprégné de romantisme sombre avait été peint au cours de plusieurs après-midi par une femme professeur d'anglais dont il était un peu amoureux.

Salomé, la reproduction grandeur nature d'une des femmes décadentes et mythiques de Beardlsey, qu'il avait peinte sur le mur, juste au-dessus de sa tête, posait sur lui son regard glacial aux paupières lourdes, sous une coiffe de serpents et de lézards à la langue fourchue. Des étoiles à six branches étaient tatouées autour de la pointe de ses seins nus, et un éventail fait d'authentiques plumes de paon masquait ses cuisses, mais leurs yeux irisés étaient maintenant ternis par la poussière. Il regardait tout ça comme s'il avait pénétré par hasard dans la maison d'un inconnu et qu'on l'avait pris pour l'occupant de ces lieux, gêné et honteux de jouer le jeu, craignant de décevoir tous ceux qui croyaient qu'il était la personne qu'ils attendaient. Mais voilà celui qu'il avait été autrefois. Il ne pouvait rien changer.

Tandis que le soleil se levait, il fouilla dans les boîtes renfermant ses rédactions, ses examens trimestriels et ses lettres, avant de s'intéresser à la bibliothèque décorée de zébrures, heureux de retrouver ses livres, jusqu'à ce qu'il les feuillette et découvre les notes arrogantes, prétentieuses, dans les marges, à l'encre. Il avait du mal à croire qu'il avait écrit ces mots, et pourtant si. Il était vraiment très sûr de lui en ce temps-là.

Il tira les rideaux et se coucha, les yeux levés vers Salomé qui le toisait en fronçant les sourcils, comme avant la guerre.

— Salut, Sal, dit-il, abruti finalement par le décalage horaire et l'alcool. Tu te souviens de moi ? J'étais vraiment un connard bourré de sensibilité dans le temps.

Il sourit et fit gonfler son oreiller. Dehors, des gens se rendaient à leur travail en voiture.

— Dans le temps déjà. Depuis le début, lui dit-il, tu savais ce que j'allais trouver là-bas, hein ?

Il ferma les yeux et s'endormit ; les stridulations dans ses oreilles étaient une clairière bourdonnante d'abeilles.

D'après ses calculs, en comptant les fuseaux horaires, il buvait de la bière 3.2 dans ce bar du centre de transit à Tan Son Nhut moins de deux jours plus tôt. Assis à une table avec sept autres soldats des Forces spéciales. Quand tout le monde dans le bar entonna « God Bless America », Hanson transforma sa tablée en troupe de music-hall, face à la porte, bras dessus bras dessous et chantant : « Ho, Ho, Ho Chi Minh. Le NLF[1] vaincra ! » Ils avaient fait un bras d'honneur à tout le bar bondé, en criant en chœur : « Allez vous faire foutre ! » Aucun des cent ou deux cents soldats, qui s'étaient tous tus, n'avait réagi.

Le matin, sa mère et sa sœur étaient déjà parties quand il se réveillait, et il buvait son café dans le living-room, une pièce fraîche et calme, en regardant par la baie vitrée. C'était l'automne, mais les gros oiseaux moqueurs gris n'avaient pas encore émigré vers le sud.

Quand il sentait sa poitrine se comprimer, il soupirait, reposait sa tasse de café et s'appuyait des avant-bras sur les genoux, avant que n'éclatent les sanglots. Quand c'était terminé, et qu'il pouvait à nouveau respirer, il séchait ses larmes avec ses doigts et ses paumes, et il finissait son café. Ça ne

---

1. Front de libération nationale. (N.d.T.)

118

durait qu'une minute ou deux, et il se sentait mieux ensuite. C'était une sorte de mécanisme réducteur de tension.

À midi moins le quart, il se rendait dans un bar baptisé *La Station-service*. Ce n'était pas très loin, et il avait trouvé un chemin qui lui évitait de traverser beaucoup de rues. Stan, un des barmen, avait fait un petit séjour sur une base au Vietnam. Il n'aimait pas parler de la guerre, et ça convenait parfaitement à Hanson. Il prenait un cheeseburger au bacon et buvait de la bière jusqu'à trois ou quatre heures de l'après-midi, puis il rentrait à la maison, où il s'effondrait et dormait jusqu'à l'heure du dîner.

Sa mère, sa sœur et lui dînaient en regardant les infos de 18 heures qui parlaient de la guerre qui se poursuivait. Elles s'inquiétaient à son sujet, mais s'efforçaient de ne pas le montrer. Il n'avait pas vu son père depuis des années, et il ne demandait même pas comment il allait. Aux dernières nouvelles, il travaillait dans un centre d'accueil chrétien pour les alcooliques à Charlotte, en essayant de rester sobre.

À la tombée du jour, il retournait à *La Station-service*, les hirondelles et les chauves-souris plongeaient en piqué et tournoyaient à toute allure dans l'obscurité naissante, et il buvait jusqu'à la fermeture à minuit.

Un matin, deux hommes d'un certain âge, avec des attachés-cases, gravirent les marches de la véranda et frappèrent à la porte. Hanson savait qu'ils l'avaient vu par la fenêtre, alors il alla ouvrir et tous les trois se regardèrent à travers le grillage de la moustiquaire. Leurs costumes pendaient sur leurs épaules comme des vêtements d'occasion, leurs cols de chemise étaient douteux, et leurs cheveux semblaient avoir été coupés par un ivrogne. On aurait dit que la vie les avait tabassés presque à mort et puis, dans un dernier caprice, décidé de les laisser vivre encore un peu. Hanson se demanda s'ils étaient des messagers de son avenir.

— Bonjour, dit le grand costaud. Je m'appelle Lee, et voici Gus. Nous sommes du FBI.

Il remarqua l'éclair de peur dans le regard de Hanson — qu'avaient-ils sur lui dans leurs ordinateurs ? — et éclata de rire.

— FBI, Free Bible Information, expliqua-t-il.

Il avait une bedaine et un sourire de représentant de commerce, venu démarcher pour Dieu.

— Laissez-moi vous poser une question, dit-il.

Quand Hanson réussit enfin à l'interrompre, en disant « Je pense beaucoup à Dieu, chaque jour. Je... », le dénommé Lee acquiesça, sans lui prêter attention, et poursuivit.

— C'est très bien d'y penser, et vous savez pourquoi ? La logique nous apprend que Dieu existe. Pas uniquement la foi. Non, monsieur...

Gus écoutait en hochant la tête. Son dentier tout neuf semblait mal adapté. Hanson ne pouvait dire s'il essayait de sourire ou d'ajuster ses dents pour éviter qu'elles le fassent souffrir.

— Vous êtes un jeune homme intelligent. Ça se voit. N'est-ce pas, Gus ?

Le teint blême et crispé, Gus parvint à acquiescer, en déglutissant comme s'il était sur le point de vomir. Il avait besoin de boire un coup. Hanson songea qu'il s'agissait pour lui d'une mission de formation.

— Laissez-moi vous poser une question, répéta Lee en se retournant vers Hanson. Imaginons que vous marchez dans le désert, vous avez chaud, vous êtes épuisé. Vous rêvez d'un verre d'eau. Vous mourez de soif. Mais autour de vous, il n'y a que du sable et des dunes. Où que vous regardiez, vous ne voyez que du sable. Vous êtes sur le point de renoncer, pourtant vous décidez de franchir encore une dune, vous la gravissez et soudain, de l'autre côté... il y a cette maison. En plein milieu du désert. Que dites-vous de ça ? Juste au moment où vous alliez baisser les bras, vous découvrez une maison au milieu de nulle part ! À l'intérieur, il y a une cuisine. Vous tournez le robinet et l'eau coule. Il y a une salle de bains également, avec une douche et une commode. Comment cette maison a-t-elle atterri là ? C'est impossible, et pourtant, elle est bien là ! Vous allez vous chercher un Coca dans le réfrigérateur. Quelqu'un a forcément bâti cette maison ! C'est pure logique...

Quelque chose en Gus rappelait à Hanson son père.

— Car tout, voyez-vous, fonctionne comme une partie d'un univers logique. Du plus gros, dit Lee en écartant les bras, au plus petit.

Il joignit ses mains épaisses, comme s'il avait capturé un oiseau. Sa peau était sèche, marbrée de taches rouges.

— Laissez-moi vous poser une question, dit-il en appuyant ses paumes l'une contre l'autre comme s'il priait, ou aplatissait un steak haché. Vous aimez les hamburgers ? Oui, évidemment. Tout le monde aime ça. Eh bien, prenez l'exemple d'un vieux hachoir à viande d'autrefois, dit-il en écartant puis en entrelaçant ses doigts, les agitant comme un nid de serpents. Tous les rouages doivent s'engrener pour que la machine fonctionne et transforme le steak en hamburger. Tout est là. Vous comprenez ce que je veux dire maintenant ?

Hanson le remercia et promit de réfléchir à ce qu'il venait de dire.

— Ne réfléchissez pas trop longtemps, dit Lee, car la fin est proche. Tous ceux qui le voulaient auraient pu embarquer sur l'Arche, même après qu'il a commencé de pleuvoir, dit-il, les bras écartés, paumes dressées, comme pour recueillir les gouttes de pluie, les yeux levés vers le ciel. Il était encore temps pour eux de monter à bord.

Gus observait Hanson comme s'il l'avait connu à une autre époque.

— Mais une fois que les portes se sont refermées, reprit Lee, en faisant claquer ses mains et en regardant Hanson d'un air menaçant, il était trop tard, mon frère.

Hanson réussit à glisser à Gus un billet de vingt dollars pendant que Lee cherchait une brochure dans son attaché-case. Quand celui-ci redescendit les marches de la véranda, Gus chuchota :

— Ne les laissez jamais vous faire ça.

— Allez, viens, Gus ! lança Lee par-dessus son épaule. Dépêche-toi ! Le travail du Seigneur nous appelle !

L'après-midi touchait à sa fin, et la rue habituellement si calme grouillait d'activité ; les gens rentraient chez eux dans leurs voitures après une journée de travail, vitres levées, respirant un air frais et artificiel.

Hanson démarra la tondeuse à essence et le moteur cracha une fumée bleue jusqu'à ce qu'il ôte le starter. Des cailloux et des petites mottes de terre tremblotèrent sur le capot, comme des bulles de graisse dans une poêle chaude. Le rugissement de l'engin le submergea, étouffant le bruit de la circulation, ce qu'il y avait de plus agréable après le silence.

Il commença près du trottoir, s'absorbant dans les contours irréguliers du jardin, essayant de les suivre à la perfection, en remontant vers la maison, sur une île d'herbe de plus en plus réduite. Rang après rang, l'herbe inégale ployait avec grâce sous la tondeuse, émergeant de l'autre côté en rangs uniformes et parfaitement parallèles. Le motif ressemblait à des courbes de niveau sur une carte, et Hanson imagina le fou rire de Quinn et de Silver s'ils avaient encore été de ce monde pour le voir se livrer à une activité aussi inutile et « américaine » que tondre l'herbe avec un engin à essence de trois chevaux. Voilà des années qu'il n'avait pas tondu cette pelouse, et l'odeur oubliée de l'herbe fraîchement coupée, mêlée à celle de l'essence, le replongea brutalement dans le passé, jusqu'à ce qu'un infime ralentissement dans le flot d'herbe venant nourrir les lames de la tondeuse ne se répercute dans les poignées de l'appareil, et dans les paumes de ses mains. Sans changer son rythme, en continuant à tondre, Hanson se retourna et il la vit, la chose qu'il avait sentie, à la surface du sillage vert de la tondeuse. Elle brillait d'un éclat visqueux dans l'herbe, un tressaillement à peine perceptible agitait l'agencement parfait des minuscules organes internes : intestins, poumons et, niché dans l'écrin pourpre du foie, le petit cœur palpitant d'un crapaud, dont toute l'enveloppe charnelle avait été arrachée de manière nette, comme une prune épluchée, ne laissant qu'un paquet de viscères qui croyaient être toujours en vie. Hanson regarda le cœur du crapaud, un crapaud innocent qu'il avait dépecé vivant, battre de moins en moins vite, moins régulièrement, pour finalement s'arrêter, alors il rentra dans la maison, en laissant rugir le moteur de la tondeuse derrière lui.

Dans sa chambre, Salomé le toisait du haut de son mur, et à cet instant, Hanson comprit qui elle était réellement. La sœur de la Mort.

Sa sœur avait été sa compagne et son professeur durant la guerre. La Mort souriante qui effaçait la peur, pour que Hanson puisse faire semblant d'être courageux. Si la Mort était son amie, qu'avait-il à craindre, si ce n'est une seconde ou une minute de souffrance ? La Mort le guiderait de l'autre côté. Mais voilà que sa vieille amie était furieuse contre lui, car il avait abandonné la guerre pour rentrer à la maison, trahissant ainsi son amitié, trahissant le serment qu'il avait fait de mourir là-bas. Mais cette fois, il était trop tard pour y retourner. La guerre était finie.

Hanson quitta la ville le lendemain. Il expliqua à sa mère

et à sa sœur qu'il avait des amis dans l'ouest pour l'accueillir, prenant le car jusqu'à Ashville seulement, où il fit de l'auto-stop pour économiser son argent, en regardant par-dessus son épaule. Quand les arbres bruissaient ou que la poussière se levait derrière lui, il s'arrêtait pour tendre l'oreille et respirer l'air.

Depuis plus de trois ans maintenant, il parcourait les rues en uniforme de flic.

6

Dans les locaux de la brigade des Stupéfiants et des Mœurs, Fox, assis devant l'ordinateur, faisait défiler les affectations de l'US Army pour la république du Vietnam, des listes de soldats, classées par ordre alphabétique et par matricule. En commençant par janvier 1968, il était parvenu à juin 1968. À l'autre bout de la pièce, Peetey, les pieds posés sur un des bureaux métalliques, feuilletait un ancien numéro de *Guns and Ammo* datant de l'année précédente, en observant la tête de Fox et levant les yeux vers la pendule toutes les deux minutes.

Finalement, il posa son magazine, tira sur sa queue de cheval et ôta ses pieds du bureau.

— Au turf, mec ! déclara-t-il. Allons voir ce qui se passe dans les rues.

— Tout est là-dedans, dit Fox en enfonçant la touche qui faisait défiler les noms figurant sur les Ordres Spéciaux datés de mai 1968, et toujours classés confidentiels, assignant des missions à l'étranger aux membres des Forces spéciales. Tout ce qu'on cherche à savoir ! Et je le trouverai. Il faut juste un...

Il enfonça une autre touche, et sur l'écran la liste de noms fut remplacée par ces mots : COMMANDE INVALIDE. ACCÈS INTERDIT. VOIR ORDRE SPÉCIAL MINISTÈRE DE LA DÉFENSE (AR-210-10), et par le reflet de la porte du bureau qui s'ouvrait.

— Je commence à croire que j'arriverai jamais à accéder à ces putains de dossiers.

— Exact, commenta Rivas, arrêté sur le seuil.

Peetey sursauta sur son siège, avant de se ressaisir, faisant mine d'avoir repéré la présence de Rivas depuis un moment.

— Comment ça va, Peetey ? demanda Rivas en traversant la pièce, s'arrêtant derrière Fox pour regarder l'écran de l'ordinateur par-dessus son épaule. La pêche est bonne ?

— C'est coton pour pénétrer dans ces putains de dossiers du ministère de la Défense. J'ai essayé...

— C'est pas moi qui pourrais t'expliquer, dit Rivas en levant la main, comment violer des dossiers classés confidentiels. Et je suis sûr que tu ne veux pas violer non plus les lois fédérales. Le dossier de Hanson parle de lui-même. Des fois, je deviens curieux. Ma femme m'interdit de rapporter du boulot à la maison, mais je suis curieux. C'est pas bien grave. Si toi tu peux pas accéder à ces dossiers, personne peut y arriver. Cesse donc de perdre ton temps et ton savoir-faire avec ça, ajouta-t-il en s'en allant.

Arrivé à la porte, il s'arrêta.

— Tu dois prendre des vacances dans une semaine ou deux, c'est bien ça ? demanda-t-il à Fox.

— Je les ai reculées. Faut encore que je boucle quelques affaires avant de partir.

— Tu travailles trop, déclara Rivas. Ménage-le, Peetey.

— Enfoiré de Portoricain ! cracha Peetey dès que la porte se fut refermée derrière Rivas.

Fox regardait les noms défiler sur l'écran.

— T'as vachement de vacances en retard, dit Peetey. Si tu les prends pas...

— J'ai l'intention de prendre deux semaines en septembre, répondit Fox, sans quitter l'écran des yeux.

— Tu retournes au même endroit, là-bas à...

— À Panay, dit Fox en enfonçant une nouvelle touche, et cette fois, le curseur clignota sur un écran noir. C'est sur une des petites îles.

Il leva les yeux vers la pendule, feuilleta son carnet, et tapa un nom pour commander une autre recherche.

— Je suis jaloux, mec, avoua Peetey. Tu t'en payes deux ?

— C'est plutôt une sorte de location. Un bail de deux semaines pour deux filles de seize ans. Je leur file du fric, et pendant deux semaines, elles font tout ce que je veux.

— Quoi, par exemple ? J'ai envie de savoir.

Fox entra un nouveau code dans l'ordinateur, et des mots apparurent sur l'écran :

CLASSIFICATION — SECRET — MINISTÈRE DE LA DÉFENSE USARPAC. CLAS. CATÉGORIE II – NOFORN. APPUYER SUR « ENTER » POUR CONTINUER.

— T'as pas entendu ce que je viens de dire ? Tout ce que tu veux ! répondit Fox en enfonçant la touche « Enter », du moment que t'abîmes pas la marchandise. Des fois, t'es obligé de verser un supplément.

— Des vraies pros.

— Attention, c'est pas des putes comme ici, rien à voir avec ces camées qui te sucent dans l'Avenue et qui sentent le foutre des cinquante mecs passés avant toi, avec des boutons autour de la bouche. Ces filles-là, elles sont *clean,* des vraies geishas, « le monde flottant », tu vois ? Formées dès l'enfance pour donner du plaisir aux hommes. Au bout des deux semaines, « bye-bye » les filles, salut machine et machine, tu les appelles comme tu veux. Et elles te répondent : « Bye-bye. On te aime toi poul toute la vie. » T'entends jamais des trucs du genre « Appelle-moi demain » ou bien « Où t'étais le week-end dernier ? ».

Peetey éclata de rire.

Fox regardait fixement l'écran, le doigt appuyé sur la touche, tandis que le texte défilait, presque trop vite pour pouvoir lire.

— Tu sais, dit Peetey, plusieurs fois l'année dernière, pendant que t'étais là-bas aux Philippines, avec ces deux filles... Et que moi j'étais au plumard avec Trish. Je l'ai regardée dormir, je l'ai regardée grossir en dormant... (Il secoua la tête.) Je me suis dit : et si elle mourait ? Si elle mourait tout simplement. Je parle pas de la tuer, attention, il s'agit pas de ça. Absolument pas. Mais...

— Bingo ! s'exclama Fox en arrêtant le défilement des noms, et surlignant l'un d'eux, situé dans le bas de l'écran.

HANSON, C. K, SERGENT. 240-60-3427 — AFFECT. COMM. 5e BAT. FORCES SPÉCIALES (AÉROP.), USARPAC RVN. NIVEAU DE SÉCURITÉ : TOP SECRET — CENTRE NAC MINIS. DÉFENSE

— C'est parti ! s'exclama Fox.

Hanson roulait lentement dans Mason Street, parcourant le secteur de manière à ne jamais avoir le soleil de l'après-midi dans les yeux, pendant que Dana consultait les annonces immobilières dans le journal. Il se demandait s'il allait tourner à droite dans Vancouver quand une femme sortit en courant de derrière une maison, en agitant les bras, suivie par une fillette portant une robe bain de soleil jaune.

— C'est Topper ! s'écria la femme. Il va la tuer !

— Vite ! Vite ! renchérit la fillette.

Ses yeux étaient écarquillés et les larmes faisaient briller ses pommettes à la peau mate.

Hanson s'arrêta le long du trottoir, se mit au point mort, ôta les clés de contact et sortit sa matraque, tandis qu'il descendait. Dana, lui, était déjà dehors.

— C'est où ? demanda-t-il.

— Il est armé ? interrogea Hanson, sur le point de prendre son portable pour appeler des renforts.

— Là-bas ! répondit la femme, en pivotant sur ses talons pour repartir en courant. Dépêchez-vous !

La petite fille lui emboîta le pas, s'arrêta soudain, se retourna vers les deux policiers, puis se remit à courir.

— Est-il armé ? demanda Dana.

— Non, il est pas armé. C'est Topper, répondit la femme. Il est derrière !

Alors qu'ils couraient entre les maisons, Hanson crut entendre des injures et des grognements. D'un coup de pied, il ouvrit une barrière brisée et s'engouffra dans le jardin de derrière.

Là, à l'extrémité d'un petit jardin, parmi les plants de tomates, un pitbull tavelé était en train de dévorer un berger allemand. La gorge du berger était ensanglantée, les poils collés ; il avait le ventre ouvert, mais il vivait encore. Ses yeux étaient révulsés et ses pattes avant s'agitaient de manière convulsive comme s'il dormait et rêvait qu'il courait. Le pitbull avait extirpé de son ventre une longueur d'intestin bleu gris translucide qu'il mâchonnait, sans hargne, sans plaisir ni impatience.

La fillette poussa un cri perçant et se précipita vers les deux

127

chiens. Hanson la retint par le bras, et elle se débattit en hurlant, déchirant le col de sa robe. Alerté par ce vacarme, le pitbull se retourna et avança vers eux, d'une démarche raide, en grognant, traînant derrière lui un bout d'intestin coincé dans les crocs.

Dana tira sur l'animal, une seule fois, en pleine poitrine, et celui-ci se dressa légèrement sur ses pattes arrière, puis retomba lourdement, raide sur ses quatre pattes. Il fit demi-tour pour retourner vers le berger secoué de convulsions et se remit à mâchonner, le sang jaillissant de sa blessure à la poitrine.

— Tenez-la, dit Hanson en soulevant la fillette pour la remettre à un homme qui assistait à la scène depuis la véranda, derrière la maison. Se frayant un chemin au milieu de la foule qui se rassemblait, il courut vers la voiture de patrouille.

Les voisins avaient envahi la rue ; ils traversaient le jardin, attirés par la voiture de police et le coup de feu. Hanson fit sauter le cadenas magnétique du crochet qui maintenait le fusil à chevrotine contre le tableau de bord, s'empara de l'arme et refit le tour de la maison en courant. La foule s'écarta en apercevant le fusil.

La gueule en forme de marteau du pitbull était à demi enfouie dans l'estomac du berger, s'agitant de droite à gauche, essayant d'arracher quelque chose à l'intérieur. Les mâchoires du berger s'ouvraient et se refermaient convulsivement, vomissant des gouttes de sang, brillantes comme de la peinture, qui éclaboussaient les feuilles sombres des plants de tomates et la terre brune.

Hanson chargea le fusil et tira sur les chiens, plusieurs fois. Chaque cartouche de calibre .12 projeta une douzaine de plombs de la taille d'une gomme de crayon qui balayèrent les chiens et les grosses tomates comme un vent meurtrier, répandant à travers le jardin une pluie rouge de chair, de fourrure, de terre ensanglantée et de pulpe de tomate. Quand son arme fut vide, Hanson cassa le canon. La puanteur de la poudre se mêla au parfum riche des tomates fraîches. Les deux chiens ressemblaient à un machin écrasé sur l'autoroute, après le passage d'innombrables voitures.

— On vous a pas appelés pour tuer son chien ! s'exclama la femme qui retenait la fillette. On aurait pu l'emmener chez le véto !

Hanson contempla les chiens ; ses oreilles bourdonnaient. Le fusil était brûlant dans ses mains.

— Puis-je avoir votre nom, madame, demanda Dana à la femme, en ouvrant son carnet.

— Non, je vous donnerai pas mon nom ! s'écria-t-elle. À quoi ça va servir maintenant, hein ? Il les a tués tous les deux !

— Madame, répondit Dana, on pouvait plus rien faire pour le chien de la petite, à part mettre fin à ses souffrances. Si je pouvais avoir votre nom...

— Vous en savez rien ! Vous auriez pu l'emmener chez le vétérinaire. C'est tout ce que vous savez faire : tuer !

— Il avait les tripes à l'air, y en avait partout dans le jardin, madame, dit Hanson. Le véto n'aurait rien pu faire.

— Fichons le camp d'ici, déclara Dana, on ira rédiger le rapport ailleurs.

Tandis que les deux policiers traversaient la foule, un adolescent, retenu par deux hommes, leur hurla :

— Pourquoi vous avez tué Topper ? Pourquoi vous avez tué mon chien ? C'était un combat équitable, putain ! Mais vous l'avez canardé !

— Vous êtes fiers de vous ? lança quelqu'un dans la foule.

Hanson remit le fusil en place sous le tableau de bord, tandis qu'ils redémarraient.

— J'ai l'impression que va y avoir de la paperasse à cause de cette histoire, commenta Dana. Qu'est-ce que t'en penses ?

— On va être obligés de pondre un bouquin ! dit Hanson. Va falloir se creuser la cervelle.

— Je voudrais pas avoir l'air de critiquer, mec, mais je pense que tu as peut-être réagi de manière excessive. Avec le fusil et tout ça, dit Dana. On pourra s'estimer heureux si on n'a pas affaire à l'Inspection des services.

— Je les emmerde ! répliqua Hanson et il donna un coup de volant brutal pour tourner dans Vancouver Street, en dérapant légèrement. Tu piges ? Je les emmerde ! Qu'ils aillent se faire foutre !

Ils passèrent devant le temple musulman et le théâtre égyptien condamné par des planches. Dana se tourna vers Hanson, avant de revenir sur la route. L'odeur chaude du fusil emplissait la voiture.

Tout ce que vous savez faire, c'est tuer !

— Une fois, dit Hanson, dans les Northern I Corps, quelques jours après qu'on avait été envahis et qu'on avait repris le camp, les Montagnards étaient partis faire cramer l'herbe autour du périmètre de défense pour que les sapeurs puissent pas ramper à travers les barbelés en se planquant dans l'herbe. Mais les «'Gnards» étaient paresseux, et ils avaient pas enlevé toutes les mines antipersonnel. Le feu en a fait exploser une. J'ai entendu la déflagration et j'ai vu la fumée à l'intérieur du périmètre, et tout d'abord, j'ai cru qu'on subissait un tir de mortier. Ensuite, je me suis précipité. La mine avait atteint le chef d'escouade de la compagnie 101, en plein dans le mille, de la taille à la poitrine. On n'était pas potes, ni rien, mais je le connaissais, tu comprends ? Il s'appelait Kraang, Le Faucon. On avait mené des opérations ensemble. Je lui avais parlé plusieurs fois. Il m'avait montré des photos de sa famille, et il disait toujours qu'il m'emmènerait à Hue un de ces jours pour me les présenter. Il avait été obligé de verser une fortune en pots-de-vin pour les faire sortir d'un camp de repeuplement vietnamien. Ils l'avaient couché sur un poncho et ils essayaient de s'en servir comme une civière, mais il n'arrêtait pas de glisser. J'ai réussi à m'approcher, en m'accrochant dans les barbelés, avec l'herbe carbonisée qui continuait de fumer et qui me brûlait les pieds. Il se balançait sur les coudes. Je voyais ses deux hanches, et même des morceaux de bassin, nom de Dieu ! Il se redressait pour se regarder. Mais il glissait dans son sang et il retombait. Ça éclaboussait partout.

Hanson tourna brusquement la tête, alerté par un mouvement fugitif ; un doberman les observait derrière une clôture. L'animal au poil brillant avait le corps tendu, prêt à bondir, les oreilles dressées, en alerte, tremblant d'excitation en les regardant passer.

— On aurait dit une baignoire remplie de sang. Il s'est redressé encore une fois, en s'appuyant sur son coude, et il s'est penché en avant, comme s'il espérait refoutre tous ses boyaux à l'intérieur. Il se... lamentait, je crois que c'est le mot qui convient.

Hanson se renfonça dans le siège défoncé. Il quitta Haigh Street pour s'engouffrer dans Failing, ouvrant et refermant la main. Un son venu du fond de sa poitrine, si faible tout d'abord qu'il ne l'entendit pas, monta dans sa gorge avant qu'il ne puisse l'étouffer. Dana n'avait rien entendu, ou bien il fit semblant de ne pas avoir entendu.

Hanson essaya de détendre les muscles de son cou, regardant défiler le quartier à travers le pare-brise sale.

— Soudain, il m'a vu derrière lui. Avec mon Car-15 et il m'a jeté un regard. Il a roulé les yeux et il m'a regardé.

Arrêté à un stop, Hanson saisit à deux mains sa ceinture avec son arme, et tira dessus.

— J'ai compris ce qu'il voulait.

Il décolla les fesses de son siège et, d'un mouvement brusque, fit tourner la ceinture, lestée par tout son attirail, dans une position plus confortable.

— Et tu sais quoi ? J'ai détourné la tête, bordel ! Je suis retourné au camp en courant et j'ai gueulé pour réclamer un toubib. Le *toubib* ! Putain ! Le toubib pouvait plus rien pour lui.

Ils passèrent devant un pick-up délabré dont les quatre pneus étaient à plat. Le moteur et le capot avaient été ôtés et déposés à l'arrière, à côté d'un silencieux et d'un vieux téléviseur. Les trottoirs étaient bordés de bagnoles éventrées, comme si quelqu'un les avait démontées et n'avait pas réussi ensuite à rassembler tous les morceaux.

— Faudrait répertorier quelques-unes de ces épaves, suggéra Hanson, et les faire remorquer. On est allés chercher une civière à l'infirmerie — l'herbe continuait de brûler — et on l'a fait rouler dessus. Il arrêtait pas d'ouvrir et de fermer sa main encore valide. Pour serrer le poing. J'aurais voulu revenir en arrière, trente secondes seulement, et me comporter en homme cette fois, nom de Dieu. La vérité, c'est que j'éprouve aucun remords à cause des gens que j'ai tués...

— *Cinq Quatre-vingts.*

— *Cinq Quatre-vingts, j'écoute.*

— *Reçu, Cinq Quatre-vingts. On signale un cambriolage...*

— Des fois, dit Dana, avec ce genre de blessures, le type souffre moins qu'on pourrait le croire. Avec le choc et...

— On avait conclu un marché. Quinn, Silver, Doc et moi. Si l'un de nous se faisait salement amocher, s'il perdait ses jambes, ses couilles, s'il était défiguré, le gars qui était avec lui devait s'arranger pour qu'il soit mort avant l'arrivée de l'antenne médicale. Une nuit, on s'est saoulés au mess, on s'est ouvert la main avec une baïonnette de Viet, et on fait le pacte du sang.

131

Hanson regarda la cicatrice dans sa paume, une petite nodosité blanche à l'extrémité d'une fine ligne blanche, semblable à une minuscule comète.

— Le pacte du *sang !* Comme une bande de boy-scouts !

Des petits enfants qui jouaient dans la rue leur adressèrent des signes de la main lorsqu'ils passèrent, en s'écriant « Police ! Police ! », comme des roucoulements de colombes. Hanson et Dana leur répondirent. « Salut, jeune homme ! » « Salut, mademoiselle, comment ça va ? ». Les flics faisaient déjà partie de leur jeune existence, au même titre que le petit déjeuner et l'heure du coucher.

Ils parcoururent le quartier pendant une demi-heure sans recevoir un seul appel, traversant le secteur de part en part, tournant à droite ou à gauche au hasard, revenant sur leurs pas, surveillant tout le district. Ils guettaient les incidents, les voitures volées et les portes ouvertes, les individus qui détournaient la tête trop rapidement ou marchaient bizarrement dès qu'ils apercevaient la voiture de police, et pourtant, c'était relaxant, comme de patrouiller dans son quartier. Hanson se sentait chez lui. Il était chez lui.

7

APRÈS AVOIR RÉDIGÉ leurs rapports et pris une douche au commissariat, Dana rentra chez lui et Hanson traversa la ville pour se rendre au PAA, le Police Athletic Association. La petite salle de musculation qui sentait le moisi au sous-sol était le seul élément « athlétique » de ce club.

Il ressemblait à n'importe quel bar d'ouvriers, avec des boxes en vinyle rouge alignés sur un côté, des tables, des chaises et une table de billard. Willie Nelson chantait *Good Hearted Woman* dans le juke-box au moment où Hanson poussa la porte.

Quand la relève « A » quitta les rues à 11 heures et 12 heures, l'établissement commença à se remplir. La plupart des flics, quand ils n'étaient plus en service, portaient des jeans et des chemises à carreaux ; on aurait pu les prendre pour des bûcherons ou des chauffeurs routiers. Certains des plus jeunes, les dragueurs, au brushing impeccable, portaient des vestes en daim, des lunettes noires et des bottes de cow-boy. Les types des Stups et des Mœurs ressemblaient à des hippies, à des motards ou à de petits truands minables.

Juste à l'entrée du bar, Farmer, un inspecteur de la criminelle, un gros type avec des cheveux en brosse, vêtu d'un costume gris de mauvaise qualité, bavardait avec Peetey.

— J'essaierai, Peetey, disait-il, mais tu sais bien que le bureau du procureur est devenu vachement frileux au sujet des mandats de perquisition. Si tu remplis pas une demande en bonne et due forme...

— M'en parle pas ! dit Peetey. Cet espèce d'enfoiré a rendu

tout le fric qu'on avait saisi. En disant que nos présomptions étaient « douteuses ».

— Eh oui.

— Tout ce qu'on vous demande, dit Peetey, c'est...

— Salut, Hanson, dit Farmer en l'apercevant. T'as pondu un foutu bon rapport. Ton truc du 7-Eleven, c'était béton. Peetey, tu connais Hanson je crois ?

Peetey, qui portait un débardeur Harley Davidson noir moulant, repoussa à deux mains ses cheveux qui lui tombaient sur les épaules.

— Ouais.

— Peetey et moi, on a eu une petite discussion, pas plus tard que cet après-midi, dit Hanson en adressant un sourire au collègue de Fox. Tu fais plus vrai que nature ce soir, Peetey.

Sur ce, Hanson se tourna vers l'inspecteur.

— Content que mon rapport vous ait plu. J'essaye toujours d'être clair et concis, et de transcrire les déclarations spontanées compromettantes. Écrivez-moi une lettre un de ces jours pour dire que je suis un bon flic. Un truc que je pourrai mettre dans mon dossier.

— OK... Au fait, vous connaissez LaVonne Berry, je crois ?

Peetey essayait désespérément de capter le regard de Farmer.

— Je lui ai collé un PV il y a une quinzaine de jours. Pour tapage, à cause des bruits de pneus, expliqua Hanson en riant de ce délit absurde.

— Vous devriez peut-être vous intéresser à lui d'un peu plus près, dit Farmer. Peetey me dit qu'il devient très ambitieux. Il manipule de grosses quantités de came...

— C'est une rumeur, déclara Peetey. Certainement sans fondement.

— Ça m'a l'air plutôt sérieux au contraire, répondit Farmer. Plusieurs kilos. Venant de LA.

Peetey se mit les mains sur les hanches, haussa les épaules, laissa retomber ses mains et fit craquer ses doigts.

— Il a perdu la boule, si vous voulez mon avis, ajouta Farmer. Les types de là-bas, les petits crétins comme LaVonne, ils les bouffent tout crus au petit déjeuner.

— C'est sans doute du pipeau ; il essaye d'impressionner les autres connards. On vous tiendra au courant, dit Peetey.

— OK, dit Hanson. (Il se retourna vers Farmer.) J'ai besoin de cette lettre. J'ai pas encore rempli mon quota de PV.

— Tous les jours un PV, et le sergent t'fout la paix, dit Farmer.

— Merci, inspecteur Farmer, mais soyez gentil de m'écrire une lettre de félicitations, OK ? Un truc que je pourrai montrer au lieutenant quand il me convoquera dans son bureau. Vous pouvez même la rédiger pendant vos heures de travail.

— Voilà ce qu'on va faire. Vous écrivez vous-même la lettre et vous me l'envoyez ; si c'est pas *trop* exagéré, je la signe et je l'envoie au bureau du personnel.

— Excellente idée. Merci infiniment *y muchas gracias*. Je vous l'enverrai lundi.

Hanson regarda Peetey et secoua la tête.

— Merde alors, dit-il à Farmer, visez un peu ces bras. Je crois que je devrais essayer de prendre du muscle si je veux me faire respecter.

Il adressa à Peetey un petit salut avec deux doigts et s'éloigna.

C'était le seul bar où Hanson se sentait à son aise, où il n'avait pas peur de se saouler. Ici, presque tout le monde était armé. Ils avaient tous vu des gens se faire tuer, certains en avaient tué eux-mêmes. Aucun risque qu'une fois ivres, ils provoquent quelqu'un d'autre sans connaître les conséquences éventuelles. Au PAA, il n'avait pas de souci à se faire de ce côté-là. Les flics savaient que lorsqu'un type cherchait la bagarre, les choses pouvaient dégénérer très rapidement, et cela expliquait cette ambiance courtoise. Une société armée, songea Hanson, est une société polie.

Les femmes qui fréquentaient ce bar avaient entre vingt et trente ans. Certaines étaient flics, mais la plupart étaient les groupies des flics qui travaillaient aux archives, au standard ou aux urgences. Certaines, comme Debbie Deets ou le sergent Steele d'East Precinct, étaient jolies, mais les autres étaient quelconques. C'étaient toutefois toutes des femmes sympathiques, plus coriaces que la moyenne à force de fréquenter des flics. Elles n'étaient pas exigeantes et ne se plaignaient pas.

Zurbo et Neal étaient assis près de la fenêtre. Zurbo adressa un signe de la main à Hanson et désigna le pichet de bière vide sur la table. Hanson acquiesça et se dirigea vers le bar.

135

— Un pichet et un verre, s'il vous plaît, ma grande, demanda-t-il à la barmaid, une femme dont le mari avait été tué lors d'une poursuite, deux ans auparavant, quand sa voiture de patrouille avait percuté un poteau téléphonique. Comment ça va, Kate ?

— On peut pas se plaindre, Hanson, répondit-elle en s'emparant d'un pichet.

Ses seins tendirent le dessin sur son t-shirt, un flic de bande dessiné au regard lubrique, un cigare coincé entre les dents, avec ces mots en dessous : « Bonne journée... CONNARD ! »

Zurbo montrait à Neal une matraque en cuir toute plate, pas plus grande qu'un chausse-pied. Il la fit claquer dans sa paume.

— Alors, c'est pas beau ça ? dit-il en la tendant à Hanson. Je l'ai commandée dans *Shotgun News*.

Hanson la tordit entre ses mains, sentant la barre de plomb entourée de cuir, et donna un petit coup dans sa paume, pendant que Zurbo se versait un verre de bière. Falcone était venue avec une autre femme flic d'East Precinct. Elle lui tournait le dos ; ses cheveux blonds courts captaient la lumière bleue d'une publicité Budweiser placée au-dessus du bar.

— Hé, Falcone ! lança Hanson. Qu'est-ce qui t'amène par ici ?

Elle les rejoignit à leur table.

— J'avais besoin de faire encaisser un chèque.

— Tu devrais venir plus souvent.

— Je ne bois pas beaucoup.

Hanson se dit qu'elle était heureuse de le voir.

Elle sourit à Zurbo et Neal.

— Salut, les gars. Ça roule au Cinq Quatre-vingts ?

— On essaye de garder le contrôle, répondit Zurbo.

— Comment ça va ? marmonna Neal, avant de replonger le nez dans sa bière.

Elle répondit par un hochement de tête, son sourire s'évanouit, elle parut mal à l'aise soudain.

— Bon, faut que j'y aille. À plus tard, les gars.

Zurbo la regarda s'éloigner. Il ricana et secoua la tête.

— Quoi ? demanda Hanson. C'est un bon flic.

— Ouais, pas mal pour une femme.

— Paraît qu'elle est gouine, dit Neal. En tout cas, sa

« copine » là-bas, Bishop, c'est une lesbienne, tout le monde le sait.

— Une nana qui veut faire ce boulot, c'est forcément une gouine. Même si elle le sait pas. C'est une des rares choses sur lesquelles je suis d'accord avec Cindy, déclara Zurbo.

— Quelle saloperie ! dit Neal. Une belle femme comme ça avec une autre nana ! Quel gâchis !

Zurbo but une gorgée de bière, lécha la mousse sur sa moustache, et reprit la matraque à Hanson.

— Mate un peu la qualité du cuir. Pleine peau. Pas une saloperie en Skaï à deux sous. Miller, le gars de la prison, il a la même. Il dit que c'est parfait dans l'ascenseur.

— Le nouveau substitut phallique de Zurbo, commenta Neal. Oooh ! Laisse-moi la caresser.

— Tu verras, dit Zurbo, tu regretteras de pas en avoir une. Imagine que tu te pointes en pleine baston familiale. Une pièce remplie de négros hystériques qui pètent tous les meubles en se balançant des insultes, enculé par-ci, enculé par là. T'as pas la place de manipuler ton bâton. Mais avec *ça,* tu files des petits coups, dit-il en frappant dans sa paume avec la matraque. Un coup dans la rotule et hop, au tapis Tyrone. Allongé, le gars. T'as le choix : l'épaule, la clavicule, ou si t'es énervé, tu lui pètes la mâchoire. L'enfoiré bouffe de la soupe avec une paille pendant six semaines. Plus de poulet frit pendant un bon moment.

Peetey avait coincé Falcone près de l'escalier ; un bras appuyé sur la porte, il lui bloquait le passage. Il se pencha vers elle, avec un grand sourire, juste au moment où la chanson *Superstition* s'achevait dans le juke-box.

— Va donc te faire voir ailleurs, lui dit-elle.

Sur ce, elle se faufila sous son bras épais et descendit l'escalier.

— Hé, dit Neal, vous vous souvenez de cette fusillade dans Albina Street l'année dernière. Le gars couché sur le sol qui gueulait « Oooh... Oooh... », deux balles de .38 dans la peau. Y avait de la saloperie de poulet frit partout. Le type qui l'avait descendu, tout maigre, le junkie, c'était comment son nom... ?

— Sims, dit Zurbo. Eugène Sims.

La fenêtre derrière leur table était ouverte, laissant entrer un vent humide venu du fleuve. Le juke-box trépida, changea de disque et une *steel guitar* joua les premières notes de *Tequila*

Sunrise. De l'autre côté du fleuve, au sommet de la Mission de Secours du Phare, le nom de JÉSUS en lettres de néon rouge saignait à travers le brouillard. Le É s'éteignait par instants, puis se rallumait. Hanson se redressa sur sa chaise afin d'apercevoir l'escalier conduisant à la porte du bar, juste en dessous.

— Ouais, c'est ça, cet enfoiré d'Eugène Sims, dit Neal. « Pourquoi t'as tiré sur ce type ? », lui demande Zurbo. Et l'autre lui répond : « Ce sale négro a mis *ma* sauce piquante sur *son* poulet. » Enfoirés de singes. On dirait qu'ils débarquent de la planète Mars. L'autre soir, avec ma gamine Jennifer, on s'est amusés à citer tous les noms qu'on connaissait pour parler des nègres. On en a trouvé huit.

— Comme les Esquimaux avec la neige, dit Zurbo. Quand un truc est vachement important dans ton environnement, t'as un tas de mots différents.

Neal était passablement saoul déjà, mais il réfléchit malgré tout à cette remarque.

— Jennifer *adore* s'amuser à filer des noms aux négros avec moi, reprit-il. Elle me montre des photos du fichier comme si c'était un jeu de mémoire, et moi, je dois donner le nom du type, la marque de sa bagnole, dire qui il fréquente. Elle est super intelligente. Par exemple, je lui dis « soixante-neuf... euh, *Buick* », elle me répond : « Non, papa, essaye encore. C'est pas une Buick. » Alors je propose Pontiac, et elle me demande : « Quelle couleur ? »

Il éclata de rire.

— Elle raffole de ce jeu !

Falcone et Bishop sortirent enfin du bar. Elles riaient. Bishop marchait devant Falcone, les genoux pliés, le dos voûté, en balançant les bras à la manière d'un gorille. Imitant Peetey. Son rire forcé résonnait dans la rue étroite, *Har, Har, Har...* Hanson sourit. Puis Bishop passa son bras autour des épaules de Falcone et toutes les deux disparurent.

— ... et ensuite, racontait Neal à Zurbo, en riant, Hanson l'éjecte de la bagnole, il lui fait un fauchage de jambes et l'autre s'affale. Hanson empoigne à deux mains la coupe afro et l'enfoiré a droit à un petit tête-à-tête avec le trottoir. Joli travail !

Hanson leva la main, en souriant.

— Tu es trop bon. C'est Dana qui m'a tout appris.

— Le vieil Ours de l'Avenue. Ah, si tu l'avais vu dans le temps, dit Zurbo en souriant lui aussi.

— Il ne parle presque jamais de cette époque, dit Hanson.

— Ça fait combien de temps qu'il est avec sa nouvelle femme ?

— Ils sont mariés depuis... euh, cinq ans, je crois.

— Hmm. J'ai pas l'impression que ça fait si longtemps que ça qu'il était avec Peggy. C'est quoi son nom à la nouvelle ?

— Helen.

— Elle a une très haute opinion d'elle.

— C'est une femme bien, répondit Hanson. Elle comprend pas les flics, voilà tout.

— Après cinq ans ? Elle veut pas les comprendre, déclara Zurbo.

— Dana leur foutait la trouille à tous sur l'Avenue, dit Neal. C'était une sorte de légende. À l'époque où je suis entré dans la police.

— Ah, soupira Zurbo en envoyant un baiser du bout des doigts, la justice expéditive. Y a que ça qui marche par ici. Faut tabasser ces enfoirés dès qu'on en chope un. On ferme les prisons. On vire cet emmerdeur de procureur.

— Oui, faut se les payer sur-le-champ, renchérit Neal. Leur botter le cul. Là, ils pigent tout de suite. Tu veux qu'ils arrêtent de traverser n'importe où, n'importe comment ? Tu descends ces salopards et tu laisses les corps dans la rue. Tu verras, bientôt, plus personne traversera en dehors des clous.

— Au fait, dit Zurbo, j'ai vu que Dana et toi vous vous étiez pas encore inscrits pour la Nuit de la chasse aux chiens.

Mais Hanson était occupé à suivre le reflet de Fox dans une vitre, tandis que celui-ci passait derrière leur table.

— Je peux faire quelque chose pour toi, John ? demanda Hanson.

Fox s'arrêta et observa Hanson à travers ses lunettes de soleil à verres réfléchissants.

— J'ai perdu mon calme cet après-midi. Ça ne se reproduira plus.

— Heureux de l'entendre, John.

— T'as bu combien de bières ce soir ? Un de ces jours, les gars du shérif vont te coincer pour conduite en état d'ivresse, la route est longue jusque chez toi.

— Vous feriez mieux de vous embrasser et de faire la paix tous les deux, dit Zurbo.

Fox mit *New York, New York* dans le juke-box. Certains flics, parmi les plus âgés, étaient des fans de Sinatra.

— En parlant des Stups, dit Zurbo, t'as du Valium ?

— Tu supportes plus la pression du boulot ?

— Non. J'en peux plus de tout ce stress. Si je te demande du Valium, c'est un « appel au secours ».

— Au fond, dit Neal, c'est un type formidable et sensible.

— Qui participe à une compétition de tir ce week-end à Seattle, dit Zurbo. Cinq milligrammes de Valium, c'est l'idéal pour rendre le doigt plus souple sur la gâchette. Juste un petit avantage.

Dehors, le martèlement des basses d'un radiocassette s'amplifia, résonnant entre les immeubles, accompagnant la voix du DJ. « J'aimerais bavarder avec toi toute la nuit, baby, mais tu sais comment c'est, Wardell doit foutre le camp, pardonne-moi, baby, faut que je lève le camp... »

« J'te pardonne, parce que... »

« Merci, baby. Et tu nous écouteras encore demain ? »

« Euh, je... »

« Bonne nuit, baby », dit Wardell, lui coupant la parole. « Mister Jones sera là dans cinq minutes pour vous accompagner durant toute la nuit, comme une escorte armée. Et il m'a dit... il voulait que je vous dise... vous savez, quand je vous ai dit que Mister Jones était un salopard... ? Il dit que c'est faux, et que lui, j'vous cite ses paroles, pas les miennes, je respecte ce type, faut qu'vous le sachiez. Il dit qu'il a peur comme tout le monde, même plus que tout le monde. Il m'a dit qu'il avait la trouille du matin au soir !... » Sa voix s'éloigna dans la rue. « Si c'est la vérité... j'ai réfléchi à ça... c'est tous ceux qu'ont la trouille qu'ont intérêt à se planquer, car... Il va rappliquer dans quelques minutes, et moi, je vous retrouve demain, avec le reste de la Supreme Team, célèbre dans le monde entier. Bonne nuit à tous, et voici les Ohio Players avec Skin Tight... » La voix qui s'atténuait au coin de la rue fut engloutie par la musique.

Neal se servit une autre bière, en secouant la tête.

— Saloperie de musique de zoulous.

— Non, rectifia Zurbo, c'est pas de la musique zoulou. Viens chez moi, je te ferai écouter de la vraie musique zoulou.

Les Zoulous, c'est des guerriers, pas une bande de négros baratineurs qui friment dans la rue.

Deux pichets de bière plus tard, Hanson avait cessé de s'intéresser aux récits de guerre, arrestations, bagarres et pour-suites en voiture, et il s'observait dans une des vitres, tout en regardant à travers son reflet un gratte-ciel de verre et d'acier qui se dressait dans le centre et découpait son visage en carrés sombres et lumineux.

— Cette matraque est contraire au règlement, dit Neal à Zurbo.

— Oh, désolé. Je crois que je vais laisser une bande de métèques me tabasser, pour pouvoir dire au lieutenant, sur le chemin de l'hôpital : « J'ai suivi le règlement, chef. »

— Faut que j'y aille, déclara Hanson en se levant. Faut que je dorme si je veux combattre le crime demain.

— Fais de beaux rêves, dit Zurbo.

Debout près de la porte, Fox discutait avec un type que Han-son n'avait jamais vu, mais il s'agissait de toute évidence d'un flic.

— Le voilà, dit Fox au moment où Hanson approchait. Un flic qui a sa propre vision de la justice. Un type intelligent. Hanson, je te présente le shérif Inman. Il travaille pour le comté, pas très loin de ta ferme.

— Salut, Inman, dit Hanson.

Inman répondit par un hochement de tête, poli mais réservé, comme la plupart des flics quand on leur présente un inconnu.

— Prudence sur la route, dit Fox, tandis que Hanson faisait demi-tour pour descendre l'escalier. Mais si jamais il t'arrive quelque chose, lança-t-il dans son dos, tu peux être sûr qu'on enverra la SPA pour s'occuper de ton chien.

8

À QUELQUES KILOMÈTRES DE LA VILLE, il tomba sur une averse. Seul un des deux essuie-glaces fonctionnait, étalant une épaisse pellicule de pluie et de viscères d'insectes sur le pare-brise.

— Faudra que je t'en installe des neufs, dit-il en regardant la route à travers la vitre opaque.

Il alluma la radio, mais les stations locales avaient cessé d'émettre, ou bien elles étaient trop loin pour que l'antenne brisée puisse les capter. Il ne recevait que de l'électricité statique, semblable au grésillement que produisaient les émetteurs militaires quand il n'y avait pas de transmissions, le « bruit blanc ».

— Ce soir, il n'y a personne sur les ondes, dit-il en jetant un coup d'œil dans son rétroviseur. Rien que le bruit blanc, ajouta-t-il comme s'il parlait à quelqu'un. Bruit blanc et nuit noire. Le Yin et le Yang. Eh oui. Le Bien et le Mal. Blanc... « Le *Baume* Rose Blanche... », chantonna Hanson en tenant la dernière note, singeant une publicité à la radio qui avait accompagné son enfance en Caroline du Nord.

— « Bienvenue à l'heure du Baume Rose Blanche. C'est le Hoss Man[1] qui vous parle. Et comme vous le savez... Si le Hoss Man vous le dit... C'est la vérité !

« Le Baume Rose Blanche, chers amis.
« Les gens me disent qu'ils ne peuvent s'en passer.

1. Surnom d'un célèbre animateur de radio dans le sud des États-Unis, chargé également d'annoncer les publicités. (*Hoss* est une déformation sudiste de *Horse*.) *(N.d.T.)*

« Ouvrier ? Vous avez les mains crevassées ? Essayez donc Rose Blanche.

« Pis gercés ? Un problème fréquent de vos vaches laitières. Essayez donc Rose Blanche.

« Une infinité d'usages pour le Baume Rose Blanche...

« Hé, vous les gars dans l'armée, là-bas au Vietnam. Vous avez des problèmes avec votre M-16 qui s'enraye quand vous canardez les bridés. Essayez donc Rose Blanche vous aussi. C'est l'idéal. Trempez vos balles dans le pot blanc et bleu que vous connaissez bien, et vous verrez la différence. Effet lubrifiant garanti ! Une infinité d'usages. C'est le Hoss Man qui vous le dit. »

Hanson entonna le jingle de fin.

« Courez acheter un pot de Rose Blanche, un pot de Baume Rose Blaaaanche... »

La pluie avait redoublé de violence, des rafales secouaient le van. Les portières tremblaient sur leurs gonds rouillés, mais le petit moteur tenait bon. Au-delà de la ligne d'horizon, des éclairs illuminaient le ciel en silence.

Hanson essaya de nouveau de capter une radio, en conduisant d'une main, parvenant à isoler une voix au milieu de l'électricité statique, juste au moment où une bourrasque attaqua le véhicule par le flanc, le projetant sur le bord de la chaussée. Deux roues s'enfoncèrent dans le fossé, les phares éclairèrent une présence entre les arbres, deux yeux rouges apparurent dans la lumière, une fraction de seconde, et disparurent avant même que Hanson, d'un grand coup de volant, rebondisse sur le bas-côté et revienne sur la route en dérapant.

— Bon Dieu ! dit-il, le corps fourmillant d'adrénaline, reprenant le contrôle du van sur la chaussée goudronnée rendue glissante par la pluie.

« ... là, quelque part dans le noir, frères et sœurs », disait la voix à la radio, « l'orage passe. Mister Jones va guetter la lune à travers la fenêtre... »

La musique, noyée par les grésillements, si faible qu'elle semblait venir de très loin, remplaça la voix.

I can see clearly now,
the rain is gone.
I can see all obstacles
in my way...

La musique devint plus nette, plus forte, lorsque un vent descendu du Stormbreaker commença à dissiper les nuages.

Hanson habitait à une cinquantaine de kilomètres du poste de police, dans une vieille ferme sans eau ni électricité, située sur dix hectares de terres. Il l'avait eue pour une bouchée de pain, dans une vente aux enchères. Au début, il avait creusé des toilettes extérieures, et il prenait ses douches au commissariat. Il avait lu ensuite des manuels de plomberie, sympathisé avec un électricien du coin, et aménagé la maison peu à peu.

Les nuages de pluie s'étaient enfuis, mais le chemin de terre conduisant à la maison était boueux, et le van dérapa, le pare-chocs avant alla heurter le tronc d'un énorme sapin Douglas.

— Ouah ! Fais gaffe ! s'écria Hanson.

Il rétrograda, accéléra un bon coup et parcourut le reste du chemin en dérapant, jusqu'à l'arrière de la maison, pour finalement s'arrêter sous d'autres énormes sapins.

Il vérifia que le caillou qu'il avait posé sur le seuil, juste devant la porte à moustiquaire, était toujours là. Si quelqu'un avait ouvert, il serait tombé sur la véranda. Un système d'alarme au rabais. Il entra, tendit l'oreille, puis, sans allumer, il alla chercher une bière dans le réfrigérateur. La lumière de celui-ci projeta des ombres sur le plancher éraflé de la cuisine ; une toile d'araignée scintillait dans un coin. Hanson s'age-nouilla juste devant, tapota dessus et l'araignée apparut.

— Comment ça va, longues pattes ? demanda-t-il.

Comprenant que ce n'était pas de la nourriture qui avait agité sa toile, l'araignée repartit à grandes enjambées dans l'obscurité.

L'air était vif à cette heure, ici dans la campagne. On sentait l'odeur de l'herbe et des mûres, un soupçon de pommiers en fleurs. Rien à voir avec la ville.

— Hé, Truman ! s'écria Hanson en ressortant. Vieux guer-rier de la nuit. Où es-tu, mon pote ? C'est l'heure de rentrer.

Le petit chien sortit de l'obscurité et s'arrêta au pied de Hanson, frôlant sa jambe. L'animal scrutait la nuit avec ses yeux aveugles, tandis que Hanson s'accroupissait pour le caresser.

— Alors, ça te plaît la vie à la campagne ? Tu as passé une bonne journée ? Figure-toi que je suis tombé sur Falcone au club, c'est la première fois que je la vois là-bas. Je ne sais pas pourquoi je pense autant à elle en ce moment. On était dans la même section à l'école de police ; ça fait presque quatre ans déjà, et il s'est jamais rien passé. Betty habitait ici à cette époque-là. Et toi, comment ça va, vieux ? demanda-t-il en grattant les oreilles du chien. En sortant de l'école, Falcone est entrée directement à East Precinct ; moi je suis allé à la circulation pendant quelque temps, et ensuite à North, et je l'avais complètement oubliée. Jusqu'à récemment. Comme dit la chanson, *Love is strange*[1]. Tu veux une bière ? demanda-t-il en se relevant. Bouge pas. « *Loooove, whoa whoa, love is strange, yea yea...* », chanta-t-il en retournant dans la maison. Toutes ces saloperies entassées dans l'entrée, c'est à Betty ! lança-t-il par-dessus son épaule. Je crois qu'elle me manque parfois.

Il inonda la cuisine de lumière en ouvrant la porte du réfrigérateur.

— Elle traînait avec Kesey et les Pranksters[2] à l'époque où ils débutaient. Elle était un peu plus âgée que moi, mais ça semblait coller entre nous, dit-il en déplaçant des boîtes et des bouteilles, et sa voix résonna lorsqu'il plongea la tête à l'intérieur du frigo. Je sais pas ce qui s'est passé. Peut-être qu'elle a simplement... Je sais qu'il reste deux bières dans ce putain de frigo... Ah, les voilà.

Hanson versa la bière dans un bol qu'il déposa devant le chien.

— À la tienne, vieux.

Tandis que le chien lapait son bol de bière, Hanson contemplait la pleine lune et les étoiles à travers les branches d'un pommier.

— Salut, la luuuuune, dit-il en étirant le mot, et son sourire se transforma en rictus, je vois que tu es toujours là-haut. Et moi, je suis toujours ici. Hé ! s'écria-t-il en agitant le bras, je suis toujours ici !

Il observa son ombre sur le plancher, et releva la tête au moment où la minuscule lumière clignotante d'un avion volant à haute altitude traversa le rond de la lune.

— Parfait, dit Hanson.

Parfait. Il repensa à Doc. C'était le mot qu'employait Doc quand tout s'emboîtait au poil tout d'un coup. Comme ce jour

1. « L'amour est étrange. » *(N.d.T.)*
2. *Prankster* : farceur, polisson. *(N.d.T.)*

où ils avaient franchi la frontière du Laos pour piéger un de ces ponts sous-marins, une passerelle tendue sous l'eau et impossible à détecter d'un avion.

Doc et lui avaient disposé des mines antipersonnel à chaque extrémité du pont, juste en dessous de la surface de l'eau boueuse, avant de retourner se cacher dans les broussailles pour attendre. Un soldat isolé de l'armée nord-vietnamienne sortit de la jungle, sur la rive opposée, et se dirigea vers eux en empruntant le pont. Au moment où il pénétrait dans la zone meurtrière des mines, Doc agita un des fils des détonateurs, provoquant des ondulations dans l'eau brune. Le soldat se figea. « Oh, oh, chuchota Doc. D'où viennent ces remous ? Serait-ce... un poisson ? » Il agita le fil encore une fois. Le soldat scruta l'eau ; il s'était agenouillé pour mieux voir. En le voyant se raidir, ils comprirent qu'il venait d'apercevoir l'ombre floue de la mine, si reconnaissable, dans l'eau boueuse. Lentement il se releva, en observant la jungle autour de lui.

— Peut-être qu'on est partis, murmura Doc. Peut-être qu'on a posé les mines et qu'on en a eu marre d'attendre. Peut-être qu'on... s'est endormis. (Il se tourna vers Hanson et sourit.) Chuuut, fit-il, il ne faut pas les réveiller, et il porta à ses lèvres le déclencheur en plastique. Hanson tenait le deuxième déclencheur ; il le caressait avec le pouce. Ça ressemblait à une grosse pince à linge verte, avec une texture semblable à du bois brut. Quand on mettait en contact les deux extrémités, il se produisait une petite décharge électrique qui parcourait le fil jusqu'au détonateur de la mine.

Soudain, le soldat viêt-cong regarda fixement l'endroit où ils étaient cachés. « Oui, tu sais qu'on est là, chuchota Doc. Tu ferais mieux de foutre le camp. C'est ta seule chance. »

Le soldat fit demi-tour — « Parfait », commenta Doc — et au moment où il s'apprêtait à retraverser le pont, la double détonation sourde des mines couvrit le rire de Doc, et le soldat se volatilisa dans une éruption de fumée et d'eau marron aux reflets argentés.

Hanson sourit, et il se souvint comme ça faisait mal de sourire après une opération de plusieurs jours, à cause des lèvres fendues par le soleil.

— Ah, ça ne rigolait pas, Truman. J'étais persuadé que j'allais mourir là-bas, mais je m'en foutais, tu piges ? J'espérais

146

simplement ne pas trop souffrir. Quand tu sais que tu vas mourir, tu peux faire tout ce que tu veux. Je te l'ai déjà dit ? Je crois que Dieu a commis une petite erreur. Je devrais être mort. On a supprimé mon poste, mais moi, je suis toujours là. Qu'est-ce que tu dis ? C'est l'heure d'aller se coucher ? OK. Je laisserai la porte entrouverte. Tu rentreras quand tu en auras envie.

Hanson traversa la cuisine et pénétra dans le living-room, en respirant l'odeur du poêle à bois froid, la toile à sac qu'il avait agrafée sur les murs et les étagères chargées de livres. Il se dirigea vers un des casiers et prit la chemise en carton contenant les photos qu'il rassemblait depuis qu'il était devenu flic. La photo la plus grande était un portrait de groupe de sa section à l'école de police. Il regarda Falcone, au premier rang, et lui ensuite, juste derrière, sur la droite. L'un et l'autre paraissaient beaucoup plus jeunes, empruntés dans leur uniforme neuf.

Une autre photo glissa de la chemise ; il la ramassa. Un Polaroïd qu'il avait pris à l'intérieur d'un pick-up à bord duquel s'étaient enfuis deux types armés après avoir braqué un 7-Eleven. Deux pistolets et un fusil à canon scié sur les sièges, des dollars partout, des bouteilles de bière roulant sur le plancher. Hanson avait convaincu Dana de les appréhender avant l'arrivée des renforts, « pour s'amuser ». Dana avait extirpé du pick-up le passager, un Mexicain qui devait peser moins de soixante-dix kilos, pour le conduire à la voiture. Le chauffeur, un Blanc, bien qu'affreusement obèse, était une force de la nature. Ayant passé son bras énorme autour du cou de Hanson, il l'attirait à l'intérieur du pick-up, l'étouffant, le tenant d'une clef au cou et cherchant à s'emparer d'une arme, quand Dana s'était tout à coup jeté sur lui et l'avait propulsé sur la chaussée, la tête la première, et comme le type résistait, il lui avait démis l'épaule en lui attachant les mains dans le dos. C'était une des fois où Dana lui avait sauvé la vie.

Hanson regarda encore une fois Falcone, puis il rangea la chemise sur l'étagère et monta se coucher.

Les coups de feu avaient presque cessé. Il y avait encore quelques détonations d'armes de petits calibres plus loin vers le nord, en direction de la rizière miroitante. C'était toujours le même rêve. La puanteur douceâtre du sang du Vietnam portée par la chaleur, l'odeur qui accompagnait toujours le rêve. Quinn et Silver étaient morts. M. Minh était mort. Le rêve débutait toujours quand il était trop tard pour les sauver, trop tard pour changer le cours des choses.

Parfois, alors qu'il s'endormait, Hanson essayer de ruser pour inciter son inconscient à commencer le rêve plus tôt, de grignoter quelques minutes chaque soir, jusqu'au moment où ils étaient encore vivants et où il avait encore une chance de les sauver, ou bien, si ce n'était pas possible, de mourir avec eux.

Couché dans son lit, il écoutait. Dans la jungle, il se fiait davantage à ses oreilles qu'à ses yeux. En patrouille, on entend l'ennemi avant de le voir.

Les rotors des hélicoptères, les réacteurs des jets et le bruit des armes à feu avaient mutilé ses tympans, mais il avait appris à entendre à travers la stridulation qui l'accompagnait en permanence désormais, comme un ciel empli d'oiseaux.

Il ouvrit les yeux, se redressa et balaya le sol avec la main pour ramasser le pistolet qu'il déposait près du lit. Il guettait les bruits de la maison, tendant l'oreille pour isoler chaque pièce, en haut d'abord, puis en bas. Cette maison où il avait installé l'électricité et l'eau, dont il avait consolidé les fondations avec des blocs de pierre, dont les murs étaient munis de bardeaux en cèdre qu'il avait lui-même fendus.

Il se leva en douceur et traversa la maison pieds nus. Il faisait deux pas, puis s'arrêtait et tendait l'oreille, en respirant par la bouche. Il s'immobilisa sur le seuil de la cuisine, l'arme à la main. Le chien attendait, baigné par la lumière de la lune entrant par la fenêtre, levant vers lui ses yeux blancs comme des perles.

Un clochard aurait peut-être pu voir la lumière s'allumer au premier étage du « Nordic Seas Residential Hotel », mais il était presque 3 heures du matin, et ils avaient tous perdu connaissance il y a bien longtemps ; l'urine d'abord chaude qui imbibait leurs pantalons était froide maintenant, tandis qu'ils dormaient recroquevillés derrière des poubelles ou sous un tas de sacs à ordures, car ainsi ils risquaient moins d'être vus et brûlés vifs par des camés aux amphètes ou des psychopathes insomniaques attendant que le jour se lève. Ils sont tous endormis ; le vin additionné d'alcool et le vomi creusent des ulcères dans leur estomac et leur gorge. Peut-être que certains d'entre eux rêvent au moment où Dakota allume l'ampoule nue qui éclaire sa chambre.

Il ouvre le tiroir inférieur de la commode, fermé par un cadenas, et en sort une chemise portant la mention PRIAURITÉ ABSOLUE — TOP SECRAIT, déformée par un paquet de papier à lettre bleu et la bible du Motel Six de Barstow. Il regarde la bouteille de vodka non entamée, puis referme le tiroir d'un coup de pied.

La liasse de papier à lettre que contient la chemise est épaisse de presque deux centimètres ; l'en-tête bleu foncé est celui du Conseil Suprême des Chevaliers de Colomb, Bureau d'informations religieuses. La lettre du dessus date d'il y a presque deux ans, adressée à O. Payette Simpson, 99240, California State Hospital, Bât. 92, Vacaville, Californie. O. Payette Simpson est le nom légal de Dakota, un nom donné par un sous-fifre du système d'aide sociale de Californie quand il avait cinq ans. La police l'avait découvert dans la caravane ensanglantée où sa mère et le petit ami de celle-ci — pas son père — avaient réussi à s'entre-tuer, après sa naissance. Il était pratiquement mort, sa mère, elle, était décédée depuis trois jours, lorsque les policiers avaient défoncé la porte de la caravane à coups de pied. La police lui avait sauvé la vie.

Une fois de plus, il relut la lettre écornée, vieille de trois ans :

Cher M. Simpson,

> *Nous avons été ravis de recevoir votre premier test, et nous vous le renvoyons avec un score de 83 p. 100 de réponses exactes. C'est un bon début. Chacune de nos corrections s'accompagne d'un numéro de page pour vous permettre de localiser plus aisément les endroits où vous avez commis des erreurs. Nous espérons ardemment, et prions pour...*

Tandis que Dakota lit la lettre, Gunther Gebel-Williams dirige ses lions, ses tigres et ses panthères noires sur les murs, de la voix et de la main, leur faisant franchir des cerceaux enflammés ou prendre place sur des tabourets à rayures multi-

149

colores d'où ils l'observent, les oreilles plaquées en arrière, en se pissant dessus, et l'urine fait monter de la vapeur sous leur ventre, dans la lumière du cirque.

Dakota sort de sa poche une nouvelle enveloppe bleue — ça fait plusieurs jours qu'il la garde sur lui — et l'ouvre d'un coup sec avec son cutter, encore une lettre des Chevaliers de Colomb. Il saute les paragraphes d'introduction habituels, qui s'achèvent par « Examinons maintenant votre travail » :

> *La réponse à la question n° 7 est « Faux ». Peut-être serez-vous surpris, car certains, de nos jours, aimeraient nous faire croire qu'un homme très cultivé, un savant, ne peut croire simplement en Dieu. Mais ils ont tort. La foi et la science authentiques ne sont pas incompatibles.*

Gunther Gebel-Williams sourit ; ses cheveux blonds presque blancs flottent derrière lui, tandis qu'il court avec ses félins ; totalement maître des magnifiques carnivores qui n'ont aucun ennemi naturel et ne craignent rien sur cette terre. Le sourire de Gunther s'élargit jusqu'aux oreilles ; son crucifix se balance et rebondit sur son torse nu couvert de sueur.

Dakota tourne rapidement les pages en pelure d'oignon de la Bible, frustré comme toujours quand il se décide enfin à ouvrir une des lettres bleues ; il a le souffle rauque.

> *N° 9 : « Faux ». Car même si un homme ne croit pas en la Bible, son pouvoir de réflexion, utilisé à bon escient, est la preuve de l'existence de Dieu.*
> *À la question n° 21, il fallait marquer « Vrai ». Tous les anges, qu'ils soient bons ou mauvais, sont de purs esprits. Le mot « pur » ici signifie qu'ils n'ont aucune existence charnelle et n'ont besoin d'aucun élément matériel pour vivre.*

À l'autre bout de la pièce, Gunther fait monter un tigre blanc sur son perchoir, et porte sa main à son front pour saluer l'animal, qui montre les dents d'un air théâtral et donne un coup de griffe dans le vide.

Le dompteur ne prête aucune attention à Dakota quand celui-ci se lève pour arpenter la pièce, et se frappe soudain le front avec la Bible, imprimant un rond de poussière sur son crâne luisant.

— Ils peuvent pas me filer la réponse, nom de Dieu ? Au

lieu de répondre par une devinette ! s'écrie-t-il, tandis que Gunther chevauche un lion à la crinière noire sur la piste centrale.

Dakota s'arrête devant une photo pleine page, sur papier glacé, montrant Gunther au milieu d'un demi-cercle d'éléphants d'Afrique, décontracté. L'ampoule suspendue au plafond projette l'ombre de la tête de Dakota sur la photo, et l'espace d'un instant, on dirait que Gunther regarde au loin, au-delà du papier glacé, jusqu'à ce que Dakota sorte de la lumière en trébuchant et lance la Bible par terre.

Gunther lève les bras et les éléphants replient leurs trompes, écartent les oreilles comme des feuilles de palmier et se dressent sur leurs pattes arrières, obéissant au dresseur au lieu de le piétiner et de le réduire en une bouillie sanglante à paillettes. Dakota ramasse la Bible et retourne s'asseoir au bureau pour chercher les autres réponses.

9

— J'AVAIS PASSÉ les menottes au type, racontait Hanson à Dana, et une ambulance devait venir chercher l'autre enfoiré, quand le lieutenant a débarqué.

— Larry le Cinglé ?

— Oui, quelques jours seulement après son arrivée à North Precinct. Je t'ai jamais raconté cette histoire ?

C'était encore une belle journée. Chaude, mais pas étouffante ; quelques nuages hauts flottaient au-dessus du ghetto, tandis qu'ils passaient devant l'église baptiste du Mont Zion, avec ses portes roses et ses fenêtres grandes ouvertes. La chorale s'entraînait, en chantant *Open My Eyes*, accompagnée par une guitare, une basse et une batterie.

Ils passèrent devant le centre de don de plasma, le magasin de l'Armée du salut et le théâtre Pussycat.

— Donc, Larry le Cinglé entre. J'avais fait du super boulot...

Tous les deux tournèrent la tête pour regarder un jeune type à l'arrêt de bus qui sortait un objet étincelant de sa poche arrière de pantalon. Un peigne en aluminium de la taille d'un hachoir à viande.

— ... un super boulot. J'avais l'air d'une star de ciné ! Et l'autre qui me demande pourquoi j'ai pas ma casquette sur la tête ! Je l'ai regardé et...

Hanson suivit le regard de Dana à travers la vitre du passager, en direction de la ruelle située derrière le club de billard *Bon Ton,* où un empennage de pare-chocs arrière, orangé, mal caché derrière une poubelle, captait les rayons du soleil.

152

— LaVonne s'est senti seul, dit Dana. Il a pas pu s'empêcher de retourner voir ses potes dès qu'il a entendu parler des inculpations secrètes obtenues par Fox. Les types comme lui sont pas capables d'aller ailleurs pour repartir de zéro. Faut toujours qu'ils reviennent dans leur quartier. Fox va être heureux, ajouta-t-il en s'emparant du micro.

— Qu'il crève. On va l'arrêter nous-mêmes.

Dana ôta son pouce du bouton de transmission.

— Histoire de s'amuser, précisa Hanson.

Dana raccrocha le micro.

— Dis pas à Helen que je me suis laissé convaincre. Faut faire fissa. On entre, on sort. Tu fourres LaVonne dans la bagnole, pendant que je tiens les autres en respect.

— Ouah ! s'exclama Hanson. On va bien s'amuser.

Ils roulèrent jusqu'au bout du pâté de maisons, et Hanson descendit de voiture.

— On se retrouve à la porte de derrière, dit-il, avant de se diriger vers la salle de billard.

Un peu plus loin dans la rue, deux types assis sur un banc à l'arrêt de bus partageaient une bouteille de vin dans un sac en papier. En apercevant Hanson, ils cherchèrent à repérer d'autres flics dans les parages et planquèrent la bouteille dans leur dos. Ils étaient à peine plus âgés que Hanson ; ils buvaient en plein soleil. En passant à leur hauteur, Hanson regarda avec insistance le sac en papier mal caché. D'un coup d'œil, il examina leurs bras à la peau sombre, noueux, cherchant des traces de piqûres qui pourraient servir ultérieurement. Peut-être aurait-il besoin, un de ces jours, d'un prétexte pour embarquer l'un de ces deux types lors d'un conflit familial ou tout autre trouble de l'ordre public, afin de régler le problème.

— Bonjour, messieurs, leur dit Hanson avec un sourire carnassier.

— Ouais, salut, répondit l'un d'eux.

L'autre se contenta d'émettre un grognement, et tous les deux baissèrent la tête, les yeux fixés sur le trottoir. Quand Hanson fut passé, ils le regardèrent pénétrer dans le club de billard.

Hanson franchit la porte en crabe et s'immobilisa quelques secondes, le temps que ses yeux s'habituent, que les silhouettes dans les faibles halos de lumière autour des tables de billard se précisent. L'endroit empestait la sueur, le tabac et la marijuana ; au plafond, le gros ventilateur avait du mal à brasser l'air.

Les conversations cessèrent brusquement. Les types qui étaient penchés au-dessus des tables de billard se redressèrent et se retournèrent vers lui pour l'observer, en silence. Hanson avait déjà arrêté certains d'entre eux, et il connaissait la plupart des autres. Leurs fiches anthropométriques se trouvaient dans la boîte à chaussures, dans la voiture.

LaVonne était tout au fond, près du bar en contreplaqué que Dee Brazzle, le propriétaire, avait monté lui-même. Quelques clous dépassaient des planches fendues, et le bar penchait légèrement par rapport au plancher ; on avait agrafé un bout de moquette rouge sur le devant. Quand Dee avait commencé à vendre de l'alcool dans sa salle de billard, sans posséder la moindre licence, il n'avait même pas essayé de se cacher. Dana et Hanson l'avaient mis en garde, mais il ne les avait pas écoutés. Alors, un soir, ils avaient confisqué toutes les bouteilles pour les vider dans la rue. Depuis, il se montrait plus discret ; du moins quand ils étaient dans les parages. Il n'existait aucun moyen d'empêcher ça, mais il y avait un minimum de règles à faire respecter pour garder le contrôle de la situation.

Hanson marcha vers le bar.

— *Mister* Berry. Vous êtes en état d'arrestation. Tournez-vous, je vous prie, et croisez les mains derrière la tête.

LaVonne jeta un coup d'œil vers la porte de derrière, prêt à décamper, juste au moment où Dana la franchissait.

— Hein ? Vous m'*arrêtez* ? s'exclama-t-il, et ses yeux balayaient la salle dans le dos de Hanson, des portes aux fenêtres. C'est quoi cette histoire ?

— Soixante-dix mille dollars d'amende pour possession de drogue. Tu sais très bien de quoi je parle.

— Hé, j'ai tout *arrangé !*

— Tourne-toi et croise tes mains derrière ta tête.

Dana observait la salle.

— Vous avez pas entendu ? dit LaVonne, en reculant d'un pas.

— Ce type vous dit qu'il a tout arrangé, intervint Dee, à moitié ivre comme d'habitude.

Dana les rejoignit, et LaVonne mit aussitôt ses mains derrière la tête.

— C'est pas une honte de voir ça ? dit Dee. (Il regarda vers la porte d'entrée.) Et ces types qui traînent dehors, hein ?

— Tu as un flingue ou un couteau sur toi aujourd'hui ? demanda Hanson à LaVonne.

— Hé, c'est vous qu'avez des armes, bande d'enfoirés, répondit LaVonne, en faisant glisser ses mains dans sa nuque, ce qui gonfla ses muscles.

— Garde les mains sur la tête, bordel ! rugit Hanson en sortant sa matraque de la main gauche et agitant la poignée devant le visage de LaVonne. Et tourne-toi !

Dana resta planté face à LaVonne, pendant que Hanson passait derrière lui et l'obligeait à baisser les bras pour lui mettre les menottes. Il le palpa de la tête aux pieds, glissa les mains sous la chemise et en ressortit un petit poignard en aluminium dont le manche représentait une femme nue. Un couteau bon marché, affûté grossièrement, aussi redoutable qu'un poinçon fabriqué en prison. Il était chaud et moite à force de coller contre la peau de LaVonne. Hanson le glissa dans sa ceinture et tira d'un coup sec sur les menottes.

— À quoi tu joues, mec ?

— J'y pensais plus à ce truc.

— En route, déclara Hanson.

— Hé ! Vous me pétez la main, bordel ! beugla LaVonne. Aïe !

— Pourquoi faut toujours que vous fassiez du mal aux Noirs ? s'exclama Dee, histoire de faire de la lèche à sa clientèle.

— Aïe ! hurla LaVonne. Vous allez me tabasser dehors avec vos potes, hein ?

Quelques-uns des joueurs de billard se placèrent sur le chemin entre Hanson et la porte, entrant et sortant de la lumière qui filtrait par la porte et les fenêtres crasseuses, tenant des queues de billard à la main.

— Posez ces queues et dégagez, ordonna Dana. Dee, si jamais quelqu'un fait un geste, je te descends sur-le-champ.

Hanson entendit le déclic métallique du fermoir du holster de Dana, et fit sauter le sien avec le pouce.

L'espace d'un instant, personne ne bougea, puis les types reposèrent leurs queues de billard sur les tapis.

Hanson passa devant Dana en poussant LaVonne ; ils ressortirent dans le soleil, et Dana les suivit, en marchant à reculons. Ils poussèrent LaVonne à l'arrière de la voiture à patrouille avant de monter à bord, puis démarrèrent rapidement, mais pas trop vite pour ne pas donner l'impression d'avoir peur.

LaVonne se retourna sur le siège pour regarder par la lunette arrière, au moment où la voiture bondissait par-dessus le trottoir pour revenir sur la chaussée.

— Vous êtes que tous les deux ? demanda-t-il.

— Ouais, comme les Texas Rangers, répondit Hanson, alors qu'ils empruntaient la rampe d'accès à l'autoroute, direction la prison.

— Cinq Soixante-deux décroche le jackpot avec LaVonne Berry, déclara Dana à la radio.

— *Cinq Soixante-deux,* répondit la voix de Fox dans le haut-parleur. *Passez sur le canal 3.*

Hanson changea de fréquence.

— À vos ordres, chef, dit-il dans le micro.

— *Où vous l'avez déniché ?* demanda Fox.

— Il traînait au *Bon Ton.*

— *Pourquoi vous m'avez pas prévenu, nom de Dieu ? Il devait y avoir d'autres inculpations que vous...*

— On est toujours contents de rendre service. Jackpot pour nous, répondit Dana, après quoi il raccrocha le micro et changea de canal.

— Il avait pas l'air trop furieux, commenta Hanson.

— Enfoiré de Fox ! s'exclama LaVonne. Il m'avait pourtant promis de...

— Hein ? Promis quoi ? demanda Hanson.

— Je parle pas aux flics.

Pendant que Dana montait avec LaVonne dans l'ascenseur de la prison, Hanson prit l'escalier jusqu'au deuxième étage pour aller chercher quelques photos d'identité judiciaire. Deux motards de la police, bottes et gants noirs, blousons de cuir ornés de boucles et de fermoirs argentés, descendaient au même moment.

— Vous êtes splendides dans votre harnachement, les gars, dit Hanson d'un ton efféminé, avec un petit geste de la main dans leur direction.

Ils s'arrêtèrent, bloquant l'escalier et le toisant ; leur tenue de cuir craquait dans le silence.

Finalement, celui qui arborait les insignes de sergent demanda :

— Quand est-ce que tu viens me voir pour t'engager chez les réservistes, Hanson ? On a besoin de sang neuf.

Il était sergent-chef dans l'armée de réserve, et Hanson savait qu'il avait décroché deux Purple Heart[1].

— Je sais pas, sergent. Je ne suis pas un très bon soldat en temps de paix.

— On trouvera une nouvelle guerre bientôt. Meilleure que la dernière. Et tu regretteras de pas t'être engagé, dit-il, tandis qu'ils s'écartaient pour laisser passer Hanson.

— Je vais y réfléchir, sergent, répondit Hanson. Merci.

Hanson et le sergent-chef se respectaient.

Un long couloir droit, jouxtant les bureaux des inspecteurs, était bordé de petites salles d'interrogatoires exiguës, meublées d'une table qui occupait presque tout l'espace et de quelques lourdes chaises en bois. D'un blanc crasseux, elles empestaient la sueur, le tabac froid et la peur ; les plaques d'insonorisation aux murs et au plafond étaient jaunies, tachées et arrachées. Dans la troisième pièce, quelqu'un hurlait et se jetait contre l'épaisse porte en chêne.

Zink et Farmer, cravates dénouées, se tenaient devant la porte. Farmer consulta sa montre.

— Salut, les gars ! lança Hanson. Qu'est-ce qui se passe ?

Les deux inspecteurs le regardèrent, avant de se tourner vers la porte.

— C'est Speeding Bear, répondit Farmer, en passant sa main dans ses cheveux. Un Indien de 125 kg, ivre et défoncé aux amphètes.

— Oui, je le connais, dit Hanson. Il zone du côté de la passerelle de Burnside.

Speeding Bear hurla de nouveau et cogna dans la porte.

La main en cornet derrière l'oreille, Hanson se pencha vers la porte.

— On dirait qu'il est en colère.

— Il avait pourtant l'air bien, répondit Farmer.

— Ouais, j'ai cru qu'il y aurait pas de problème, renchérit Zink. On lui a ôté les menottes en lui disant qu'on revenait...

1. Décoration militaire décernée pour blessure en temps de guerre. *(N.d.T.)*

— Et il s'est jeté sur nous !

— On l'a arrêté en même temps que cet ancien boxeur, celui qui porte un casque de footballeur...

— Champion ?

— Ouais. Ils ont découvert un cadavre dans une conduite d'aération derrière cet hôtel pouilleux où ils vivent, le Nordic Seas. Une pauvre vieille pute usée, sodomisée et lacérée de partout, à coups de lame de rasoir apparemment...

— On en est arrivé à un stade où tous les homicides ressemblent à... des clichés, on pourrait dire. Mais pour moi, c'est quand même le « meurtre de la semaine ».

— Le meurtre du mois, tu veux dire ! rectifia Zink. Facile ! La porte trembla.

— Les deux cinglés ont commencé à s'engueuler à cause d'un truc qui remonte à un an ou deux, et il a fallu les foutre dans des pièces séparées.

— Généralement, ils sont plutôt potes, non ?

Hanson confirma d'un hochement de tête.

Tous les trois regardèrent la porte.

— Il va falloir que quelqu'un entre pour lui mettre les menottes, je crois, dit Zink.

— Oui, je crois aussi.

— Quand Speeder est bourré, il ne sent pas la douleur, dit Hanson. Un jour, il m'a balancé derrière une poubelle, à l'époque où je bossais dans le centre. Je n'avais plus de force dans le bras tellement je lui avais filé de coups de matraque. Il se contentait de me regarder !

Zink colla son oreille contre l'huis. Il frappa à la porte, doucement.

— Speeder ?

De l'autre côté, les pieds d'une chaise raclèrent le sol.

— Speeding Bear ? Ça va mieux ?

— Va te faire foutre ! hurla Speeding Bear à l'intérieur, en balançant un coup de chaise dans la porte. Va te faire voir, Yeux Blancs !

Zink se tourna vers Farmer.

— Attendons encore un peu avant d'entrer.

Quelqu'un frappa dans la porte de la pièce voisine.

— Va te faire foutre toi-même, enfoiré de nègre peau-rouge ! Je vais t'arracher ton sale gros nez de youpin !

— Ah, ça c'est Champion, commenta Hanson.

Un grand bruit ébranla la porte.

— On dirait qu'il a filé un coup de boule dans la porte, dit Farmer.

— Il adore te foncer dessus, tête baissée, dit Hanson.

— Merde, dit Zink. Il a une plaque dans le crâne. Si jamais il clamse, à nous les emmerdes !

— Ou si jamais il arrive quelque chose à un autre Indien pendant qu'il est sous les verrous, ajouta Farmer.

— On devrait peut-être appeler Police secours, suggéra Zink.

— Eh bien, bonne chance, messieurs, déclara Hanson. Faut qu'on retourne dans notre secteur avant que le sergent Bendix pique sa crise parce qu'on répond pas aux appels radio.

— Bendix ? dit Farmer. Ils l'ont envoyé à North, hein ? J'ai entendu dire qu'il avait déconné. (Il rit.) Je parie que ça fait du tort à son petit commerce de fournitures de la police. De se retrouver au diable, là-bas.

— Exact, dit Hanson. On le voit pas souvent dans les rues.

La porte trembla dans un bruit de tonnerre ; des éclats de plâtre jaillirent autour de l'encadrement.

— Faut que j'y aille, les gars, dit Hanson. Hé, ajouta-t-il en s'adressant à Farmer, vous pensez à ma lettre, hein ?

Il coupa en passant par le réfectoire qui sentait la cigarette et le café du distributeur automatique, pour accéder à l'aile qui abritait la brigade des Stups et des Mœurs. Les stores à lamelles métalliques du premier bureau étaient relevés, et Fox, assis devant un ordinateur au fond de la pièce, tournant le dos à Hanson, faisait défiler des noms. Hanson s'arrêta, essayant de lire les minuscules mots verts qui scintillaient sur l'écran, mais il n'eut pas le temps de les déchiffrer avant qu'ils disparaissent, lorsque Fox, apercevant le reflet de Hanson sur l'écran, appela un autre fichier.

— C'est pas un jeu, déclara-t-il, les yeux fixés sur son écran, observant Hanson. C'est un cancer. (Il pianotait sur le clavier en parlant, faisant défiler un vieux mandat de perquisition.) J'espérais que tu finirais par comprendre.

Il enfonça un bouton sur le bureau et les stores se fermèrent lentement.

— Peut-être était-ce un simple malentendu aujourd'hui. Je le pense pas, mais même si c'est le cas, le mal est fait, reprit-il, tandis que les stores descendaient du plafond, lamelle après lamelle, pivotant à l'intérieur des rails métalliques. J'ai été vachement coulant avec toi, dit-il, et les stores tombèrent bruyamment devant son visage, ses épaules. Mais ne...

Les stores se fermèrent avec un bruit sec.

De l'autre côté, Fox tourna la tête en direction des bruits de pas de Hanson. Quand ceux-ci eurent disparu, il fit réapparaître sa « Recherche » sur l'écran, entrant des codes qui figuraient sur les photocopies thermiques, marron et fragiles, des pages d'un manuel d'opérations du ministère de la Justice. Soudain, l'écran se couvrit de dates et de colonnes de noms, sous ce titre « Ordres Spéciaux Numéro 34019. TC 322 UP Affect. SOA (CCN) » :

Hanson, John C. 7/5/58
Hanson, Kelly 9/11/42
Hanson, Ken J. 5/5/45

Peetey entra par la porte de derrière en appuyant sur la sonnette, et vint s'asseoir sur le bureau juste en face de Fox.

— Ça y est, c'est réglé, dit-il en sortant de sous son gilet mexicain un vieux calibre .45 de l'armée qui avait perdu toute sa peinture bleue, et dont le percuteur usé branlait à l'intérieur du cadre.

— Où t'as dégoté ça ? demanda Fox.

— Aux objets trouvés. Parmi les flingues qu'ils voulaient faire fondre pour leur putain de mémorial de la Paix. Je l'ai piqué pendant que l'autre connard avait le dos tourné.

— On dirait qu'il risque de te péter à la gueule si t'essayes de t'en servir.

— J'ai l'air con à ce point-là ? Comme si j'allais m'amuser à tirer avec cette merde ! C'est juste en cas de pépin.

— Ils sauront d'où ça vient.

— Tu parles, il était dans un baril parmi une centaine d'autres. Rayé de l'inventaire. Il existe même plus.

Il éjecta le chargeur et inspecta la chambre vide et noire. Les balles à l'intérieur du chargeur étaient décolorées. Il n'y en avait pas deux semblables : balle à tête creuse, balle perforante, balle explosive...

— De quoi chasser l'ours, commenta-t-il en remettant le chargeur.

Fox éteignit l'ordinateur.

— Je dois aller signer des paperasses pour arroser les indics. Faut qu'on aille dire un mot à Ira.

— Ce sale crétin obséquieux, dit Peetey, en faisant mine de viser avec le .45.

— Ce sont tous de sales crétins obséquieux, mais on a besoin d'eux. Et ce qu'ils veulent, plus encore que le fric, c'est qu'on les traite comme s'ils n'étaient pas des sales crétins obséquieux. N'oublie jamais ça.

Fox observa son collègue jusqu'à ce qu'il décolle le nez de son pistolet.

— OK, dit Peetey. J'ai pigé.

— Je reviens tout de suite, dit Fox, et Peetey reporta son attention sur le .45.

Fendue et éraflée, taillée dans un bois sombre d'Afrique ou d'Asie, la crosse avait été polie par la pression et la sueur d'innombrables mains effrayées ou furieuses. Un cercle strié, gravé au centre, de chaque côté de la crosse, était couvert de taches rouges presque noires, comme du sang séché. Peetey se servit du couteau attaché à sa ceinture pour gratter la tache d'un côté, puis il cracha dessus et frotta avec son pouce, jusqu'au retour de Fox.

— Hé, vise un peu cette crosse, dit-il en brandissant le lourd pistolet par le canon. Je parie que ce flingue a appartenu à un nazi.

Au centre du cercle, rouillée, piquée et décolorée, il y avait une svastika en acier.

— Ce machin existait bien avant que Hitler décide de l'utiliser. Depuis des milliers d'années. C'est aussi vieux que la croix.

10

ARRIVÉS AU McDONALD'S, ils s'arrêtèrent juste à côté des deux arches dorées cabossées qui rougeoyaient dans le crépuscule estival. Miranda et Murry, les deux surveillants, étaient occupés à bavarder au bout du parking, avec quatre femmes d'apparence vulgaire à bord d'une Bonneville décapotable. C'étaient les deux seuls agents de sécurité noirs du district, et les seuls vigiles que respectaient les flics. Ils s'étaient connus dans les Marines et ensemble ils avaient essuyé le feu de l'ennemi pendant trois jours et trois nuits lors de l'offensive du Têt à Hue, persuadés alors qu'ils allaient y rester. Par la suite, Murry confia à Hanson, un soir, tard, au Top Hat bar, que Miranda et lui avaient confiance uniquement l'un dans l'autre.

Ils gagnaient leur salaire en réglant tous les problèmes eux-mêmes, au lieu d'appeler la police comme les autres agents de sécurité, des Blancs, dans les supermarchés ou les centres commerciaux. Même si, d'une certaine façon, ils gagnaient aussi leur argent en tremblant de peur huit heures par jour.

— Tu veux juste un milk-shake ? demanda Hanson à Dana.

— Si c'est pas trop demander...

— *Bravo One recherche une Dodge Charger bleue repeinte en noir,* annonça la radio. *Plaque minéralogique de Californie inconnue, carte grise peut-être au nom de James Durham McKiver, homme de race blanche, la quarantaine. En cas de localisation, Bravo One demande un remorquage jusqu'au garage de la police.*

Hanson s'empara du micro, se gratta la joue avec la grille, et pressa le bouton pour parler.

— La voiture est-elle conduite par ce monsieur McKiver, et si oui, est-il recherché ? Ou alors il est déjà sous les verrous ?

— *Ici Bravo One*, dit Fox. *Je vous informe que le véhicule en question est certainement conduit par McKiver. Celui-ci ne fait l'objet d'aucun mandat d'arrêt pour l'instant. Nous voulons juste saisir le véhicule.*

— Qu'est-ce qu'on doit dire à ce type quand on va lui piquer sa bagnole ?

— *Écoutez... Si vous localisez le véhicule, prévenez-nous. On parlera au type. C'est suffisamment clair comme ça ?*

— Ça roule, répondit Hanson. Pigé.

Lorsqu'il raccrocha le micro, on entendit crépiter dans le haut-parleur les cliquetis des autres voitures de patrouille qui branchaient leurs micros, un geste qui pouvait symboliser des applaudissements, la réprobation ou bien, dans le cas présent, des éclats de rire.

Dana secoua la tête.

— Tu devrais laisser à quelqu'un d'autre le soin de faire chier Fox parfois.

Hanson tapota la date sur la feuille de mission.

— « 17 juin 1975, récita-t-il sur le ton d'un animateur radio. À quoi ressemblait cette journée ? Une journée comme toutes les autres, faite de ces événements qui modifient et éclairent nos vies. *Et vous y êtes...* »

— Qu'est-ce que tu racontes ? demanda Dana.

— J'imite Walter Cronkite. Il présentait une émission le dimanche matin à la télé qui s'appelait « Vous y êtes ». Je la regardais quand j'étais môme. Hier soir dans mon lit, je me suis souvenu de tout son baratin. « Une douce soirée d'été, reprit Hanson avec sa voix à la Cronkite, en descendant de voiture et en traversant le parking. Le jeune agent de police Hanson continue à couvrir de mépris et de dédain la bureaucratie des Stups... »

Sa voix était submergée par celle du DJ Wardell jaillissant de cinquante autoradios : « ... au téléphone et on est avec... Kim. Salut, Kim ! Ça boume, poupée ? Est-ce que tu aimes la World Famous Supreme Team ? »

« Hmm. »

« Kim, je te demande si tu les aimes d'amour ? »

« Hmm. »

« Géniaaaal ! Kim, est-ce que... »

Une sorte de *soul muzak* était diffusée à l'intérieur du restaurant, une version instrumentale et ralentie du *I Feel Good* de James Brown, avec des violons et des cors d'harmonie à la place des trompettes et des saxophones.

Une paroi en Plexiglas à l'épreuve des balles, qui allait du sol au plafond, séparait les clients des employés et des caisses. Hanson sourit à la serveuse, une étudiante vêtue de l'uniforme et coiffée du chapeau en papier McDonald's, et lui adressa un petit geste de la main.

— ... Yolanda, dit-il dans le haut-parleur incrusté dans le Plexiglas et qui se déclenchait à la voix. Comment va ?

Le micro mettait plusieurs secondes à se mettre en marche, avalant le début de chaque phrase. Cela ajouté à la bouillie de James Brown, Hanson avait l'impression d'être en décalage par rapport au reste du monde. De plus, il avait une légère gueule de bois.

— ... bien. Et vous, Hanson ? demanda-t-elle d'une voix aiguë et métallique à travers le haut-parleur.

— Ça va bien.

— ... voulez aujourd'hui ?

— Un Big Mac, une frite moyenne, un lait et un milk-shake pour Dana. À emporter.

— ... de suite, dit-elle en ouvrant un sac en papier.

Une chic fille, se dit Hanson. En février dernier, elle venait juste de prendre la commande d'Everett Birdsong, un double cheeseburger, lorsque l'épouse de celui-ci, Sheila, était entrée par la porte de derrière et lui avait tiré une balle en pleine tête, avant de vider le chargeur de son .38 Special dans le corps qui se convulsait sur le sol.

Dana et Hanson furent les premiers policiers sur les lieux. Quand ils arrivèrent sur place, les gens continuaient de faire la queue, autour du cadavre, et à passer leurs commandes à Yolanda à travers la paroi en Plexiglas maculée de sang.

Hanson glissa l'argent dans le petit tourniquet. Yolanda fit pivoter l'appareil, prit l'argent, déposa à la place la nourriture sous emballage plastique et la monnaie, et renvoya le tourniquet vers Hanson.

— Merci, ma belle. À la prochaine.

— ... prudent, Hanson.

Hanson regagna la voiture de patrouille en se pavanant et en chantant *I Feel Good* [1]. Il tendit le milk-shake à Dana et mordit dans son Big Mac, en respirant la puanteur des cigares de Butzer de l'équipe de jour, l'odeur d'urine et de vomi, et celle, plus diffuse, douceâtre, du sang séché.

— Miam-miam, fit-il. Dire qu'il y en a qui bouffent cette merde tous les jours.

Il souleva le petit pain du dessus, collé au pavé de viande grise, et regarda les cornichons, la tomate et la laitue glisser sur la « sauce maison » qui dégoulinait.

— Quand j'arrive au milieu de cette saloperie, je m'aperçois qu'en fait j'en avais pas envie. J'ai l'impression d'être... pollué.

— Ravi de voir que je ne suis pas seul, répondit Dana en soulevant le couvercle de son milk-shake.

— *Problème de nature inconnue. Il y avait des hurlements en arrière-plan, et puis la personne a raccroché. 1405 Sacramento.*

— C'est chez les Marx, commenta Dana en ôtant l'emballage de sa paille. Le voilà, le problème.

— *Six Vingt ?*

— *Six Vingt message reçu*, répondit Falcone. *1405 Sacramento.*

Six Vingt correspondait à East Precinct, un peu plus au sud. Dana secoua la tête, en ricanant.

— Béni soit le jour où ils ont déménagé à East Precinct, dit-il en enfonçant sa paille dans le milk-shake empli à ras bord et en se penchant pour boire une petite gorgée.

— *Six Vingt a pris l'appel. Six Quarante, vous m'entendez ?*

Hanson prit le micro.

— Cinq Soixante-deux. On est juste à côté. On peut y aller.

Dana leva les yeux vers son collègue, la paille dans la bouche.

— *Cinq Soixante-deux a pris l'appel.*

— Je te paierai un autre milk-shake, dit Hanson en balançant son Big Mac par la vitre, avant de redémarrer. J'ai un mot à dire à Falcone.

Dana jeta lui aussi son milk-shake, tandis que Hanson sortait du parking en marche arrière.

1. « Je me sens bien. »

Lorsqu'ils arrivèrent à proximité de leur destination, les phares de la voiture éclairèrent Riley Marx, surnommé « Le Débile », qui marchait au milieu de la chaussée, reconnaissable à sa silhouette rondouillarde et à son chapeau melon.

— Je vais jeter un œil dans sa baraque, déclara Dana en ouvrant la portière. Occupe-toi de Riley.

Hanson roula jusqu'à lui, manquant de le percuter avec son pare-chocs. Il klaxonna plusieurs fois, puis se pencha par la vitre.

— Hé, Riley ! Faut que je te parle !

Riley continua d'avancer. Hanson brancha le haut-parleur et chuchota dans le micro ; sa voix s'insinua dans les rues du quartier.

— Riiii-ley.

Il baissa le volume et parla d'une voix encore plus douce.

— Riiley. Si tu refuses de me parler, tu vas passer la nuit dans la cellule des poivrots. Avec tous ces sales pervers. Tu te souviens de la dernière fois ?

Riley s'arrêta, sans toutefois se retourner, tandis que Hanson descendait de voiture.

— Regarde-moi, Riley.

Ce dernier se mit à gémir. Il se retourna, il avait les larmes aux yeux.

— Non, non, pas avec les poivrots, dit-il.

— Qu'est-ce qui se passe chez toi ?

— Ils m'ont obligé à faire des sales trucs dans cette cellule. Je veux pas y retourner.

— OK. Tu n'iras pas.

— Parole ?

— Parole. Maintenant, cesse de pleurnicher, et explique-moi ce qui se passe.

— Rien, répondit Riley en s'éloignant.

Âgé d'une vingtaine d'années, Riley était un débile léger qui volait à l'étalage et arrachait des sacs à main ; certaines personnes avaient également porté plainte pour exhibition quand des jeunes filles passaient devant chez lui pour aller à l'école. Son frère Ritchie purgeait une peine de prison quelque part en Californie. Rodney, son autre frère, était mort poignardé l'année dernière, alors qu'il tentait de sodomiser un autre malade à l'hôpital psychiatrique de McMinnville.

Hanson vint se placer devant lui.

— Qui a appelé la police, Riley ?

Riley se retourna vers son domicile, comme si la réponse s'y trouvait peut-être.

— Je vois, dit Hanson, c'est un secret mystérieux, hein ?

Riley haussa les épaules et abaissa le chapeau melon sur ses yeux, en regardant Dana avancer vers eux.

— Personne n'a ouvert, déclara ce dernier. Aucun bruit à l'intérieur, à part la télé.

Il pencha la tête sur le côté.

— Tiens, je reconnais la façon de conduire de Duncan, commenta Hanson en écoutant le vrombissement d'une voiture de patrouille, visiblement pressée, à plusieurs blocs de là.

Duncan était sur le terrain depuis moins d'un an. Il possédait un diplôme de droit criminel et avait commis un jour l'erreur d'avouer son intention de devenir lieutenant avant 30 ans.

— Porter un flingue et rouler vite, dit Hanson, alors que le vrombissement se rapprochait. J'ai entendu dire qu'il avait rempli une demande de mutation à North.

— Bon, faut que j'y aille, dit Riley en essayant de contourner les deux flics.

Dana le retint par la manche du manteau pouilleux qu'il portait d'un bout de l'année à l'autre.

— Assis.

— Tu pourras t'en aller après avoir répondu à nos questions, dit Hanson.

Riley s'assit sur le bord du trottoir, juste au moment où Duncan, faisant des appels de phares, traversait en trombes le carrefour, loupant Sacramento Street. Quelques secondes plus tard, ses pneus couinèrent, glapirent à deux reprises, la boîte de vitesses automatique hurla, dans une odeur de gomme brûlée.

— Ça ressemble au fameux et épatant « virage à toute allure avec freins bloqués », commenta Hanson. Tu veux pas devenir agent de police, Riley ? Pour pouvoir conduire vite.

Six Vingt négocia le virage en dérapage, grimpa sur le trottoir, redescendit sur la chaussée en rebondissant. Riley, qui était assis sur le trottoir, se leva d'un bond au moment où la voiture passait devant lui en sifflant, avant de ralentir et de s'arrêter un peu plus loin, au milieu de la rue, les freins fumant et presque morts.

— Bon, je crois que je vais aller finir mon rapport, déclara Dana.

Duncan jaillit hors de la voiture.

— C'est moi qu'ai reçu l'appel ! s'exclama-t-il en trottinant vers eux. C'est quoi le problème ?

— On n'en sait rien, répondit Hanson, les yeux fixés sur Falcone vêtue de son uniforme trop ample, avec sa ceinture qui pendait sur ses hanches et le lourd revolver dans son étui qui lui donnait une tape à chaque pas, comme une main gantée.

— Je te présente mon vieil ami Riley Marx. Il habite au domicile de la personne qui a téléphoné.

Riley regardait sa main.

— Je me suis assis dans une merde de chien, dit-il en s'essuyant sur son pantalon.

— Riley, je suis l'agent Duncan, déclara celui-ci en tirant sur son calepin coincé dans sa poche revolver. Son autre main laissa échapper le stylo, mais il le rattrapa.

— Qu'est-ce qui... Ah, bordel de merde ! (Il parvint enfin à extirper le calepin.)... se passe ici ?

Riley ferma les yeux et renversa la tête en arrière, puis joignit les pieds, les jambes tendues, le dos bien droit, comme un plongeur acrobatique. Tendant les bras telles des ailes, prenant appui sur ses talons, il tourna le dos à Duncan en douceur et s'éloigna.

— Riley ! s'exclama Duncan en lui emboîtant le pas, avec son carnet et son stylo. Quelle est votre date de naissance ?

— Depuis quand tu es du Six Vingt ? demanda Hanson à Falcone.

— C'est simplement pour la semaine.

Hanson hocha la tête. Elle avait des iris gris-vert. Le blanc de ses yeux était si clair qu'il paraissait nacré dans la lumière de cette fin de journée. Comme Hanson se contentait d'acquiescer sans rien dire, elle enchaîna :

— Jusqu'à ce que son équipier revienne de vacances, dit-elle en se tournant vers Duncan. Il est un peu survolté, comme nous tous au début. Ça s'arrangera.

Elle semblait légèrement nerveuse, mais sans doute était-ce uniquement dû à la tension provoquée par la conduite de Duncan. Hanson cherchait quelque chose à dire. Des petites mèches de cheveux étaient plaquées sur le front de Falcone, et sa lèvre supérieure luisait de transpiration. Il lui sourit.

168

— On nous a coupé les ceintures de sécurité dans la voiture, dit-elle en faisant jouer les muscles de sa main droite.

Les tendons gonflèrent et roulèrent sous la peau.

— Je me suis cramponnée à mort à l'arceau de sécurité, dit-elle en riant.

Un rire magnifique, pensa Hanson. La stridulation dans ses oreilles avait disparu.

— Quoi ? fit-il.

— Faut s'occuper de ce type ? demanda-t-elle, avec un mouvement de tête en direction de Riley qui s'éloignait, tandis que Duncan bondissait de droite à gauche comme un chien de berger pour tenter de lui bloquer le passage.

Quelqu'un poussa un hurlement au domicile de la famille Marx, et Riley s'élança comme un bolide pour fausser compagnie à Duncan.

— Laisse-le partir ! lui cria Hanson. Tu pourras jamais le rattraper.

Il regarda Riley filer entre deux maisons, s'engouffrer dans l'ouverture d'un grillage et disparaître au milieu du bloc suivant.

— On pourra le coincer plus tard, en cas de besoin ! lança-t-il par-dessus son épaule en se précipitant vers la maison. Je crois qu'il n'a jamais été plus loin que l'autoroute.

Dana enfonça la porte d'un coup d'épaule et les autres le suivirent dans une pièce où deux hommes et une femme, la cinquantaine tous les trois, assis par terre, regardaient une rediffusion de *The Rookies*, les *Bleus*, sans même lever la tête lorsque les policiers firent irruption.

La télévision était la seule source de lumière dans la pièce obscure, presque hypnotisante, et les quatre flics, en reprenant leur souffle, regardèrent fixement l'écran où deux jeunes et séduisants policiers étaient dans une fâcheuse posture. Accroupis derrière leur voiture, ils tiraient en l'air. Autour d'eux, les balles ricochaient en sifflant et en bourdonnant. Le pare-brise de la voiture de patrouille vola en éclats, mais les *Bleus* continuaient de tirer.

Ces gens qui regardaient la télé ne prêtaient aucune attention aux véritables policiers qui se tenaient debout derrière eux, avec leurs portables qui grésillaient et bourdonnaient d'appels. Ils semblèrent ne rien remarquer quand un bruit sourd dans la pièce d'à côté ébranla la maison, ni quand les véritables policiers ouvrirent à la volée la porte de la chambre.

Un Noir torse nu et une femme en combinaison rose transparente roulaient sur le sol, en haletant, les bras et les jambes entremêlés. Ils percutèrent le mur, poussèrent des grognements, roulèrent ensuite contre une coiffeuse branlante, qui se renversa, et dont le miroir se brisa en heurtant le pied du lit ; des éclats de verre les aspergèrent, scintillant comme des couteaux parmi les poils crasseux de la moquette verte.

Dana et Duncan se saisirent de l'homme. Sans offrir la moindre résistance, il se remit debout, en s'efforçant de parler calmement, bien qu'à bout de souffle.

— Tout va bien, m'sieur l'agent. Y a pas de problème.

La fille se releva d'un bond, les mains plaquées sur la bouche, et courut se blottir dans le coin le plus reculé de la pièce, à côté d'un ensemble lampadaire-table de téléphone en plâtre doré représentant un éléphant en train de barrir, de la taille d'un Saint-Bernard.

— Ça va, mademoiselle ? lui demanda Falcone.

De l'autre côté du lit affaissé, l'homme mit spontanément ses mains dans le dos et se tourna pour que Duncan puisse lui passer les menottes.

— Linell Stark, dit-il. J'ai mes papiers dans ma poche. Faut me croire, m'sieur l'agent...

— Mademoiselle ? Regardez-moi, dit Falcone.

La fille regardait la télé par la porte ouverte, au-delà de l'épaule de Falcone ; elle haletait, la pointe brune de ses seins tendait le tissu de la combinaison de mauvaise qualité. Ses lèvres saignaient, ses dents rosies par le sang avaient presque la couleur des bigoudis dans ses cheveux. Ses yeux boursouflés étaient presque fermés.

Hanson retourna dans la pièce voisine et regarda les flics de la télé avancer prudemment dans un couloir d'hôtel, arme au poing, tandis que la musique s'amplifiait et s'intensifiait.

— Hé, madame, dit-il en tapota sur l'épaule de la femme. Madame ! Qu'est-ce qui se passe ici ? Madame Marx...

— Ça me regarde pas, répondit-elle, sans quitter l'écran des yeux. Rosetta se débrouille avec ce type.

— Moi, je suis qu'un voisin, déclara un des hommes, dont le visage était éclairé par la lumière mouvante de la télévision. Je viens juste regarder la télé. Je suis pas au courant.

170

Rosetta poussa un hurlement, en s'arrachant les cheveux à deux mains, faisant voler les bigoudis qui rebondirent autour des chaussures à bout renforcé de Falcone, telles des sauterelles roses. Elle continua de hurler, en pleurant, inspirant à fond, puis poussant son cri.

— Rosetta ! beugla la femme plus âgée. Ferme-la, petite. On essaye de regarder le film !

Rosetta se laissa glisser lentement le long du mur, jusqu'à ce qu'elle se retrouve assise par terre, les jambes écartées ; sa combinaison remonta sur ses hanches. Falcone la toisa, avant de passer dans la pièce voisine.

Les *Bleus* avaient pris position de chaque côté d'une porte fermée, ils s'apprêtaient à l'enfoncer à coups de pied. Derrière la porte, deux motards aux cheveux longs, le sourire méprisant, le visage dégoulinant de sueur, attendaient avec des fusils de chasse.

Hanson sentit Falcone approcher dans son dos, il la *sentit* véritablement.

— Tu as une idée de ce qui se passe ? lui demanda-t-elle.

Hanson se retourna vers elle.

— Ça se présente mal pour les flics, répondit-il avec un mouvement de tête en direction de la télé.

— Non, ils vont s'en tirer, dit un des deux hommes. J'ai déjà vu cet épisode. Celui qu'a des problèmes avec sa copine, c'est quoi son nom déjà... ?

— Chris, dit la femme. Ferme-la.

— Chut, dit Hanson à Falcone, le doigt sur les lèvres, et tous les deux retournèrent dans la chambre où le jeune Noir musclé s'éloignait de la fenêtre, boitillant, pour regagner le lit défoncé sur lequel il se laissa tomber ; une tache de sang de la taille d'une main d'enfant perçait à travers le tissu de son pantalon à mi-cuisse.

— C'est rien, dit-il. Tout est arrangé.

— Linell, demanda Duncan, c'est la jeune femme qui t'a donné un coup de couteau ?

Il brandissait, en le tenant par la lame, un couteau à steak avec un manche en bois sur lequel était gravé, au fer chaud, le mot SIZZLER.

— Sizzler, plus qu'un simple repas, récita Hanson.

Falcone sourit, en détournant la tête pour que Duncan ne la voie pas.

— Un petit accident, rien de plus. C'est pas grave, dit Linell.

— Mieux vaut jeter un coup d'œil à cette blessure, dit Duncan.

— C'est gentil, m'sieur l'agent, mais tout va bien. Y a pas de problème.

— C'est mon devoir de vérifier que vous n'avez pas besoin d'aide. Je parie qu'il faudra des points de suture.

— Non, non. Je veux pas porter plainte. Je veux juste rentrer chez moi. Ces gens sont dingues !

— Il a raison, Linell, dit Falcone. Il vous faut sûrement des points de suture.

— Voyons voir ça, dit Duncan. Baisse ton pantalon.

Linell se tourna vers Falcone.

— Euh... c'est-à-dire que... devant une femme...

— Vous en faites pas, Linell, dit Falcone. J'ai l'habitude de voir ce genre de choses.

— Bon, d'accord, dit-il.

Prenant appui sur sa jambe valide, il fit glisser son pantalon sur ses cuisses ; il portait un slip rouge. Duncan s'accroupit pour regarder de plus près. Il braqua sa lampe électrique sur la plaie provoquée par le couteau. On aurait dit une petite bouche. Quand Linell bascula le poids de son corps sur son autre jambe, la bouche s'ouvrit et cracha un jet de sang sur l'uniforme de Duncan.

Rosetta se mit à frapper le mur avec l'arrière de son crâne ; le bruit résonnait dans toute la maison comme un métronome, faisant trembler la photo encadrée de la remise des diplômes au lycée, accrochée au-dessus de sa tête.

— Rosetta ! Ça suffit maintenant ! dit Falcone en la prenant par les épaules, mais autant essayer d'arrêter un moteur emballé.

— Rosetta ! s'écria sa mère dans la pièce voisine. Arrête de donner des coups de tête dans le mur. Tu sais bien ce qui s'est passé la dernière fois que t'as commencé comme ça.

— Je m'en fous ! rétorqua Rosetta, et tout son corps s'affaissa soudain, comme si elle s'était endormie.

Hanson jeta un coup d'œil dans la pièce voisine pour voir comment se débrouillaient les Bleus. Dana contourna le lit et vint se placer derrière lui, en regardant par-dessus son épaule.

Les Bleus avaient regagné leur voiture, dont le pare-brise était miraculeusement intact de nouveau. Celui des deux qui conduisait se tourna vers son équipier, tandis qu'ils se faufilaient au milieu de la circulation. « Alors, demanda-t-il au moment où la voiture emprunte une bretelle d'autoroute, t'es décidé à ravaler ta fierté et à l'appeler ? Tu te souviens de ce que nous disait le docteur Sobel à l'école de police ? Presque tous les problèmes relationnels sont dus à un manque de communication.

— Tu as raison. On communique pas assez. Peut-être qu'on pourra tout mettre sur la table maintenant.

— Je crois que ça vaut le coup d'essayer, vieux. »

L'image se figea, le générique commença à défiler, puis les visages souriants des deux Bleus disparurent, remplacés par un chariot tiré par des chevaux et rempli de jolies blondes vêtues de gilets à franges et de minishorts moulants qui dansaient parmi des bottes de foin avec de jeunes garçons ressemblant à des surfeurs déguisés en cow-boys. Ils sautillaient en faisant claquer les talons de leurs bottes de cow-boy, avec des boîtes de Dr Pepper à la main, en chantant un slogan publicitaire.

— Foutons le camp, dit Hanson.

— Bonne idée, répondit Dana. Avant que Duncan transforme un drame domestique en un énorme rapport de police. J'ai pas eu mon milk-shake.

Ils tournèrent la tête vers la chambre.

— Tu as la situation en main ? demanda Dana.

— À plus tard, les gars, répondit Duncan.

— Merci, dit Falcone.

Hanson lui sourit, hésita, puis lui adressa un petit geste de la main, et emboîta le pas à Dana. Une fois dehors, il s'arrêta, répéta son geste, en gardant la main levée comme s'il jurait de dire « toute la vérité » devant un tribunal. Il recommença encore une fois, puis secoua la tête, en songeant que c'était un geste de pédé.

— Je reviens tout de suite, dit-il à Dana, et il retourna en petites foulées vers la maison, gravit le perron et disparut à l'intérieur.

En ressortant une minute plus tard, il arborait un grand sourire.

— Tout est arrangé, dit-il en montant en voiture. Allons combattre le crime.

Dana le regarda ; la voiture était au point mort.

— J'ai proposé un rendez-vous à Falcone. Elle a dit oui.

Son service terminé, Hanson fit un saut au club de la police, mais l'endroit lui parut lugubre, comme si plusieurs néons avaient grillé, déprimant, et il repartit après avoir bu une seule bière.

Avant de rentrer chez lui, il acheta un pack de six, versa un peu de bière dans un bol pour Truman, et s'assit à côté du chien sur la véranda de derrière, contemplant la nuit et respirant le parfum des pommiers en fleurs. Cela devenait une sorte de routine, pensa-t-il, un petit rituel qu'il attendait avec impatience, le meilleur moment de la journée peut-être.

Il raconta à Truman l'incident survenu chez les Marx.

— ... il a fallu que je devine ce qui s'était passé, qui était l'agresseur et qui était la victime. Ces derniers temps, on dirait que ça devient même parfois difficile de savoir ce qui est réel ou pas. Enfin bref, Linell avait rien à se reprocher dans cette histoire ; il bosse à la station Shell près de l'hôpital. Rosetta était assise sur la véranda, en combinaison ; il a engagé la conversation et elle l'a invité à entrer. Lui, il croyait qu'il allait tirer son coup, mais au lieu de ça, il s'est fait planter.

Hanson éclata de rire.

— Tu sais, j'ai bien failli me dégonfler et remonter dans la bagnole, mais je suis retourné dans la maison en courant et je lui ai proposé un rendez-vous. Un rancart, nom de Dieu. Elle a répondu : « Je ne sais pas si c'est... une bonne idée. » Un truc comme ça. Et quelque chose lui a fait changer d'avis ensuite. Elle a dit : « Pourquoi pas ? »

— Madame...?

L A ROLLS ROYCE BLANCHE garée en double file était immatriculée en Californie. Le chauffeur bavardait avec un
jeune type vêtu d'une combinaison blanche à pattes d'éléphant, avec des chaussures rouges à semelle compensée, un
style vestimentaire très apprécié par les policiers. Pas facile,
en effet, de courir avec ce genre de chaussures, et en cas de
bagarre, c'était un sérieux handicap.

— Tiens, des nouveaux dans le quartier, commenta Hanson,
tandis que Dana s'arrêtait derrière la Rolls. J'ai envie d'aller
me présenter.

Alors qu'il approchait de la voiture, le jeune type en combinaison blanche lui jeta un regard empli de froide indiffé-
rence, comme s'il n'avait même pas remarqué la voiture de
police avec son gyrophare.

— Bonjour, dit Hanson en souriant au chauffeur. Je peux
vous demander de vous garer plus loin, sans gêner la circulation ?

Le chauffeur était une jolie Noire d'environ vingt-cinq ans,
avec des pommettes saillantes et des cheveux coupés en
brosse.

— J'ai pas l'intention de rester longtemps, répondit-elle,
avant de reprendre sa conversation avec le type en combinaison.

— Madame...

Hanson vit ses mains se crisper sur le volant, les muscles et
les tendons gonflèrent sur le dessus de ses mains et ses avant-
bras. Elle portait des bagues en or à chaque doigt, ses ongles
rouges griffaient le volant telles des serres.

— Madame... ?

— Vous avez pas entendu ce que j'ai dit ? Je bloque pas la circulation !

— C'est vrai quoi, elle a raison, renchérit le type en blanc. Y'a aucun problème.

— Pour l'instant, répliqua Hanson en le gratifiant du « Regard ».

Le « Regard » était plein de genoux et d'épaules, de coups de matraque, de capots de voiture et de bitume, de nez brisés, de clavicules cassées, de commotions cérébrales.

— Moi, il me semble voir un problème, dit Hanson, la main posée sur le front à la manière d'une voyante, si vous n'allez pas attendre là-bas. (Il désigna le trottoir d'en face.) Jusqu'à ce que j'ai terminé.

Il se rapprocha du type, leurs deux visages n'étaient plus qu'à quelques centimètres l'un de l'autre.

— Ça me semble juste, non ? Vous voulez bien faire ça pour moi ?

— OK. Ce gars fait que son boulot, après tout. Je comprends, dit le type en s'éloignant.

La sirène de la voiture de patrouille émit un bip ; Dana adressa un geste de la main à Hanson à travers le pare-brise.

— Bon, faut que j'y aille, dit ce dernier à la femme. Ne restez pas garée au milieu de la chaussée, OK ? Merci.

Il regagna la voiture de patrouille au petit trot ; son arme, ses menottes et son talkie-walkie battaient sur ses hanches, il sentait le regard de la femme dans son dos.

— Une alarme de banque, annonça Dana. On y va avec Cinq Quatre-vingts. *People's Savings*, dans Grand Street.

Le moteur aspira de l'essence et de l'air en gémissant.

Dana garda le pied appuyé sur l'accélérateur et Hanson regarda l'aiguille du compteur atteindre les 80... 90. Il consulta sa montre.

— Fausse alerte, dit-il.

C'était l'heure de fermeture des banques. Quelqu'un avait sans doute déclenché une alarme en partant.

Ils ralentirent en atteignant un carrefour ; la sirène lançait ses hululements, tandis que les deux policiers croisaient les regards des autres conducteurs, puis Dana accéléra de nouveau, grillant un feu rouge.

176

— Oui, certainement.

Hanson décrocha le micro.

— Cinq Soixante-deux couvre l'angle nord-ouest, OK ?

— *Entendu,* répondit Cinq Quatre-vingts. *On prend le sud-est.*

Hanson regarda la lumière du gyrophare défiler sur les vitrines des magasins.

— Je commence à avoir faim, dit-il. Essayons de trouver...

— *Cinq Soixante-deux... Cinq Quatre-vingts... appel annulé. La banque nous a prévenus : fausse alerte.*

— Et voilà, commenta Hanson, alors que Dana ralentissait et éteignait le gyrophare. Cinq Soixante-deux, message reçu, dit-il dans le micro.

Ils firent demi-tour pour rejoindre leur secteur.

La Rolls Royce était toujours garée en double file, avec le jeune type en blanc penché vers la vitre baissée. Mais maintenant, une demi-douzaine d'autres types s'étaient rassemblés autour de la voiture et ils discutaient avec la femme installée au volant.

— Ça, ça me fout en rogne, dit Hanson, alors qu'ils s'arrêtaient derrière la Rolls. Va falloir se la jouer « officiel » cette fois.

Il ralluma les lumières clignotantes sur le toit.

— Dis, y aurait pas moyen de leur coller un PV pour stationnement illicite et de pondre une convocation ?

Dana secoua la tête. Non.

— Tant pis, dit Hanson, ça fera quand même un PV pour stationnement.

— Si c'est pas honteux de voir ça ! s'exclama un des gars rassemblés autour de la voiture. (Il portait une paire de lunettes noires dont les verres n'étaient pas plus grands que des timbres postes.) Hé, mec, dit-il en regardant Hanson par-dessus ses lunettes, vous avez rien de mieux à faire ?

Un peu plus loin dans la rue, une voiture pleine de *Muslims* se gara le long du trottoir opposé.

— Tu parles, frère, ils sont payés pour nous faire chier ! déclara un type musclé portant un pantalon jaune, avec des bretelles jaunes, sans chemise.

Ses cheveux étaient enroulés autour de bigoudis d'un bleu vif, recouverts par un bonnet de douche en plastique transparent ; c'était sa manière à lui de dire : « Hé, je suis tellement classe comme mec que je peux même me trimbaler avec des bigoudis, pour soigner ma coupe afro. »

— Qu'est-ce qui va pas, Hanson ? demanda un jeune gars qui portait une chemise verte à fleurs. Pourquoi vous êtes pas en train d'arrêter des braqueurs de banque ou des violeurs d'enfants...

— Ou les gars qui vendent de la marchandise volée dans leur Plymouth de 74 avec des plaques périmées, ajouta Hanson. Merci de me rappeler mon devoir, Byron.

Le dénommé Byron sourit, jeta un coup d'œil à sa montre et dit :

— Faut que j'y aille.

— Madame, dit Hanson en se tournant vers la femme, puis-je voir votre permis de conduire, je vous prie ?

— Vous voulez le voir ? Pourquoi ?

— Votre permis, je vous prie. *Por Favor.*

— Vous avez pas une tête de Mexicain, dit-elle, et les gars autour de la voiture éclatèrent de rire.

Hanson sourit.

— C'est quoi le problème ? demanda-t-elle.

— Il est interdit de se garer en double file.

— J'ai l'impression que tout est interdit, déclara le gars aux bigoudis. Pour les Noirs.

— Comment tu t'appelles, *toi* ? lui demanda Hanson.

— Carl, mec.

Hanson l'observa, et décida finalement d'attendre l'arrivée des renforts. Des dizaines de personnes les regardaient maintenant, sur le trottoir, attirées par la lumière du gyrophare.

— Tenez ! Vous le voulez ou pas ? demanda la femme. (Son débardeur se souleva quand elle tendit le permis de conduire par la vitre.) Et maintenant ?

— Maintenant, répondit Hanson en lisant le nom sur le permis, je vais vous dresser un contravention, Asia... euh, Miz Gooding.

— En quel honneur ?

— Pour stationnement en double file.

— Si ça vous fait plaisir ! Vous pouvez même m'en filer une dizaine. Une centaine ! Je les foutrai en l'air comme des vulgaires papiers.

— Je reviens.

— La plaque et la carte grise sont en règle, annonça Dana quand il regagna la voiture.

— Tiens, tu veux bien te renseigner là-dessus ? demanda Hanson en lui remettant le permis de conduire.

La radio leur apprit que la dénommée Asia Gooding était recherchée pour trois défauts de comparution à la suite d'infractions au code de la route.

— Pourquoi ça ne m'étonne pas ? demanda Hanson. J'ai comme l'impression également que cette arrestation va poser quelques problèmes. Mais je peux t'assurer que je ne rentrerai pas bredouille, affirma-t-il en rédigeant une autre contravention.

— Ce monsieur aux bigoudis bleus, avec son bonnet de bain piqué dans un motel, risque de nous faire des ennuis. Mais Helen dit toujours que ce boulot me fait voir les choses en noir.

Il s'empara du micro.

— Cinq Soixante-deux... vous pouvez faire accélérer les renforts ?

— *Cinq Quatre-vingts sera bientôt sur place.*

— J'ai intérêt à enfiler cette putain de casquette si jamais le capitaine rapplique, dit Hanson.

La femme était à moitié assise sur le capot de la voiture, son short en satin remonté sur les cuisses. Un des types lui alluma sa cigarette.

— Mademoiselle Gooding, dit Hanson en détachant la contravention de son carnet, voici pour le stationnement en double file.

Elle roula la feuille en boule et la jeta par-dessus son épaule.

— OK, fit Hanson. J'en ai une autre pour vous. « Refus de céder le passage à un véhicule prioritaire. »

— Y en a d'autres ? demanda-t-elle en envoyant la deuxième contravention sur la chaussée.

— Messieurs, veuillez retourner sur le trottoir, je vous prie, demanda Dana, qui se tenait maintenant derrière Hanson.

— Non, c'est fini pour les PV, répondit ce dernier. Par contre, j'ai une mauvaise nouvelle. L'ordinateur a enregistré quelques mandats à votre sujet, vous allez devoir nous suivre au poste pour régler tout ça.

Elle tira sur sa cigarette et se laissa glisser sur le capot ; son short se retroussa comme une culotte de maillot de bain.

— Doit y avoir une erreur.

— Possible, mais va quand même falloir nous suivre pour arranger ça.

— J'irai nulle part.

— Allez donc garer votre voiture et fermez les portières. On la fera remorquer jusqu'au parking de la police.

— Vous êtes bouché ou quoi ? J'ai dit que j'irai nulle part.

Les Muslims, quatre d'entre eux, avaient traversé la rue et assistaient à la scène, les bras croisés sur la poitrine. Vêtus, comme toujours, de costumes noirs, de chemises blanches, avec des nœuds papillons noirs.

Hanson rangea le carnet de contraventions dans sa poche arrière et remonta sa ceinture, en caressant du pouce le fermoir de son holster pour s'assurer qu'il était bien fermé.

— Dirigez-vous vers la voiture de patrouille, je vous prie.

— Je me dirigerai nulle part. Vous pouvez toujours courir pour que je monte dans cette saloperie de bagnole.

— Je vous arrête, déclara Hanson, en la prenant délicatement par le coude, de la main gauche.

Elle le gifla, faisant voler sa casquette, et planta ses ongles dans sa joue. Quand il lui saisit le bras, elle le frappa avec l'autre main, et sa cigarette projeta des étincelles en s'écrasant dans le cou de Hanson.

Celui-ci la frappa à la tempe, du plat de la main droite, et la fit trébucher, mais elle s'accrocha à sa chemise et tous les deux s'écroulèrent sur la chaussée, où elle tenta de lui griffer le visage jusqu'à ce qu'il parvienne à la coucher sur le ventre et à la plaquer au sol, en nouant ses jambes autour des siennes.

Quelqu'un le saisit par sa chemise, mais Dana le repoussa aussitôt. Une voiture de police arrivée en renfort déboucha au coin de la rue, puis une deuxième. Des bagarres éclatèrent autour d'eux, tandis que la femme continuait à se débattre.

Elle essaya de prendre appui sur ses mains pour se redresser, mais Hanson lui tordit le bras dans le dos et elle retomba à plat ventre ; son débardeur remonta sur ses seins lorsqu'elle voulut le frapper avec sa main libre. Elle s'agitait violemment sous lui, mais il la plaquait avec force, le visage enfoui dans sa nuque, respirant l'odeur de sa sueur et de son parfum, tandis qu'elle continuait de se cabrer sauvagement. Il sentait son bas-ventre frotter contre le fond du minishort en satin, l'un et l'autre cherchant à reprendre leur souffle.

Soudain, elle cessa de lutter.

— OK, dit-elle, haletante. OK.

— Vous allez... monter dans... cette voiture... oui ou non ?

— Allez vous faire foutre !

Hanson la maintint plaquée contre le bitume pendant qu'il lui tordait les bras dans le dos pour lui passer les menottes.

— Je vais rabaisser votre t-shirt, d'accord ?

— Faites ce que vous voulez, répondit-elle, tandis que Hanson tentait, maladroitement, de faire glisser le débardeur sur ses seins, en la cachant avec sa poitrine, espérant que personne ne verrait rien.

— Vous en profitez bien ?

Hanson ricana.

— Oui, mais faudra qu'on arrête de se voir dans ces conditions, dit-il en l'aidant à se relever.

Quand elle lui décocha un coup de pied dans le tibia par derrière, il lui souleva les bras en arrière en tirant sur la chaîne des menottes, l'obligeant à se hisser sur la pointe des pieds, le dos cambré.

— Aïe ! Enfoiré.

— Faut relever son matricule ! hurla quelqu'un.

— Marchez tranquillement jusqu'à la voiture et j'arrête, dit-il en lui abaissant les bras pour soulager la douleur dans les épaules et le dos.

Aussitôt, elle essaya de se libérer, et Hanson l'obligea de nouveau à se dresser sur la pointe des pieds en la poussant devant lui à bout de bras.

— Dans la voiture, vite !

Une autre voiture arriva en renfort, toutes lumières allumées.

Tenant sa prisonnière d'une main, Hanson ouvrit la portière de la voiture de patrouille, momentanément déséquilibré, juste assez pour permettre à la femme de se retourner et de lui cracher dessus. Il la força à baisser la tête et la poussa sans ménagement à l'intérieur, claqua la portière et s'appuya contre le capot, le temps de reprendre son souffle.

Dana discutait avec une énorme femme vêtue d'une robe hawaïenne, une des militantes de la communauté.

— Oui, oui, madame, disait-il, nous comprenons que...

Derrière eux, Zurbo et Neal avaient mis le grappin sur le

181

type aux bigoudis bleus. Il avait perdu son bonnet de bain et avait le visage en sang.

— Si vous comprenez, s'exclama la femme, et ses seins gigantesques se gonflèrent sous le tissu jaune et vert, pourquoi est-ce que vous agissez de cette façon ? Honte à vous ! Honte à la police !

Hanson porta sa main à sa joue et regarda ses doigts tachés de sang. Il remonta en voiture et examina sa joue dans le rétroviseur intérieur.

— J'ai son matricule ! beugla quelqu'un.

Hanson observa l'accroc triangulaire sur sa chemise, à l'endroit où se trouvait autrefois son insigne. Ne trouvant pas de mouchoir en papier ni de serviette de chez McDonald's, il essuya sa main tachée de sang sur sa chaussette. Asia respirait bruyamment sur la banquette arrière.

— Franchement, lui dit-il, en la regardant dans le rétroviseur, le souffle coupé lui aussi, vous avez... un sale... caractère.

— Et ta mère, elle a un sale caractère ?

— Oui. Ma mère...

Il se mit à rire.

— Ah, ravi de voir que vous vous entendez aussi bien tous les deux, commenta Dana en s'installant derrière le volant. (Il régla le rétroviseur.) J'ai cru qu'il faudrait d'autres renforts, jusqu'à ce que Big Shirley arrive pour calmer les esprits. Mais j'ai peur que tu aies gâché tes chances d'être élu meilleur agent de la semaine.

Il démarra et Hanson contacta le central par radio.

Asia s'était recroquevillée sur la banquette, contre la portière, les genoux collés à la poitrine.

— Tous ces renseignements sont exacts ? demanda Hanson en brandissant le permis de conduire.

La femme tourna la tête vers la lunette arrière.

— Je peux connaître votre adresse ? demanda-t-elle

— Non, vous ne pouvez pas, répondit-il avec un sourire.

Elle se retourna vers lui.

— Vous rirez pas longtemps.

— Vous savez quoi ? dit-il en examinant le permis de conduire, je trouve que cette photo ne vous rend pas justice.

— Gardez votre baratin, c'est trop tard. Maintenant que vous avez remorqué ma bagnole et foutu vos sales pattes partout sur moi. Il va vous botter votre sale cul de blanc !

— Qui ça, « il » ?

— J'ai rien à ajouter.

— Au nom de qui est enregistrée la voiture ? demanda Hanson à Dana.

— Tiens, c'est marqué sur la feuille-là.

Hanson jeta un coup d'œil sur la planchette. Il la prit pour mieux voir, et tapota dessus avec son doigt.

— Lui, là ?

— Ouais, tout en bas.

Hanson éclata de rire et se retourna vers Asia. Elle l'ignora, les yeux tournés vers l'extérieur.

Le parking du McDonald's sentait la graisse et le goudron ; les arches jaunâtres et sales se dressaient comme des arc-en-ciel de ghetto. Murry bavardait avec une jolie fille au volant d'une GTO.

— Alors, messieurs de la police, lança-t-il en souriant par-dessus le toit de la GTO. Paraît qu'on tabasse les femmes, maintenant ?

Hanson montra sa poitrine.

— Plus d'insigne. Plus de badge. Et je parie que je vais choper le tétanos avec ça, dit-il en caressant sa joue.

Il leva les coudes pour montrer sa chemise déchirée.

— Et en plus, j'ai bousillé ma liquette.

— Peut-être que tu aurais dû te servir de ton flingue, dit Murry.

Dana intervint :

— Je lui ai dit qu'il devait d'abord apprendre à *parler* aux gens.

Miranda sortit du McDonald's en roulant des mécaniques.

— Hé ! s'écria-t-il. J'entends tout le monde dire : « Hanson est un sale enfoiré. Il cogne les bonnes femmes. »

Hanson attendit qu'il continue.

— Remarque, tu as m'as l'air mal en point toi aussi. Je parie que ce sont ses petits copains qui t'ont fait ça.

— Je penche plutôt pour toute la famille, répondit Hanson. Ou tous les habitants du quartier.

— Hé, tu sais à quoi il me fait penser ? dit Miranda en s'adressant à Murry. Tout griffé comme ça ? Aux bleusailles morts de trouille qui se retrouvent sous le feu de l'ennemi pour

183

la première fois. Là-bas à Hue. Ceux qui sautaient par les fenêtres et fonçaient dans les murs.

— C'était pas comme toi, hein? dit Murry. Toi, ça t'est jamais arrivé.

— Exact, répondit Miranda en trottinant sur place, fier comme un paon et tirant sur les manches de sa chemise d'uniforme. Je suis toujours resté cool quand ça pétait.

— Hmm, fit Murry. Je me souviens comme t'avais l'air cool.

— Allez, venez, dit Miranda. On vous offre un Big Mac.

Hanson fut le dernier à passer commande; les trois autres étaient déjà assis à une table près de la fenêtre. Il essayait de se décider entre un Big Mac et un cheeseburger quand une Porsche gris métallisé s'arrêta sur la zone de stationnement interdit juste devant l'entrée du restaurant.

— Hé, visez-moi un peu ce mec, dit Miranda à la table.

— Il a l'air franchement furax, dit Murry.

— À mon avis, il cherche quelqu'un.

— ... choisi, Hanson? demanda Yolanda dans le haut-parleur.

— Je vais prendre un Big Mac, je crois, et...

Derrière la paroi à l'épreuve des balles, Yolanda regardait quelque chose par-dessus son épaule, en direction de la rue. Dans le plastique, Hanson entrevit le reflet déformé de l'homme qui venait de descendre de la Porsche.

— Il rapplique ici, dit Murry.

— Joli costard.

— On dirait qu'il traîne un peu la patte.

L'homme tendit le doigt vers eux et s'écria :

— Lequel d'entre vous est Hanson?

Sa voix résonna à travers le parking et à travers les doubles portes vitrées; une voix que Hanson avait déjà entendue.

— Pour qui il se prend, ce petit connard? dit Murry.

— Je crois que c'est toi qu'il cherche, mec, dit Dana à son équipier.

Derrière la vitre blindée, Yolanda et d'autres adolescents coiffés de chapeaux en papier McDonald's s'éloignèrent des friteuses bouillonnantes pour se réfugier près des énormes réfrigérateurs en inox.

Les clients ramassèrent leurs repas et sortirent par les portes latérales.

— Regardez-moi cette espèce de cinglé, dit Miranda.

— Dire que j'ai laissé ma mitraillette à la maison, soupira Murry, tandis que tous les trois repoussaient leur chaise pour se lever.

— Personne a le droit de fourrer son nez dans mes affaires ! beugla le type, en renversant d'un coup de pied une des tables constellées de merdes d'oiseaux du patio.

Hanson fit tournoyer la porte vitrée du passe-plat.

— Hanson ? dit Murry. Tu ferais mieux de te retourner.

— Il a raison, vieux, ajouta Dana. Quelqu'un sera peut-être obligé de descendre ce type.

Tous les trois s'alignèrent derrière Hanson quand le type poussa la porte à double battant ; les visages de clown de Ronald McDonald, en carton, se balançaient au bout d'un fil au-dessus de sa tête.

Hanson regarda dans le cylindre en plastique tournoyant le reflet de l'homme qui entrait ; on aurait dit qu'il franchissait une succession de portes.

— Un problème ? demanda Dana.

— Mon problème, c'est lui là-bas. Hé, toi ! lança-t-il en s'adressant au dos de Hanson.

— Drôle de monde, hein ? répondit ce dernier en se retournant. Ravi de te voir, Doc.

Le conducteur de la Porsche observa Hanson de la tête aux pieds, s'arrêtant sur la chemise déchirée et l'éraflure boursouflée sur sa joue.

— Parfait, dit-il.

— Ta copine Asia m'a pas vraiment laissé le choix, dit Hanson. Apparemment, elle a une dent contre la police.

— Agent de police Hanson. J'aurais jamais cru ça.

— Qu'est-ce que... commença Hanson.

— Désolé, faut que j'y aille. Je perds du fric.

La patrouille des Muslims s'était arrêtée derrière la Porsche, et les quatre occupants, chemises blanches et nœuds papillons noirs, se tenaient sur le trottoir, les bras croisés.

— Hé, si vous êtes musulmans, leur lança Doc en passant devant eux, pourquoi vous portez pas des turbans comme tous les métèques, au lieu de vous fringuer chez JC Penney ?

— Tu te manques de respect à toi-même, frère, répondit le musulman en chef.

— C'est quoi cette histoire de « frère » à la con ? dit Doc en ouvrant la portière de la Porsche. Je suis pas votre frère.

— On est tous frères. On doit travailler main dans la main.

— Je travaille pour ma pomme.

— Il est bon d'avoir confiance en quelqu'un dans ce monde.

— Dans le temps, j'ai connu des types en qui j'avais confiance, répondit Doc.

Il regarda la cicatrice qui parcourait la partie charnue de son pouce, plus épaisse à une extrémité et redressée, comme si elle jaillissait de sa paume.

— Ils sont tous morts, dit-il en montant en voiture.

Il jeta un coup d'œil derrière lui, mais le soleil de l'après-midi, posé en équilibre à l'horizon, avait transformé les vitres du McDonald's en miroirs noirs embrasés.

— C'était dans un autre monde, ajouta-t-il, et il claqua la portière.

Derrière les vitres, Hanson piocha une des frites de Dana et regarda la Porsche s'éloigner et disparaître au bout de la rue, au moment où le soleil s'évanouissait à l'horizon. Quelques secondes plus tard, les immenses arches jaunes clignotèrent, puis s'illuminèrent.

12

FALCONE avait plusieurs jours de congé, et Hanson prit son vendredi soir, sur ses heures à récupérer. Voilà plus d'un an qu'il n'avait pas été de repos au cours d'un week-end, et presque aussi longtemps qu'il n'était pas sorti ailleurs qu'au club de la police. Dana ferait équipe avec Norman, un bon flic, il n'était donc pas inquiet. Peut-être un peu quand même.

Ils étaient convenus de se retrouver dans un restaurant de fruits de mer ouvert depuis peu, dans une banlieue chic à l'est de la ville, un endroit qui était presque à mi-chemin de leurs domiciles respectifs. Falcone l'avait trouvé dans les Pages jaunes, le *Dalot rouillé*. Lorsqu'il lui avait parlé au téléphone, il l'avait trouvée un peu distante, mais cela n'avait rien d'étonnant. Lui-même était aussi excité et nerveux qu'un collégien, et même s'il se sentait ridicule, il aimait ce sentiment. Chez lui, il s'était interdit de boire quoi que ce soit pour se détendre, de peur de faire des conneries.

Il avait passé une heure à essayer différentes chemises, en présence de Truman, et durant le trajet qui le conduisait au restaurant, il ne cessa de sourire, sans aucune raison.

Il aperçut la Firebird jaune de Falcone sur le parking lorsqu'il passa sous l'enseigne indiquant PORT D'AMARRAGE, mais la montre à cinq dollars collée sur le tableau de bord indiquait qu'il était à l'heure. Il se gara, en s'obligeant à rester cool, et s'approcha. Assise à l'intérieur de sa voiture, elle avait coincé une planchette contre le volant et remplissait des sortes de formulaires.

— Salut, dit Hanson en se penchant par la vitre, j'espère que je ne suis pas en retard. Ça fait longtemps que tu attends ?

— Je suis arrivée en avance, dit-elle en reposant la planchette sur le siège.

Hanson lui ouvrit la portière.

Le bâtiment de béton gris, étayé par d'épais piliers en bois, était à demi enfoui dans le flanc de la colline, tel un immense bunker.

— On dirait l'ambassade, à Saigon, commenta Hanson.

Il était nerveux, et les mots lui avaient échappé. Il se rappela qu'il ne devait pas parler de la guerre. Il écouta le bruit de leurs pas tandis qu'ils franchissaient le parking, et jeta un regard à Falcone.

— Eh bien voilà, on va dîner ensemble, dit-il. Quelle aventure !

Ils passèrent sous une enseigne dans le style nautique proclamant USS CUISINE, et franchirent de lourdes portes en cuivre derrière lesquelles ils furent accueillis par une hôtesse vêtue d'un chemisier écossais et d'une salopette bleue. Sur son badge, on pouvait lire : Julie-Second maître. Elle les précéda parmi les plantes vertes, les meubles en rotin, les murs renforcés par d'épaisses poutres brutes, sous les spots orientables, jusqu'à une fenêtre donnant sur l'autoroute.

Hanson mit sa main en coupe autour de son oreille, s'appuya contre la vitre et ferma les yeux.

— Ça ressemble un peu au bruit de l'océan, dit-il. À condition de faire un effort.

C'était la première fois aujourd'hui qu'il percevait les stridulations dans ses oreilles.

Il croisa les mains entre les genoux, tel un enfant intimidé, et regarda autour de lui.

— Je ne me sens pas très à l'aise. Pour l'instant, dit-il en riant. Dépêchons-nous de commander à boire.

Comme Falcone ne disait rien, il demanda :

— Ça ne va pas ?

— Désolée, je suis un peu préoccupée.

Une jolie serveuse blonde, portant une salopette, des cuissardes de marin-pêcheur et un bonnet de laine, s'approcha de leur table.

— Bonjour, dit-elle. Je m'appelle Sue, je suis votre officier de pont. Puis-je aller vous chercher quelque chose à boire dans la salle des machines ? demanda-t-elle avec un mouvement de tête en direction du bar.

La barmaid portait un badge sur lequel était écrit : « Chef mécanicien ».

— Oui, avec plaisir, répondit Hanson. Je vais prendre un scotch allongé. Un double. Et avec de la glace.

— Du vin blanc pour moi, dit Falcone. Non, attendez. Je vais prendre la même chose que monsieur.

En même temps que les verres, la serveuse leur apporta à chacun une rame miniature en bois, sur laquelle le menu était pyrogravé.

— Prenez tout votre temps, je reviendrai prendre votre commande.

Hanson s'amusa à coincer sa rame au creux de son épaule à la manière d'un fusil, décrivant un arc de cercle, s'arrêtant sur un couple bien habillé, assis à l'autre bout de la salle. L'homme, qui portait un veston de coupe militaire, avec des épaulettes, regarda dans sa direction juste au moment où Hanson le visait ; leurs regards se croisèrent, puis il détourna la tête. Hanson abaissa la rame comme s'il présentait les armes, puis la reposa sur la table, se sentant un peu idiot.

Falcone l'observa, prit son double scotch et en vida la moitié d'un trait.

— Écoute, dit-elle. Je crois que je n'aurais pas dû venir ce soir. Je ne sais pas pourquoi j'ai accepté. C'était idiot de ma part, et je m'en excuse. Je ne sais pas comment dire ça... Je... je n'ai pas envie d'avoir avec toi... des rapports... « romantiques ».

— Oh, fit Hanson, en songeant que Zurbo et Neal avaient finalement raison, et se sentant idiot une fois de plus.

Il avala presque tout son scotch d'une seule gorgée.

— Si tu préfères partir maintenant, je réglerai la note, dit-elle. Peut-être que...

— Écoute, dit Hanson en baissant la voix. Je me fiche de tes penchants sexuels...

— Hein ?

— Je m'en contrefous.

— Écoute...

— Laisse-moi finir, OK ? Tu me dois bien ça.

Elle leva les yeux au plafond.

— OK, vas-y, dit-elle.

Elle fit tournoyer le scotch dans son verre, en but encore la moitié, le reposa et regarda Hanson.

— Ça m'est égal, dit-il. J'apprécie pas beaucoup les pédés, et je trouve que les lesbiennes sont plutôt chiantes. Difficile de bien s'entendre avec elles. Mais elles sont libres... Non, attends, tu as dit que je pouvais finir... Je vais être franc avec toi. Je me sens un peu ridicule, j'aurais dû comprendre quand je t'ai vue avec Bishop... Et puis merde ! La vérité, c'est que je me sens mal. Je vais te dire un truc. Tu me plais. Et j'étais vachement excité par cette... soirée, dit-il avec un ricanement. Alors, autant continuer maintenant qu'on est là. J'ai rien à bouffer chez moi, à part une boîte de soupe de pois cassés qui traîne depuis plus d'un an. Et des boîtes pour chien.

Il fit signe à la serveuse.

— Sois gentille de commander un « Surf and Turf [1] » pour moi. À point pour la cuisson. Faut que j'aille aux toilettes.

Les toilettes étaient immenses et d'une propreté étincelante, avec du carrelage vert visiblement coûteux, des lavabos et des urinoirs verts également, des miroirs teintés en vert, et de la musique en sourdine. Gordon Lightfoot chantait *Sundown*. Séparé de Hanson par quelques urinoirs, un type du même âge que lui environ, portant une chemise western bigarrée et des bottes de cow-boy, tourna la tête vers lui. Il se détourna dès qu'il croisa le regard de Hanson, remonta sa braguette et s'en alla.

Hanson se dirigea vers le mur où s'alignaient les lavabos verts. Pendant qu'il se lavait les mains, il chanta en même temps que la musique d'ambiance, en prenant une voix rauque pour imiter Gordon Lightfoot.

« ... *Sundown, you better take care, if I hear you been sneakin' round my back stairs...* »

Après s'être essuyé les mains, il allait sortir, toujours en chantant, lorsqu'un homme arborant une barbe parfaitement taillée et une veste en tweed avec des empiècements en cuir aux coudes entra dans les toilettes.

— « *Sometimes I think it's a shame... that I get feelin' better when I'm feelin no pain.* » De la musique dans les chiottes ! dit-il. Gordon Lightfoot. Voilà un chanteur viril.

1. Plat composé d'un steak et de fruits de mer. *(N.d.T.)*

190

Falcone avait commandé un autre verre, et Hanson se souvint de l'avoir entendue dire qu'elle ne buvait pas beaucoup.

— Je ne suis pas lesbienne, déclara-t-elle lorsqu'il se fut assis. Simplement, je ne veux pas me retrouver impliquée dans une histoire avec un flic. Je ne sors jamais avec des flics.

— Oui, je comprends, dit-il, remarquant qu'elle avait un peu de mal à articuler.

Presque de quoi se faire arrêter pour conduite en état d'ivresse.

— Non, ça m'étonnerait, dit-elle. Mais c'est normal.

Ils se rendirent au buffet des salades, le nouveau truc à la mode dans les restaurants, et prirent chacun une assiette sur un présentoir réfrigéré, sous le panneau : SALADES FROIDES.

Hanson se pencha au-dessus du couvercle en plastique transparent qui recouvrait les salades, en agitant un bol contenant de minuscules chips couleur brique.

— C'est quoi ces machins-là ? demanda-t-il. On dirait de la boue séchée.

— Allons, dit Falcone. C'est des Bac-Os. Du soja qui a l'aspect de...

— De bacon artificiel. Évidemment, dit-il en les répandant sur sa laitue. L'Amérique ne cesse de progresser.

À l'autre bout de la salle, l'homme au veston militaire donna une petite tape sur les fesses de leur serveuse avec son menu en forme de rame. La fille parvint à esquisser un sourire, qui s'évanouit dès qu'elle tourna les talons.

De retour à leur table, Falcone déclara :

— J'avais une bonne raison de venir ici, mais j'aurais pu te donner rendez-vous dans Fremont Street pour te dire ce que j'avais à dire.

À la table voisine, deux hommes d'une quarantaine d'années dînaient avec deux jolies filles de vingt ans plus jeunes. L'homme qui portait une veste en daim discutait avec son vis-à-vis, le barbu à la veste en tweed qui était entré aux toilettes quand Hanson en sortait.

— ... te trouver un bon agent immobilier, disait l'homme. Lui, il saura gérer tout ça. Explique-lui ce que tu veux, et ensuite, dans quelques années, tu revends tout.

— Bishop travaille pour les Mœurs en ce moment, dans le centre, reprit Falcone. Elle est obligée de se fringuer en pute et d'arpenter le trottoir en attendant qu'un connard l'aborde, pour que les gars puissent l'arrêter ensuite. Elle m'a raconté que Fox en avait sérieusement après toi. Il paraît que ça l'obsède. Il interroge tous les fichiers qu'il peut trouver, à tous les niveaux. Il arrive de bonne heure le matin, il repart tard le soir.

— Fox et moi, on ne s'aime pas trop. Pas du tout, même, dit Hanson en se renversant contre le dossier de sa chaise quand la serveuse lui apporta son steak et son plat de crevettes.

— Ah, de la nourriture saine, dit-il.

La serveuse déposa une salade de crevettes devant Falcone.

— Bon appétit.

— Qu'est-ce qu'il cherche ? demanda Falcone.

— À mon avis, il farfouille dans les dossiers en espérant trouver un truc intéressant.

— OK, dit-elle. Je tenais juste à te prévenir.

— Merci. Dis à Bishop que j'apprécie. Je sais que Fox en a après moi, mais si jamais elle apprend quelque chose de précis... Personne ne saura comment je l'ai su, dit-il en avalant un morceau de steak. Pourquoi t'es devenue flic ?

— Tu te souviens de ces bottes blanches en plastique que portaient toutes les femmes dans le temps ?

— Ouais. Moches, mais plutôt sexy. Des bottes de supermarché. « *These boots are made for walkin', chanta-t-il, an' that's just what they'll do. One of these days these boots are gonna... walk all over you.* » J'ai entendu cette chanson au moins cinq cents fois quand j'étais au Vietnam.

Falcone sourit. C'était la première fois de la soirée qu'elle souriait, se dit Hanson.

— Oui, c'est ces bottes-là, dit-elle. Les miennes étaient orange Hertz. Je les portais tous les jours, avec un minishort en plastique assorti. Pendant un an et demi, j'ai loué des bagnoles à l'aéroport. Les types me demandaient sans cesse : « Vous avez pas trop chaud, là-dedans ? » Mon patron adorait me donner une tape sur le cul chaque fois qu'il passait derrière moi. Quarante minutes de trajet, matin et soir, pour enfiler ces bottes et ce short, avoir l'air mignonne et conne. Un jour, j'ai vu une petite annonce pour l'examen d'entrée dans la police, et je me suis dit que ça valait le coup d'essayer.

À la table voisine, le type en veste sport disait :

— Y a pas beaucoup de gens qui savent ça.

— Sans doute qu'il était pas dans son état normal, dit la fille assise à ses côtés.

Il lui sourit et lui caressa la cuisse.

— J'aurais parié que c'était sa fille, commenta Hanson, mais peut-être que non.

— Des call-girls, dit Falcone.

— C'est mieux que de tapiner dans l'avenue, je suppose. Y a moins de clients cinglés. Regarde un peu ce connard. Avec sa veste en tweed et ses pièces aux coudes. Un professeur de fac, je dirais. Non, un psy plutôt. Un enfoiré de psy. Ça se voit à sa façon de se pencher en arrière en tirant lentement sur sa cigarette, dans le genre je réfléchis à la question. « Hmm... pas de quoi s'alarmer, en vérité. Je ne vois aucun problème sérieux. On a des rames », dit Hanson en brandissant la sienne. « Et on a des assiettes à salade réfrigérées. Dieu veille tout là-haut. Il s'occupe de tout, et si ça ne suffit pas, il suffit de confier ça à un agent immobilier, lui il saura gérer tout ça. »

— Qu'est-ce que tu connais aux psys ? demanda-t-elle.

Hanson fit tourner son assiette devant lui.

— « Surf'N'Turf », dit-il. De l'eau et de la terre. Résultat : de la boue.

— OK, c'est pas mes oignons, dit-elle. On est tous passés devant le docteur Giotto pour entrer dans la police.

— J'ai eu l'occasion de bavarder avec deux ou trois autres psys depuis, dit Hanson, en jetant un coup d'œil à la table voisine.

— Fascinant, dit une des deux femmes.

Le « psy » lui sourit comme s'il avait affaire à une enfant attardée, et continua à parler.

— Pour commencer, on tue tous les avocats, dit Hanson en tranchant d'un coup de dents sa dernière crevette, et ensuite on s'occupe des psys.

— Je trouve qu'ils sont très utiles, dit Falcone.

Hanson tourna la tête vers l'autoroute. Semi-remorques et voitures de banlieusards.

— Ils volent le cœur des gens. Pour qu'ils puissent « fonctionner » et devenir « des membres productifs de la société ». Pour produire quoi ?

— Je connais des gens qui, j'en suis sûre, auraient passé leur vie derrière des barreaux, ou qui se seraient suicidés, sans l'aide des psys et des médicaments.

— Mieux vaut se suicider que de laisser un vendeur de

voitures d'occasion obséquieux, car ce n'est pas autre chose, vous dire : « Faites-moi confiance. Je peux vous apporter le bonheur et le succès. » Mieux vaut être mort que de laisser ce genre de type poser ses sales pattes sur son cœur.

Le soleil se couchait dans une auréole de monoxyde de carbone et de fumée provenant des champs qu'on brûlait. Sur l'autoroute, les voitures et les camions commençaient à allumer leurs phares. Hanson colla son oreille à la fenêtre pour écouter le bruit de l'océan. *Dis-lui simplement ce qu'il veut entendre.*

— Je n'y connais rien, dit-il... Écoute, je te remercie d'avoir pris la peine de me prévenir au sujet de Fox.

— Ça ne m'a rien coûté. Rien du tout.

— Bon, eh bien, je crois que... je vais y aller.

Il voulut prendre l'addition, mais elle fut plus rapide.

— C'est moi qui invite, dit-elle en se levant. Tu te souviens du jour, à l'école de police, où ce type des Stups m'a incendiée quand je lui ai demandé où ils avaient déniché leur code de la rue. Tu as pris ma défense, et j'ai vachement apprécié. Personne d'autre ne l'aurait fait.

Pour ressortir, ils étaient obligés de repasser devant le bar, un endroit pour yuppies avec des plantes vertes, baptisé « Interdit aux chiens ».

— Allons boire un dernier verre, dit Falcone, et l'alcool se voyait dans ses yeux maintenant, dans sa voix aussi. Puisqu'on est là. Un dernier, ensuite faut que je rentre.

— OK. C'est ma tournée, dit Hanson, avec un sourire. Au moins, tu n'auras pas complètement détruit ma virilité en m'invitant à dîner.

Il comprit que c'était une erreur dès qu'ils franchirent la porte du bar. Bruyant et bondé. Il trouva une table dans un coin, malgré tout, où il pouvait s'adosser au mur.

Les serveuses débordées ne faisaient pas attention à eux, et Hanson dut aller chercher à boire, abandonnant Falcone à leur table.

Le barman discutait avec quelqu'un à l'extrémité du bar. Enfin, il adressa un signe de tête à Hanson, puis reprit sa conversation. Hanson se glissa entre deux types en veste sport qui lui firent bien comprendre, à la façon dont ils le regardèrent, qu'ils n'étaient pas contents.

— Alors, comment ça va les gars ce soir ? demanda Hanson en les regardant l'un après l'autre.

— Ça peut aller.

— Ouais, ça va.

Ils lui firent un peu plus de place, et détournèrent le regard. Le barman avança lentement vers Hanson.

— Oui ?

— Deux Teachers, commanda Hanson en s'efforçant de garder son calme, et se disant : Juste un verre, et je me barre. Pas de problème. Et une bière, ajouta-t-il.

Le barman déposa la bouteille de Teacher sur le comptoir, poussa un soupir et leva les yeux vers Hanson.

— Bud ou Heineken ? On a les deux à la pression.

— Une Bud. Et ajoutez un troisième Teacher. Désolé.

— C'est tout cette fois ? Vous êtes sûr ?

— Oui, c'est tout.

Il servit les whiskies, les aligna sur le comptoir et annonça :

— Huit dollars cinquante.

En regardant par-dessus l'épaule de Hanson.

Hanson vida d'un trait un des petits verres, but ensuite une gorgée de bière, et se sentit un peu plus calme. Malgré tout, il fit très attention en regagnant sa table, faisant des détours pour ne bousculer personne.

Un orchestre était monté sur la scène. Le chanteur, âgé d'environ trente-cinq ans, paraissait fatigué et malade. Le type qui a laissé filer sa dernière chance, se dit Hanson. Ce bar est le terminus pour lui.

— Allright ! cria-t-il.

Son micro poussa un cri perçant ; en voulant le visser sur le pied, il trébucha, mais se rattrapa. L'espace d'un instant, la panique enflamma son regard fatigué et il observa la foule pour voir si quelqu'un avait remarqué qu'il avait failli tomber.

— Allright ! Ce soir, ça va chauffer !

Les autres membres du groupe posaient sur lui un regard morne.

— Car je viens vous parler...

Bonne chance, camarade, pensa Hanson.

— ... vous parler de cette *Wild Thing*...

Le groupe attaqua le morceau de manière maladroite, bruyamment, comme un groupe d'inconnus échangeant des insultes.

195

— *Wild thing, you make my heart sing, you make every-thing groovy...*

Hanson atteignit le coin ; impossible de parler sans hurler. Falcone contemplait la piste de danse, l'air morose. Presque déprimée, pensa Hanson.

Il observa une table de jeunes types en costume, d'environ vingt-cinq ans, qui riaient en buvant de la bière. Il choisit celui qui semblait être le chef de la bande, un garçon séduisant et bien bâti qui monopolisait la parole.

— *Come on come on wild thing...*

À travers la fumée et le bruit, Hanson braqua son regard sur lui, ses yeux firent le point : il avait envie de lui faire mal, de le faire pleurer, et l'obliger à supplier devant ses copains.

— *Wild thing I said wild thing, I think I love you...*

Il se tourna vers Falcone, et sentit le pistolet frotter contre ses reins.

— Si on fichait le camp d'ici ?

Sur le parking, elle ne retrouva plus ses clés de voiture.

— Je vais te ramener chez toi, dit Hanson.

— Non, je te remercie, dit-elle, en farfouillant dans son sac à main. (Le Chief's Special calibre .38 refléta les lumières du parking.) Elles sont quelque part...

— Ça ne change rien. Je sais que tu n'as pas l'habitude de boire autant. Laisse-moi te reconduire chez toi. Je te promets que ça n'ira pas plus loin. Je te donne ma parole.

Elle ne dit plus un mot dès qu'ils furent dans le van et elle s'endormit en chemin. Hanson se pencha vers elle, respira l'odeur de ses cheveux. Il jeta un coup d'œil à la montre du tableau de bord, puis alluma la radio, tout bas.

M. Jones parlait.

Falcone vivait dans une vieille maison perchée au-dessus du fleuve, probablement construite dans les années 40, durant la guerre, lorsqu'ils bâtirent les chantiers navals. C'était un endroit confortable, bien qu'un peu dépouillé. Il rappelait à Hanson les logements d'étudiants des années 60 : meubles d'occasion, couvertures teintes à la main, étagères de planches et de briques, et un cylindre de câble en guise de table.

— J'aime bien cette maison, dit Hanson.

— Tu es très poli.

— Non, je le pense.

— C'est un peu spartiate, tu ne trouves pas ?

— Oui, mais...

— Je mets de l'argent de côté, expliqua-t-elle.

— Si tu voyais chez moi, dit-il avec un sourire.

— Ah, ta ferme. J'en ai entendu parler. Bon, je reviens tout de suite, tu pourras partir ensuite. T'installe pas.

Elle franchit une porte masquée par un rideau, et Hanson parcourut sa bibliothèque du regard : histoire, anthropologie et biologie. Livres signés Edward Abbey, Margaret Mead, ou Wendell Berry, le poète...

Il observait une photo encadrée, sur une des étagères, lorsque Falcone réapparut en écartant le rideau.

— Moi et Scott, mon ex. C'était le bon temps.

— Je ne savais pas que tu avais été mariée.

— Mariée une fois. Divorcée une fois. Il aimait bien me voir en minishort en plastique orange, refiler des clés de bagnoles à des vieux dégueulasses qui se rinçaient l'œil. Et je crois que ce cher Scott était content que je ne trouve pas de boulot après avoir décroché mon diplôme.

Hanson acquiesça.

— Il a fait le Vietnam lui aussi.

— Ah bon. Qu'est-ce qu'il a foutu là-bas ?

— Oh, rien à voir avec toi, à ce qu'il paraît...

— Je ne voulais pas dire...

— ... mais c'était quand même moche. J'aimerais pas revivre toute cette merde. Je ne lui ai pas parlé de la police avant d'être engagée. Il n'a jamais pu le supporter. À cause du flingue. Bosser avec d'autres flics toute la nuit. Pendant neuf mois, on n'a pas fait l'amour. Vers la fin, on est même allés voir un conseiller matrimonial. Tu avais raison au sujet des psys, dit-elle. C'était juste histoire de te contredire. Il a une charmante épouse maintenant. Ils vont m'envoyer aux Archives, dit-elle. Le mois prochain. En vérité, ils ne veulent pas voir des femmes patrouiller dans les rues.

— Tu as une excellente réputation, dit Hanson.

— Épargne-moi ton baratin. Tu fais partie de la bande.

— Quelle bande ?

— Des hommes. Des « chics types » comme Scott, des connards comme Peetey. Comme Fox. Des petits garçons comme Duncan...

— Je ne suis pas comme eux, protesta Hanson.

— Tu es le pire de tous.

Hanson marcha vers la fenêtre et contempla le reflet de la lune à la surface du fleuve. Passage de barges. Fontaines d'étincelles, là-bas, sur le chantier naval.

— Je ne comprends pas ce que tu veux dire, répondit-il, en regardant le fleuve. À part qu'il est temps que je m'en aille.

— Ah, bon Dieu !

On aurait dit que Falcone était en train de déchirer une de ses couvertures.

— Nom de Dieu !

Hanson se retourna au moment où elle finissait d'arracher sa chemise ; il la regarda l'ôter et la jeter par terre. Elle s'énerva sur les boutons de son pantalon, manqua de tomber en l'enlevant, et il alla rejoindre la chemise sur le sol ; la boucle de la ceinture produisit un bruit sourd.

— Tu as envie de me baiser ? dit-elle, debout devant lui en culotte et soutien-gorge. Très bien. Pourquoi pas ? Comme ça, on sera quittes pour le coup de l'école de police. Je crois que les mecs appellent ça « un coup vite fait ».

— Ce ne serait pas très amusant, je crois.

— Bon, tant pis, dit-elle en ramassant son pantalon.

— Considère que nous sommes « quittes », dit Hanson en se dirigeant vers la porte.

— Attends une minute. Juste...

Le pantalon à moitié enfilé, le tenant par la ceinture, elle traversa la pièce en clopinant, pour chercher quelque chose sous les livres et les papiers empilés sur le rouleau en bois qui servait de table.

— Tiens, dit-elle en lui tendant une chemise contenant des feuilles d'imprimante qui avaient été froissées, roulées en boule, déchirées, puis défroissées tant bien que mal. Bishop a piqué ça dans la corbeille de Fox. Tu l'as blessé dans son orgueil, c'est ce qu'elle pense. Il essaye de trouver un truc sur toi, durant la guerre, ou n'importe quoi.

Hanson prit les documents, les yeux fixés sur le soutien-gorge de Falcone, et la cicatrice sur son sein qui dépassait légèrement. Elle suivit la direction de son regard posé sur sa poitrine, et le croisa lorsque Hanson releva la tête. Elle soutint son regard un instant, puis elle pivota sur ses talons et alla ramasser sa chemise.

— Je ne me suis pas sentie aussi ridicule depuis des années, avoua-t-elle en se rhabillant. Je vais oublier ce qui s'est passé.

— Moi aussi, dit Hanson. En fait, non, je ne pourrai pas. Mais j'en parlerai à personne.

Il franchit la porte, s'arrêta, et se retourna vers Falcone.

— Je veux que tu saches que...

— Quoi ?

— Je suis déçu. Non, c'est plutôt que... (Il trébucha et manqua de tomber.) Et merde !

Il regarda le chicot de l'arbre qui crevait la surface déformée du trottoir.

— Je me demande pourquoi Bishop s'est donné tout ce mal. (Il continua d'avancer, avec prudence.) On se connaît à peine... Hein ?

— Je disais : aucune idée ! cria Falcone.

13

L E CHIEN DORMAIT sur le canapé à côté de lui. Il était un peu plus de 22 heures, et Hanson lisait le récit des premières minutes de l'offensive nocturne du Têt, lorsque les unités du génie de l'armée nord-vietnamienne commencèrent à se frayer un chemin à coups d'explosifs à travers les fils barbelés et les champs de mines, abattant les sentinelles endormies dans leurs bunkers et leurs tours de guet, déblayant la voie pour les troupes d'assaut qui attendaient, massées dans l'obscurité de la nouvelle année lunaire. Une trêve avait été instaurée en raison de cette fête, et les Américains victimes de cette attaque prirent tout d'abord les explosions et les tirs sporadiques pour des pétards et des feux d'artifice, destinés à saluer l'Année du Rat.

Hanson connaissait la plupart des endroits évoqués dans ce livre, et en étudiant les cartes, il se revoyait patrouillant sur les sentiers qui descendaient en zigzags des collines, au milieu desquelles serpentaient les rivières qui contournaient des villages nommés Thon Doc Chin, Cam Lo, Mai Loc, et ainsi de suite jusqu'à la fin de la page.

Toute la journée il avait travaillé sur les fondations de la maison, et les lattes du plancher grinçaient et craquaient tandis qu'en dessous les nouveaux piliers de soutènement trouvaient leur place. Ses bras et ses épaules étaient endoloris, mais Hanson savait que cette douleur musculaire signifiait qu'il devenait plus fort.

Il regarda la lourde plaque de fer qui lui avait servi de socle pour le vérin hydraulique, ce matin. On pouvait faire confiance au fer, pensa-t-il, il tenait le coup, et il vous broyait la main si vous ne le respectiez pas.

Truman ouvrit les yeux.

L'air de la nuit mélangeait le parfum des pommiers en fleurs, la pourriture de la terre retournée et l'odeur métallique et verte de l'herbe de Johnson.

Un pick-up passa sur la route dans un chuintement.

Le plancher grinça.

Hanson ferma son livre et éteignit la lampe. Il s'empara du .9 mm glissé entre les coussins du canapé et récupéra la lampe électrique en aluminium sur le chemin de la cuisine.

Les insectes de juin s'éparpillèrent en bourdonnant lorsqu'il ouvrit la porte à moustiquaire pour se faufiler dans le jardin, marchant dans l'herbe, parmi les mûriers, jusqu'à une poche d'air froid sous un grand sapin où il attendit, masqué par les branches, respirant à peine. Les nuages, gris clair et gris foncé, passaient en bouillonnant devant la lune qui dégringolait. Un vol de cailles explosa tout à coup dans son dos, et l'arbre l'érafla jusqu'au sang lorsqu'il se retourna brusquement, le cœur battant à tout rompre. Quand le fracas des ailes se dissipa, il entendit un bruit de pas sur le gravier de l'allée. Détournant légèrement la tête, il le vit, qui sortait de l'obscurité en boitant.

C'est lorsqu'il atteignit la véranda de derrière que Hanson put distinguer son profil, la tête penchée sur le côté comme s'il essayait d'entendre quelque chose au loin. L'homme éclata de rire et se tourna vers le grand sapin sous lequel se cachait Hanson.

— Ça fiche la frousse ici, la nuit.

— Les seules personnes qui vivent dans le coin, répondit Hanson en écartant les branches du sapin et en avançant vers le visiteur, sont des bouseux armés de fusils de chasse qui me prennent pour une sorte de gauchiste. La nuit, c'est pas un endroit où se promener pour un homme de couleur. Ce serait plus prudent de rester dans ta voiture.

— Pas question de rouler sur un chemin de gravier en pleine nuit avec ma nouvelle Porsche 911 et de niquer ma peinture. Qu'est-ce qui t'est arrivé ?

Hanson porta sa main à sa joue et regarda le sang sur ses doigts.

— Des oiseaux.

— Ça te plaît de vivre comme ça, au milieu des bois ? demanda Doc en regardant par la fenêtre de la cuisine, tandis que Hanson prenait un linge humide sur l'évier pour l'appuyer sur sa blessure. Je commençais à me dire que j'étais perdu.

Doc portait des mocassins en cuir souple, avec un pantalon beige, une chemise en lin blanc cassé et une veste beige.

— Les flics sont pas assez payés pour vivre en ville ? L'épicerie la plus proche d'ici est à une demi-heure.

— J'ai eu la maison et dix hectares pour huit mille dollars dans une vente aux enchères. Tout m'appartient, dit-il en désignant d'un geste large la cuisine dépouillée. J'ai installé la plomberie, l'électricité...

— J'avais entendu dire que des Blancs vivaient dans ce genre d'endroit, mais c'est la première fois que j'en vois un.

— T'aimes bien porter un holster ? demanda Hanson. Moi, j'ai toujours la trouille de me tirer une balle sous le bras si je dois dégainer rapidement.

Doc sourit.

— Je préfère le holster. Un flingue à la ceinture, ça déforme le tissu d'une veste sur mesure.

Hanson sortit deux bières du réfrigérateur et en tendit une à Doc.

— Où est le sergent-chef ?

— Tu as pas autre chose à boire que de la bière ?

Le chien décolla la tête du plancher lorsqu'ils pénétrèrent dans l'autre pièce, où Hanson tendit à Doc une bouteille de cognac qui se trouvait sur une étagère.

— C'est celui que j'achetais à l'économat à Da Nang. C'est vachement plus cher ici. Tu veux un verre ?

Doc but au goulot, en regardant le chien.

— Le sergent-chef a été porté disparu au Cambodge. Il y a trois ans. Avec Krause. Ils sont tous morts, dit-il en sortant de sa poche de veste un flacon en verre dont il dévissa le bouchon. À l'aide d'une minuscule cuillère en or, il prit un peu de poudre blanche. Les yeux fixés sur Hanson, il l'inspira, et lui tendit le flacon.

— Non merci.

Derrière Hanson, le chien sauta sur le canapé.

— J'ai eu un chien dans le temps, quand j'étais tout petit. Un jour, il est pas sorti de sous la maison quand je suis rentré de l'école. La voisine m'a dit... (Un sourire apparut sur le

202

visage de Doc.) Elle m'a dit : « Ton klebs s'est fait écraser, c'était de sa faute. Les éboueurs l'ont balancé à la décharge. »

Hanson but une gorgée de cognac, à la bouteille.

— Depuis quand tu boites ?

Doc renifla une deuxième dose de cocaïne, avant de ranger le flacon dans sa poche. Il se pencha, sa veste s'ouvrit, laissant entrevoir la crosse de son arme. Il leva les yeux vers Hanson.

— Je montre pas ça à tout le monde, dit-il en relevant sa jambe de pantalon.

Son mollet semblait fait de barbaque découpée depuis deux jours, marbrée de traînées jaunâtres, puis vernie. Prenant appui sur le vieux canapé, il souleva l'autre jambe de pantalon.

— Là, c'est moins grave. C'est seulement moche.

La peau noire et brillante avait l'aspect du cuir vernis brûlé.

— Sale nuit. J'ai pris une putain de balle dans le dos, et une autre dans le bras. « Blessures périphériques », ils ont appelé ça.

Il rabaissa ses jambes de pantalon, puis fit courir les doigts sur le dossier du canapé.

— Où t'as déniché ça ?

— Au surplus de l'Armée du salut. Comme presque tout.

Doc éclata de rire.

— Je suis content de voir que tu as brillamment réussi ton retour à la vie civile.

— C'est toujours ton vieux High Power ? demanda Hanson, en jetant un coup d'œil aux jambes de Doc, avant de revenir sur son visage.

— Je l'adore celui-là. J'aime les .9 mm, dit Doc en caressant l'arme à travers le tissu luxueux de sa veste.

Il regarda la cicatrice en forme de météore sur sa main, regarda Hanson ensuite.

— Ça m'est arrivé au cours du troisième séjour, expliqua Doc. Projet Oméga. Leur idée, c'était d'installer deux équipes autour de Haiphong pour prendre des sites de missiles sol-air. Tu te souviens de Hanadon ?

— Évidemment, répondit Hanson, avec un sourire provoqué par ce souvenir. École de parachutisme, centre d'entraînement, O & I[1] à Holabird. Son nom était toujours devant

1. *Operations and Intelligence* : formation de trois mois destinée aux soldats des Forces spéciales. *(N.d.T.)*

le mien sur les tableaux de service. Ils nous ont même renvoyés à Bragg ensemble.

Le sourire de Hanson s'atténua. Il regarda le chien qui dormait en boule sur le canapé de l'Armée du salut.

— Pour la formation médicale, ajouta-t-il. Qu'est-ce qu'il devient ?

— En ce moment, il est mort. Avec son équipe, dans l'hélico de tête, ils avaient presque atterri quand le pilote leur gueule : « Interruption. » « Interruption. » Fin de transmission. Et les éléments de conversions ont explosé. Ils nous attendaient. Ces fils de pute savaient. Ça ressemblait à un atterrissage normal, à part que tout l'hélico était en feu, avec les rotors qui tournaient au milieu. Le JP-4 qui cramait, ça ressemblait à ce rhum à 80 degrés qu'on trouvait à Da Nang. Aucune flamme. Juste une lumière bleue aux extrémités et sur toute la surface de l'hélico, comme si les gars étaient les élus. Y en avait deux ou trois, dit-il, qui pataugeaient dedans. À la porte. Essayant de fuir le feu à la nage, avec des flammes sur le corps, dans les cheveux, jaillissant de leur treillis et de leur sac camouflage, les balles qui explosaient dans leur cartouchière à cause de la chaleur, des petits éclairs jaunes comme des pétards le 4 juillet. C'est à ce moment-là que notre hélico a piqué du nez, je crois. La seule chose dont je me souviens, c'est l'odeur du JP-4 et de la chair calcinée.

Le gémissement lointain d'une scierie, si diffus et si aigu qu'il faisait partie du silence jusqu'alors, crachota, hésita, et ils tendirent l'oreille, la tête penchée sur le côté, tandis que le bruit s'arrêtait sur un dernier bourdonnement. Quelques instants plus tard, il redémarra, lentement, presque une plainte, qui s'amplifia.

Doc leva les yeux.

— Fais-moi voir ton flingue.

Hanson le lui tendit, le canon pointé vers le mur.

— Il y a une balle engagée, dit-il en s'asseyant à côté du chien.

— J'espère bien.

Doc éjecta le chargeur et le laissa tomber dans sa poche.

— Quand j'ai repris connaissance, je regardais une étoile verte dans le ciel, solitaire, qui brillait plus que tout le reste. J'ai contemplé longtemps cette étoile, pendant qu'ils patrouillaient dans le noir, pour tuer les autres. Je devais avoir l'air tellement amoché qu'ils ont cru que j'étais déjà mort. J'en sais rien. Ce sont des sacrément bons soldats. Ils auraient dû me buter moi aussi.

Il actionna la culasse de l'arme et attrapa la balle au moment où elle jaillissait du canon.

— L'équipe d'intervention nous a embarqués. Ils m'ont pratiquement enfermé dans un sac à viande. Ils m'ont expédié au Japon, puis dans un hôpital militaire du New Jersey. J'étais plâtré jusqu'au torse, avec un tube dans la bite, suspendu dans un lit avec des cordes et des poulies. On me manipulait comme un morceau de barbaque noire, on me parlait comme à un chien. Moi, je me laissais faire, j'observais cette étoile verte, je répondais jamais, je regardais même pas ces enfoirés, et ils ont arrêté de me parler.

Il glissa le chargeur dans l'arme, engagea une balle dans le canon et visa l'autre bout de la pièce. Il remit la balle supplémentaire dans le chargeur.

— L'un d'eux, un « infirmier », il s'appelait Junior Lott, a décidé de me faire chier. Il tirait sur les cordes pour faire monter et descendre mes jambes, en disant à tous ses enfoirés de potes que j'étais « Sambo la marionnette », et il allait m'emmener en balade. Il imitait ma voix : « Pitié, mes pieds, me laissez pas tomber maintenant. » Et il tirait sur les cordes pour donner l'impression que je courais. C'est une sécurité, ça ? ajouta-t-il.

— Tout dernier modèle. On n'est que dix chez nous à l'avoir.

Il enclencha la sécurité avec le pouce et rendit l'arme à Hanson.

— Structure en alliage, dit-il en secouant la tête.

— Non merci.

— T'es sûr ? dit-il en tendant le flacon de cocaïne à Hanson.

Hanson déposa l'arme sur le canapé et prit le flacon. La poudre blanche lui brûla le nez comme de la neige carbonique et les lumières de la pièce devinrent plus vives.

— Le matin, ils gueulaient, dit Doc. En bas, dans le pavillon des brûlés. Les infirmiers leur piquaient leur morphine pour se l'enfiler. Puis vers les 11 heures, tous les jours, quand le soleil me tapait dessus, faisant chauffer le plâtre, l'odeur de la viande grasse qu'ils faisaient cuire là-bas dans la cafet' commençait à entrer par la fenêtre. J'ai observé cette

205

étoile jusqu'à ce qu'ils me collent sur une chaise roulante, et un jour, j'ai chopé « Junior » à la gorge et j'ai bien failli tuer cet enfoiré. Sa gueule toute blanche de sale pédé était aussi violacée que mon gland quand ils m'ont balancé de l'alcool sur le visage en me montrant une allumette allumée. Ils m'ont enfermé dans un placard avec des vieux balais et des seaux, et les rats qui me cavalaient dessus dans le noir, allongé dans ma merde. Au bout de deux ou trois jours, l'odeur me rappelait ce cratère de bombe au sud du fleuve, le Song Cam Loc. Là où ils ont testé le nouveau Napalm B, et où on a dû...

— Oui, Doc, dit Hanson. Je m'en souviens.

— ... où on a dû... Ne m'interromps pas. Où on a dû plonger à l'intérieur de ce cratère, au milieu de ce qui restait de ces gens ?

— Je t'ai dit que je m'en souvenais.

— C'étaient mes guiboles qui puaient. La gangrène. Le gars du ménage m'a découvert dans le placard ; avec ses neveux, il m'a fait sortir en douce. Ils m'ont emmené chez un vrai médecin qui voulait amputer cette mauvaise jambe. Je lui ai dit que s'il faisait ça, je les tuerais, lui et toute sa famille. Maintenant, l'os est comme infecté. Ça vient de l'hosto, ils m'ont dit. Parfois, ça fait pas trop mal.

Hanson acquiesça, en se levant.

— Ça s'aggrave, ajouta Doc, comme s'il se parlait à lui-même. Mais je me lamente pas ! dit-il d'un ton brutal en se dressant devant Hanson qui voulait prendre le cognac.

— Je sais, dit Hanson.

Il lui sembla sentir l'odeur de poudre à canon brûlé.

— Tu sais ?

— Évidemment, je...

— Tu sais que dalle.

— Écoute, Doc, je dis simplement...

— Me parle pas comme à un enfant, espèce d'enfoiré.

— Je fais ce que je veux, bordel de merde, rétorqua Hanson en reculant.

— Alors vas-y, fais, dit Doc en abaissant l'épaule, si bien que sa veste glissa et s'ouvrit.

— Va te faire foutre, grogna Hanson, se retournant à moitié, pour revenir vers le canapé.

Le chien était assis sur l'arme, stupéfait par la colère dans la voix de Hanson.

— Ce clébard est aveugle, déclara Doc, la main sur la crosse de son pistolet.

— C'est rien, dit Hanson à Truman en le caressant dans le cou. On range ça, d'accord ? dit-il avec un regard en direction de Doc dont la main était immobilisée au-dessus de l'arme.

Voyant Doc hocher la tête, Hanson récupéra son pistolet et le glissa sous le coussin du canapé.

— Je sais bien que tu ne te « lamentes » pas.

— C'est bien que tu le saches.

— Tu n'en as jamais parlé à personne. Pas vrai ?

— Oublie tout ce que j'ai dit.

— Comme tu veux.

— Très bien.

— Ça t'a pris combien de temps pour retrouver Junior ?

— Pas longtemps. Il travaillait dans un 7-Eleven à Gaffney en Caroline du Sud. Mais il m'a quand même fallu environ deux ans avant que j'arrive à mes fins.

Hanson but une gorgée.

— Je te présente Truman, dit-il en tendant la bouteille à Doc. Le chien de mister Thorgaard.

— Et si on s'envoyait encore un peu de coke ?

Il sniffa de nouveau et balaya la pièce du regard.

— Cette came, c'est un vrai feu d'artifice. Le monde apparaît sous un jour plus gai, dit-il en riant. Je me demande si les gens normaux ressentent ça tout le temps ? Tous ces fils de pute, là partout au-dehors, qui se répètent que tout va bien. « Impeccable. Ça baigne. » Des fois, je vois un type... Un type bien qu'a l'air d'avoir réussi dans la vie, tu vois ? Il boit une bière en riant avec ses potes, ou il fait la queue devant le ciné avec sa petite amie, et j'ai envie de le saisir par le colbac, de le regarder droit dans les yeux et lui dire : « J'ai un petit secret pour toi, enculé. C'était quand la dernière fois où t'as eu *vraiment* la trouille ? »

Doc éclata de rire, et Hanson ne put s'empêcher de sourire.

— Un troisième séjour là-bas ? dit Hanson. Qu'est-ce qui t'a pris, bon Dieu ?

— J'étais à Cam Lo un dimanche après-midi. J'avais baisé et bu quelques verres. Ils fermaient le camp de Mai Loc et j'avais pas mal de temps libre. Je rentrais au campement quand deux gars de la MP, en Jeep m'arrêtent sur le côté de la

207

route. En affirmant que je roulais trop vite. Ils disaient que Cam Lo était en dehors des limites autorisées et qu'en plus « t'es pas en uniforme, enfoiré ». « Et t'as intérêt à nous montrer une pièce d'identité, enfoiré. »

Il rit et but une gorgée.

— Ils m'ont dit : « T'es dans une sacrée merde, enfoiré. » Ils savaient même pas que la Jeep était volée, ni que j'avais environ quatre types de marchandise de contrebande à l'arrière. Ils me parlaient d'infraction au code de la route. Je leur ai dit d'aller se faire foutre. Je n'avais rien à voir avec leur putain d'armée.

— Des Blancs ? demanda Hanson.

— Ouais, des pauvres fils de pute dégénérés. Celui qu'avait un accent de péquenaud me dit : « T'es en état d'arrestation », dit Doc en imitant l'accent des Blancs du sud. Remonte en voiture, donne ton arme et suis-nous. » Je leur ai répondu de sucer ma queue de Noir, et je suis retourné vers la Jeep. « Si tu veux jouer à ça, on peut s'amuser nous aussi. Tu as utilisé tous tes droits civiques, négro », me dit le gars.

Doc frappa dans ses mains, éclata de rire et secoua la tête. Hanson avait conscience de sourire.

— Cet enculé veut me foutre les menottes. Il essaye de m'attraper le bras, t'imagines ? Je me dégage, et il me jette son regard le plus méchant, je suppose, en posant la main sur son .45. On était guerre, et ces deux types se croyaient en train de faire chier un pauvre négro en Alabama, dans le Mississipi ou dans un endroit à la con comme ça. Putain, on était à huit bornes au nord de Cam Lo, paumés en plein Vietnam. Y avait personne dans les parages, sauf des Viets qu'allaient les descendre si je le faisais pas. Je demande à ce connard : « T'as l'intention de me flinguer ou quoi ? » « Tourne-toi », il me répond. « Exécution ! » Je parie qu'ils lui ont appris ça à l'école des MP.

Doc s'esclaffa de nouveau ; ses yeux brillants croisèrent ceux de Hanson.

— Tu les as butés, dit Hanson. C'est ça ?

— J'avais mon Car-15, là dans la Jeep. Ces deux abrutis restaient plantés là devant moi à me regarder avec des yeux comme ça. La bouche ouverte. « Ooooh ». Pas étonnant qu'on ait perdu la guerre. En rentrant au camp, j'ai commencé à flipper, dit-il en regardant ses jambes. Putain. Tout le monde penserait que c'était un coup des Viets, mais je me suis angoissé. J'ai dit au sergent-chef que j'avais besoin de disparaître quelque temps. Il a bigophoné à un type d'Omega. Il fallait que je rempile pour un an, mais le lendemain matin, j'étais parti. Opération tellement top secret que personne aurait pu me retrouver. Toutes les paperasses ont disparu maintenant, depuis que les méchants communistes ont repris les rênes.

— Ça fait plaisir de te revoir, Doc. Parfois, je me dis que je suis cinglé, comme ces types qui grimpent sur un toit ou qui vont dans un centre commercial avec un sac de marin bourré de flingues. À ma connaissance, personne d'autre pense jamais à ça.

— Comment t'as fait pour atterrir dans la police ?

— J'ai pas trouvé d'autre boulot. Mais c'est une chance. Autrement, je serais mort ou en tôle.

— Je peux t'offrir beaucoup mieux.

— Merci, mais j'aime bien ce boulot. C'est mon métier maintenant.

— Flic ?

— Ils ont des règles. T'as le droit de faire ceci, mais tu peux pas faire ça, car si tu fais ça, je te botte le cul et je t'envoie en prison. Je suis très doué.

— Je les emmerde, leurs règles. Ils les ont fabriquées.

— Tout est fabriqué, mais ces règles, elles sont écrites dans un livre. C'est la loi. Juste ou pas, tout est marqué là dans le livre, et tout le monde peut le lire.

— Ça paye bien ?

— J'ai pas besoin de plus.

— Tiens, voilà un numéro de téléphone, dit Doc en sortant un stylo de sa poche. Au cas où tu changerais d'avis.

Hanson lui tendit le livre sur l'offensive du Têt.

— Note-le là-dedans.

Doc regarda la couverture du livre, l'ouvrit, et se mit à le feuilleter. En arrivant aux cartes, il s'arrêta pour les observer attentivement.

— Là, dit-il en tenant le livre ouvert devant Hanson et en désignant un point sur une des cartes. La fois où on a été obligés de se trouver un trou et d'envoyer l'artillerie sur nos propres positions ?

— Oui, dit Hanson. J'ai eu un peu peur ce jour-là.

Quand ils eurent cessé de rire, Doc tendit le livre à bout de bras.

— C'est plus qu'un bouquin maintenant.

Il nota un numéro de téléphone à l'intérieur de la couverture, et le rendit à Hanson.

— Je recevrai le message.

— Après t'avoir vu l'autre jour, au MacDo, j'ai rentré ton nom dans l'ordinateur.

— T'as trouvé mon nom dans ce truc ?

— Il est apparu deux ou trois fois.

— J'ai eu des petits ennuis, dit Doc. Je risque pas d'être engagé dans la police.

Le chien traversa la pièce en faisant du bruit avec ses griffes, s'arrêta devant Doc et leva les yeux vers lui.

— Un vieux klebs comme ça, dit Doc, faudrait abréger ses souffrances.

— J'ai promis de m'occuper de lui.

Doc acquiesça.

— Fais-le, alors.

Il s'arrêta à la porte comme s'il allait ajouter quelque chose, mais il se ravisa et s'en alla.

Le chien suivit Hanson sur la véranda, où ils écoutèrent les pas de Doc sur le gravier, jusqu'à ce qu'ils ne les entendent plus.

— Ça m'a fait plaisir de bavarder avec toi ! lança Hanson, mais il n'obtint pas de réponse.

Le chien, raidi par l'arthrite, essaya de se mettre en position assise, mais il perdit l'équilibre et tomba sur le flanc. Hanson le regarda rassembler ses forces et se rasseoir sur l'arrière-train.

— Il a raison, tu crois ? Il vaudrait mieux que je mette fin à tes souffrances ?

Il s'agenouilla pour gratter la tête du vieux chien.

— Tu ne peux pas chasser les lapins, ni te battre. Ça ne doit pas être marrant.

Il sourit, fit descendre sa main le long de la patte raide de l'animal, par-dessus l'articulation croûteuse, là où les poils étaient râpés.

— Tu ne baises pas souvent pendant mon absence, hein ?

Le chien regardait droit devant lui, vers ce qui restait de la vieille grange.

— Tu es devenu sourd aussi ? Est-ce que je parle tout seul ? Hein, Truman ?

Le chien leva les yeux vers lui.

— Bon. Je pense qu'on ne te tuera pas ce soir, vieux.

Au loin, à l'est, le clair de lune perça à travers une trouée dans les nuages au-dessus du Stormbreaker.

— Peut-être qu'on saura tous les deux quand le moment sera venu.

Il arracha un éclat de bois sur la véranda.

— Hanadon aussi.

La trouée des nuages s'élargit et le Stormbreaker se dressa au travers, avec son sommet enneigé rougeoyant.

— Il était à moitié Mexicain, à moitié Philippin ; un grand costaud, il venait des environs de Salinas. Il parlait pas beaucoup tant qu'il te connaissait pas. Il avait des grands yeux marron. Tous les deux, on... Attends, je reviens.

Il retourna dans la maison et revint avec une boîte d'Oly ; il en versa un peu dans un bol pour Truman et se rassit.

— On s'est tapé tous les deux un truc qui s'appelait « le labo des chiens ». Une nouvelle formation en huit semaines qu'ils testaient. Je croyais qu'ils allaient m'envoyer à Bragg au lieu du Vietnam, mais ils parlaient de former des équipes de quatre types pour des opérations au-delà de la frontière. Là-bas, faudrait soigner soi-même ses blessés.

Il secoua légèrement le bol de bière.

— T'en veux ?

Il plongea deux doigts dans la bière, les frotta sur la truffe grise du chien et le laissa lécher la bière.

— Tiens, là, dit-il, dans le bol. J'y ai réfléchi. Il n'y avait pas d'autre moyen d'apprendre à soigner les blessures par balles. Tu pouvais traîner dans une salle des urgences, en espérant voir arriver un blessé, mais même dans ce cas-là, tu devais te contenter d'observer. Il leur restait encore deux ou trois places, alors il nous ont expédiés, Hanadon et moi, de Holabird, avec huit sous-officiers chevronnés, dit-il en regardant Truman laper la bière. Je me souviens des yeux de Hanadon. Le dernier jour. Quand on... a dit au revoir. Aux... aux chiens.

Il leva la tête et but une gorgée de bière. La lune projetait des traits de lumière dans les buissons de mûres, à travers la grange en ruine.

— On a plein de bière. Finis ça, j'irai nous en chercher une autre.

Il caressa le cou poussiéreux du chien.

— On était huit...

C'était un vendredi après-midi, après le premier mois de cours qui élimina trois sous-officiers, qu'ils traversèrent Smoke Bomb Hill jusqu'au labo des chiens, un des bâtiments militaires datant de la Seconde Guerre installés derrière le vieil hôpital. Ils étaient huit maintenant, sept sous-officiers des Forces spéciales et Mister Peshka, un adjudant médecin affecté à l'école, envoyé de Fort Sam Houston pour suivre la formation et l'évaluer.

La fourgonnette verte stationnée derrière la baraque en bois de deux étages ressemblait à un camion blindé d'UPS. On ne la voyait pas de la grille devant laquelle une douzaine de défenseurs des droits des animaux essayaient d'« éduquer » deux soldats de la MP qui gardaient l'entrée de l'hôpital.

Les portes arrière de la fourgonnette étaient ouvertes.

Enfermés dans des cages individuelles, les chiens tournaient en rond, se heurtant au grillage ou étaient couchés sur le ventre, les oreilles plaquées en arrière, attentifs. Des gros chiens, provenant de la fourrière de Fayetteville.

Le commandant, un chirurgien orthopédiste incorporé et affecté dans les Forces spéciales pour deux ans, conduisit les hommes dans la fourgonnette.

— Ils ont des noms ? demanda Mister Peshka.

Il n'avait jamais effectué un saut en parachute, ni participé à un combat ; c'était un dégonflé pour qui les autres n'avaient pas plus de respect que pour les civils.

Le sergent Krause adressa un grand sourire à « Ranger » Noonan et secoua la tête.

— Comment savoir ? répondit le commandant. Quand on vous filera un chien lundi matin, vous pourrez l'appeler comme vous voulez. D'ici là, on les aura examinés, pour s'assurer qu'ils sont en bonne santé. Le personnel provoquera ensuite le traumatisme, environ une heure avant que vous arriviez pour commencer votre boulot. Alors, faites connaissance, et à lundi.

Hanadon était agenouillé devant une cage, en train de gazouiller avec un berger allemand au poil argenté qui lui léchait le dos de la main à travers le grillage. Quand il vit Hanson, il retira vivement sa main et se leva, en tournant le dos au chien.

— Ça y est, vieux, dit-il avec un sourire, on a réussi. Encore quatre semaines comme ça, une perm' d'un mois, et on y sera !

— Le voyage a été long et bizarre, dit Hanson.

Il se mit au garde-à-vous et salua. En gardant la même position, il se mit à marquer le pas, en chantant un couplet tiré d'une célèbre chanson contre la guerre : « ... don't ask me I don't give a damn – Next stop is Vietnam. »

À l'autre bout du camion, Krause se retourna et le regarda.

Hanadon rit discrètement.

— Ah, mec, dit-il en lui tapant sur l'épaule, toujours tes conneries.

— Je sais pas ce que vous en pensez, dit le sergent Hicks, en sortant son béret de sa poche arrière et en l'enfilant, mais je me boirais bien une bière. Histoire de marquer le coup.

Les autres le suivirent à l'extérieur du camion.

Hicks était le sous-officier responsable de la classe. Grand et maigre, le visage buriné, il ressemblait à un cow-boy de cinéma. Il venait du Kentucky et le Vietnam était sa troisième guerre. Il s'était engagé dans l'armée à quinze ans, juste à temps pour avoir les orteils gelés lors de la contre-offensive des Ardennes. Il avait obtenu sa deuxième Silver Star en tuant neuf soldats chinois sur une colline gelée près de Souduchon, en Corée. Le froid lui avait probablement sauvé la vie, faisant coaguler le sang de sa blessure jusqu'à ce que l'hémorragie cesse. Le toubib qui l'avait découvert dut réchauffer l'ampoule de morphine dans sa bouche, la coinçant dans le creux de sa joue en attendant qu'elle soit assez fluide pour couler à travers l'aiguille. Hicks avait fait deux séjours dans le sud-est asiatique, heureux de trouver un climat tropical. « Un endroit remarquable pour faire la guerre », disait-il.

— À lundi matin, dit Windley.

C'était le seul soldat noir du groupe. Sa femme et ses gosses vivaient à Fayetteville.

— OK, Win, répondit Hicks. Tu donneras le bonjour à Leona.

— Elle veut savoir si tu viendras dîner à la maison un week-end ?

— Quand elle veut. Dis-lui que j'attends ça avec impatience.

À la grille, les manifestants s'étaient entassés dans la Jeep des gars de la MP. Pendant que ceux-ci les observaient d'un air impassible, obéissant aux ordres, les manifestants faisaient mine de s'élancer au combat, en riant et en poussant des grands cris, imitant des bruits de mitrailleuse avec le mégaphone.

— Je lui dirai, promit Windley.

Il donna une grande claque sur l'épaule de Hicks et repartit en direction de Smoke Bomb Hill. Les autres continuèrent à marcher vers l'ombre de l'hôpital abandonné, aux fenêtres obscures et brisées. Dans leur dos, un des chiens hurla à la mort. Quelqu'un ferma les portes de la fourgonnette, mais les manifestants avaient eu le temps de se retourner et de voir les bêtes. Ils agitèrent leurs pancartes en hurlant ; leurs voix ne pouvaient lutter contre le vent qui s'était levé.

Les soldats s'arrêtèrent et repartirent vers les grilles ; la poussière rouge tourbillonnait autour de leurs rangers étincelantes.

— Ces enfoirés de coco n'ont rien de mieux à foutre tous les jours de l'année ? demanda Krause.

— Je ne suis pas d'accord avec eux moi non plus, dit Mister Peshka. Malgré tout, ils...

— S'ils veulent qu'on libère les chiens, je me ferai un plaisir de les charcuter à la place, déclara Ranger Noonan.

— ... ils ont le droit de...

— Que dalle ! dit Krause. Le droit, mon cul ! « Le droit. » Personne n'a aucun droit, à moins d'avoir une putain de mitraillette entre les mains.

Ranger Noonan plissa les yeux.

— J'échangerais bien mon clébard contre cette gamine là-bas avec le t-shirt Peace and Love. Celle avec les gros nichons.

— C'est un peu le genre de Hanson, dit Krause.

— Ton avis, Hanson ? demanda Ranger Noonan. Est-ce qu'elles sucent, ces hippies ?

— Elles ont les idées larges, sergent.

— J'aimerais bien l'attacher et pratiquer quelques manœuvres d'invasion, déclara Ranger Noonan.

Candelaria s'esclaffa.

— *Las palabras bonitas del amor.* Les jolis petits mots d'amour. Comme tu es romantique, Noonan.

— T'as raison, Candel – *air* – ia. Je leur plais bien, car je suis un peu différent de ce qu'elles connaissent.

Hanadon adressa un sourire à Hanson. Krause et Ranger Noonan étaient déjà des légendes des Forces spéciales, et nul n'ignorait qui était Candelaria. Blessé et capturé par les soldats de l'armée nord-vietnamienne lors de son deuxième séjour, il s'était enfui durant la marche vers le nord, le bras cassé dans une attelle, et il était arrivé en boitant sur une base des Marines à Cam Lo, douze jours plus tard.

Les manifestants braquèrent sur eux leur mégaphone, mais tout ce qu'ils disaient se perdait dans le vacarme de l'effet Larsen.

— Bande de petits connards, dit Ranger Noonan. Même pas capables de se servir de leur matériel.

— Pleurnichards de civils, dit Krause. Si on n'était pas là, et sans ces putains de flics, ils survivraient à peine un jour avant que tous ces enfoirés d'assistés sociaux fassent cramer leurs maisons et les enculent à mort.

— Tu exagères, évidemment, dit Peshka. Mais je trouve ça ironique. On fait cette guerre pour défendre leur droit à manifester contre cette guerre.

Krause regarda Peshka comme s'il avait devant lui une sorte d'animal qu'il n'avait encore jamais vu.

Hicks caressait sa moustache, en regardant les manifestants.

— C'est un monde cruel, dit-il, autant pour lui-même que pour Hanson et Hanadon qui se trouvaient à ses côtés. Pour les chiens aussi. Mais ces gens-là n'y ont jamais foutu les pieds, ils peuvent pas savoir.

Il sourit aux deux jeunes soldats.

— Mais on n'est pas payés pour s'occuper de ça, et j'étais parti pour boire une bière.

— J'aurais voulu que le sergent Hicks soit mon père, déclara Hanson en ouvrant une autre bière, dont il versa un peu dans le bol de Truman.

Il gratta les oreilles du chien.

— Il faut que je t'achète un collier. Avec une plaque d'iden-

215

tité, au cas où tu t'en irais. Un truc *super*, avec des gros clous argentés.

Une voiture atteignit le sommet de la colline, là-bas sur la route, à fond, moteur hurlant, et Hanson tourna la tête en direction du bruit, les poings serrés.

— Espèce d'enfoiré ! hurla-t-il, alors que la voiture enclenchait la troisième et passait dans un grondement.

— Tu sais que tu dois rester ici, près de la maison, hein ? Ne t'approche pas de cette route. Truman ?

Le chien tendit l'oreille.

— Regarde-moi.

Le chien leva la tête ; dans le noir, ses yeux étaient d'un bleu de glacier, puis ils devinrent d'un blanc laiteux, aveugles, tandis que des nuages en lambeaux passaient devant la lune et que les pommiers s'illuminaient.

— Bien, dit Hanson, perdu dans les yeux du chien l'espace d'un instant. Parfait. Le lendemain... euh, non, le lundi, on s'est bien lavé les mains et on est allés au labo. Les chiens étaient morts de trouille. C'était comme une pièce remplie de prisonniers torturés se demandant ce qu'on allait leur faire. Je sentais l'odeur du poil brûlé et du sang. Et l'odeur de la poudre, au fond de ma gorge. Je vais te raconter comment ça s'est passé, aussi fidèlement que possible. Ce que j'ai fait. Je ne cherche pas à m'excuser pour quoi que ce soit, ni à me justifier. C'était le lundi...

Les chiens étaient attachés sur d'épaisses tables en chêne, avec des courroies en cuir. Ils grognaient et gémissaient, en agitant la gueule dans tous les sens, essayant de lécher les blessures de balles dans leurs épaules, mais leurs langues lapaient le vide.

Le médecin militaire conduisit le groupe d'un chien à l'autre, en commentant les blessures. Ils s'arrêtèrent derrière un labrador noir qui s'était pissé et chié dessus. Une plaque de poils brûlés assombrissait la chair à vif autour d'une blessure criblée de fragments d'os.

— Blessure par balle, leur dit le médecin. Projectile renforcé, tiré par un AK-47. Le genre de blessure que vous risquez fort de rencontrer quand vous retournerez là-bas.

Le labrador fit rouler ses yeux, jusqu'à à ce qu'on ne voit plus que les blancs, pour essayer d'apercevoir les hommes qui lui avaient fait ça.

— Ils n'ont pas trouvé le moyen de simuler les blessures de shrapnel de manière suffisamment uniforme. Ils ont essayé il y a deux ou trois ans, mais impossible de prévoir la gravité du traumatisme et...

Krause ricana.

— ... ils ont tué trop de chiens, conclut-il.

— Je pensais simplement à mon expérience personnelle avec le shrapnel d'un projectile de 105, capitaine, dit Krause en caressant une cicatrice rouge, en forme d'étoile, dans sa nuque.

Ce même tir d'artillerie qui lui avait laissé cette cicatrice avait tué quatre de ses Nungs et Lacy, l'autre Américain participant à l'opération, projetant un bout le mâchoire de l'opérateur radio vietnamien dans la gorge de Lacy, à travers le palais et jusqu'au cerveau.

— Vous avez raison, monsieur, ajouta Krause. Une saleté de traumatisme.

Le Ranger Noonan éclata de rire, et le médecin sourit, en passant à la table suivante sur laquelle gisait un grand caniche croisé avec un terrier, tremblant, le regard vitreux.

— On ferait bien de s'occuper de celui-là, ou sinon, il ne va pas résister au choc. Sergent Windley ?

— Entendu, capitaine, dit Windley. Je vais lui injecter de la morphine et installer une intraveineuse.

— Bien. Vous autres, allons voir le dernier.

Le berger allemand qui avait léché la main de Hanadon dans la fourgonnette grogna et essaya de les mordre ; et tandis qu'il s'agitait sur la table, le sang suintait de sa blessure. Sa truffe était éraflée, il s'était fait arracher une oreille à coups de dents au cours d'anciens combats.

— Ce vieux salaud a roulé sa bosse, commenta le Ranger Noonan.

La table bascula et retomba lourdement sur ses quatre pieds, tandis que l'animal tentait de se jeter sur eux, en tirant sur ses liens, aggravant le saignement.

— Je t'ai vu t'intéresser à ce chien, dit le médecin à Hanadon. Occupe-toi de lui.

Pendant que le médecin répartissait les autres animaux,

217

Hanadon enfila des gants en caoutchouc et tenta d'injecter la dose de morphine dans le cou du chien sans se faire mordre. Pour finir, il se servit d'une couverture roulée pour coincer la gueule de l'animal contre la table, enfonça l'aiguille dans le cou et pressa le petit tube argenté. La morphine fit rapidement effet, tandis qu'il préparait l'intraveineuse.

Le chien avait le regard vague, pendant que Hanadon rasait une plaque de poils au niveau de l'artère du cou, la caressait avec son pouce pour la faire gonfler, avant d'y enfoncer délicatement la grande aiguille. À l'aide d'un rasoir, il ôta les poils autour de la plaie, découpa les chairs mortes et abîmées, et entreprit d'extirper les éclats d'os avec des pinces.

— Et voilà, dit-il en extrayant les grosses échardes, morceaux de la cavité articulaire détruite, c'est presque fini. Là. C'est pas si grave. Je vais t'appeler *Sensei,* lui dit-il. Vieux maître.

Autour de lui, tous les autres étaient maintenant occupés, eux aussi.

— C'est un sale enfoiré celui qui t'a tiré dessus, hein ? dit Windley à son chien.

— Himmler, dit Krause, en faisant claquer ses gants en les enfilant, observant le boxer qu'on lui avait attribué. Si on lui foutait des petites lunettes rondes de hippie, ce serait le portrait craché de Himmler.

— Je suis désolé, Sensei, murmura Hanadon à son berger allemand, le regard plongé dans l'œil gris qui palpitait.

Plus tard, il raconta à Hanson : « Il m'a regardé, tu vois, comme pour dire : "J'espère que tu es mon ami." J'ai jamais eu de chien quand j'étais gosse. Mon père disait : "Encore un souci de plus." »

Durant cinq jours et cinq nuits, ils surveillèrent les chiens en permanence, vérifiant leur tension et leur température, pendant que les plaies se drainaient. Ils dormaient à même le sol, à côté des tables, redoutant l'infection, se réveillant en sursaut, comme des parents d'enfants malades, quand les chiens geignaient dans leur sommeil.

— Nom de Dieu ! murmura Krause à 3 heures du matin la troisième nuit, tu peux pas faire taire ce putain de clébard pleurnichard, Mister Peshka ? Himmler avait réussi à s'endormir, et tu l'as réveillé.

— Il a de la fièvre. C'est pas de sa faute.

Alicia, le caniche-airedale pataud de Candelaria, faillit mourir après le dîner le lendemain soir. Candelaria resta debout toute la nuit, à veiller sur lui avec sa lampe électrique, en lui chantant une berceuse à l'oreille « *Pobrecita...* ».

Au bout de cinq jours, après avoir stabilisé l'état des chiens, ils reprirent les cours au premier étage de la caserne, retournant voir chaque heure les chiens qui se rétablissaient dans des cages grillagées individuelles.

Hanson et Hanadon confectionnèrent des lits avec des couvertures et des chutes de moquette. Peshka acheta pour son terrier, Archie, un lit en velours bleu dans une boutique pour animaux domestiques. En voyant ça, le Ranger Noonan s'exclama :

— Il avait déjà rien d'un chien. Tu vas en faire une tantouse.

Le bâtard à grandes oreilles de Ranger Noonan, baptisé Animal, dormait sur une doublure de poncho de l'armée.

— Voyager léger et se geler la nuit, nom de Dieu. T'iras pas loin en trimbalant du matériel comme ce petit lit de pédé. Animal, lui, c'est un dur.

Un dimanche, Windley amena ses enfants pour l'aider à installer, pour Ladine, un vieux matelas de berceau qu'ils avaient retrouvé dans la cave. Les enfants étaient en larmes en repartant.

— Qu'est-ce qui m'a pris ? demanda-t-il au sergent Hicks. Quelle idée d'amener ces gosses ici.

À la fin de la quatrième semaine, les chiens pouvaient se déplacer en clopinant, et ils les emmenèrent se promener en laisse. Malgré son épaule foutue, le berger allemand de Hanadon était l'animal dominant du groupe, le « chef de la meute ». Un jour, il mordit légèrement l'Airdale de Krause, et celui-ci s'écria :

— Garde ta saleté de clébard de l'autre côté des carreaux noirs. Je te le répéterai pas.

Hanadon le foudroya du regard, lui la légende vivante, tout en caressant Sensei.

— Tu m'as bien reçu, fiston ? dit Krause en s'approchant.

— Je m'occupe de *mon* chien, répondit Hanadon d'une voix tremblante. T'as qu'à faire la même chose.

— Quoi, j'ai bien entendu ?

— Allez, Krause, dit Windley, laisse tomber.

— On ne t'a pas sonné, Windley. Il est temps de faire découvrir la réalité à ces recrues.

— Sergent Krause ! lança Hicks du seuil de la salle de cours, et les choses en restèrent là.

Pendant les cours, ils écoutaient les chiens en bas, telles des mères qui guettent les bruits d'un bébé dans la pièce voisine. Dès la quatrième semaine, les chiens étaient tous hors de danger, mais la vie de tous ces gars tournait tellement autour d'eux désormais, que c'était devenu une habitude. Le mercredi après-midi avant la remise des diplômes, Ranger Noonan descendit chercher un *Merck Manual* et quand il revint dans la salle de cours, Candelaria lui lança :

— Touche pas à Alicia.

— Hein, quoi ?

— Fous-lui la paix, c'est tout.

— J'ai pas approché de ton horreur bâtarde.

Candelaria se leva.

— Je suis pas sourd, mec. Je connais mon chien. Tu t'es trop approché d'elle. Elle aime pas ça.

— La prochaine fois, peut-être que je me la taperai.

— Oui, il paraît que tu t'envoies des chiens.

— Y a rien de plus simple. Ranger Noonan n'est pas exigeant quand il veut baiser. Les chiens, les putes mexicaines...

— Les petits garçons...

— Tout. Pour un dollar de plus, une pute mexicaine se fout à quatre pattes et elle aboie quand tu...

— Repos, nom de Dieu ! dit Hicks. Encore deux jours et c'est fini. Faites plaisir à un vieux soldat.

Le dernier jour, ils enfilèrent des vêtements civils. Krause se faisait remarquer avec sa chemise hawaïenne rouge et vert, en soie, qu'il s'était fait faire sur mesure à Hong Kong au cours d'une permission de cinq jours qu'on lui avait accordée pour avoir capturé un prisonnier, lors de son dernier séjour.

Chacun d'eux fit un compte rendu sur les cours et ce qu'ils avaient appris.

— C'était votre dernière réunion, leur dit le médecin quand ils eurent terminé. Vous avez travaillé dur et mis en pratique tout ce que vous avez appris. La preuve se trouve dans la pièce voisine. Les chiens sont tous en vie, car vous les avez tirés d'affaire, messieurs. Il ne vous reste qu'une seule chose à faire, maintenant que votre patient n'a plus besoin de vous, c'est de lui dire au revoir. Vous êtes des professionnels, les soldats les plus coriaces, les mieux entraînés que possède ce pays. Nous vous laissons encore un petit moment avec eux, pour admirer une dernière fois votre réussite, et ensuite, vous pourrez repartir sans regrets.

Des appelés venus de la caserne de transit située de l'autre côté du camp tenaient les chiens en laisse, dehors devant le bâtiment. Le soldat avec des taches de rousseur qui tenait Animal fumait une cigarette, le regard perdu dans le vague, et quand Animal tira sur sa laisse, il le ramena au pied d'un geste brusque, juste au moment où Ranger Noonan sortait. Noonan lui saisit les poignets, le transperçant avec ses yeux de tueur vert-de-gris; le soldat pleura en silence, le visage enveloppé par la fumée âcre de sa cigarette coincée entre ses lèvres.

— Crache cette saloperie de cigarette, ordonna Noonan en lui lâchant les bras, et les marques blanches et rouges de ses doigts se transformèrent en hématomes sur les poignets osseux du gamin. Je déteste la fumée de cigarette, fiston, et Animal aussi. Et je vais t'expliquer une bonne chose, mon gars : si tu fumes là-bas dans la jungle, tu vas te faire descendre par les Jaunes.

Et il le repoussa brutalement.

— Bon Dieu, dit-il à Animal en défaisant un nœud sur la laisse, pas étonnant qu'on perde la guerre avec des recrues aussi minables. Hé, Hanson, comment t'as fait pour t'engager avec tous ces pauvres petits Blancs de merde qu'ils recrutent maintenant ?

Flatté, Hanson sourit.

— Si on ne combat pas les communistes là-bas, m'ont-ils dit, il faudra les affronter sur la plage à Santa Monica, répondit Hanson.

— Merde alors, dit Noonan. J'aurais pourtant cru que t'étais suffisamment intelligent pour rester à l'écart de cette armée à la con et de leur guerre débile.

— T'es pas au courant ? dit Krause. Il fait partie de ces petits enfoirés *trop sensibles* qui ont un « désir de mort » ou une connerie dans ce genre.

Il observa Hanson, sa chemise en soie taillée sur mesure

flottant au vent, des dizaines de dinosaures, des Tyrannosaurus Rex à la peau verte, avec des sourires meurtriers qui dévoilaient leurs dents, filant à travers les palmiers de Los Angeles en flammes, sous le panneau HOLLYWOOD.

— Il va finir dans un de ces foutus programmes, dit-il à Noonan. Bouquin de poésie et tout le tintouin. Putain. Et sans doute qu'il décrochera une médaille.

Noonan se mit à rire.

— Il pourrait faire de la politique ensuite. Dis, Hanson, tu vas te faire élire s'ils te filent une médaille ?

— Non, sergent Noonan. J'ai l'intention de renoncer aux biens matériels pour aider mon prochain.

Chacun emmena promener son chien, en se dispersant, loin de la grille, loin des autres, pour discuter une dernière fois avec les animaux à qui ils avaient sauvé la vie, et qui allaient maintenant retrouver la fourrière pour être gazés.

En retournant au camion, Sensei, son épaule brisée enveloppée dans un appareil orthopédique, grogna devant les manifestants, les humains venus là pour défendre les « droits » des animaux. C'est lorsque Hanadon remit Sensei au soldat que Hanson vit un regard qu'il n'oublierait jamais.

Quand tous les chiens eurent regagné leurs cages, les gars se rendirent au mess des sous-officiers pour boire une dernière tournée. Dans un mois, ils seraient tous au Vietnam, excepté Mister Peshka.

Aucun d'eux ne parla, ni ne regarda en arrière, jusqu'à ce que Mister Peshka déclare :

— Je me sens bien. Avec ce qu'on a appris, vous pourrez peut-être sauver la vie d'un camarade. D'ailleurs, combien de chiens meurent chaque jour ? Écrasés par des bagnoles. Ou de faim.

— Je les emmerde les « camarades », répliqua Candelaria. Je préférerais sauver Alicia.

Peshka hocha la tête, faisant comme s'il n'avait pas entendu l'insulte et le défi.

— En tout cas, dit-il, j'ai été heureux de servir avec vous tous. Sergent Hicks ? Il vaut mieux que je retourne à la caserne pour m'attaquer à la paperasserie.

— Et va te faire foutre ! lança Candelaria, tandis qu'il s'éloignait.

— Ce sont des chiens, dit Krause. Vous êtes pas croyables, les mecs. Des sous-off' des Forces spéciales. Chacun de vous a déjà fait un ou deux séjours là-bas. Excepté nos deux puceaux. Combien de personnes vous avez tuées ?

— Plus que toi, *cabrón*.

— Mon cul ! Je parie que tu comptes le coup des mines de Noël dernier, quand on était censés observer un cessez-le-feu... Attends un peu. Tu veux compter aussi la compagnie qui a merdé et s'est retrouvée à découvert ? Arrête de déconner. N'importe quelle gonzesse avec une mini-radio de campagne aurait pu faire la même chose. Même Mister Peshka aurait pu le faire. Avec une putain d'artillerie et des hélicos. Combien t'en as tuées avec un couteau ?

— Oui, on sait bien que t'as poignardé les deux prisonniers à Dak To, répliqua Candelaria. Quel caïd. On aurait dû t'envoyer en cour martiale.

— Des prisonniers ? dit Krause en faisant courir son pouce sur la cicatrice rouge que masquait à peine le col de sa chemise en soie à cent dollars. Ils étaient dans une saloperie de tunnel !

Il recula d'un pas, en se retournant, et le soleil arracha des reflets bleu argent au saphir en forme d'étoile de sa bague, tandis qu'il ôtait de son poignet sa Rolex en or massif pour la fourrer dans sa poche.

— Repos, messieurs, dit Hicks. Allez faire ça ailleurs. Krause, remets ta montre. Tu risques de perdre un objet qui vaut aussi cher qu'une bagnole.

— Assassins ! cria un des manifestants à la grille.

— Tortionnaires ! Tor-tion-naires !

— Je pourrais descendre tous ces enfoirés un par un, rentrer chez moi et dormir comme un bébé, déclara Ranger Noonan.

— Nazis ! Na-zis ! hurlaient les manifestants.

Krause remit sa montre en or.

— Qu'ils aillent se faire foutre, dit-il, et ils remirent en route, jusqu'à ce que Hanson s'aperçoive qu'ils avaient laissé Hanadon derrière, et que celui-ci franchissait la grille à grands pas, au milieu des manifestants, en les regardant droit dans les yeux, pivotant et se faufilant parmi eux, les mains tendues et ouvertes à la hauteur de la poitrine. Aucun des manifestants ne semblait avoir conscience du danger qu'il courait, alors que Hanadon exécutait, tel un danseur, les mouvements du tae-kwon-do, un savoir-faire dont il n'avait jamais parlé à personne.

— Qui m'a traité de tortionnaire ? Qui a dit que j'étais un tortionnaire ? C'est toi ? dit-il en décochant un coup de poing vers le visage d'un manifestant et arrêtant son geste à quelques centimètres seulement du nez. Ou toi ? dit-il en tournoyant sur lui-même, et le tranchant de sa main se figea à moins de deux centimètres de la nuque d'un autre manifestant.

Hanson voyait croître sa colère ; Hanadon s'enroulait sur lui-même et se déroulait comme un serpent, en équilibre pour décocher un coup de pied. Ses cheveux noirs et raides se dressaient en une mèche rebelle dans sa nuque.

— Jeff, dit Hanson en gardant ses distances. Jeff...

Hanadon se retourna brusquement, le bras replié, la jambe décollée du sol, prête à frapper ; il regardait Hanson comme si c'était un étranger.

— Allez, viens, Jeff. On ne va quand même pas finir en taule. Allons plutôt nous saouler. On les emmerde, ces connards.

À pas lents, il avança et prit Hanadon par les épaules, le faisant pivoter sur ses talons pour le ramener vers le portail, où un des soldat de la MP qui portait un insigne de combattant d'infanterie et un écusson du 101e régiment aéroporté, leur dit :

— La semaine dernière, ces salopards sont venus avec des drapeaux de l'armée nord-vietnamienne. (D'un mouvement de tête, il montra des taches couleur rouille sur l'asphalte.) Et avec des ballons remplis de sang.

Hanadon se faufila sous le bras de Hanson et fonça vers les manifestants, en hurlant :

— Vous ne savez pas de quoi vous parlez ! Vous n'avez pas passé la nuit assis à côté de lui. Vous ne l'avez pas vu quand il a arraché ses points de suture, ni son regard quand on arrivait le matin, comment il était content de nous voir. Et comment il avait la trouille les premiers jours, en nous regardant. Vous ne savez rien !

— C'est comme du temps des nazis en Allemagne, répliqua une fille d'une trentaine d'années avec une queue de cheval et des lunettes à la John Lennon. Eux aussi ils ont commencé de la même façon. Avec des animaux d'abord, et ensuite, ils ont fait des expériences sur les Juifs.

— Tu perds ton temps, dit Hanson en entraînant Hanadon

vers le portail. Viens. Je vais dire un mot à cette fille. Je te rejoins.

Il était encore tôt dans l'après-midi quand ils commencèrent à boire à l'annexe du mess des sous-officiers. Hicks et Windley partirent après deux bières, pour aller dîner chez Windley, et Hanson se leva à son tour pour s'en aller, en disant à Hanadon qu'il n'avait plus un sou.

— Déjà ? répondit Hanadon, étant donné qu'ils avaient été payés le matin même. J'ai plein de fric, moi, dit-il en sortant de sa poche un gros rouleau de billets.

Ils en étaient à leur quatrième ou cinquième bière quand Hanadon dit :

— Peut-être qu'ils trouveront quelqu'un pour l'adopter. Ils ont dit que ça arrivait parfois. C'est possible.

Dans le juke-box, un saxo jacassait, pour accompagner un groupe célèbre baptisé Rare Earth et qui chantait : « ... *so go get ready cause here I come...* »

Au bar, Krause ricana.

— Qui voudra d'un vieux clébard estropié ? Reviens sur terre. C'est un chien ! À Hong Kong, ils les bouffent. Viens, Ranger Noonan, on va se prendre une table. (Il regarda Hanadon et Hanson.) Si vous voulez faire partie des Forces spéciales, vous avez intérêt à être sacrément plus costauds que ça. Au niveau du mental. Moi, j'ai retapé Himmler, je l'ai veillé la nuit, je lui ai torché le cul pendant que ses blessures cicatrisaient, comme vous. Mais c'est qu'un chien. Un outil d'entraînement. Un moyen, pas une fin en soi.

Ranger Noonan acquiesça.

— Rien de plus, ajouta Krause.

« ... *get ready, get red-ee...* »

Krause et Ranger Noonan allèrent s'asseoir à une table ; ils commandèrent des petits verres de bière accompagnés de Jack Daniels.

Le journal télévisé de 18 heures avait débuté quand Krause et Ranger repoussèrent leurs chaises, se levèrent et commencèrent à échanger des coups de poing. Dans l'épaule tout d'abord ; ils ne semblaient pas être en colère.

— Ah, fit Krause, pas mal. Mais prends donc ça.

Ils échangèrent ensuite des coups dans la poitrine et dans le ventre. C'étaient des colosses ; ils chancelaient sous les coups. Walter Cronkite parlait à la télé. « ... une embuscade dans le nord de Saigon, un sanctuaire ennemi surnommé "Le Triangle de fer". Douze Américains et quarante-sept Sud-Vietnamiens ont été tués, d'après un premier bilan, et l'on estime que deux cents Viêt-congs ont trouvé la mort au cours des combats et de l'attaque aérienne qui a suivi... », mais tout le monde dans le bar n'avait d'yeux que pour Krause et Noonan, tandis que les soldats symbolisés par des bâtonnets, chacun représentant dix morts, apparaissaient sur l'écran, et la voix de Cronkite se noyait dans le rythme brutal de leurs respirations et des coups échangés.

Ils se frappaient au visage, rendant coup pour coup, tour à tour, sur un rythme moins soutenu désormais, les cheveux et les yeux éclaboussés de sang. Le nez de Ranger Noonan se brisa avec un bruit sec. Finalement, un sergent-chef du 82e régiment aéroporté intervint ;

— Vous devriez peut-être arrêter, les gars.

Krause se tourna vers lui, l'œil gonflé, à demi fermé, tandis que Candelaria se levait de son tabouret de bar.

— C'est ce que vous pensez, sergent ? Peut-être que vous...

— Allez, viens ! dit Candelaria en passant son bras autour de Krause. On va faire un tour à Fayetteville. Comme au bon vieux temps. Quand on était gamins. Si on allait au Circus Lounge, hein ? Voir si les putes sont aussi chaudes qu'autrefois. Viens toi aussi, dit-il en se tournant vers Ranger Noonan, allons-y tous les trois.

— OK, dit Krause.

En se dirigeant vers la sortie, il s'arrêta au bar pour toiser Hanson et Hanadon. Le sang coulait de son menton sur les palmiers en flammes et les dinosaures souriants, imprégnant la trame de la soie.

— Vous avez compris maintenant ? dit-il, et le sang forma une bulle dans sa narine. Ce sont que des chiens. Vous pigez ?

— Difficile d'imaginer que Krause est mort, dit Hanson à Truman. S'ils peuvent le tuer, ils peuvent tuer n'importe qui. Il est tard. Je ferais mieux d'aller dormir. Tu veux rentrer ?

Le chien ne bougea pas ; sa tête était posée sur ses pattes avant, il avait les yeux ouverts.

— À toi de décider. La nuit est belle.

226

Hanson se leva et rentra dans la maison.

— À demain, alors.

La porte à moustiquaire claqua derrière lui.

— Tu as assez d'eau ?

Un cricket trilla tout au fond de la cuisine obscure ; un autre lui répondit dans le jardin.

— Ils m'avaient donné un colley berger noir et blanc. Tu sais, les chiens qu'ils utilisent pour garder les moutons et le bétail. C'était le plus petit du lot. Je l'ai baptisé Simone, à cause des taches de poils blancs sur le poitrail et les pattes. Ça me faisait penser à un uniforme de soubrette.

Il revint sur ses pas et regarda à travers la moustiquaire.

— Allez, entre. Il fera froid demain matin, dit-il en ouvrant la porte. Entre. Je vais me faire du souci à cause de toi.

Le chien se leva et entra dans la maison en clopinant, et en agitant la queue, alors que Hanson fermait et verrouillait la porte.

— C'est des chiens vraiment intelligents. Je m'arrête toujours pour les regarder quand j'en vois dans les pâturages du coin, qui surveillent les troupeaux. En plein travail. C'est comme s'ils avaient un boulot à faire et qu'ils voulaient faire plaisir à leur maître.

Il secoua la couverture du chien à côté du poêle à bois froid, et alla jusqu'à l'évier avec son bol pour le remplir d'eau fraîche.

— Je t'ai parlé du dernier jour, quand j'ai dû empêcher Hanadon de tuer deux manifestants ? La hippie avec le t-shirt Peace and Love était là. Après avoir ramené Hanadon de l'autre côté de la grille, je suis allé voir la fille et je lui ai filé cent trente-deux dollars — tout ce que j'avais — et je lui ai parlé de Simone. Je voulais qu'elle essaye de la faire sortir de ce camion, en payant.

Il déposa le bol près du poêle et caressa l'épaule du chien.

— Mais je ne l'ai jamais revue. J'ignore ce qu'elle est devenue. Je ne savais pas quoi faire d'autre, dit-il en se relevant. On essaye toujours de faire ce qui est bien.

Le chien avait dressé les oreilles ; il suivait la voix de Hanson qui s'éloignait dans le salon.

— Tu choisis les personnes à qui tu fais confiance, et ensuite, tu leur *fais* confiance. Ce qu'ils te demandent de faire peut te sembler mal, mais peut-être que non.

Il disparut dans le couloir et gravit l'escalier grinçant ; sa voix sonnant le creux contre les planches des murs.

— C'est parfois dur ce qu'on te demande de faire, pour éviter qu'un truc *pire* encore se produise. Tu ne peux pas... et merde. Comment savoir ? Bonne nuit, vieux. À demain.

Dans le quartier des clochards, Dakota ouvre la porte du 212. Dans une autre chambre, plus loin dans le couloir, Champ chantonne, en s'arrêtant au milieu des phrases, entre les mots, avant de reprendre.

« I dont... wanttoset the world... on... fire... »

Parfois, il s'interrompt pendant cinq minutes — dix minutes — et celui qui l'écoute peut penser qu'il s'est endormi, qu'il a oublié les paroles, ou s'est laissé submerger par les souvenirs. Mais quand il reprend, car il reprend toujours, le timing est parfait. Parfois, on a presque l'impression qu'il ne s'est même pas arrêté.

« *I just wanttostart... a flame in your... heart, and... I don't...* »

Dakota oriente le citron en plastique dans la bonne position, il ôte sa chemise et allume les bougies disposées sur le sol. Il s'allonge sur le lit et regarde Gunther et les félins exécuter leur numéro dans l'ombre, en écoutant claquer le fouet, mais ça ne le calme pas.

Il va jusqu'au bureau, ouvre le tiroir fermé à clé où il range la bouteille de vodka Popov non ouverte et le paquet de lettres bleues. Elles ont toutes été ouvertes, avec un couteau, à l'exception de celle du dessus. Elle vient d'arriver. Il la prend, sort le cutter de sa poche, repose l'enveloppe et ferme le tiroir à clé.

De retour sur son lit, il fait apparaître la lame du cutter, il enfonce le coin de la lame de rasoir dans son épaule et descend jusqu'au sternum, en tremblant, tandis qu'il s'ouvre la peau. Le sang se dilue dans la sueur de son torse.

Dakota exhibe ses dents pourries — on dirait un sourire — et ferme les yeux.

14

DAKOTA plie et déplie le document informatisé par lequel le ministère de la Santé publique et de l'Aide sociale, lui rappelle son rendez-vous au service de santé mentale. Il le replie et le glisse dans la poche de sa chemise noire.

Le scanner de la police installé sur le bureau derrière lui s'arrête sur la voix de Hanson : *passer au bureau des objets en instance et les inspecteurs...*, avant de continuer à balayer les fréquences radio de la police. Dakota se penche vers le citron en plastique, un petit flacon que l'on presse, posé sur le couvercle en carton d'une boîte de fromage frais, par terre. Quatre noyaux de pêche sont disposés autour du couvercle, à midi, trois, six et neuf heures. Il braque le bec verseur du citron sur la porte, le temps de faire effectuer un tour complet au couvercle. Il déplace d'un cran les noyaux de pêche dans le sens des aiguilles d'une montre, jette un dernier regard à Gunther et à ses félins, caresse Gunther et ferme les yeux, puis il sort de la chambre et cadenasse la porte.

Au bout du couloir, le gérant chinois quitte sa cage grillagée. Tout le couloir est tapissé de moquette, ternie par des décennies de crasse, les motifs effacés depuis longtemps.

— Excusez pardon.

Il bloque le passage dans le couloir.

— Excusez pardon, dit-il à Dakota.

Et il montre la pancarte écrite à la main sur un morceau de carton gris constellé de chiures de mouches, le genre de carton que les blanchisseurs glissent dans les chemises amidonnées. Dessus, on peut lire : LE LOYER DOIT AITRE PAYÉ LE MERECREDI.

229

Un carton identique est accroché juste à côté sur le grillage, avec du fil de fer : RAIGLEMENT DE LA MAISON.

— Vous payez loyer maintenant.

— Plus tard.

— Maintenant payer.

Speeding Bull claque la porte en sortant des toilettes au fond du couloir, la braguette ouverte. Il s'arrête et regarde Dakota pendant quelques instants, en essayant d'ajuster sa vision.

— Les saumons attendent dans l'eau verte et profonde, dit-il, et il s'éloigne vers l'escalier en titubant.

Le Chinois pose la main sur le bras de Dakota, avec ses ongles jaunes de deux centimètres de long, épais et tordus.

— Vous payez loyer maintenant.

Dakota repousse sa main ridée d'un geste brutal.

— Tantouse ! s'écrie-t-il en regardant son bras comme si on l'avait brûlé. Sale tantouse bridée ! Va te branler avec tes magazines de tantouses !

— Où qu'elles sont toutes ces tantouses, mon chou ? Moi, je suis preneuse.

C'est un vieux travelo noir, ou peut-être un transsexuel : ses lèvres épaisses sont peintes en rouge sombre et sa perruque miteuse laisse apparaître par endroits des plaques de tissu chauves et lustrées, comme le pelage d'un vieil animal malade. Ses seins modestes sont rembourrés et pressés l'un contre l'autre dans le décolleté ; les deux bosses dépassent d'un bustier en caoutchouc noir.

— T'es un costaud, toi, dit-elle à Dakota. Et rasé avec ça ! Dis, tu te rases autre chose, à part cette grosse tête !

Un homme d'une cinquantaine d'années, le visage empourpré et transpirant, sort de la chambre la plus proche, en bouclant sa ceinture de pantalon. Il est torse nu, sa poitrine maigre couverte de tatouages rudimentaires faits en prison.

— Reviens dans la chambre, Roxanne, dit-il.

— Ah, j'hésite, répond-elle en faisant glisser ses grosses mains de mécanicien sur ses hanches.

— Allez, viens, ma belle.

— Je crois que j'ai peut-être trouvé un nouvel amoureux, dit-elle en tendant le bras vers Dakota, mais elle recule aussitôt lorsqu'il plonge la main dans sa poche.

— Oh, excuse-moi, dit-elle. C'est *toi* qui parles de

tantouses, et franchement, t'as tout à fait le look avec ta tenue de Macadam cow-boy. D'ailleurs, ajoute-t-elle en introduisant un index dans son décolleté, j'ai bien vu que tu matais.

Dakota la regarde faire, hypnotisé. Elle ressort son doigt pour l'enfoncer dans sa bouche, sans le quitter des yeux, puis sa main redescend pour le plaquer sur son entrecuisse.

— Je peux t'offrir quinze centimètres de magie noire, mon chou. Le visage en feu, muet, Dakota pivote sur ses talons et s'en va.

— Le loyer payer Merecredi ! lui lance le Chinois en désignant le panneau.

Dakota doit presque traverser la rue pour éviter le rassemblement politique devant le Federal Building ; des hommes et des femmes brandissant des pancartes « Les anciens du Vietnam contre la guerre ». Sur les marches en marbre du bâtiment, un type en treillis délavé, ses cheveux tombant sur les épaules retenus par un bandana, parle dans un micro qui couine : « ... gobé toutes ces conneries à la John Wayne, et je me sentais heureux quand je rechargeais mon M-60 pour descendre d'autres bridés qui continuaient à attaquer, par vagues humaines. Voilà ce qu'ils étaient pour moi, des "bridés". Je les avais déshumanisés. C'était justement le but recherché... »

Dakota s'arrête, puis repart, au milieu de la foule qui a envahi le trottoir, et il se retrouve finalement bloqué par un ancien combattant dans un fauteuil roulant, coiffé d'un chapeau de brousse couvert d'insignes et de badges.

« Ces médailles qu'ils m'ont filées... », braille l'orateur, tandis que Dakota, le souffle haletant, essaie de passer en poussant le fauteuil.

— Hé, du calme, mon gars ! dit l'ancien combattant.

Dakota se raidit ; il regarde les deux moignons de jambes, et se penche vers lui pour lui glisser :

— Tu ne me fais pas pitié. On n'a pas gagné parce qu'on n'avait pas assez de volonté.

Un peu plus loin, sans ralentir, sans se retourner, il essuie la lame du cutter sur la feuille de rendez-vous et fourre le tout dans sa poche de pantalon.

Arrivé au carrefour, il jette un coup d'œil par-dessus son épaule, puis il tourne au coin de la rue.

231

« Alors, j'ai écrit ce poème, pour tous mes potes. » L'orateur continue, en lisant son carnet : « Mon premier mort officiel, les bras en croix... », sans remarquer les gens rassemblés autour du fauteuil roulant renversé sur la chaussée, jusqu'à ce qu'une femme découvre du sang sur ses mains et pousse un hurlement.

Hanson descendit les marches en béton conduisant au bureau des objets en instance, au sous-sol du commissariat central. Le rideau de fer était baissé sur le comptoir ; on y avait scotché un mot écrit à la main : « Parti déjeuner — De retour à 17 h 30. »

Les tubes de sang dans sa main gauche étaient chauds, deux tubes de verre transparents avec des bouchons rouges en caoutchouc, étiquetés et maintenus ensemble par des élastiques. Le sang avait la couleur des cerises noires ; le nom de LaVonne Berry et le numéro de l'affaire étaient notés sur les étiquettes, au feutre noir.

On avait découvert LaVonne dans le coffre de son Eldorado, un peu avant midi. Il avait reçu quatre balles dans la poitrine et trois autres dans la nuque, du .9 mm. D'après le légiste, *une seule* de ces balles aurait sans doute suffi à le tuer. Dana et Hanson retournaient dans le centre quand l'inspecteur Farmer leur avait demandé de bien vouloir passer au bureau du légiste pour prendre le sang.

Hanson présenta les tubes à la lumière. Il les secoua. De minuscules bulles d'air se décollèrent autour des bouchons.

— Eh bien, LaVonne, dit Hanson en regardant les bulles remonter lentement vers les bouchons, tu aurais mieux fait de nous écouter et de te mettre à table l'autre jour, dans Union Avenue. Adieu la fac et une nouvelle carrière.

Il tourna la tête en entendant un bruit de talons hauts qui approchaient dans le couloir et adressa un sourire à la jeune femme. Elle lut le mot scotché sur le rideau de fer et consulta sa montre, en ignorant Hanson. Elle était mignonne, mais trop maigre, presque décharnée. Sans doute une de ces anorexiques, se dit Hanson, gênée de se retrouver dans ce sous-sol en béton, seule avec un flic. Il désigna la pendule sur le mur en béton vert.

— Encore deux minutes et il sera en retard. Ensuite, on aura le droit de s'énerver, pas vrai ? dit-il avec un sourire. (Il tapa du poing sur le comptoir.) On pourra gueuler et taper sur le comptoir.

Elle lui sourit poliment et détourna la tête.

Le rideau se leva dans un fracas de chaînes, et l'employé les regarda, les deux mains appuyées sur le comptoir, à la manière d'un barman. Hanson désigna la jeune femme, et l'employé prit la carte postale qui l'autorisait à venir rechercher un objet. Il s'enfonça dans un labyrinthe d'étagères, semblables à des rayonnages de bibliothèque, avec cette différence que sur ces étagères s'entassaient des armes à feu et des couteaux, des radios et des battes de base-ball, des pièces détachées de voiture et des parcmètres, des grille-pain, des panneaux routiers et des boîtes à outils. Hanson se tourna vers la jeune femme.

— Cambriolage ? demanda-t-il.

— Non.

L'employé empilait des caisses et déplaçait des meubles quelque part dans le fond. Il paraissait en colère.

— En fait, dit-elle, c'était un viol.

Hanson hocha la tête.

— Je suis désolé.

Elle s'empressa d'enchaîner, comme si, maintenant qu'elle avait commencé, elle devait achever sa litanie.

— Mais ça fait longtemps maintenant. Ça s'est passé le 16 mars, et j'ai fini par faire face. J'ai été obligée d'assumer pour continuer à vivre.

Hanson se demanda si un psy ne lui avait pas expliqué qu'il était bon d'en parler.

— J'ai presque surmonté l'épreuve, je crois. Je venais d'emménager avec une nouvelle colocataire dans Quimby Street. Un quartier sympa, vraiment. J'aimais bien cette maison. Il y avait une véranda vitrée et un jardin. En fait, on a été cambriolées, en effet. Mais ça, c'était avant. Ils pensent que le type a certainement emporté une clé. Il est revenu trois nuits plus tard.

C'est à ce moment-là que Hanson se fit peur, en avançant pour lui prendre la main, ou peut-être même la tenir par les épaules, pensa-t-il plus tard. Mais il parvint à effectuer un demi-tour maladroit vers le comptoir, manquant de s'emmêler les pinceaux, et se dressa sur la pointe des pieds, comme s'il essayait d'apercevoir l'employé au fond des rayonnages.

— Il a dû se perdre quelque part, dit-il. Dans la section des télés volées.

Elle devait le prendre pour un fou. Encore un violeur.

L'homme revint avec un sac en papier brun, portant la mention 16 MARS écrite en grosses lettres au feutre noir, et en dessous le numéro de l'affaire. Conservé depuis dans le congélateur, le paquet dégageait de la vapeur, comme de la fumée, dans l'air humide. C'étaient les vêtements qu'elle portait le jour où on l'avait violée.

— Ils l'ont retrouvé ? demanda Hanson.

— Non. (Elle regarda le sac, le secoua deux ou trois fois.) Et voilà, je crois que c'est la dernière étape.

Elle sourit à Hanson.

— Au revoir, dit-elle.

Elle se retourna et s'éloigna dans le couloir.

Là-bas dehors, dans l'obscurité, tout n'était que chance et malheur, se dit Hanson. La police ne pouvait pas protéger tout le monde.

Après avoir fait enregistrer les tubes de sang, il remonta au rez-de-chaussée. Arrivé devant la porte, il hésita un instant avant de sortir.

La femme avait disparu. Il faisait chaud dehors ; ça puait les embouteillages de fin d'après-midi. Un peu plus loin dans la rue, devant le Federal Building, les gyrophares d'une ambulance et d'un camion de pompiers se noyaient dans la lumière aveuglante. Des arbustes chétifs plantés le long du bâtiment cuisaient dans le soleil qui se reflétait sur les fenêtres. Ils étaient presque morts. Hanson plissa les yeux pour voir passer les voitures. Il regarda le reçu que lui avait remis l'employé.

La blonde parfaite, en justaucorps vert, sa boisson glacée à la main, lui souriait du haut du panneau publicitaire planté de l'autre côté de la rue, alors qu'il retournait à l'intérieur du commissariat à la recherche de toilettes où se laver les mains.

Fox l'observa de derrière une fenêtre du deuxième étage, dans le bureau de la brigade des Stups et des Mœurs, avant de reporter son attention sur son ordinateur, faisant défiler des noms et des chiffres sur l'écran. Il avait passé toute la matinée là, à interroger l'ordinateur. Il paraissait vieux, malade de fatigue, les yeux rougis, avec une barbe de deux jours.

Peetey, lui, regardait les Polaroïds de prostituées qui recouvraient presque tout le mur du fond, en actionnant une poignée de musculation dont le ressort grinçait chaque fois qu'il serrait le poing.

Fox regarda de nouveau par la fenêtre, en direction du trottoir désert où se trouvait précédemment Hanson. Il le regarda longuement, comme s'il avait oublié où il était, pendant que le curseur clignotait sur l'écran de l'ordinateur.

— Mon père est mort il y a deux semaines, annonça-t-il.

Les grincements cessèrent.

— À l'hôpital des Anciens combattants, là-haut à Tacoma, ajouta Fox.

— Merde, désolé, vieux, dit Peetey.

— Pourquoi désolé ? répondit Fox. Je ne le suis pas, moi. Cela faisait bien cinq ou six ans que je lui avais pas parlé. Il se faisait appeler *Révérend* Fox, tu savais ça ?

— Non. En fait, tu ne m'as jamais...

— Il bossait chez « Monk Equipement Auto » quand j'étais gamin, jusqu'à ce qu'il devienne croyant. Il a reçu l' « Appel » et il a commandé par correspondance une sorte de diplôme de théologie, puis il a rejoint une petite paroisse à Tenino, et il a réussi à prendre la direction du truc en magouillant. Quand il le fallait, il savait être beau parleur... Il y a quelque chose chez Hanson qui me fait penser à lui, dit-il en continuant à regarder par la fenêtre. Il s'est fait piquer avec la main dans la caisse, après avoir détourné le fric de l'église pendant des années. Pour se payer à boire ; je me souviens de son odeur : l'après-rasage Old Spice pour masquer l'odeur de l'alcool. Il avalait des stimulants qu'il achetait au relais routier pour se remettre d'aplomb. Il écoutait ces putains de disques de Frank Sinatra, et ensuite, il disait qu'il avait « des trucs à régler à l'église ». Des putes chanteuses de cantiques. Fumer, c'était un péché, boire aussi, mais on avait le droit d'écarter les cuisses pour le *Révérend* Fox...

Il ferma les yeux et se renversa dans son fauteuil. Peetey referma le poing sur son petit appareil de musculation, faisant gonfler son avant-bras. Finalement, il relâcha pression et se dirigea vers la porte.

— Il rentrait bourré à la maison, après la mort de ma mère, reprit Fox. Il m'obligeait à m'agenouiller et à prier avec lui. Après l'avoir trompée pendant toutes ces années. Je vais te dire un truc : même si je me mettais à genoux, en fait, je n'éprouvais que de la haine envers lui, et c'était comme une sorte de prière pour moi. La nuit, je sortais en douce et je le suivais en ville, j'ouvrais son courrier à la vapeur, je fouillais dans les tiroirs de son bureau. J'ai écris à *Popular Mechanics* pour commander des plans qui montraient comment installer une seconde ligne de téléphone, pour pouvoir écouter ses conversations.

— Un détective en herbe, dit Peetey en riant.

— C'est pas drôle, répondit Fox. Je te raconte ce qui s'est passé. J'en ai jamais parlé à personne. Et tu trouves ça drôle ?

— Je voulais pas te vexer, mec.

— J'étais au lycée quand j'ai découvert son second livret bancaire, et je l'ai envoyé à un des diacres. Ils se sont contentés de le virer. Tu appelles ça de la justice, toi ?

— Tu as raison. Mais tu ferais bien de rentrer chez toi pour dormir un peu. Tu as une tête de poivrot...

— Quoi ? demanda Fox en se redressant sur son siège et en se tournant vers Peetey.

L'après-midi touchait à sa fin lorsque Hanson et Dana quittèrent le bureau des inspecteurs ; c'était l'heure de la journée que Hanson détestait, quand il avait le soleil dans les yeux. Ils passèrent devant un groupe de Hare Krishnas en bordure d'un petit parc, tandis qu'ils descendaient la rue pour rejoindre leur voiture.

Les Krishnas dansaient en cercle, leurs tuniques jaune safran tournoyaient autour de leurs chevilles, les petites cymbales accrochées à leurs doigts tintaient comme des éperons. Ils se balançaient d'avant en arrière, le regard vague, la tête basculant d'une épaule à l'autre, et ils psalmodiaient : « Hare Krishna, Hare Krishna, Krishna, Krishna, Hare Rama. » Le rythme s'accélérait.

— Tu as déjà vu un Noir Hare Krishna ? demanda Dana.

— Non, jamais.

— Un bon point pour les Noirs, dit Dana.

Les danseurs entraient et sortaient du cercle en sautillant, leurs cymbales bourdonnaient comme un essaim de saute-relles métalliques. Un des danseurs loupa un demi-temps en les apercevant, puis il ferma les yeux et s'éloigna en conti-nuant à danser.

— Vise un peu le type de l'autre côté du cercle. Le mec tout pâle. Là ! Celui qui vient de faire un demi-tour.

Le soleil faisait briller son crâne rasé, ses boucles d'oreilles dorées, et le trait de peinture blanche qui descendait de son front jusqu'à l'arête de son nez.

— Tous ces connards se ressemblent pour moi, dit Dana.

Hanson éclata de rire.

— Tiens, le revoilà... Regarde !

— Ira Foresman.

— En personne ! Ira Foreskin est devenu croyant.

Tandis qu'ils traversaient la rue, Hanson brandit deux cita-tions pour infraction au code de la route.

— Le légiste m'a dit que LaVonne s'était fait buter de bonne heure ce matin, alors je lui ai collé deux PV : « Excès de vitesse » et « Refus de priorité ». Une pour toi et une pour moi, dit-il en lui tendant une des citations.

— Ah, voilà qui est très raciste.

Hanson rit de nouveau.

— Extrêmement. Et ça fera bien auprès du lieutenant.

Ils devaient encore rédiger un rapport de dépôt et un rapport complémentaire au sujet des échantillons de sang, pour main-tenir la chaîne des pièces à conviction, mais ils pourraient les finir durant leur pause repas.

Il était plus de 18 heures, et les voitures étaient garées des deux côtés dans les rues étroites du centre. Ils passèrent devant des groupes de poivrots qui cachaient consciencieusement leurs bouteilles sous leur chemise, ou dans leur dos en voyant la voiture de police. La journée avait été chaude, ils avaient cuit au soleil, assis ou couchés sur le bitume brûlant et les devantures en brique des magasins. Champ, qui prétendait avoir été jadis un grand boxeur, les salua d'un hochement de tête et Hanson lui répondit d'un geste de la main.

— Hé, Champ ! lança-t-il. Envoie-les au tapis, donne-leur une bonne leçon !

Hanson avait fait sa connaissance du temps où il travaillait dans le quartier des clochards, quand il était jeune recrue.

Là-bas, les flics étaient leurs amis, ils les protégeaient des agresseurs, ils les emmenaient aux urgences quand ils avaient des attaques, quand ils trébuchaient et tombaient sur le trottoir ou dans une vitrine, quand ils recevaient un coup de couteau au cours d'une bagarre d'ivrognes, à cause d'une bouteille de vin.

Hanson gardait toujours dans son coffre une paire de gants en cuir, uniquement pour tenir les poivrots qui empestaient l'urine, les maladies et un mois de transpiration, qui souvent chiaient dans leur froc quand ils perdaient connaissance. La crasse incrustait leur peau ; ils avaient des furoncles sur le visage et les bras.

De nombreux flics étaient de gros buveurs, et c'était peut-être pour cette raison que la plupart se montraient si patients avec les poivrots. Même s'ils les insultaient et les secouaient parfois en les conduisant à l'arrière de la voiture, marchant derrière eux en les tenant par les manches ou les épaules de leur chemise, à bout de bras, sous les regards méprisants des passants chics qui faisaient du shopping dans la « Vieille ville ». Les flics n'étaient pas tendres avec les poivrots, mais généralement, ils étaient patients. Ils se reconnaissaient en eux. Encore quelques années à parcourir les rues, où tout n'était que désespoir et où les choses finissaient rarement bien, encore trop de nuits au club de la police, jusqu'à la fermeture, pour rentrer ivre ensuite, sans se souvenir du trajet en voiture, ni des quatre dernières heures passées au club, et ils seraient peut-être à la place de ce poivrot.

Hanson n'avait jamais entendu un seul flic le dire, mais il savait qu'ils le pensaient, car *lui* le pensait. Il se comportait avec les poivrots comme il se comporterait avec son père ivre. Hanson se voyait dans la peau des poivrots qui titubaient sur le trottoir, sous le soleil violent de l'après-midi, de la bave séchée sur le menton, rendus à moitié aveugles par le Thunderbird ou le Night Train[1].

Il ne se voyait jamais sous les traits d'un de ces jeunes cadres ou avocats qui avaient réussi dans la vie, et qui devaient parfois enjamber un ivrogne évanoui pour aller retrouver une jolie femme, mince et élégante, dans un bar huppé où ils parleraient d'injustice raciale et de droits de l'homme en sirotant des cocktails.

1. Mauvais vin additionné d'alcool pur. *(N.d.T.)*

238

Les poivrots déambulaient dans les rues tels des fantômes de l'avenir en bredouillant des secrets connus d'eux seuls et des flics.

Hanson tourna dans la 4ᵉ rue, une vieille rue pavée, bordée de restaurants chics et de grands immeubles de bureaux. La voiture de patrouille cahota sur les pavés ; la radio de bord réglée sur la fréquence du centre ville rivalisait avec le portable de Dana qui captait les appels de North Precinct.

Une Volvo flambant neuve, bleu marine, était garée en double file dans la rue étroite, un peu plus loin, les feux de détresse allumés.

— Évidemment, dit Hanson, alors qu'ils roulaient vers la Volvo. Tu veux stationner en double file ? Facile, tu allumes tes feux de détresse. C'est fait pour ça ! Quand ils sont allumés, tu as le droit de faire tout ce que tu veux.

Un autocollant rouge et blanc collé sur la Volvo proclamait : CONTESTEZ L'AUTORITÉ !

— Oh, oh, fit Hanson en désignant l'autocollant sur le pare-chocs. Je comprends tout ! C'est un libéral ! Il veut tester les limites de ses putains de droits civiques.

Dana répondit en riant.

— J'en connais un qui n'aime pas les libéraux.

— Non, pas du tout, répondit Hanson. Je me réjouis qu'il y ait des gens qui contestent l'autorité.

Il donna un coup de volant pour éviter la voiture et la dépasser au ralenti.

Le conducteur de la Volvo avait une barbe bien taillée et portait un veste en tweed. Il fumait la pipe et lisait un journal étalé sur le volant. Hanson s'arrêta à la hauteur de la Volvo.

— Il n'est pas inquiet, dit Hanson en regardant fixement le conducteur. Si les flics n'étaient pas là, il ne tiendrait pas un jour avant qu'ils foutent le feu à sa baraque et qu'ils le baisent à mort.

— Qui ça, « ils » ? demanda Dana, en observant le conducteur lui aussi.

— Tu le sais bien. Les LaVonne Berry, les Sylvester Hills et les Willy Thompson. Des dingues comme ce type qui roule en vieille bagnole de flic.

Le conducteur de la Volvo tourna une page de son journal.

— Appelle-moi... Dakota, dit Dana.

— Ira Foreskin.

— Ira est devenu croyant, dit Dana.

— Et LaVonne est mort.

Surpris par leurs rires, le conducteur de la Volvo leva brusquement la tête. Mais il se ressaisit rapidement et leur jeta un regard sévère, qu'il accompagna d'une expression de mépris hautain, avant de replonger le nez dans son journal.

— Parfait, dit Hanson en repartant. Une barbe, une pipe et une Volvo. Tu as vu comment il nous a regardés ? Tu as vu ça ?

Dana rit de nouveau, et Hanson essaya de ne pas sourire.

— « Contestez l'autorité », dit-il en ricanant. Comme si on était une bande de nazis et que les petits minables dans son genre étaient là pour nous surveiller. Faisons le tour du bloc, dit-il en tournant à droite. Si ce type est toujours là quand on revient, il est bon pour un PV. Il mérite un PV.

— Absolument, dit Dana.

Hanson tourna encore une fois à droite. La voix du dispatcher dans le portable de Dana envoya la voiture Cinq Quatre-vingts à une adresse située dans Fremont Street, pour une histoire de fugue.

— Sherry North, dit Dana.

— Une fugueuse ? dit Hanson. Elle fait des passes dans le secteur de East Precinct depuis un an.

— Sa mère doit encore essayer de la récupérer pour toucher le fric des allocs.

— Tu sais, dit Hanson, tous les types que j'ai connus qui fumaient la pipe ne valaient pas un clou. Même en essayant d'être objectif, je n'en trouve pas un seul. C'est vrai quoi, qu'est-ce que tu fais avec une pipe si jamais il faut agir rapidement. Du genre : « Hé, vite, courons après ce gars ! » Que fait le type avec sa pipe ? Il répond : « Euh, oui. D'accord. J'arrive tout de suite. le temps de tapoter ma pipe et... euh... où vais-je la mettre ? »

Ils reprirent la 4ᵉ rue.

— « J'aimerais bien vous filer un coup de main, imita Hanson, mais faut que je m'occupe de ma pipe. » Franchement, le type qui fume la pipe traverse la vie avec un sérieux handicap.

La Volvo était toujours garée en double file.

— À ton avis, il fait quoi ce mec dans la vie ? demanda Hanson. Je parie que c'est une sorte de psychologue. Ou un psychiatre. « Hmmm, fit-il en caressant une barbe imaginaire, il y a certainement eu un traumatisme au départ. Quels sentiments éprouvez-vous ? »

Il s'arrêta derrière la Volvo et mit la voiture au point mort. Le conducteur barbu lisait son journal, en les ignorant.

Hanson alluma les gyrophares qui se reflétèrent dans les vitres des immeubles de bureau. Cette fois, le barbu leva les yeux de son journal pour regarder dans le rétroviseur.

— Salut, crétin, dit Hanson.

Il prit son carnet de contraventions et descendit de voiture. Dana descendit lui aussi et vint se placer à la hauteur du pare-chocs arrière, les yeux fixés sur la nuque du conducteur. Ils suivaient toujours la procédure quand ils arrêtaient une voiture, en supposant que les personnes se trouvant à l'intérieur étaient peut-être armées.

— Bonsoir, monsieur, dit Hanson au conducteur, puis-je voir votre permis de conduire, je vous prie ?

— Quel est le problème, officier ?

— Eh bien, répondit Hanson en regardant d'abord à droite, puis à gauche, et en levant les deux mains devant lui comme s'il décrivait un petit poisson, le problème c'est que vous êtes garé en double file dans une rue étroite. Un *petit* problème, certes, mais un problème *quand même*. Pourrais-je voir votre permis, je vous prie ?

— Officier, j'attends ma femme et ma fille. Je ne pensais pas que ce serait si long, mais de toute évidence, dit-il en sortant son bras par la vitre, je ne provoque aucun gros problème de circulation.

— Papa !

La fille et la femme du conducteur venaient de sortir de l'immeuble. La fille avait une douzaine d'années ; elle portait un appareil dentaire. Gênée de découvrir que son père avait affaire à la police, elle parcourut la rue des yeux pour voir si personne ne les regardait. La mère, portrait de sa fille en plus âgée, plus coriace, vint se placer devant elle. Elles étaient minces toutes les deux, vêtues de noir toutes les deux.

— Monte dans la voiture, ordonna-t-elle.

La fillette s'installa à l'arrière, en regardant Dana et Hanson comme s'ils risquaient de lui tirer dessus. La femme monta à côté de son mari.

Hanson leur adressa un sourire.

241

— Bonjour. Alors, monsieur, dit-il en reportant son attention sur le conducteur barbu, votre permis ?

La femme foudroya Hanson du regard, sa bouche était pincée, et elle ne baissa pas les yeux, pour bien monter son refus de se laisser intimider, avant de tourner finalement la tête. Elle s'adressa à son mari, puis regarda droit devant elle, le menton en avant. Le mari se tourna vers Hanson, rempli d'une détermination nouvelle.

— Officiers, dit-il. Ma femme et ma fille sont arrivées. Comme je vous le disais, j'étais juste venu les chercher, comme je le fais souvent. Sans gêner personne. À vrai dire, votre voiture est la seule que j'ai vu passer depuis deux ou trois minutes que je stationne ici. Vous pouvez certainement...

— Je veux voir votre permis de conduire, dit Hanson.

— Tu n'es pas obligé de lui montrer quoi que ce soit, dit sa femme.

— Descendez de voiture, je vous prie, ordonna Hanson, et on sentait qu'il ne plaisantait plus.

Le conducteur se raidit, comme s'il avait touché le mauvais fil électrique, tout en essayant de ne pas le montrer.

— Descendez, répéta Hanson. Immédiatement. J'en ai marre de discuter. Allez !

Le barbu ouvrit la portière et descendit de voiture, comme un somnambule.

— Tout ceci est ridicule, déclara sa femme.

— Papa ! s'écria sa fille sur le siège arrière. Papa !

— Voulez-vous faire le tour de la voiture, je vous prie ? dit Hanson.

Les jambes de l'homme tremblaient. Dana s'approcha de lui de l'autre côté. Les deux flics agissaient avec lui comme ils le feraient avec n'importe quel individu qu'ils avaient l'intention d'arrêter. La fillette pleurait à l'arrière de la Volvo, et la femme était ressortie sur le trottoir, un carnet dans une main, un stylo dans l'autre. Penchée légèrement en avant, au-dessus de la voiture, elle essayait d'apercevoir l'insigne de Hanson.

— Matricule quatre huit sept, lui lança Hanson. Je m'appelle Hanson. Eh bien, monsieur, dit-il au barbu, puis-je voir votre permis, je vous prie ?

Sur le trottoir, la femme jeta un coup d'œil à sa montre, et elle ajouta quelque chose dans son carnet.

— Vous devriez noter mon matricule aussi, dit Dana en montrant son insigne.

— C'est *lui* que je veux, répondit-elle.

— Monsieur, dit Hanson, voulez-vous me montrer votre permis de conduire, ou bien préférez-vous aller en prison ?

— Vous ne parlez pas sérieusement.

— Détrompez-vous. Généralement, je suis plutôt un gars rigolo, mais je sais être sérieux. Dirigez-vous vers notre véhicule, je vous prie.

Arrivé devant la voiture de patrouille, l'homme tapota ses poches de veste, sortit un stylo bille, et le laissa tomber près du pneu arrière. Il se baissa, en tâtonnant pour le ramasser. Hanson avait les yeux fixés sur lui quand il se releva.

— Vous avez besoin d'améliorer votre technique, dit-il.

— Hein ? De quoi parlez-vous ? répondit l'homme en essayant de sourire, et un petit muscle tressaillit à la commissure de ses lèvres.

Hanson secoua la tête, se tourna vers la femme et vers la fillette aux dents cerclées de fer.

— C'est votre jour de chance. Montrez-moi ce permis.

— Il n'est pas obligé ! lança la femme sur le trottoir.

— Ferme-la ! lui dit son mari. Ferme-la et remonte en voiture.

Elle croisa les bras sur la poitrine et le fusilla du regard.

— Monte dans cette putain de bagnole !

L'homme sortit son portefeuille et tendit son permis de conduire à Hanson. Sa main tremblait.

— Merci, dit Hanson. Allez donc m'attendre dans votre voiture. Je vous rejoins tout de suite.

Hanson effectua un simple contrôle de routine avec le permis de conduire et entreprit de rédiger une citation pour stationnement en double file.

— Sale petit connard de libéral, grommela-t-il. « Contestez l'autorité », nom de Dieu ! Ils ne savent même pas ce qu'est l'autorité. Cet enfoiré vit dans une sorte de monde irréel. L'autorité, c'est ce qui te botte le cul quand tu enfreins les règles.

Le contrôle du permis de conduire ne fit apparaître aucune infraction. Hanson retourna vers la Volvo avec le PV.

— Voici un PV pour stationnement en double file, annonça-t-il au conducteur.

La femme regardait droit devant elle à travers le pare-brise, et la fillette était assise à l'autre bout de la banquette, blottie contre la portière.

L'homme prit la contravention sans regarder Hanson.

— Merci, dit ce dernier, et voici votre permis de conduire.

— Je peux partir maintenant ? demanda le barbu, toujours sans regarder Hanson.

— Oui, monsieur.

— Merci, officier.

— Bonsoir, mesdames, dit Hanson.

Tandis qu'ils repartaient, Hanson alla récupérer le sachet de marijuana derrière le pneu arrière, là où le type l'avait balancé ; il y en avait pour dix dollars environ. Il le renvoya sous la voiture d'un coup de pied, plia la contravention dans son carnet, et se rassit à côté de Dana.

Celui-ci éclata de rire.

— Je suis content de voir qu'on fait du bon boulot de policier.

— Exact, répondit Hanson, en essayant de ne pas rire. Parfaitement exact, ajouta-t-il en agitant le carnet de contraventions. Celui qui enfreint la loi va en prison.

Après avoir quitté le club, Hanson se gara en face de la maison de Falcone. Il n'y avait qu'une seule lumière allumée, à l'arrière, et il se demanda si elle était chez elle. Finalement, il s'endormit en regardant le batik qu'elle utilisait comme rideau, et lorsqu'il se réveilla, toute la maison était plongée dans l'obscurité.

Il était à mi-chemin de chez lui quand il pensa à allumer la radio, à temps pour entendre la fin de *Stand by Me*.

« ... quand la nuit viendra », dit M. Jones en reprenant les paroles de la chanson, « ... je n'aurai pas peur ». Il éclata de rire. « Je sais de quoi il parle, ce type. Faut jamais laisser tomber vos frères et sœurs. C'est le seul moyen pour qu'on tienne tous jusqu'au lever du jour. »

15

C'ÉTAIT UNE ÉLÉGANTE DEMEURE de style victorien, bâtie au XIXᵉ siècle, comme deux des autres maisons dans la rue bordée d'arbres. Dix ans plus tôt, elles avaient failli être démolies, mais Dana et sa femme, Helen, s'étaient endettés pour racheter les deux restantes et les réaménager peu à peu. Quelques jeunes membres de professions libérales ayant déserté la Côte Est avaient décidé qu'ils aimaient ce quartier, et aujourd'hui, ces maisons de ville valaient une petite fortune. Dana avait revendu les deux autres à un avocat et à un psychiatre.

Dana n'était pas obligé de travailler. Helen et lui possédaient des biens immobiliers dans toute la ville. Dana travaillait parce qu'il aimait le métier de flic, après presque quinze ans. Il expliquait à Helen que ce boulot était un bon moyen de garder le contact avec la ville et de repérer les maisons à vendre, et il minimisait les dangers de la rue.

Hanson aimait bien cette maison, les murs de vieilles briques, autrefois recouverts de plâtre, les poutres solides et éraflées, les vitraux restaurés. Helen vint l'accueillir à la porte, très élégante avec son pantalon de satin gris et son chemisier noir. Ses cheveux noirs étaient coupés court et elle portait de grosses créoles aux oreilles. En plus de gérer toutes leurs affaires immobilières, elle était professeur auxiliaire dans une université privée située dans les collines, à l'est de la ville, un établissement riche, réputé pour les opinions libérales de ses enseignants et de ses étudiants, où elle assurait un séminaire sur « l'économie radicale ».

— Agent Hanson, dit-elle, comme c'est gentil de quitter votre grande maison rustique pour nous rendre visite.

Hanson sourit.

— Merci. Hélas, je n'ai pas eu le temps de tuer un animal pour mon dîner. Alors, quoi de neuf à l'école des Cocos ? Tu dois en avoir marre d'entendre tous ces gauchistes pleurnichards dans tes cours. Franchement, Helen, tu n'es pas écœurée par tant d'injustice ?

Elle sourit à son tour et lui tapota la joue.

— J'adore ton style macho demeuré.

— C'est vrai, avoua Hanson. Je ne suis pas très intelligent, mais j'aime m'habiller en uniforme et cogner sur les minorités. Comment c'était, sur la côte ?

— Je suis ravie de ce qu'on a trouvé. Monte donc filer un coup de main à Dana, dit-elle en le congédiant d'un petit geste. Il est encore en train de bricoler la lucarne.

— À vos ordres, madame, répondit Hanson en la saluant.

L'escalier avait été réalisé à la main, assemblé avec des chevilles en bois et non des clous, et le grand miroir accroché au premier étage reflétait un vase rempli d'œillets orange.

Vêtu d'un bleu de travail et perché sur un escabeau, Dana essayait de tordre un patin en aluminium avec une paire de pinces. Une odeur de sciure flottait dans le couloir.

— Qu'est-ce que tu fabriques ? demanda Hanson.

— C'est de la merde, ce truc, répondit Dana, qui glissa la paire de pinces dans sa poche arrière et descendit de l'escabeau. Ça va fuir, j'en suis sûr. Ça ne me gênerait pas de payer plus cher pour avoir de l'aluminium gros calibre, mais ils n'en font plus. Cette saloperie, dit-il avec un mouvement de tête, c'est le genre de camelote qu'on trouve dans un mobile home.

Il leva les yeux vers la lucarne.

— Heureusement, il ne pleuvra pas cette nuit. Allons boire une bière. Je m'en occuperai demain. Ça donne quoi chez toi quand il pleut ? demanda Dana, tandis qu'ils redescendaient.

— C'est étanche, répondit Hanson par-dessus son épaule. La baraque subit les intempéries depuis quatre-vingts ans. J'ai l'impression que les chevrons et les poutres se sont accouplés. Comme si on les avait greffés. Je parie qu'ils ont même fait des racines, et un de ces jours, le toit va s'ouvrir comme une fleur.

246

Dana sourit dans le dos de Hanson.

— Dis, tu as vu ton pote Doc dernièrement ?

— Non, pas depuis un moment.

— Je sais que c'est un vieux copain à toi, dit Dana, et ça me regarde pas, mais...

— Je sais, dit Hanson. Tu as raison.

Helen était dans la cuisine, occupée à trancher des tomates pour la salade. Le chat siamois, Jean-Paul, se frottait contre ses jambes. Elle l'avait ramené de Paris où elle était allée assister à un séminaire. Il avait fallu un nombre « ahurissant » de documents pour lui faire franchir la douane.

— Comment va le chat français ? demanda Hanson.

— Très bien, merci.

— C'est là où Helen est la plus heureuse, dit Dana en sortant deux bières du réfrigérateur. Dans sa cuisine. En train de préparer une salade.

— Hmm, fit Helen. Alors, tu as réparé la lucarne ?

— J'aurais *pu* la réparer, mais j'ai été obligé de m'arrêter pour m'occuper de notre invité.

— Quel hôte formidable !

Dana lui envoya un baiser.

— Viens avec moi, fiston, dit-il à Hanson. Je me suis offert un nouveau fusil pour chasser l'élan, une affaire ! Tu devrais y réfléchir, tu sais, ajouta-t-il en sortant de la cuisine. Tu devrais investir un peu de fric dans l'immobilier. Pour le faire travailler à ta place. Il faut penser à l'avenir.

— J'aime savoir où est mon fric, répondit Hanson. Je regarde dans mon livret bancaire, et je sais combien j'ai. Si je pouvais, j'aimerais planquer des pièces d'or sous mon matelas.

— Oui, l'or c'est bien, dit Dana en sortant le fusil du placard de l'entrée, mais il ne faut pas y mettre *tout* ton argent. Ruger numéro un, dit-il en tendant le fusil compact à Hanson, équipé 300 Winchester Magnum. Ça peut tuer n'importe quoi en Amérique du Nord. Lunette grand angulaire à inclinaison variable.

Hanson leva l'arme à hauteur d'épaule, l'abaissa, puis la coinça de nouveau en position de tir ; la crosse en érable, polie à la main, était douce contre sa joue, le canon bleu sentait le solvant Hoppes Numéro 9. Il actionna le levier de culasse et le lourd cylindre s'ouvrit en coulissant, comme la gorge d'une énorme serrure.

— Magnifique, commenta Hanson. Un seul coup, mais on n'a toujours droit qu'à un seul coup.

Le fusil à la main, il traversa le living-room haut de plafond pour s'approcher de la fenêtre ; il coinça l'arme contre son épaule et actionna la culasse, chromée et légèrement huilée, l'huile formant comme une légère pellicule de sueur. Hanson la referma lentement, jusqu'à ce qu'elle produise un petit *clic*.

— Le sexe à l'état pur, dit-il.

Il pointa le canon vers l'extérieur, balayant la rue à travers le viseur de la lunette. L'objectif capta la lumière du crépuscule, soulignant avec un léger relief les arbres et les voitures qui passaient. Hanson suivit une Chevrolet, jusqu'au bout de la rue, le viseur chatouillant la tête silhouettée du conducteur, puis il choisit une Cadillac qui venait en sens inverse. À travers le pare-brise de la grosse voiture, il visait la gorge de l'homme au volant, un type obèse en chemise bleue, dont les lunettes reflétaient la lumière nacrée. Quand la voiture fut passée, Hanson braqua rapidement le canon du fusil sur le trottoir.

— Oh, oh, fit-il. Regardez-moi ça.

Il tourna la bague de réglage de la lunette pour faire le point sur un petit cocker qui venait d'apparaître sous les feuilles d'un arbre, là-bas au bout de la rue, suivi d'un homme en costume trois-pièces qui tenait le chiot en laisse.

— Un type qui promène son chien, et il a un attaché-case. Un jeune cadre. Peut-être... un avocat ! dit-il en faisant remonter le viseur du gilet jusqu'au visage. Dans la lumière déclinante, les yeux et la bouche de l'homme n'étaient que des ombres.

Dana regarda par la fenêtre.

— C'est notre voisin.

— Oui, un avocat, dit Hanson. Un militant libéral de la Côte Est. Oui, oui. Un individu réellement préoccupé par l'injustice. (Il fit glisser le viseur sur le chiot qui trottinait.) Le clébard d'abord, dit-il en appuyant sur la détente.

Le fusil tira à vide. *Clac*.

Il arma le fusil de nouveau.

— Oh, non ! Que s'est-il passé ? Mon toutou a explosé ! Comment peut-on être assez cruel pour tuer un petit chien ?

Tout en parlant, il suivait l'homme en costume trois-pièces.

— 300 Magnum, dit-il, ravi. Sacrée bastos, hein ? Du 220, c'est ça ?

— 240, dit Dana.

— Encore mieux. Et super rapide, environ 1 000 m par seconde, pour un canon de 24 pouces C'est bien ça ?

— Oui, presque, répondit Dana en riant.

— Eh oui, monsieur, dit Hanson en pointant le viseur sur le cœur de l'homme, juste sous le reflet d'un stylo glissé dans sa poche de poitrine. Je vais le faire se redresser, tu vas voir, dit-il en pressant la détente, il va marcher sur la pointe des pieds. Il aura plus d'allure.

Il relâcha la détente. *Clac.*

— Parfait, dit-il en se tournant vers Dana, avec un sourire. Tu connais cette sensation : à l'instant où on presse la détente, on sait qu'on a visé juste.

Se retournant, il découvrit Helen qui les observait du seuil de la cuisine.

— Je plaisantais, madame, dit-il en se mettant au garde-à-vous et en exécutant quelques mouvements avec le fusil. Présenteeeez... armes ! Porteeeez... armes à droite !... Repos !

Il jeta un coup d'œil par la fenêtre et aperçut une femme blonde vêtue d'un ensemble rouge, tout au bout de la rue. Il appuya le fusil sur son bras gauche pour regarder à travers la lunette, et l'image mouvante de la rue lui donna le tournis, alors qu'il cherchait à repérer la femme. Les voitures avaient commencé à allumer leurs phares et ceux-ci brillaient comme des lunes dans l'objectif qui continuait de remonter la rue, dépassant soudain la femme en rouge, et revenant en arrière, jusqu'à ce que Hanson l'ait coincée dans le viseur.

Sourire aux lèvres, il la suivit dans la rue, tandis qu'elle marchait vers la maison. Ce n'était pas tout à fait une minijupe qu'elle portait, mais presque, et Hanson regardait bouger les muscles de ses mollets et de ses cuisses. La façon dont ses hauts talons la faisaient se déhancher lui conférait une apparence sexy et vulnérable. Sous le bras, elle tenait une sorte de classeur.

Hanson régla la mise au point de la lunette, remontant le long des jambes, dépassant la taille, s'attardant un moment sur les seins, pour finalement atteindre le visage. Ses cheveux n'étaient pas blonds, mais roux. Ses yeux paraissaient immenses dans le viseur, et l'espace d'un instant, il crut qu'elle le regardait.

— On dirait qu'elle vient par ici, commenta Hanson, en abaissant le fusil.

Helen vint se placer derrière lui.

— C'est Sara, dit-elle. Une de mes étudiantes. Elle vient me déposer un devoir.

— OK d'ac', dit Hanson, tandis que la jeune femme gravissait les marches du perron.

Et soudain, il rendit le fusil à Dana.

— Tiens. Ne lui dites pas que je suis flic, OK ? J'en ai marre de jouer le flic tout le temps. J'ai envie d'être un libéral pour une fois. Un type sympa. Quelqu'un qui cherche le *bien* dans chaque chose.

— Ne nous emballons pas, dit Helen. Elle vient juste pour déposer un devoir. D'ailleurs, ce n'est pas ton genre.

— Ça veut dire quoi « pas ton genre » ?

— Elle est normale.

Dana éclata de rire, pendant que Helen allait ouvrir la porte.

— Bonsoir, dit la jeune femme, un peu essoufflée. Je suis en retard, comme toujours. Je prends l'avion de bonne heure demain matin, et je n'ai pas encore fait ma valise. Oh, j'adore cette maison, ajouta-t-elle en regardant autour d'elle.

Tout chez elle donnait une impression de pâleur : les taches de rousseur sur ses bras, son rouge à lèvres effacé et écaillé sur ses lèvres épaisses, son fard à paupières qui avait coulé et ses cheveux blonds vénitien. À travers sa peau, Hanson devina les artères et les veines de ses poignets, comme des hématomes, lorsqu'elle tendit le classeur à Helen.

— Bonsoir, Dana, dit-elle. Alors, vous travaillez toujours pour l'armée d'occupation ?

— Eh oui, toujours.

— Pour le moment, ajouta Helen.

— Salut, dit Hanson.

— Un ami, dit Helen. Je t'inviterais volontiers à boire un verre, mais je sais que tu es pressée.

Sara regarda Hanson.

— J'ai le temps de boire un verre de vin, répondit-elle. D'ailleurs, ça me fera peut-être du bien de souffler une minute.

— Va donc ranger ce fusil, Dana, dit Hanson. Ça me rend nerveux.

— Tout de suite, vieux. J'oubliais combien tu étais impressionné par les armes à feu.

Hanson sourit à Sara et secoua la tête.

— Dana, mister Macho.

— Allons dans la cuisine, dit Helen.

Sara sourit à Hanson en passant devant lui ; ses boucles d'oreilles en or mat, des serpents qui se mordaient la queue, se balancèrent lorsqu'elle tourna la tête. Elle avait l'odeur de la paille au soleil. Quand leurs regards se croisèrent, il crut un instant qu'il allait tomber par terre. Avec ses talons hauts, elle était plus grande que lui. Tous les deux détournèrent la tête en même temps, gênés.

— On devrait aller voir si les femmes ont besoin d'aide en cuisine, dit-il. Je boirais volontiers un petit verre de vin rouge, ajouta-t-il, ignorant la bière qu'il avait laissée transpirer sur la cheminée.

Sara caressait le chat.

— Oh, Jean-Paul, dit-elle en voyant le siamois faire le gros dos, quelle élégance !

— Ah, le chat venu de France, dit Hanson.

Helen le regarda, il lui sourit.

— J'aime bien les chats. Mais je me méfie de tout ce qui vient de France. C'est ce que je me disais l'autre jour. Vous connaissez cette première chanson « cochonne » qu'on apprend quand on est gosses ? « Il y a un endroit en France, où les femmes ne portent pas de culottes. Et les hommes se promènent avec le zizi à l'air. » Je me suis dit que ça résumait bien les choses. On n'a pas besoin d'en savoir plus sur la France.

Hanson se sentit rougir pendant qu'il souriait ; il se trouvait idiot d'avoir chanté cette chanson. Il laissa Helen lui servir un verre de vin, avec lequel il salua Sara.

— Je me suis planté à l'examen de français.

— Désolée, dit Helen. J'aurais dû vous présenter l'un à l'autre, mais je pensais que tu ne pouvais pas rester, Sara.

Celle-ci consulta sa montre, et but d'un trait la moitié de son verre de vin.

— Il faut que j'y aille.

— Vous partez où ? demanda Hanson, qui aurait bien voulu goûter le vin sur ses lèvres.

— Je vais passer quelque temps chez mes parents à Cape

Cod, et ensuite, je vais voir mon petit ami à Baltimore. Il fait son droit à l'université Johns Hopkins.

— Oh, fit Hanson. Un avocat. Parfait. Excellent. On a bien besoin de nouveaux avocats. On en manque.

— Vous n'aimez pas les avocats ?

— Je plaisante, répondit Hanson. Je travaille avec eux tout le temps. (Il porta la main à son front.) Mais ne faites pas attention à moi. Je crois que j'ai de la fièvre ou je ne sais quoi.

— Helen, dit la jeune femme, il faut que je parte. Merci pour le verre de vin. Ravie de vous avoir vu, Dana.

Elle posa son verre, marcha vers Hanson et le regarda droit dans les yeux. Elle appuya sa main fraîche sur son front.

— Non. Je ne pense pas que vous ayez de la fièvre.

Hanson lui sourit.

— Bon voyage.

Ils dînèrent derrière la maison, dans le patio clos fermé par un mur de briques. Dana fit cuire des steaks au barbecue. C'était une nuit chaude et claire. En se renversant dans son fauteuil, Hanson apercevait les étoiles. Les étoiles lui rappelaient toujours le Vietnam. Les nuits d'embuscade, quand il contemplait les étoiles, parfaites et indifférentes à l'heure de la mort, bien à l'abri tout là-haut.

— North Precinct organise encore une chasse aux chiens cette année ? demanda Helen.

— Oui, répondit Hanson en finissant une autre bière. C'est même déjà commencé.

— Je ne comprends pas comment ils peuvent autoriser ça.

— Ces chiens sont un problème..., expliqua Dana.

— Vous n'y participez pas, tous les deux ?

— Pas pour l'instant, dit Dana.

— J'aimerais tellement que tu démissionnes dès demain. Il n'y a aucune raison d'attendre le 1ᵉʳ janvier prochain. C'est idiot. Avec les revenus de cette propriété sur la côte...

— J'ai dit « peut-être », répondit Dana.

— Bon, je vais me chercher une autre bière, dit Hanson en se levant. Quelqu'un veut quelque chose à la cuisine ? OK, je reviens.

— Il y a des chiens méchants en liberté, expliqua Dana, tandis que Hanson pénétrait dans la cuisine pour prendre une Oly dans le réfrigérateur et boire une gorgée de bourbon, directement à la bouteille posée sur le comptoir. Le chat l'observait, perché sur le réfrigérateur.

— À la tienne, Jean-Paul, lui dit Hanson. Ça baigne ? Peut-être qu'on pourrait t'emmener avec nous un jour faire une virée. Tu joueras avec les chiens de la nuit.

Le chat le toisait d'un air autoritaire.

Hanson lui fit son Regard. Le chat résista quelques instants, puis dressa brusquement la tête comme s'il avait entendu un bruit lointain, et détourna les yeux.

Hanson sourit et but une deuxième gorgée de bourbon. Il se lava les mains dans l'évier de la cuisine, puis ressortit, après un dernier arrêt pour boire encore une gorgée de bourbon.

— J'en ai jamais tué un seul, déclara-t-il en regardant le ciel. J'admire leurs capacités de survie, mais le mois dernier, le Cinq Quatre-vingts a eu deux attaques, un vieux et un gosse. Ils ont dû subir un tas de piqûres contre la rage. D'un autre côté, dit-il en regardant la paume de sa main gauche. (Il savait qu'il commençait à être ivre, mais Dana était là, la situation ne risquait pas de dégénérer.) D'un autre côté... il y a toujours un autre côté. Trois ou quatre côtés. On peut pas reprocher à ces clébards de devenir dingues ou d'attraper la rage, ou même de se bouffer entre eux. Pas vrai ? Parfois, j'ai l'impression que, vu à quoi on sert, on pourrait aussi bien sortir nos matraques et se frapper *nous-mêmes* sur la tête. Comme ce type que Fox a embarqué l'autre nuit. À cause de sa connerie. C'est à cause de ça qu'ils finissent tous en taule. Ils regardent la télé toute la journée, ils picolent et ils sortent piquer un truc. Et ils vont en tôle. En tôle, ils regardent la télé. Ils sortent et ils recommencent. J'arrive même plus à me foutre en rogne après eux. C'est comme ce cambrioleur, Quentin Barr. Je pourrais le descendre, mais je peux rien lui reprocher. Je pourrais m'approcher de lui et lui tirer une balle dans sa putain de tête, ça me ferait ni chaud ni froid. Je devrais pas dire ça, mais c'est la vérité. On lui rend service et on rend service au monde. On efface une erreur. On règle tous ses problèmes.

Helen adressa un regard à Dana, et Hanson s'en aperçut, mais il s'en foutait.

— Ces enfoirés de libéraux répètent sans cesse : « Tout se passera bien, si on est *gentils. Moi,* je ne suis pas raciste, et si tout le monde était comme moi, bon sang, tout se passerait bien. Je ne remarque jamais si une personne est blanche ou noire. Ce sont les *méchants* qui créent tous les problèmes. Il suffit d'*éduquer* les gens ; ils deviendront honnêtes et tout se passera bien. » En fait, ils n'ont même jamais parlé à un Noir. Je veux dire, parler réellement avec lui. Ils en ont peur, et ils sont terrorisés à l'idée que le *mal* est là quelque part, et même dans leurs petits cœurs de dégonflés. J'aime ce boulot. L'adrénaline. J'aime quand un abruti décide de riposter. Ah, putain, oui. Je le cogne plusieurs fois contre le capot de la voiture, je lui fauche les jambes, je l'aplatis sur le trottoir et je lui mets les menottes. Genre : « Merci bien. J'en avais besoin. » Une chance que je sois flic, sinon, je serais certainement en prison.

— Estime-toi donc heureux, dit Dana. Tu as trouvé ta place dans la vie.

— J'ai trouvé ma *communauté,* dit Hanson. L'Avenue. Là-bas, ils me détestent, mais peu importe, c'est mon boulot à l'intérieur de la communauté. Être détesté. Je sais à quoi m'en tenir. *Détestez-moi,* bande d'enculés !

— Souffle un peu, lui dit Helen. Tu vas t'user le cerveau.

— Ouais, dit Hanson en passant sa main sur son visage. Ça y est. C'est passé. Lobes frontaux calmes. Bon, faut que j'y aille. « *Out in the country* », chantonna-t-il.

— Tu ne veux pas plutôt passer la nuit ici ? proposa Dana. Tu es trop saoul pour conduire.

— Faut que je rentre. Le chien va se demander où je suis passé.

Il était arrivé à l'autre bout de la ville, presque à l'autoroute, lorsqu'il céda, et il prit la direction de chez Falcone. Elle était en congé aujourd'hui, et il se dit qu'il pourrait peut-être passer la voir un petit moment pour bavarder. Mais il n'y avait aucune lumière dans la maison. Il fit deux fois le tour du bloc, avant de se garer au bout de la rue, conscient de se comporter comme un connard de petit ami jaloux. Il observa la maison, en repensant à Falcone l'autre soir, se disant qu'il aurait peut-être dû accepter sa proposition d'un « petit coup vite fait ». Maintenant, elle le prenait sans doute pour une mauviette ou même un pédé. Et puis merde. Si c'était ce qu'elle pensait, tant pis. Mieux valait l'oublier, et ne pas se compliquer la vie.

Il s'apprêtait à repartir quand une Corvette rouge s'arrêta devant chez elle ; les phares s'éteignirent. Ne voulant pas passer devant eux, il attendit. Le conducteur, un type bien bâti, vêtu d'un pantalon kaki et d'une chemise chic, alla ouvrir la portière à Falcone, et tous les deux entrèrent dans la maison.

Problème réglé, se dit Hanson, sans regarder la maison, tandis qu'il repartait. Il était bien plus de minuit, et à la radio, M. Jones parlait : « ... quelqu'un avait peint sur un mur "Le cercle n'est pas rond", mais c'est faux. La Bible nous explique qu'il est rond. Les Sioux disent : "Même les saisons forment un grand cercle en se succédant, elles reviennent toujours à l'endroit où elles étaient." C'est un éternel recommencement... »

Dakota a ouvert le nouveau test des Chevaliers de la Bible de Colomb, après l'avoir gardé sur lui pendant plusieurs jours.

1. *Quel autre mot désigne la tristesse ?*

Après avoir répondu « pénitence » sous la question n° 1, Dakota ouvre une bouteille de deux litres de Pepsi chaud, et la mousse jaillit du goulot, se répandant sur le bureau et la feuille bleue du test. Il se lève d'un bond, en secouant la feuille de test ; il regarde partout autour de lui dans la chambre, et finalement, il sort son pan de chemise pour éponger les dégâts.

2. *Regrettons-nous nos péchés si nous ne sommes pas décidés à ne plus pécher ?*

— ... pas décidés... à ne plus..., marmonne-t-il, pendant que le Pepsi sèche sous la lampe de bureau, auréole brune et fripée, comme une tache de naissance... pas décidés...

Une porte claque dans le couloir, et il entend la tantouse noire, le travesti, juste là dans le couloir.

— Il me faut du *fric,* mon chou.

— Ma pension d'invalidité aurait dû arriver...

— Tu devrais pas y avoir droit.

— Où tu vas ? Il est tard.

— J'habite chez un très bon ami.

— Et si je veux te revoir ?

— Demande à n'importe qui au Gymnase Van. Tout le monde connaît Roxanne là-bas, dit-elle, et Dakota entend claquer ses hauts talons dans le couloir, tandis qu'elle se dirige vers l'escalier.

3. *Qu'est-ce que l'espoir ?*

Dakota s'approche de la fenêtre. Roxanne est à l'arrêt de bus, sous le lampadaire, vêtue d'un bustier en plastique brillant. Dakota regarde les muscles de son dos lorsqu'elle allume une cigarette.

Roxanne semble nerveuse. Elle jette des coups d'œil à droite et à gauche dans la rue obscure. Elle regarde sa montre. Elle porte sa cigarette à ses lèvres, puis se retourne et lève les yeux vers Dakota à la fenêtre.

— Si tu me regardes comme ça, c'est que le spectacle te plaît, lui lance-t-elle. Je suis sûre qu'on sait *toi et moi* ce qui te faudrait.

Voyant apparaître le bus au coin de la rue, elle laisse tomber sa cigarette, et l'écrase sous sa chaussure à talon haut lorsque le bus s'arrête à sa hauteur, sans quitter Dakota des yeux.

— Appelle-moi un de ces jours, dit-elle.

La porte du bus s'ouvre dans un chuintement, et elle monte à bord.

Dakota regarde le bus s'éloigner, puis il retourne s'asseoir au bureau.

2. *Regrettons-nous nos péchés si nous ne sommes pas disposé à ne plus pécher ?*

Il écrit ROXANNE sur la feuille des réponses, souligne le mot, puis il froisse la feuille du test et ouvre le tiroir inférieur du bureau qui n'est pas fermé à clé. Il sort la bouteille de vodka et il l'ouvre, brisant la bague.

Fox était assis devant l'ordinateur, plongé à nouveau dans les dossiers du ministère de la Défense. Il n'avait eu aucun mal à accéder aux dossiers de Millon, mais il semblait n'y avoir aucun lien entre lui et Hanson.

16

C'ÉTAIT TRANQUILLE, pour un vendredi soir. Après la vague habituelle de plaintes pour cambriolages en fin d'après-midi et une fausse alerte dans une banque, la radio se tut, et Hanson finissait de rédiger le dernier de ses rapports, concernant un cambriolage typique. En rentrant du travail, le couple avait découvert la violation de leur domicile.

Il remplissait de la paperasse pour la compagnie d'assurances, mais cela faisait partie du schéma économique général, dont la plupart des gens n'avaient pas conscience, songeait Hanson en recopiant le numéro de série d'un téléviseur volé qu'on ne retrouverait jamais.

Les cambrioleurs vendaient la marchandise à des receleurs qui la revendaient ensuite, directement dans le coffre de leur voiture, à des gens qui n'avaient pas les moyens d'acheter dans les magasins. Avec l'argent du receleur, les cambrioleurs achetaient leur dose d'héroïne, et les dealers d'héroïne dépensaient leur argent en achetant des voitures, des vêtements, des bijoux et des téléviseurs. Une partie de la marchandise achetée par les dealers était volée elle aussi, mais ils en achetaient une grosse partie dans les magasins du coin qui se réjouissaient. Et ensuite, les gens qui avaient les moyens de s'assurer payaient des primes plus élevées pour financer tout le cycle. Hanson regarda une maison ravagée par le feu, les fenêtres condamnées par des planches de contreplaqué.

Mais la plupart des habitants du district 5-62 n'avaient pas les moyens de payer une assurance. Ils perdaient le peu qu'ils possédaient, purement et simplement. À cause de *salopards,*

257

pensa-t-il en signant le rapport, avant de ranger son stylo dans sa poche de chemise.

Le silence de la radio était presque agaçant, comme une nuit sans musique. Il aimait le rythme ininterrompu de la radio, il aimait suivre les interpellations et les appels des districts voisins. Il tapota les photos d'identité judiciaire dans sa poche de poitrine, les plus actuelles, celles des individus recherchés pour un crime récent. Parfois, il avait le sentiment que ces clichés étaient des sortes d'amulettes, comme si elles lui donnaient une emprise sur ces gens

Dana tourna brusquement vers le sud, vers la limite du district, avant de bifurquer vers l'est. Une pute debout au coin de la rue regarda passer la voiture de patrouille, les mains sur les hanches.

— Allons dire bonjour à Rita, dit Hanson, et Dana se gara le long du trottoir.

La pute portait une minijupe en vinyle orange, assortie à son rouge à lèvres.

— Alors, Rita ! lui lança Hanson. Qu'est-ce qui se passe ?

Elle le foudroya du regard en faisant claquer les talons de ses bottes arc-en-ciel lacées jusqu'au genou.

— Il se passe *rien,* Hanson. (Elle jeta un coup d'œil à droite, puis à gauche.) Et il se passera *rien,* ajouta-t-elle avec des flics dans le coin. Vous voyez c' que je veux dire ? Vous voulez quoi ?

— On se sent seuls.

— Tout le monde est seul, répondit-elle en regardant sa montre.

— Bon, à plus tard, dit Hanson, tandis que Dana redémarrait.

— *Beaucoup* plus tard.

Dana ne put s'empêcher de rire.

— Quel tombeur tu fais. Comme à la télé. Même les putes sont amoureuses de toi. Tu l'as littéralement ensorcelée.

— Elle essaye de dissimuler ses véritables sentiments pour moi. C'était juste une comédie pour que tu ne doutes de rien. « Rita, Oh, Riiita, chanta-t-il. Come fly with me to Brazil ! »

Ils roulèrent dans les ruelles, le bourdonnement de la radio en sourdine, tous feux éteints, aux aguets, l'oreille dressée. Mais ils n'entendaient que le crissement et le craquement des pneus sur le gravier et le verre brisé.

— Allons faire un tour au Texas Playhouse, proposa Hanson. Je m'endors.

— Excellente suggestion, dit Dana. Ça fait longtemps qu'on n'y a pas mis les pieds.

Ils jaillirent de la ruelle, effrayant un junkie qui était appuyé contre un mur. Il commença à courir, par réflexe, puis sembla s'apercevoir tout à coup qu'il ne faisait rien d'illégal.

— Hé, qu'est-ce qui vous prend ? demanda-t-il, tremblant de peur. Foncer comme ça sur les gens avec une bagnole de flic !

— On rôde, répondit Hanson. On te surveille. Pourquoi tu es si nerveux ?

— Vous êtes pas obligés de foutre la trouille aux gens. Et d'abord, j'suis pas nerveux, dit-il en se frottant les bras.

— On ne dort jamais, déclara Hanson, alors que Dana s'engageait dans la rue et accélérait ; un souffle d'air s'engouffra par les vitres baissées.

À deux pâtés de maisons de là, derrière eux, une vieille voiture de police toute cabossée, dont on avait recouvert l'insigne avec de la peinture noire mate, traversa furtivement le carrefour, comme un mauvais présage, en laissant un sillage de fumée.

Ils se garèrent à un bloc de l'établissement, au coin de la rue. Quand Dana décrocha le micro de la radio, Hanson dit :

— Laissons tomber la radio. Je me dis qu'on pourrait peut-être faire ça tout seuls. Ce sera plus marrant, tu ne crois pas ?

Dana lui sourit, raccrocha le micro, et ils remontèrent la rue jonchée de détritus.

— Tu ne penses pas sérieusement à prendre ta retraite anticipée, hein ? demanda Hanson, en ajustant son holster et en refermant un des « crans de sûreté » cloutés qui le fixaient à la large et lourde ceinture en cuir glissée dans les passants de son pantalon en laine.

— J'ai promis à Helen d'arrêter au 1er janvier. On gagne plus de fric qu'on ne peut en dépenser.

En tournant au coin de la rue, ils entendirent la musique. Deux habitués se tenaient à l'entrée du Chicken Hut, buvant du vin au goulot dans des sachets en papier qu'ils déposèrent discrètement sur le trottoir déformé lorsque les deux flics passèrent devant eux. Derrière la vitre graisseuse à damier noir et jaune se déroulait une partie de cartes. La ruelle située derrière le Chicken Hut était un des endroits où l'on pouvait acheter des manteaux en cuir et des téléviseurs, directement dans des coffres de voiture.

— Messieurs, dit Hanson en passant, avec un salut de la main.

— Bonsoir, officiers, répondit un des deux hommes, tandis que l'autre les saluait d'un hochement de tête.

— Ce soir, on va en boîte, dit Hanson.

— J'parie qu'ils seront ravis d'vous voir, dit l'homme.

Hanson se retourna et ils échangèrent un sourire. Le type avait joué à ce petit jeu toute sa vie.

Ils poussèrent une des lourdes portes à double battant et entrèrent. Trois volées de marches en bois conduisaient à la piste de danse au troisième étage. L'escalier sentait l'alcool, la marijuana, la transpiration et le parfum. La musique les bombardait sauvagement de là-haut : AIN'T NO JIVIN', NO CONNIVING, OUH-OUH, WE MOVIN'NOW !

C'était un immense escalier, coupé par deux grands paliers. Les larges marches en bois étaient creusées au centre, usées par des décennies de bottes, de chaussures et d'escarpins à talons hauts. Hanson se demanda combien de personnes étaient tombées, accidentellement ou non, dans l'escalier du Texas Playhouse depuis tout ce temps. Combien étaient mortes la nuque brisée ou le crâne ouvert, combien s'étaient vidées de leur sang en attendant des secours. Les marches tachées et éraflées, brûlées et fendues, s'élevaient et s'ouvraient devant eux, jusqu'à la double porte blindée.

Hanson transpirait un peu, à cause de la chaleur et de la montée. Il rit et esquissa quelques petits pas de danse.

— C'est nous que v'là, les gars, dit-il en tapotant les photos dans sa poche. J'ai vos photos, tout près du cœur.

Dana et lui sortirent leurs matraques en les tenant à l'envers dans la main droite, de manière à les plaquer sous leur avant-bras, comme de pesantes badines.

Ils ouvrirent la double porte au sommet de l'escalier et pénétrèrent dans le bruit et la musique, seuls Blancs dans cette salle caverneuse. Sur la scène surélevée, quatre chanteurs en sueur portant d'amples chemises blanches en soie et des pantalons écarlates ; ils transpiraient et dansaient comme une troupe de music-hall, soutenus par des guitares, un clavier, une batterie et trois trompettes étincelantes.

La musique frappa Hanson comme un souffle d'air et il sourit, le regard mauvais désormais. Il aimait cette musique, bande sonore de leur traversée de la piste de danse.

Les personnes les plus proches de la porte les foudroyèrent du regard, puis détournèrent la tête, en lâchant des jurons. La nouvelle de leur présence ondula à la surface de la foule. Un des trompettistes fit une fausse note. Le bruit de la foule sembla refluer, comme si tout le monde retenait son souffle en même temps, avant de déferler à nouveau, tandis que les deux flics s'avançaient au milieu des danseurs. C'étaient eux le pôle d'intérêt, pas le groupe, même si la musique semblait plus forte soudain. C'était comme se trouver sur scène, pensa Hanson, en adressant des sourires aux regards furieux qui l'entouraient; les mots « poulets » et « enculés » fusaient derrière la musique. Quelqu'un situé en bordure de la foule s'écria « Sales enfoirés de blancs », et Hanson laissa éclater un grand rire, rempli d'excitation.

La piste de danse empestait le sexe et la haine; Hanson sentait la musique sur son visage et sa poitrine, semblable à un vent chaud. Quand il écoutait ce genre de musique dopante, il n'avait pas envie de danser, il avait envie que le monde entier se lève et se batte. Il avait envie de botter des fesses.

Les gens s'écartaient devant eux, lentement, l'air renfrogné, tandis qu'ils traversaient la piste, en bousculant des épaules et des bras crispés. Deux jeunes types de dix-neuf ans, musclés, firent semblant de ne pas voir Hanson et demeurèrent plantés devant lui.

— Excusez-moi, dit Hanson.

« *Look out child. Look out child. Get down* », chantait le groupe, et les trompettes assuraient le rythme, vif et limpide.

— Excusez-moi, répéta-t-il en tapotant sur l'épaule de l'un des deux jeunes types avec l'index de la main gauche.

Le gamin baissa les yeux sur le doigt de Hanson posé sur son épaule.

— Excusez-moi, dit Hanson, je suppose que vous ne m'avez pas entendu à cause de la musique. Vous permettez que je passe, les gars ?

Il sourit, ses yeux dansaient, tandis que, sur la scène, les trois trompettistes se pavanaient, emportant la chanson vers le chorus suivant.

261

Le gamin se tourna vers Hanson, soutint son regard, puis fit un pas sur le côté, avec ostentation. Son camarade l'imita.

Hanson leur adressa un petit signe de la main.

— Merci beaucoup. Bon groupe, hein ? dit-il en passant entre eux, frôlant leurs poitrines, alors qu'ils le toisaient d'un air condescendant. J'adore ces trompettes.

— Qu'est-ce que vous voulez ? demanda le gamin derrière lui.

— On jette un œil. On fait notre boulot, tu vois ?

— Oui. Je vois, dit le gamin, et Hanson rit.

— Et puis, j'avais envie d'écouter un peu de musique, ajouta Hanson en se retournant pour regarder le gamin, en exécutant un petit pas de danse.

Mais ce pas de danse s'accompagna d'un léger mouvement de la matraque et du bras gauche de Hanson, et on aurait dit une figure d'art martial plus qu'une chorégraphie.

— Tu comprends ce que je veux dire ?

« *I been around. Get down. Oh-ouh...* »

— Ouais, fit le gamin, avec un demi-sourire.

— Merci beaucoup, dit Hanson, et il poursuivit son chemin, en frôlant des gens pour passer. Pardonnez-moi... Désolé... Excusez-moi...

Les lèvres crispées par un petit sourire, les yeux écarquillés. Il avait l'air d'un fou, et il le savait. Il se sentait rayonner ; la poignée de la matraque appuyée contre le holster, l'autre extrémité tapotait l'intérieur de son bras, légèrement, au rythme de la musique. Puis il se mit à se dandiner, en tenant la matraque comme si c'était une canne. Fred Astaire, se dit-il. Se pavanant au milieu de deux cents Noirs qui le haïssaient, il était prêt à mourir. Il avait envie de mourir. Tout le monde sur la piste semblait le sentir, et même s'ils ne pouvaient expliquer de quoi il s'agissait, ils avaient peur de lui. *Tuez-moi,* bande d'enfoirés. Fred Astaire veut mourir.

— Tu ne t'es jamais dit que tu jouais avec le feu ? lui demanda Dana dans son dos.

Hanson éclata de rire.

— Non, m'sieur, pas ce soir. Je rayonne, j'ai une aura qui me protège. Pour me tuer ce soir, ils seraient obligés de me planter un pieu dans le cœur. Ouah, écoute un peu ces trompettes !

— Tiens, on dirait ta copine, là-bas, fit remarquer Dana avec un mouvement de tête en direction de la scène.

262

C'était Asia, vêtue d'un ensemble jaune sexy, avec une minijupe qui laissait voir ses cuisses musclées ; le décolleté profond du tissu couleur jaune d'œuf faisait ressortir la peau brune du cou et de la poitrine, ses pommettes et ses cheveux noirs courts. Elle était entourée d'hommes. Hanson entendit son rire, amer et cruel, à travers la musique et le bruit. Il s'arrêta pour l'observer, mouchetée par la lumière provenant d'une boule miroir qui tournait, telle une planète éclatée, au-dessus de la piste de danse. Et tout à coup, comme si elle avait entendu quelqu'un l'appeler, elle se retourna et son regard se fixa sur lui. Elle s'adressa à ceux qui l'entouraient, puis traversa la foule dans sa robe jaune pour venir vers lui, suivie par tous les hommes.

— J'espère que ça va bien se passer, dit Dana. Il y a énormément de personnes ici qui ne nous aiment pas.

— Tu as dit que c'était « une excellente suggestion ».

— Tu as une mauvaise influence sur moi. Je suis trop vieux pour ces conneries. Helen a sans doute raison.

— Si tu te fais descendre, je pourrai avoir ton nouveau fusil de chasse ?

— Ouais, mais je vais quand même en buter quelques-uns avant de me laisser descendre.

Asia s'arrêta devant eux ; sa suite, derrière elle, leur jetait des regards mauvais en se donnant des airs. Elle avait un œil au beurre noir récent et un hématome autour du cou, des marques de doigts et de pouce. Le coquard sur sa peau marron avait quelque chose de fascinant. D'une certaine façon, ça la rendait encore plus sexy.

Hanson sourit et adressa un petit salut à Asia.

— Alors, on s'amuse bien ? (Sans cesser de sourire, il regarda les hommes qui étaient derrière elle.) Bonsoir, messieurs, dit-il en les dévisageant l'un après l'autre.

Asia lécha lentement un de ses doigts aux ongles rouges.

— Hmm, fit-elle, on dirait que ça fait mal.

Ses pupilles ressemblaient à des têtes d'épingle, et Hanson remarqua des traces de piqûre à l'intérieur de son coude lorsqu'elle tendit le bras pour caresser avec son ongle la croûte sur la joue de Hanson, à l'endroit où elle l'avait griffé quand il l'avait arrêtée.

Elle se rapprocha et lui murmura à l'oreille :

— ... Dites à Doc que je rirai bien quand il sera mort.

263

Venez, dit-elle en se retournant vers son escorte. Je ne suis pas venue ici pour bavarder avec la police.

Hanson resta planté là comme s'il avait oublié où il se trouvait ; la musique et la foule n'étaient plus qu'un brouhaha lointain. Puis la batterie et les trompettes récupérèrent l'attention générale ; une grosse partie de la tension était maintenant retombée, tandis que les deux flics achevaient leur inspection.

— C'était quoi, cette histoire au sujet de Doc ? demanda Dana dont la voix résonna dans le grand escalier vide, alors qu'ils redescendaient.

— Il est passé me voir chez moi.

— Ah...

— Il m'a sauvé la vie un jour. Sans lui, je ne serais pas revenu de là-bas.

— Il y a des gens qui aimeraient beaucoup te voir fricoter avec un type comme ça, pour pouvoir t'épingler. Tu n'es pas aimé de tout le monde dans la police.

Hanson sourit.

— Il est rentré à LA.

— Alors, qu'est-ce qu'il fout ici ?

— Je lui ai dit que je ne voulais pas savoir ce qu'il foutait. Il a compris. On est les deux derniers, dit-il en regardant la cicatrice sous son pouce, au moment où ils atteignaient le bas de l'escalier.

— Fais gaffe, c'est tout.

— Ne t'inquiète pas, boss. Qui sait quand je le reverrai ?

Ils poussèrent les deux battants de la porte et émergèrent dans l'air frais et vivifiant de la rue. Les types du Chicken Hut posèrent leurs bouteilles de vin et les regardèrent.

— Alors, c'était chouette ? demanda l'un d'eux.

— Oui, et plus marrant que j'aurais cru, répondit Hanson. Mais ce n'est pas facile de danser avec tout ce bordel, dit-il, en se trémoussant, les bras le long du corps, pour agiter le holster, la matraque, les menottes, la bombe de gaz et la radio portable.

Le type éclata de rire, comme il avait toujours ri devant les flics, toute sa vie, pour les flatter, et bien montrer qu'il était inoffensif, qu'ils pouvaient donc le laisser tranquille. Un rire de survivant.

— Bonne nuit, dit Dana, en passant devant eux.

— Bonne nuit, officiers, répondit le type.

Arrivés au coin, ils tournèrent dans la rue perpendiculaire, sombre, où les lampadaires ne fonctionnaient plus depuis des années. Une Corvette avec deux hommes à l'intérieur était garée juste derrière leur voiture de patrouille.

Hanson fit un pas de côté, en portant la main à son arme, cherchant déjà un abri possible.

— Eh bien, messieurs ? Que se passe-t-il ? demanda Fox en descendant de voiture et en s'appuyant sur le toit pour les regarder avancer.

Il portait une casquette à rayures, cela faisait partie de son déguisement.

— Comment vous trouvez cette bagnole ? Les Stups l'ont saisie au cours d'une vente de came. On nous l'a prêtée.

— Vous étiez dans la discothèque ? demanda Peetey, assis à l'intérieur de la Corvette. Le dispatcher se demandait où vous étiez passés.

— Vous avez des trucs intéressants à nous apprendre ? demanda Fox.

— Connards, murmura Hanson.

Dana lui donna un coup de coude.

— Joue le jeu, dit-il. Ouais, répondit-il en s'adressant aux deux inspecteurs des Stups, on est allés faire un petit tour à l'intérieur, mais on n'a vu personne qui mérite notre attention.

Fox avait enfoncé sa casquette jusqu'au yeux. À l'intérieur de la voiture, Peetey avait les pieds posés sur le tableau de bord ; il s'amusait à ouvrir et fermer un couteau à cran d'arrêt.

— Vous vous rendez compte, dit-il, j'ai confisqué ça à un gamin de dix ans !

— Il t'a fallu des renforts ? demanda Hanson.

Peetey leva les yeux vers lui.

— Pourquoi tu es toujours comme ça, Hanson ? On dirait que tu as des tonnes de problèmes personnels.

— Exact, répondit Hanson. Je suis harcelé par les problèmes personnels.

— Je crois qu'il souffre du syndrome du Vietnam, dit Fox. Les flash-back. Les cauchemars...

— Si jamais il vient bosser un jour avec des photos épinglées sur son uniforme, tiens-nous au courant, dit Peetey en s'adressant à Dana.

Une poubelle en fer se renversa dans une ruelle perpendiculaire, et tous les quatre tournèrent la tête en direction du bruit. Un opossum gris brun, de la taille d'un rat préhistorique, jaillit de la ruelle en se dandinant. Peetey braqua sa torche électrique sur l'animal. Sifflant entre ses dents pointues, celui-ci se dressa sur ses pattes arrière avec la grâce d'un cobra, et renifla l'air, avant de disparaître dans la ruelle.

— Qu'est-ce qu'on peut faire pour vous, les gars? demanda Dana.

— On vient pour une petite transaction, expliqua Fox, et on préfère éviter toute... présence policière dans les parages pendant un moment. On a vu apparaître une nouvelle sorte de came par ici, dernièrement.

— À vous de jouer, dit Dana. On s'en va.

— Merci, j'apprécie, dit Fox. Au fait, Hanson, j'ai un truc qui pourrait t'intéresser, ajouta-t-il en lui tendant une feuille imprimée par un ordinateur.

Hanson la fourra dans sa poche sans même y jeter un coup d'œil. Alors que Fox remontait en voiture, Peetey lança :

— Hé, Hanson. Tu devrais te détendre un peu.

— Ouais, d'accord, répondit celui-ci avec un geste vague, en tournant le dos à Fox. Bonne soirée.

— Qu'est-ce qui cloche chez lui? demanda Peetey en regardant s'éloigner les deux flics. Il croit qu'il peut faire la mariole avec moi? Mon bras est aussi épais que sa cuisse. T'imagines?

— Hé, mec, dit Dana lorsque Hanson et lui furent remontés en voiture, moi non plus je ne les aime pas, ces types-là, mais ils sont inoffensifs. Et si c'était pas eux, ce serait quelqu'un d'autre. Qu'est-ce que tu peux y faire? Une des choses qu'il faut apprendre dans la vie, c'est ce qu'il vaut mieux ignorer.

Ils passèrent devant un bar de motards; la musique se déversait sur le trottoir par la porte ouverte. Quelques-uns, assis sur leurs motos devant le bar, buvaient de la bière, en enlaçant des filles en t-shirts ou en débardeurs noirs. Ils poussèrent des hourras en voyant passer les flics, et leur firent des bras d'honneur.

— C'est comme ces mecs-là, reprit Dana. Qu'est-ce que tu veux faire? Tu vas tous les cogner? Et ensuite? Tu vas aller dans le bar d'à côté pour cogner tous les connards qui s'y trouvent? Et ainsi de suite? Tu ne peux pas *tous* les tabasser.

Zurbo et Neal les appelèrent au sujet d'un deal de came sur le parking du Mor-4-Less, en expliquant qu'on avait découvert le corps de Roxanne, un travesti noir, lacéré derrière le Gymnase Van.

— *Quelqu'un a réduit ce pauvre travelo en bouillie,* dit Neal. *Et ensuite, il l'a baisé. Ouais.* Après.

— *Il a dû se servir d'un cutter,* ajouta Zurbo. *Les plaies étaient pas très profondes, mais nombreuses. Il y en a partout. Ils vont être obligés de le recoudre pour...*

— *Bon Dieu,* dit Neal. *Il était découpé en... Je souhaite ça à personne. Franchement, je me contrefous des travelos, mais ils ont leurs problèmes eux aussi, je suppose.*

— *Hé, tu deviens progressiste ou quoi ?* demanda Zurbo en riant.

Zurbo et Neal reçurent un appel concernant une bagarre familiale.

— *Euh... Cinq Soixante-deux... passez sur le canal 3. Cinq Soixante-dix veut vous parler.*

— OK, je passe sur le 3, dit Dana en se penchant pour changer la fréquence, tandis que Hanson dépliait la feuille que lui avait donnée Fox.

— Cinq Soixante-deux, dit Dana dans le micro.

— *Salut, Dana,* dit Larkin, *on a besoin d'un CCT au bout de Lombard Street. Au niveau de l'intersection avec la nationale. Vous pouvez y faire un saut ?*

— CCT ? demanda Dana à Hanson.

— Un chien mort, répondit Hanson. Confirmation d'un chien tué.

Il alluma la petite lampe flexible accrochée au tableau de bord pour lire la feuille.

— On arrive, dit Dana à Larkin. (Il tourna à droite au carrefour suivant.) Alors, ça raconte quoi ? demanda-t-il à Hanson.

— Millon n'a pas eu la Silver Star. Il a passé presque tout son temps au Vietnam dans une prison de Long Binh pour désertion, et pour le meurtre d'un policier vietnamien. Mais ils ont perdu tous les documents quand il est rentré aux États-Unis. Non-lieu.

Les feux de position de la voiture de patrouille de Larkin étaient allumés, à côté de l'église baptiste du Mont Zion condamnée par des planches, à l'endroit où Lombard Street s'achevait par une clôture grillagée. L'église reposait à un mètre du sol, sur d'énormes madriers. Ils avaient prévu de la déplacer, afin de construire une nouvelle rampe d'accès à l'autoroute, mais elle attendait comme ça depuis plus de deux ans. Une gouttière pendait au-dessus de la porte, semblable à un bras brisé, et un bus paroissial, les vitres brisées, gisait derrière l'église sur ses quatre pneus éventrés. L'autre voiture de patrouille avait creusé des ornières dans l'herbe autour de l'église en exécutant un tête-à-queue.

— Par ici, dit Larkin en descendant de voiture.

C'était un grand gars efflanqué, venu du Texas, qui bégayait parfois. Son équipier était assis sur l'aile avant, en train de fumer une cigarette.

— Il est là, dit Larkin en braquant sa torche électrique sur le sol, juste devant la voiture.

C'était un chien de taille moyenne, avec des poils ras, un peu labrador peut-être, mais il paraissait difforme. Ses pattes étaient trop courtes et ses oreilles trop longues, comme s'il avait du sang de basset ou de beagle.

La voiture lui avait brisé la colonne vertébrale, juste derrière les omoplates. Hanson promena le faisceau de sa lampe sur le corps de l'animal. Ses babines retroussées laissaient voir des dents ensanglantées. Il avait la gale, et des plaques de peau à vif sur la tête et dans le cou où des puces apparaissaient et disparaissaient chaque fois que Hanson clignait des yeux.

— Ghetto pu... pure race, bafouilla Larkin. Ce salopard a essayé de se barrer à travers la clôture. Et il a failli réussir, dit-il en éclairant la base du grillage, à l'endroit où il avait été arraché.

Tout en bas, au pied d'une colline abrupte et dénudée, la circulation de l'autoroute, des rivières de lumière, argentées et rouges, alimentées par le pétrole, coulaient vers le nord et le sud à cent à l'heure.

À mi-chemin du PAA, Hanson emprunta une sortie d'autoroute qui le ramena sur le chemin qu'il avait pris à l'aller, dans l'Avenue. Il roula jusqu'à la cité où avait habité Millon, se gara sur le parking et coupa le moteur. Dix minutes plus tard, il referma doucement la portière de sa camionnette et marcha jusqu'à l'appartement 9, celui de la femme tatouée. Derrière les fenêtres, on apercevait la lumière bleue d'un téléviseur. Il colla son oreille à la porte. Des rires enregistrés, qui enflaient et retombaient comme une tempête, c'était tout ce qu'il entendait. Finalement, à demi étourdi par l'excitation et la peur, il frappa.

« Célibataire numéro... trois ! » s'exclama une femme à la télé, et les rires fusèrent à l'arrière-plan. Hanson commença à faire demi-tour puis, finalement, après un moment d'hésitation, frappa de nouveau à la porte.

Les verrous s'ouvrirent bruyamment et un Blanc d'une quarantaine d'années apparut dans l'encadrement de la porte, torse nu, son pantalon déboutonné pendant sous son ventre énorme.

— C'est à quel sujet ? demanda-t-il, et son haleine sucrée sentait le vin doux naturel.

— Désolé de vous déranger si tard, dit Hanson, mais j'ai entendu la télé et...

— Si tard ? (Il grogna et vida dans sa bouche un sachet de cacahouètes.) J'suis vraiment désolé si la télé vous dérange, dit-il la bouche pleine. C'est dommage. J'aime me coucher tard.

Une femme qui avait à peu près son âge et sa corpulence était dans les vapes sur les coussins d'un gigantesque canapé convexe qui occupait presque tout le living-room. La pièce empestait la fumée de cigarette et la nourriture brûlée.

Le type dit qu'il ne connaissait aucune femme avec des tatouages.

Au moment où Hanson le remerciait, une adolescente apparut dans le couloir menant à la chambre, et le regarda. Elle portait un pantalon taille basse à pattes d'éléphants trop moulant et trop petit, et un t-shirt découpé juste sous ses seins minuscules. Elle pencha la tête par la porte du living-room pour regarder la femme évanouie sur le canapé, avant de disparaître dans le couloir sombre.

— Elle a déménagé juste avant Noël, expliqua le concierge à Hanson.

Lui aussi regardait « Tournez manège ».

— Le type avec qui elle vivait est resté encore deux mois. Il y allait fort avec la bouteille. Et un jour, il a foutu le camp, avec deux mois de loyer en retard. C'est à peu près tout ce...

Ah si, j'ai entendu dire qu'il avait eu un accident de moto. Et qu'il avait le haut du corps paralysé, m'a dit quelqu'un. Ou un truc au cerveau, je sais plus. Il s'appelait Scott ou...

— Steve.

— Oui, voilà, j'allais le dire ! Steve. Un vrai connard, ce gars-là. Pourtant, j'avais presque de la peine pour lui quand la fille s'est tirée. Il était complètement à côté de ses pompes, comme on dit. Vous êtes un copain à lui ?

— Merci pour les renseignements, dit Hanson.

La fille l'attendait dans la camionnette, recroquevillée sous la vitre, sur le siège du passager, les genoux plaqués contre la poitrine.

— Vous êtes flic, hein ?

— Qu'est-ce qui vous fait dire ça ?

— Je vous ai vu.

Elle avait environ seize ans, se dit Hanson, attirante, exotique et pathétique, tout ça en même temps.

— Montez, dit-elle. Je vais pas vous mordre.

— Bien, madame, dit-il en se sentant ridicule. Si vous voulez.

Il se cogna le genou en montant et essaya de ne pas montrer à quel point ça faisait mal. Quand il eut refermé la portière, elle coinça son pied sous le dossier du siège et se pencha sous le tableau de bord, à la manière d'une trapéziste, pensa Hanson. Une lumière jaune éclaira le dessous du tableau de bord lorsqu'elle alluma une cigarette. Elle leva les yeux vers lui, en aspirant la fumée. L'œil au beurre noir avait presque disparu, il avait viré au jaune banane, mais sa lèvre fendue datait de la veille tout au plus. Elle savait forcément qu'il voyait ses seins, pensa-t-il. Les côtes, en dessous, semblaient tuméfiées elles aussi. Il regarda l'appartement 9 à travers le pare-brise. La télé était éteinte, il faisait entièrement noir.

— J'ai besoin d'un conseil juridique, dit-elle.

— Je ne suis pas...

— Je peux vous payer. D'accord ?

Elle dégageait une odeur de lait caillé. Comme un bébé qui a besoin de prendre un bain. Comme ces gosses qu'il voyait tous les jours dans des landaus crasseux ou trottinant avec des couches sales, la plante des pieds toute noire, et des traces de teigne sur le crâne.

Le bout de la cigarette rougeoya.

— D'accord ?

Quinze ans, se dit-il. Plutôt quinze ans.

— Quel est le problème ?

— J'ai une copine, son père, il vient dans sa piaule tous les soirs dès que sa mère est dans les vapes après avoir trop picolé, et il baise avec elle. Est-ce qu'elle...

— Dis-lui de le dénoncer à la police.

— Est-ce qu'elle a le droit de le tuer ?

— Ça dépend..., répondit-il en posant les yeux de nouveau sur ses seins minuscules, les côtes tuméfiées qui gonflaient quand elle inspirait.

— Ça dépend de quoi ?

— Du jury, du procureur, de la façon dont est rédigé le rapport, de l'impression qu'elle produit au moment de témoigner...

— Merci pour rien, grogna-t-elle, en se redressant et en s'appuyant contre la portière, assise en tailleur sur le siège du passager.

— Est-ce qu'elle craignait pour sa vie ? dit Hanson. Voilà ce qu'ils voudront savoir.

La cigarette coincée entre les lèvres, elle tendit la main pour baisser la vitre. Elle tira une dernière bouffée, ses yeux croisèrent ceux de Hanson, et elle jeta sa cigarette par la fenêtre.

— Oui, elle craint pour sa vie.

Saisissant la poignée de la vitre, elle se pencha en avant, vers lui, puis en arrière, puis en avant, faisant remonter la vitre, un demi-tour à chaque fois.

Hanson posa son pouce sur la lèvre fendue, résistant lorsqu'elle appuya de son côté, pressant la lèvre contre les dents, jusqu'à ce qu'elle saigne.

— Il faut que j'y aille, dit Hanson en retirant son pouce.

Il fit démarrer la camionnette et se pencha par-dessus la fille pour ouvrir la portière.

— Je suis en retard.

— OK, dit-elle en balançant ses jambes à l'extérieur pour bondir sur l'asphalte.

— Dis à ta copine de prévenir la police.

— Je crois qu'elle préfère faire autrement.

Elle claqua la portière et se dirigea vers l'appartement obscur où elle vivait. Hanson roula à sa hauteur ; la camionnette toussota et faillit caler, tandis qu'il rabaissait la vitre.

— Dis à ta copine...

Elle continuait de marcher, en regardant droit devant.

— ... si elle décide d'aller jusqu'au bout, de *s'assurer* qu'il est *bien mort*. Comme ça, il ne pourra pas témoigner contre elle, et on ne pourra plus lui donner la garde de sa fille.

Il heurta le bord du caniveau, et coupa le moteur, pendant qu'elle montait sur le trottoir et continuait d'avancer. Quand il alluma les phares, il vit le tatouage serpentin sortir du col de son t-shirt en serpentant et se faufiler sous ses cheveux.

17

HANSON OUVRIT LES YEUX, le soleil caressait son cou et sa joue, embrasait le mur de planches brutes derrière lui, emplissant la chambre de clarté et de l'odeur pure des arbres coupés et arrachés à la forêt quatre-vingts ans plus tôt. Nu, il marcha jusqu'à la fenêtre ; les particules de poussière dansaient dans la lumière derrière lui. Un couple de geais, d'un bleu éclatant, aussi gros que des pigeons, se pourchassaient dans les pommiers, et les fleurs blanches explosaient sur les branches noueuses.

Hanson aperçut Truman qui s'en allait lentement vers la grange.

— Hé ! lui lança-t-il. Quoi de neuf dans l'univers du vieux chien av...

Il s'interrompit et tendit l'oreille. Il pencha la tête sur le côté, son regard vague écoutait lui aussi, puis il s'empara du fusil de chasse à canon scié caché derrière la moulure au-dessus de la fenêtre. Tenant d'une main l'arme pesante, il attendit, le ventre appuyé contre le rebord de la fenêtre.

« Si quelqu'un vient jusqu'ici pour me voir, avait-il dit à Dana, c'est certainement très important. »

La Firebird jaune tremblota entre les arbres qui masquaient la route de graviers, roulant lentement, comme si le conducteur était perdu. Hanson sourit, le soleil était chaud sur son torse et son ventre ; il regarda la voiture s'engager dans l'allée et s'arrêter devant la véranda.

Falcone en descendit, chaussée d'une paire de tennis blanches, vêtue d'un jean blanc coupé et d'un t-shirt blanc.

273

Comme neuve. Et légèrement mal à l'aise. Les flics n'aiment pas s'introduire chez les gens quand ils ne sont pas en uniforme. Ils ont vu trop de gens victimes d'une décharge de chevrotines au fond d'un jardin, canardés par un vieillard effrayé, ou un gamin, ou bien même un chômeur qui s'enivrait, seul, la nuit dans sa cuisine. « Je ne voulais pas... », disait-il, la bouche sèche et hébété, comme s'il ne reconnaissait plus son propre jardin jonché maintenant de vieux pansements durcis par du sang noir, les bandes de gaze qui voletaient au clair de lune, regardant sans cesse le trou du projectile dans la porte vitrée, la plaque d'herbe ensanglantée et les traces sinueuses laissées par la civière. « Je voulais juste lui faire peur. »

Hanson prit plaisir à la regarder se déplacer, la revoyant totalement nue, comme il l'avait fait des dizaines de fois depuis ce soir-là, plusieurs fois par jour et pendant la nuit. Il recula pour mieux la voir, qui traversait une légère brise venue de l'ouest, du Stormbreaker. Le fond de l'air restait frais, parfumé par les pommiers en fleurs et les mûres. Une femme sexy qui se déplaçait comme un flic, se dit-il.

— Il y a quelqu'un ? lança-t-elle en contournant la véranda. Je suis désolée de... te déranger, dit-elle en regardant la camionnette de Hanson, garée de l'autre côté de la maison.

— Tu ne me déranges pas, ma grande, répondit Hanson de la fenêtre. Je passe un pantalon et je descends.

Il enfila un jean, ramassa un t-shirt vert olive délavé et chercha ses chaussures.

— Tout ça m'appartient, déclara Hanson en écartant les bras pour englober la ferme et la grange délabrée, dans un océan de mûriers.

Il était pieds nus.

— Une nouvelle construction ? demanda Falcone en désignant d'un mouvement de tête une parcelle de terre fraîchement retournée, délimitée par des piquets en bois et de la ficelle.

— C'est le jardin.

Elle plissa les yeux, comme si elle le soupçonnait de se moquer d'elle.

— Viens voir, dit-il en avançant dans l'herbe à grands pas, se retournant pour la regarder, puis revenant vers elle, marchant en crabe et...

274

— Merde ! s'écria-t-il en sautillant sur un pied, tandis qu'elle le rejoignait.

Il prit appui sur l'épaule de Falcone et leva le pied. En se contorsionnant et en sautillant sur son autre jambe, il examina le dessous de son pied et découvrit la bardane plantée dans la peau tendre. Falcone la saisit entre le pouce et l'index.

— Tu ferais mieux de mettre des chaussures, dehors.

— J'en mets... d'habitude, répondit-il, tandis qu'elle ôtait la bardane. Mais aujourd'hui, je... tu as parfaitement raison.

Il se pencha un peu plus vers elle, respirant l'odeur de ses cheveux.

— Viens, dit-il en boitillant jusqu'à la parcelle de terre. Regarde. Des blettes et des betteraves par ici. Quelques épinards. Des concombres. Et des citrouilles, parce que c'est marrant. Ça ne prend pas beaucoup de temps. Tu plantes les graines, un peu d'engrais, tu arroses une fois par jour, et hop, tes légumes poussent.

Elle lui souriait.

— Vu tout ce qui se passe dans le monde autour de nous, dit-il en tendant le pouce en direction de la route, je trouve ça sympa, c'est rassurant. Là, des haricots, dit-il en désignant les rangées de feuilles en forme de cœur. Fred, dit-il en plongeant la main dans sa poche de pantalon, le type de la graineterie, m'a filé ça gratuitement. (Il étala les paquets de graines dans sa main, comme des cartes au poker.) Là, on a des zinnias, des dahlias. Des pensées... Oui, parfaitement, madame, dit-il en la voyant rire, en s'efforçant de ne pas regarder ses seins.

Elle ne portait pas de soutien-gorge sous son t-shirt.

— Ne t'en va pas, dit-il.

— Il vaut mieux que je...

— Attends, je reviens tout de suite ! lança-t-il par-dessus son épaule, en retournant vers la maison, boitillant et sautillant.

— Je croyais qu'on voyait la montagne d'ici, dit-elle quand il revint.

— On la voit de ma chambre, là-haut.

Elle consulta sa montre.

— Donne-moi ta main, dit-il en déchirant le sachet de graines qu'il était allé chercher dans la maison. Il y en a pour une seconde. OK ?

Il lui prit le poignet pour qu'elle lui offre sa paume.

— Des œillets.

Les graines ressemblaient à de minuscules rochers empilés dans le creux de sa main.

— Voyons voir, dit-il en s'agenouillant devant la parcelle de terre, et creusant une ligne à l'intérieur avec son doigt. Il est écrit sur le paquet qu'il faut les planter à un demi-centimètre de profondeur. Ça m'a l'air bien.

Elle s'agenouilla à côté de lui et, prenant les graines dans sa paume, elle les laissa tomber dans la terre. Hanson en piocha quelques-unes dans la main de Falcone, entre le pouce et l'index. Il prolongea ce contact, un court instant, tandis qu'elle le regardait.

Quand toutes les graines furent plantées, Hanson les recouvrit en faisant glisser la terre riche avec le tranchant de sa main ; il aplatit le sol et se releva.

— Viens donc voir la maison, dit-il en frottant ses mains l'une contre l'autre pour faire tomber la terre.

Truman apparut au milieu des buissons de mûres, dans leur dos, et marcha vers eux.

— Non, il ne vaut mieux pas, dit-elle. je suis juste venue m'excuser pour l'autre soir. Franchement.

— Tu n'as pas besoin de t'excuser, dit-il, en renonçant.

Truman se frotta contre sa jambe, les yeux levés vers lui.

— C'est qui ? demanda-t-elle.

— Truman. Mon colocataire.

— Ça doit faire longtemps que tu l'as, dit-elle en s'agenouillant pour gratter la tête du chien, ce qu'il semblait apprécier.

— Non, deux mois environ.

Elle leva les yeux vers lui.

— J'en ai hérité, d'une certaine façon. Tout le monde dit que j'aurais dû le faire piquer, vu son âge. Ils ont sans doute raison, mais...

— Non, ils ont tort. Regarde-le, dit-elle en faisant glisser ses mains sur les épaules et les hanches du chien, le long de ses pattes, examinant ses dents, tout en lui parlant à voix basse. Il est un peu bloqué par l'arthrite, mais à part ça...

— Et aveugle.

— Il s'y est habitué.

Truman se dirigea vers la maison.

276

— Viens donc jeter un coup d'œil à la maison. Maintenant que tu es venue jusqu'ici.

— Une visite rapide, alors. Ensuite, il *faut* que je parte.

— Tu penses vraiment que je peux le garder ?

— Oui, il se porte bien.

Hanson lui sourit.

— Ça me fait plaisir de l'entendre. Tous les autres enfoirés — sauf Dana — me disent « fais-le piquer ». Mais moi, je me suis... attaché à lui. J'aime bien l'avoir près de moi. Malgré tout, je ne veux pas être égoïste, tu comprends ?

Deux heures plus tard, Falcone ressortit de la maison, suivie de Hanson.

— Non, dit-elle sans se retourner. C'était une grave erreur, ajouta-t-elle en marchant vers la Firebird. Dans moins d'un mois, je serai partie. J'ai simplifié ma vie — pour une fois — et je n'ai pas besoin de cette...

Hanson vint se placer devant elle ; il voulut lui poser la main dans le cou, mais elle recula et le foudroya du regard.

— Je parle sérieusement ! Tout ça était de ma faute, et je suis désolée, mais je ne veux plus qu'on se revoie. Je refuse de nouer des relations avec un flic, même avec toi. *Surtout* pas avec toi. Pour passer mon temps à me demander quand tu vas te faire descendre par un salopard dont personne n'a rien à foutre. Un nègre camé jusqu'aux yeux ou un clochard blanc complètement taré. Pour rien. Génial. Mon héros.

— Je suis un bon flic, répondit Hanson. Si les gens comme moi ne le font pas, ils...

— Qui s'en soucie ? Ils pourront faire tout ce qu'ils veulent une fois que je serai partie. Ils le feront de toute manière. Vas-y, tu peux te suicider, si c'est ce que tu cherches. Fais-le. Je t'ai déjà oublié. Et si jamais je revois ta camionnette garée près de chez moi, j'appelle la police. Maintenant, laisse-moi passer.

Son parfum se mêlait à l'odeur du jardin, des mûres et de la sueur de Hanson. Le t-shirt en coton de Falcone lui collait aux épaules et aux seins.

Elle monta dans sa voiture et claqua la portière.

— Je te tiendrai au courant, pour les œillets.

Elle ignora sa remarque, effectua un demi-tour en marche arrière, s'apprêta à repartir, puis s'arrêta.

— Prends bien soin de Truman, dit-elle. N'écoute pas les autres. Ils ne comprennent pas... ils ne... toi, tu sais.

Elle écrasa l'accélérateur de la Firebird qui chassa de l'arrière et fit jaillir une gerbe de graviers, puis disparut dans un nuage de poussière ; les pneus crissèrent quand elle déboucha sur la route goudronnée.

Hanson retourna dans sa chambre et s'assit au bord du lit. Les draps étaient par terre. Par la fenêtre, à l'est, il vit les cumulo-nimbus s'amonceler derrière le Stormbreaker.

18

2. *Regrettons-nous nos péchés si nous ne sommes pas décidés à ne plus pécher ?*

NON.

Dakota a défroissé tant bien que mal la feuille bleue de test qu'il avait roulée en boule, et inscrit la réponse avec les circonvolutions sanglantes de ses empreintes digitales.

3. *Qu'est-ce que l'espoir ?*

Il boit une rasade de vodka et recopie la réponse à la question n° 3 dans le Manuel des Chevaliers de Colomb tout écorné.

L'ESPOIR EST LA VERTU DIVINE QUI NOUS FAIT CROIRE EN DIEU.

Il relit ce qu'il a écrit, dépose la feuille de réponses dans la chemise portant l'inscription « Priaurité absolue-Top secrait », et l'enferme dans le tiroir du bureau, avec la bible du Motel Six.

Il fait le tour de sa chambre, en buvant la vodka à la bouteille, donnant des coups de pieds dans ses fétiches disposés sur le sol.

— Ils ont inventé toutes ces conneries ! s'écrie-t-il en arrachant les affiches de Gunther et de ses fauves sur les murs. Eux non plus, ils ne connaissent pas les réponses !

Sur le bureau, le scanner de la police est allumé en sourdine.

— *... des « monstres », c'est ce qu'elle a dit, Cinq Soixante-deux...*

— *OK d'ac', on y va...*

Dakota se fige, en serrant dans son poing les photos froissées ; de minuscules flocons de colle séchée parsèment ses cheveux, son visage et son torse scarifié. Il s'immobilise en entendant la voix de Hanson, à la radio ; il tourne la tête sans bouger le reste du corps, en grimaçant au bout d'un moment, mais il continue à forcer. Les flocons de colle sur son corps et autour de lui ressemblent à des moustiques. Les pieds écartés, les épaules raides, il tourne la tête, les veines dans son cou sont gonflées. Ignorant le *pop* derrière son oreille, tout en sachant qu'il aura la nuque ankylosée pendant une semaine, il continue de forcer, les moustiques de colle palpitent dans ses narines, ses yeux dilatés et larmoyants sont fixés sur le scanner.

— *OK d'ac', on y va,* dit Hanson, et sa voix fut noyée par les parasites du récepteur installé dans le bureau de Fox. Celui-ci mordit une dernière fois dans son Big Mac et jeta le reste dans la corbeille à papier, avant de retourner devant son ordinateur.

— Qu'est-ce que j'en sais, moi ? Il m'a dit que c'étaient des « monstres », leur dit la femme.

Le jeune garçon se tenait à ses côtés sur le seuil de la maison, les yeux levés vers les deux policiers. Il avait un rhume, de la morve sur le visage, et il respirait bruyamment à travers son nez bouché. La femme et le gamin sentaient mauvais l'un et l'autre. Grosse et blême, la femme n'avait sans doute pas encore trente ans, mais elle paraissait déjà vieille. Son short écossais était trop serré et Hanson se demandait d'où venaient ces hématomes noirs à l'arrière de ses cuisses grêlées de cellulite. Elle ôta la cigarette de sa bouche.

— Si j'avais su que c'était un tel bordel, dit-elle, j'aurais pas appelé la police.

La télé était allumée dans le salon, une rediffusion de *I Dream of Jeannie* [1], avec des rires enregistrés en arrière-plan, semblables à la circulation sur l'autoroute.

1. Célèbre sitcom américain. *(N.d.T.)*

— On essaye d'être un bon citoyen, et voilà comment qu'on est traité !

— On vous remercie de nous avoir prévenus, madame, dit Hanson. Simplement, on aime bien en savoir le maximum avant d'entrer chez quelqu'un.

— J'apprécie pas vos manières, répliqua la femme.

Le gamin eut un grand sourire et, aussi rapide qu'un serpent, il saisit la jambe nue de sa mère pour la mordre, avant de s'enfuir dans la maison.

— Espèce de petit salopard ! hurla la femme en lui courant après et en claquant la porte derrière elle.

Hanson rangea son carnet dans sa poche.

— Adorable, dit-il en s'adressant à Dana, et tous les deux traversèrent le jardin en riant, jusqu'à la maison voisine. « Un nègre avec une femme blanche et une petit fille », leur avait dit la femme. Ils avaient déménagé en pleine nuit, à peine deux semaines plus tôt. Déjà, la moitié des fenêtres étaient brisées. Le gamin avait entendu « des monstres » à l'intérieur de la maison. Sans doutes des clochards ou des junkies qui utilisaient cet endroit pour se shooter.

« Des monstres », répéta Hanson en imitant la voix nasillarde du jeune garçon, tandis qu'ils contournaient la maison.

Des bicyclettes en pièces et des caddies étaient éparpillés dans le jardin ; une machine à laver gisait sur le flanc. Les deux flics devaient regarder où ils posaient les pieds pour ne pas marcher dans les merdes de chien à moitié enfouies dans l'herbe sèche. La porte à moustiquaire ne tenait plus que par un gond.

— Je pense que tu pourrais faire une bonne affaire avec cette baraque. Une excellente affaire, dit Dana. Un truc à retaper, comme la bicoque où tu vis.

— Et les voisins sont sympas, répondit Hanson en riant. Je vais en parler à mon banquier.

La porte de derrière était fermée à clé, mais on l'avait défoncée à coups de pied et réparée à plusieurs reprises.

— Une petite poussée devrait suffire, dit Dana en donnant un coup de hanche dans la porte.

Celle-ci résista une première fois, avant de céder à la seconde tentative. La cuisine était dégoûtante ; des assiettes contenant de la nourriture avariée traînaient sur la table et la cuisinière. Des cartons remplis d'ustensiles divers s'empilaient contre un mur, recouverts de draps sales.

— Police ! s'écria Hanson.

— Une jolie petite maison à retaper, commenta Dana en contournant des sacs poubelles noirs replis d'ordures.

Il entrouvrit la porte du réfrigérateur, et s'empressa de la refermer.

— Il vaudrait mieux souder la porte et le balancer au fond de la mer, dit-il.

— Dommage que je n'ai pas eu le brevet de ces trucs-là, dit Hanson en regardant une assiette commémorative en hommage à Martin Luther King et Robert Kennedy, au-dessus de la porte. Je serais retraité à Hawaii.

Les meubles du living-room étaient tous cassés et tachés. Des merdes de chien, recuites par la chaleur, jonchaient le sol. Dana désigna une cuillère tordue et un petit tas d'allumettes noircies sur le bras d'un canapé en plastique : une partie du matériel servant à s'injecter de l'héroïne ou des amphètes, des comprimés de Percodan broyés, de l'aspirine, ou tout ce qu'ils pouvaient se procurer.

Un dessin d'enfant à l'aquarelle était scotché au mur, au-dessus du canapé, rudimentaire, mais riche en couleurs — vert, bleu et jaune — représentant une fillette dans un ciel bleu, les bras en croix, sa jupe gonflée comme un parachute. Elle vole. Stupéfaite. Son sourire immense est rempli de stupéfaction, et pourtant, songea Hanson, il laisse deviner qu'elle a espéré cet instant, qu'elle s'attendait à voler un jour. Les deux chiens qui volent avec elle sourient eux aussi, renversés comme des ballons, chacun attaché à une main de la fillette, et ils la regardent, les yeux pleins d'amour. Un chien marron court sur pattes avec des oreilles qui pendent, une sorte de basset, et un grand chien blanc avec de longs poils, les noms BOBBIE et ALETHA sont écrits en dessous.

— Qui sont donc ces gens, demanda Hanson, qui partent en laissant tout derrière eux ? « Viens, monte dans la voiture. On fout le camp. » Où vont-ils ? D'où viennent-ils ? Qu'est-ce qu'ils *font,* à part se shooter et...

— Tu as entendu ? demanda Dana.

— Oui, répondit Hanson en tournant la tête vers le couloir.

— Les « monstres ».

Hanson sortit sa matraque.

— Sans doute des rats. Police ! cria-t-il dans le couloir.

Ils avancèrent jusqu'à la porte de la salle de bains fermée, au bout du couloir. La chasse d'eau fuyait.

Des mouches et des volutes de poussière de plâtre s'échappèrent par la porte lorsque Hanson l'ouvrit. Le basset était mort. Le lévrier afghan, couché sur le sol, leva les yeux, pratiquement mort de faim. Trop faible désormais pour aller boire l'eau des toilettes. Sa tête semblait énorme par comparaison avec son corps efflanqué, comme ces enfants africains que l'on voyait aux infos du soir, victimes de la famine, avec des mouches sur le visage, et qu'on ne pouvait plus sauver. La porte de la salle de bains était griffée, fendue et rongée. Le Placoplâtre des murs était creusé jusqu'aux montants, le sol était recouvert d'une couche de poussière de plâtre qui s'envolait sous leurs pieds et recouvrait de poudre blanche leurs pantalons bleus en laine.

— Aletha ? dit Hanson.

La chienne remua la queue en entendant son nom. Hanson s'agenouilla pour la caresser, et elle essaya de lui lécher la main avec sa langue gonflée, couverte de poussière, en réclamant son aide comme un civil blessé, se dit Hanson, car il était son seul espoir.

— Je retourne à la bagnole pour prévenir la fourrière, dit-il.

En traversant le living-room, il regarda encore une fois le dessin de la fillette qui volait. Soigneusement, il le décolla du mur et le roula, tandis qu'il sortait de la maison.

Penché par la portière ouverte de la voiture, il réclama un véhicule de la fourrière et rangea le dessin dans sa mallette. Au moment où il refermait la portière, le gamin au nez morveux de la maison voisine jaillit de derrière un arbre et passa devant lui en criant *Bang ! Bang !*, le doigt tendu pour symboliser un pistolet. Il s'arrêta au milieu du jardin et adressa un grand sourire à Hanson.

— Je vous ai fait sauter la cervelle ! cria-t-il avec son nez bouché. Pô-lice !

Il repartit à toute vitesse, trébucha sur une racine d'arbre et tomba à plat ventre. Il se releva à genoux, surpris, se tourna vers Hanson, puis, timidement, il plaqua sa main sur sa bouche et son nez qui saignait ; une petite patte osseuse qui couvrait le bas de son visage chevalin comme un masque de chirurgien.

Il ôta sa main sale et baissa lentement les yeux pour la regarder. Hanson songea au plaisir qu'il aurait eu à le tuer. Le gamin découvrit le sang sur ses doigts ; il se releva en titubant et se mit à hurler, en soufflant par le nez du sang et de la morve.

— Maman ! Le flic, il m'a frappé !

Hanson épousseta la poussière de plâtre sur son pantalon et se tourna vers la maison. Un JOYEUX NOËL de l'année dernière était encore peint sur une des fenêtres de devant. Les autres fenêtres avaient été brisées et remplacées par des feuilles de plastique qu'agitait le vent, tout à tour aspirées puis gonflées, comme des poumons.

19

I L ÉTAIT UN PEU PLUS de 9 heures du soir, le jour de congé de Hanson, lorsque Truman entra dans la cuisine et resta planté devant la porte en regardant dehors. Il se comportait bizarrement depuis le coucher du soleil, comme s'il était inquiet. Quelques minutes plus tard, les phares d'une voiture quittèrent la route goudronnée et balayèrent les arbres en direction de la maison. Une Trans Am dorée, avec un aigle noir dessiné sur le capot, s'arrêta derrière la maison, dans un grondement de couple moteur.

— Où est passée la Porsche ? demanda Hanson.

— Ça en valait pas la peine, répondit Doc. Toujours un putain de... Hé, imagine-moi, débarquant en boitant chez le concessionnaire Porsche de Santa Monica, pour demander à un mécanicien blanc de jeter un coup d'œil à ma bagnole. Eh oui, mon vieux, dit-il pendant que Hanson riait.

— Un regard qui fait peur et une patte folle, dit Hanson.

— La Trans Am, c'est plus puissant, plus rapide. Un frère qui...

— Hein ? Que disais-tu ?

— ... s'est tapé deux séjours là-bas, avec le 173ᵉ — j'aimais bien ce type — me l'a vendue au prix de gros par l'intermédiaire d'un garage de Compton.

Il paraissait épuisé, se dit Hanson. Comme le jour où il était revenu au camp après une patrouille d'une semaine, au cours de laquelle la moitié de ses Montagnards avait sauté sur des mines.

— J'ai des problèmes de business à LA, dit-il en regardant autour de lui dans la cuisine.

— Truman t'attendait.

— Il te reste du cognac ?

Ils passèrent dans la pièce voisine et Hanson lui tendit la bouteille.

— Comment va ta petite amie ?

Doc but au goulot et lui rendit la bouteille.

— C'est les Blancs qui ont des « petites amies ».

— Asia, dit Hanson.

— Elle aussi, elle a fini par me valoir plus d'ennuis qu'autre chose.

Il sortit de sa poche un petit flacon en verre qu'il tapota sur son doigt replié.

— T'aurais pas un truc pour que je puisse étaler ce machin ? Un miroir ?

— Le général Sherman, dit Hanson en descendant de l'étagère une photo encadrée du général de la guerre de Sécession, et la posant à plat sur la malle en fer qui lui servait de table basse.

— Le type qui a fait cramer Atlanta, dit Doc.

Il versa un petit monticule de poudre blanche sur le verre, passa la main dans son dos et sortit de sous sa chemise un rasoir à main avec un manche de nacre, accroché à une corde en nylon. Il l'ouvrit en se penchant vers la photo. À petits coups de lame, il divisa la cocaïne en quatre rangées. Il leva la tête vers Hanson et referma le rasoir.

— Un truc que j'ai appris quand j'étais gosse. Tu le portes autour du cou au bout d'une corde, dans le dos. Les flics s'aperçoivent de rien quand ils te fouillent.

Hanson acquiesça.

— Très impressionnant.

— On peut le dire.

Tous les deux éclatèrent de rire.

— Tiens, dit Doc en tendant à Hanson un bout de paille en plastique à rayures multicolores. Sers-toi.

— Dans les films, ils utilisent des billets de cent dollars roulés.

— Ça marche mieux avec les pailles de chez Mc Do. C'est gratos et on en trouve partout.

Hanson prit la paille et inspira deux des lignes disposées sur la photo. La cocaïne était froide, glacée, derrière ses yeux, et il regarda Truman entrer dans la pièce, arrivant de la cuisine. Il savait se repérer dans la maison, à présent.

— William Tecumseh Sherman, dit Hanson.

Sherman, le visage taillé à coups de serpe, les cheveux dressés dans la nuque, debout les bras croisés, regardait l'enterrement de Lincoln au loin, un brassard noir attaché autour du bras gauche.

— Un bon général, dit Hanson. Il a fait son boulot. Même quand les gens le traitaient de monstre. Alors, vieux, dit-il en s'adressant au chien, tu t'habitues à la maison ?

Doc se pencha en avant, comme pour examiner la photo.

— Il vaut mieux ne jamais être trop proche..., dit-il en inspirant une ligne de poudre, de quoi que ce soit. *Tu* le sais bien.

Il inspira la dernière ligne, essuya le restant de coke sur le verre avec deux doigts, qu'il frotta sur ses gencives.

— Allons faire un tour.

Ils emportèrent la bouteille et la cocaïne, après que Hanson s'était assuré que le chien avait à boire et à manger.

— Il va crever, dit Doc.

— Je m'occuperai de lui jusque-là, répondit Hanson en fermant la porte. C'est une promesse. Des fois, la nuit, je l'entends qui marche en bas, aveugle et dans l'obscurité, exactement comme moi.

— Tu racontes ces conneries à tes collègues ?

Hanson rit.

— La plupart n'y font même plus attention. Je suis un bon flic.

— Ouais, comme au 'Nam. Quinn disait toujours : « Hanson est un gars bizarre, mais ne vous y fiez pas. Il a descendu un tas de bridés. »

— Cet enfoiré de Quinn...

La nuit sentait les pommes et les mûres. Hanson renversa la tête et but le cognac à la bouteille, sucré et chaud. Jamais il n'avait vu les étoiles aussi brillantes. Comme des trous d'épingle dans le tissu du ciel nocturne, pensa-t-il, les protégeant d'un univers enflammé.

Ils traversèrent la petite ville de Douglas, passèrent devant le bureau de poste, le bazar et la station-service, devant la scierie qui gémissait jour et nuit, les nuages de fumée et de cendre reflétaient la lueur rougeoyante de l'incinérateur de sciure ; ils franchirent la voie ferrée, près de la Douglas

Tavern, où un Indien avec des cheveux jusqu'aux épaules, debout sous un lampadaire, les regarda passer.

— Où on va? demanda Doc en faisant rugir le puissant moteur au moment d'emprunter la rampe d'accès de l'autoroute.

— J'en sais rien, répondit Hanson.

Doc passa la quatrième et Hanson vit l'aiguille du compteur grimper jusqu'à 100, 110, 120. Les lumières des instruments du tableau de bord projetaient une lueur verte à l'intérieur de la voiture. Ils dépassèrent un semi-remorque; les enjoliveurs chromés scintillaient dans les petites lumières ambrées qui entouraient le moyeu.

Hanson se coinça au fond du siège baquet, alors que les phares du semi-remorque s'éloignaient et disparaissaient derrière eux. C'était comme voyager à bord d'un vaisseau spatial.

— Il te reste de la coke? demanda Hanson.

Doc lui tendit le flacon.

— Prends une des petites cuillères qui sont dans la boîte à gants.

— *McSpoons*, dit Hanson en prenant une cuillère.

Les petits agitateurs de café en plastique de chez McDonald's, avec les petites arches dorées au bout. Tenant le flacon dans la main gauche, Hanson se boucha une narine et inspira la poudre glacée. Les lumières du tableau de bord devinrent plus vives.

— Ah, on s'éclate.

Il se renversa dans son siège en écoutant le bruit du moteur; la cocaïne l'apaisait; il se sentait à la fois détendu et alerte.

— Tu te souviens de cet après-midi où deux compagnies de Nungs, envoyées de Da Nang, ont menacé de tuer tous les Vietnamiens et tous les Américains du camp si on leur remettait pas le commandant vietnamien du camp?

— Oui, ils nous ont donné une heure, dit Doc. J'ai regardé ma montre. 3 h 17. Ah, ces Nungs, dit-il comme s'il évoquait un oncle adoré, celui qui vous emmène à la pêche et qui vous traite en homme, c'étaient vraiment des sacrés fils de pute.

— Silver nous avait balancé l'artillerie au-dessus de la tête, les bombardements aériens, état d'alerte. « Tirs de pétards. » Je me souviens, je pensais qu'ils auraient dû être rouges, blancs et bleus, comme des fanions du 4 juillet. On allait *immoler* cet endroit. On allait se suicider et tuer tout le monde. J'étais *heureux*, mec, assis à côté de ce vieux 3.5 sans recul, sur une caisse de roquettes, le canon sur les genoux, et je chantais...

Hanson se mit à chanter, d'une petite voix douce, comme celle d'un enfant.

— « *Daisy, Daisy, give me your answer, do, I'm half crazy, all for the love of you...* » Prêt à tuer des gens, en pagaille. Ce fut le moment le plus heureux de ma vie. Jusqu'à ce que les Nungs changent d'avis.

— La vie est pleine de déceptions, dit Doc.

À 120 km/heure, le moteur ronronnait sans effort, et Hanson aurait aimé qu'ils puissent continuer à rouler comme ça sur des autoroutes obscures, avec les bandes blanches qui défilaient sous les lampadaires.

— Je suis content de voir, dit Doc, que tu n'es pas comme ces anciens combattants « dérangés » dont j'entends parler.

— Non, pas moi. Je suis dans une épicerie, admettons, et un gros crétin obèse me rentre dedans et continue à chercher sa marque de chips préférée, comme si de rien n'était. « Pom-pom-pom ». Je me dis : « Sois gentil ou tu vas te retrouver en taule. »

— J'ai connu ce problème toute ma vie, dit Doc.

— « Salut ! enchaîna Hanson avec la voix de quelqu'un d'autre. Comment allez-vous ? C'est un plaisir de vous rencontrer. Oh, non, c'est *moi* qui m'excuse. »

Ils se rapprochaient de trois camions roulant en convoi. Doc rétrograda, mit les gaz, et ils les dépassèrent à 100 km/heure — Bekins-PIE[1] — et un camion rempli de bétail qui sentait la peur, la merde et la mort, en route pour l'abattoir. Hanson chercha à apercevoir le regard des bêtes à travers les lattes du camion au moment où ils le dépassaient à toute allure.

Doc se rabattit sur la file de droite.

— Quand j'entre dans une boutique, ils ont la trouille. Personne me regarde, mais je les entends qui pensent « nègre ». Comme une nuée d'insectes, des crickets. « Nègre. Nègre-nègre-nègre. Nègrenègre... » Je m'approche de la jolie caissière et elle me sourit. Genre : « Bonjour. » (Doc haussa la

---

1. Nom d'une compagnie de camions. *(N.d.T.)*

voix en détachant bien les mots, d'une voix « blanche ».)
« Bonjour. Je ne suis pas raciste, moi. J'aime bien les Noirs.
Je vous en prie, ne me faites pas de mal. »

Une enseigne bleue avec un chiffre 5 fluorescent au milieu
apparut au-dessus de l'horizon, tournoyant lentement sur le
fond du ciel.

— Faut que je pisse, déclara Doc. On va s'arrêter là. J'ai
soif aussi.

Ils empruntèrent la bretelle de sortie et pénétrèrent sur le
parking du grand relais routier. Les postes de lavage automatique de camions brillaient à une extrémité, imposants
et blancs comme des hangars pour vaisseaux spatiaux. Des
rangées de camions occupaient le parking, moteur tournant
au ralenti, les cabines tournées vers la gauche ou vers la droite,
telles de gigantesques têtes chercheuses ; les remorques se
découpant dans les lumières ambrées et bleues.

Ils se garèrent à l'écart des lumières pour s'enfiler encore
une dose de cocaïne, puis ils traversèrent le parking d'un pas
tranquille, en riant, au milieu des énormes camions qui les
dominaient, tels des dinosaures, remorques réfrigérées rem-
plies de viande congelée, les sanglots des climatiseurs, le
chuintement des freins à air comprimé, le sifflement des
démarreurs. Une femme portant un minishort et des talons
hauts sauta de la cabine d'un camion de bétail puant et alluma
une cigarette, en les regardant passer, tandis qu'au-dessus de
leurs têtes, la grosse enseigne du relais routier tournoyait
comme une planète rouge et bleue.

Le mur entier était recouvert de plastique, de verre et de
chrome. Tous les rétroviseurs, toutes les lumières et les accessoires chromés que l'on pouvait désirer pour un camion
étaient exposés là, comme une sorte de diagramme éclaté, une
autopsie de camion. Rétroviseurs convexes, ronds, ovales et
rectangulaires. Cache-écrous coniques, hexagonaux, et ronds,
encadrements de plaques d'immatriculation argentés ou cui-
vrés. Petites ampoules rondes, ovales, coniques, de couleur
rouge, jaune, bleue ou blanche.

— Nom de Dieu, dit Hanson, ça me donne envie d'avoir un
camion, uniquement pour pouvoir foutre ces merdes dessus.
Ah, la vache ! s'exclama-t-il, ravi, en approchant d'un enjoli-
veur argenté pour regarder son reflet, en bougeant la tête, et

290

voir son visage souriant, déformé, glisser sur la surface concave comme s'il se dissolvait dans le mercure.

— Je me demande si je pourrais installer certains de ces machins-là sur ma camionnette, dit-il en reculant. Il me faudrait des trucs lumineux, deux gros clignotants comme ça et des réflecteurs rouges partout.

Lorsqu'ils passèrent devant le restaurant, la caissière et un routier avec des cheveux longs et blonds plaqués en arrière, des rouflaquettes et une moustache à la Fu Manchu, interrompirent leur discussion pour les observer. Sur les portes des toilettes, on lisait : « Mâles » et « Femelles » ; le logo des hommes était une tête de cerf et celui des femmes, une croupe avec une petite queue blanche. Un malabar avec un blouson en satin argenté sortit des toilettes « Mâle » juste au moment où ils y entraient.

À l'intérieur, des rampes de néons aveuglantes bourdonnaient et clignotaient ; les murs verts étaient froids comme ceux d'une morgue. Planté devant la porcelaine, Hanson lut les graffiti pendant qu'il urinait.

— J'ai l'impression que nos amis routiers sont amateurs de pipes, dit-il.

Une chasse d'eau se déclencha à l'autre bout de la pièce ; l'homme qui sortit de la cabine était coiffé d'un chapeau de cow-boy recouvert de badges et d'écussons. Il marcha vers un lavabo et se lava les mains en observant Hanson et Doc dans le miroir en acier fixé au mur. Il s'essuya les mains, les regarda encore une fois, longuement, puis ressortit ; la lourde porte se referma avec un bruit sourd.

— Chier avec un chapeau de cow-boy sur la tête, commenta Hanson.

— Ça me rappelle Fayetteville. Des bars comme le Circus Lounge, où tu ne vas pas aux chiottes sans être en groupe et armé, dit Doc.

Ils traversèrent la salle de restaurant, en direction de la musique country & western. « *Oh, ruuuubee, don't take your love to town...* »

Le Mountain Cowboy Saloon donnait sur une salle deux fois plus grande que le restaurant, et deux fois plus peuplée ; des bougies rougeoyaient sur les tables, dans la fumée de cigarette, autour de la piste de danse. Un groupe de « rednecks », des types avec des cheveux blonds sales attachés en queues de cheval sous des casquettes de base-ball, jouait pendant que des couples dansaient un pas de deux, en faisant le tour de la piste.

« ... *wasn't me who started...* »

Hanson et Doc s'assirent au bar ; l'avant d'un camion Freightliner était gravé dans le miroir derrière le comptoir.

« ... *that ole crazy Asian war...* »

Des chariots bâchés roulaient vers l'ouest sur une publicité Budweiser, des pop-corn jaunes jaillissaient d'un seau en acier, et des saucisses suaient sur leur broche. Les manettes des robinets à bière étaient en forme de cornes de vache.

« ... *patriotic chore...* »

Le barman nettoyait des verres, en leur tournant le dos. Hanson pivota sur son tabouret pour regarder les danseurs : chemises à carreaux, ceinturons de cow-boy, aigles américains, noms gravés dans le cuir de la ceinture, coiffures gonflantes et blousons de camionneurs en satin.

Il se retourna, prit une paire de flacons en plastique, rouge et jaune, ketchup et moutarde, et les déplaça sur le comptoir comme s'ils dansaient ensemble.

— On appelle ça le pas de deux à sens unique du Texas.

À l'autre bout du bar, le barman discutait avec une femme aux cheveux frisés, vêtue d'un jean moulant et d'un blouson en satin orné de palmiers stylisés, avec cette inscription « Aloha Freightways », dans le dos.

Hanson crut entendre quelqu'un prononcer le mot « Nègre ».

— Ah, ah, fit Doc.

— « *I'm half crazy, all for the love of you* », chantonna Hanson. Hep, barman. Excusez-moi ! On pourrait pas avoir deux bières et deux tequila ? S'il vous plaît, monsieur ?

— C'est votre pote ? demanda-t-il à Hanson, en désignant Doc avec la pointe du menton. Il est pas très bavard, hein ?

Hanson se tourna vers Doc, secoua la tête et sourit. Tous les deux levèrent leur verre de tequila pour trinquer et les vidèrent d'un trait. Hanson sentit la cocaïne, fraîche derrière ses orbites, consumer l'alcool.

— Remettez-nous la même chose, dit-il.

— Dites, les gars, vous allez pas foutre le bordel ici, hein ? demanda le barman en adressant un clin d'œil à deux couples assis à une table derrière eux.

292

— Non, monsieur, répondit Doc en déposant un billet de cent dollars sur le bar. Remettez-nous ça.

Le barman regarda le billet comme si Doc s'était mouché dedans.

— Vous êtes du coin, les gars ? demanda un des types à la table.

Hanson et Doc se retournèrent sur les tabourets en Skaï rouge et chromés. Ils le regardèrent.

— Vous avalez tout ça pour vous foutre en l'air, comme deux cow-boys ?

Il portait une casquette de base-ball, avec un écusson qui proclamait : J'AI FAIT LE VIETNAM ET J'EN SUIS FOUTREMENT FIER !

L'autre type, plus jeune, portait un chapeau de cow-boy en cuir. Les femmes qui les accompagnaient souriaient, leur fard à paupière argenté scintillait quand elles clignaient des yeux.

— Non, m'sieur, répondit Doc, on n'est pas des cow-boys. On ne fait que passer. Chouette endroit, ajouta-t-il en regardant autour de lui.

La femme qui était avec l'ancien combattant souffla un nuage de fumée par le nez, ôta sa cigarette de sa bouche, et lui fit un grand sourire, avec du rouge à lèvres sur les dents.

— Allez, Duane, sois sage, dit-elle.

— Hé, dit Doc en montrant la casquette. J'ai pas pu m'empêcher de remarquer votre casquette, Duane. Vous êtes des anciens du Vietnam, messieurs ?

Autour de la table, tous les sourires disparurent.

— Exact, répondit Duane.

— Moi, j'aurais pu y aller aussi, mais j'ai un souffle au cœur, répondit l'autre.

Hanson acquiesça.

— Oui, je vois.

— Vous avez vu beaucoup de combats ? demanda Doc.

— Allons, tu sais bien que oui, dit Hanson.

— Beaucoup trop, hélas, dit Duane. J'ai perdu un tas de bons copains là-bas.

La femme lui caressa les cheveux.

— Un tas de *bons* copains, hein ? dit Hanson.

— Exact.

— Vous étiez dans quelle unité ?

— Les Forces spéciales. Missions de reconnaissance.

— Ah, putain, l'enculé. Les bérets verts ! s'exclama Doc en se tournant vers Hanson.

Duane se demandait si on venait de l'insulter ou pas.

— « Les combattants du ciel », on les appelait, dit Hanson, avant de se retourner vers Duane. Ça devait être la plus grosse unité de l'armée. J'arrête pas de rencontrer des gars qui en faisaient partie. Dans tous les bars où je vais.

— Hé, qu'est-ce que vous..., dit le plus jeune.

Duane leva la main.

— C'est moi qui parle avec eux, Bob.

— Désolé, monsieur, dit Hanson. On ne voulait pas réveiller des souvenirs douloureux.

— Dites, vous croyez que ça en valait la peine, d'aller au Vietnam ? demanda Doc.

— Et comment !

— God Bless America, dit Hanson.

— Foutre la branlée à ces sales communistes, dit-il. Se battre pour cette grosse pute et une place pour son camping-car.

Le barman avait glissé la main sous le comptoir ; Hanson se leva et d'un grand geste latéral, dans une gerbe argentée de tequila, il lui brisa son petit verre sur l'arrière du crâne, le faisant tomber à genoux sur les caillebotis en caoutchouc, derrière le bar. Sur la piste de danse, sous les spots roses et dorés, le groupe attaqua *Tie a Yellow Ribbon Round the Old Oak Tree*.

Bob essayait encore de se dégager de la table lorsque Hanson roula de son tabouret et lui porta un gauche approximatif, mais efficace, qui lui cassa le nez et fit tomber le chapeau de cuir. Le policier sentit l'arête qui cédait, sentit aussi le parfum de la petite amie qui, en voulant se lever, ne réussit qu'à tomber à la renverse.

Duane était resté collé sur sa chaise, et Doc le frappait à volonté ; chaque coup de poing faisant jaillir du sang et de la sueur. Il se tourna vers Hanson, une légère pellicule de transpiration sur sa peau marron, trébucha sur sa mauvaise jambe, reprit son équilibre et frappa Duane dans le cou, lui brisant la clavicule, avant de le balancer par terre.

— Il est temps de partir, déclara Hanson.

Un des trois hommes assis à une autre table, près de la porte, commença à se lever et Hanson le *regarda*. L'homme secoua la tête et se rassit.

Tous les deux franchirent les portes battantes pour déboucher dans la lumière plus vive de la salle de restaurant, traversant à grandes enjambées l'entonnoir de boxes en Skaï rouge. Un type coiffé d'une casquette PETERBILT commença à se lever ; Hanson lui saisit le visage comme un ballon de basket et le renvoya au fond de son box, sans même ralentir le pas.

Un type gigantesque, avec une face de lune, vêtu d'une chemise noire portant l'inscription SÉCURITÉ en lettres jaunes sur le devant, sortit de la cuisine et bloqua le passage dans l'allée, une petite matraque à la main. Hanson et Doc continuèrent d'avancer, épaule contre épaule, et le type s'écarta. Arrivés devant la porte en verre à double battant, ils se retournèrent tous les deux pour regarder les clients stupéfaits, puis ils franchirent la porte et débouchèrent dans l'air chaud et humide qui sentait les gaz d'échappement diesels et le bétail.

Ils remontèrent les rangées de camions qui tournaient au ralenti avec un grondement bas, et ils avaient presque atteint la Trans Am quand des bruits de pas précipités les firent s'arrêter : six hommes, dont deux armés de démonte-pneus. Doc sortit un pistolet de son holster et le tint le long de sa cuisse.

— Allez, venez, bande de fils de pute ! cria-t-il, boitillant vers eux, en boitant. Allez-y, servez-vous de vos démonte-pneus.

— Barrons-nous, Doc, dit Hanson. On n'a plus rien à faire ici.

— Approchez, sales Blancs de mes deux !

— On a eu du pot jusqu'ici. Il est temps de lever le camp, dit Hanson.

Doc sembla se détendre. Il se tourna vers Hanson et lui sourit.

— Tuons-les, dit-il.

— Je t'en supplie, barrons-nous.

— Merde.

— Tirons-nous.

— On va se les faire.

— Non, pas maintenant. Je t'en supplie, mec.

Doc secoua la tête.

Ils regagnèrent la Trans Am à reculons et sortirent lentement du parking.

À peine avaient-ils parcouru quelques kilomètres sur l'autoroute que deux voitures de la police d'État, roulant en sens inverse, gyrophares tournoyant en silence, les croisèrent.

— Tu as raison, dit Hanson lorsque Doc emprunta la première sortie, une route plus calme me semble conseillée.

— Tu ne veux pas me relayer ? demanda Doc. J'ai besoin de fermer les yeux un petit moment.

— Tu es sûr ? Cette bagnole neuve ?

Doc répondit par un grognement, en scrutant la route, au-delà de la lumière des phares, à la recherche d'un endroit pour s'arrêter.

Ils roulèrent vers l'ouest, vers la côte ; Doc dormait sur le siège du passager, sa jambe estropiée appuyée sur la bosse du boîtier de vitesses.

Hanson n'éprouvait pas l'euphorie qu'il aurait pu espérer après cette bagarre. Cela avait été trop facile, presque comme une journée de boulot. Il avait eu tort de faire ça. Il risquait de se faire virer et de se retrouver en prison.

Il aspira le sang qui coulait de ses jointures et contempla les abords de la banlieue qu'ils traversaient. Les maisons semblaient se répartir selon trois styles élémentaires, le long des rues en cul-de-sac, tels les motifs d'un papier peint. La lumière orangée des lampadaires était entourée d'une légère auréole de brouillard. La banlieue ressemblait davantage à un concept qu'à un endroit où vivaient de vraies personnes ; c'était l'idée que quelqu'un se faisait du paradis. Tout le monde dormait, les voitures neuves, en sûreté et étincelantes, étaient garées dans des allées bien éclairées. Lorsque la route grimpa vers les montagnes de la côte, Hanson vit briller les enseignes des 7-Eleven et des stations-service éparpillées à travers la zone résidentielle comme autant d'indices. Des rangées de maisons inachevées, reprenant le même motif alterné, se dressaient entre la banlieue et les champs vallonnés au-delà. Elles étaient squelettiques et à vif, avec des ardoises soigneusement empilées, de manière identique, sur chacune d'elle. Il n'y avait encore ni pelouse, ni lampadaires, ni trottoirs, ni jeunes arbres.

Ils se croyaient tous en sécurité, supposa-t-il, et ils espéraient vivre longtemps. C'était peut-être ça la grande différence. Chaque fois qu'il traversait une de ces banlieues avec une arme, Hanson se sentait dans la peau d'un horsla-loi, comme une menace, le genre de personnes que ces gens s'efforçaient de rejeter. Et il ne pouvait pas leur en vouloir.

Mais pourquoi voulaient-ils vivre longtemps, se demanda Hanson, si c'était pour refaire toujours la même chose. Ou pire. Leurs corps commenceraient à les trahir et ils seraient contraints d'abandonner leurs rêves secrets. Des rêves modestes qui plus est, mais des rêves qui les aidaient malgré tout à se lever le matin, au début, et à prendre leur voiture pour se rendre au boulot. À se dire que tout cela n'était que temporaire. Et si c'était ennuyeux, au moins, c'était sans danger. Mais ensuite, lorsqu'ils devaient s'avouer que ce n'était *pas* temporaire ? Qu'ils seraient obligés de continuer jusqu'à ce qu'ils prennent leur retraite et qu'ils meurent ? Pourquoi auraient-ils envie de vivre plus longtemps ?

Laissant la banlieue et bientôt ses lumières disparaître derrière eux à l'horizon, ils passèrent devant des fermes et des granges délabrées, d'énormes balles de foin. Le moteur puissant de la voiture les emportait sans peine. Au-delà des champs, les lumières extérieures des fermes brillaient comme des navires en pleine mer. Ils passèrent devant des restaurants condamnés par des planches et les dalles de ciments de stations-service abandonnées. Détruits, les rêves d'indépendance et de réussite.

Hanson rétrograda alors que la route devenait plus raide, dominant d'un côté le flanc d'une vallée traversée par une rivière. Il secoua Doc par l'épaule.

— Hé, je connais cette route, dit-il. J'y suis passé il y a environ deux ans. On va arriver dans un endroit qu'il faut que je te montre.

Après quelques kilomètres, il le vit qui se dressait au loin, masquant le ciel. Le dernier bosquet de sapins Douglas ayant survécu à l'incendie de Tillamook. C'était encore loin d'ici et ils durent rouler pendant plusieurs kilomètres au milieu des arbres calcinés et monstrueux, géants préhistoriques brûlés vifs trente ans plus tôt. L'odeur du vieil incendie rendait Doc nerveux. Hanson le sentait.

La température baissa dès qu'ils pénétrèrent à l'intérieur du bosquet ; la lumière de la lune devint verte, puis noire. La mousse et les aiguilles de pin adoucissaient le relief du sol que les phares de la voiture balayaient d'ombres noires et argentées. Hanson arrêta la voiture, éteignit les phares et coupa le moteur.

— Descends, dit-il à Doc.

Le plafonnier s'alluma ; le regard de Doc était dur et vif, toute fatigue avait disparu lorsqu'il descendit de voiture et regarda Hanson par-dessus le toit de la voiture.

— Ferme la portière, dit Hanson, et Doc repoussa le battant, qui se ferma avec un *clic* sonore ; l'obscurité l'enveloppa.

Hanson renversa la tête en arrière comme s'il reniflait l'air.

— Écoute, dit-il.

Il n'y avait absolument aucun bruit. Pas même le murmure du vent dans la cime des arbres gigantesques, uniquement le *tic tic tic* du moteur de la voiture qui refroidissait, et le chuintement du pistolet de Doc sortant de son holster.

Quelque chose agita l'air au-dessus de leurs têtes, une chauve-souris peut-être, ou bien une chouette qui chassait sur la route dans le noir.

— Tu as cru que je voulais te tendre un piège ? Que j'allais te descendre ? Je voulais juste te faire entendre ça. Le silence. Tu ne me connais pas ?

Le holster de Doc claqua doucement, récupérant le pistolet.

— Je n'ai pas dormi depuis trois jours, dit-il.

— C'était calme comme ça au Laos, de l'autre côté de la frontière, dit Hanson. Dès que les hélicos avaient foutu le camp.

— Bouger et écouter, dit Doc. Écouter et bouger.

Hanson ne voyait pas Doc, mais il parla dans la direction d'où venait sa voix.

— Je n'ai jamais eu envie de revenir.

Une chose minuscule, une souris ou une pomme de pin tombée de sa branche, loin de là, au milieu des arbres, se déplaça parmi les aiguilles de pin.

— À ton avis, qu'est-ce qui se passe, demanda finalement Hanson, une fois qu'on est mort ?

— On est de la viande froide.

— Des fois, je me dis que, peut-être, si on est courageux, et si on tient parole, tu comprends ? Si on fait ce qu'on a promis, sans se plaindre, si on ne lèche pas plus de culs qu'il est absolument nécessaire...

Doc ricana.

— ... Alors, peut-être qu'il se *passe* quelque chose une fois qu'on est mort.

Doc lui sourit à travers la chaleur qui montait de l'aigle, sur le capot de la Trans Am ; ses yeux, ses dents et ses pommettes captèrent un soupçon de lumière d'étoile qui filtrait à travers l'obscurité des arbres antiques, une lumière qui avait voyagé pendant des milliers d'années pour éclairer cet instant. C'était un sourire dépourvu d'espoir ou de pitié. Un sourire qui disait la seule chose que la plupart des gens s'efforcent de nier toute leur vie. La lumière était si faible que Hanson dut regarder au-delà de Doc, dans les bois, pour voir ses yeux, et alors, il sentit son propre visage envahi par ce sourire.

— De la viande froide, c'est pas si mal, dit Doc. Ça me gêne pas.

Le battement d'ailes étouffé passa au-dessus d'eux de nouveau, plus rapide cette fois, en piqué, et la chose qui avait fait bouger les aiguilles de pin poussa un couinement ; tandis qu'on l'emportait, ses cris s'élevèrent vers les étoiles, assourdis par la cime des arbres, avant de disparaître.

— Il peut se passer n'importe quoi, dit Doc, c'est un autre enfer. Pire que celui-ci. C'est toujours de pire en pire.

— Roulons jusqu'à la côte, dit Hanson.

Le moteur puissant les conduisit de l'autre côté du bois ; les phares tremblotaient entre les arbres dans chaque virage, l'odeur des aiguilles de pin et de l'air de la nuit entrait et sortait par les vitres ouvertes.

Une fois hors des bois, la route se mit à grimper, mais le gros moteur n'eut pas de mal à les hisser vers les hauteurs, vers l'ouest, jusqu'à ce qu'ils atteignent un croisement en T, et Hanson bifurqua à droite. En contrebas, au-delà de la route de corniche, l'océan captait la lumière de la nouvelle lune. L'océan qui se soulevait et retombait comme une créature qui respire, aussi loin que portaient leurs regards.

20

LORS DE L'APPEL, le sergent Bendix lut un communiqué émanant du bureau du chef de la police et incitant tous les agents à faire un effort pour améliorer leur image de professionnels au service de la communauté, et à assouplir cette mentalité « nous contre eux » qui s'était développée dans certains districts.

— Je me demande, dit Zurbo, de quels districts il peut s'agir ?

Hanson suggéra que la brigade des Stups refile à North Precinct toute l'héroïne entreposée dans leur placard de pièces à conviction. La drogue était généralement vendue dans des ballons gonflables, longs et étroits. On versait un « dime », c'est-à-dire dix dollars de came, au fond du ballon, que l'on nouait ensuite solidement, avant de le couper juste au-dessus du nœud. On faisait un autre nœud au bout du morceau de ballon restant, on versait la dose d'héro à l'intérieur et on recommençait : on faisait un nœud et on coupait. Avec un seul ballon, on pouvait ainsi confectionner quatre ou cinq petits paquets de la taille d'une bille. Vous pouviez les transporter dans la bouche et si jamais les flics vous arrêtaient, hop, vous les avaliez. Si on ne vous emmenait pas en prison, vous pouviez les vomir ensuite, ou bien, si c'était trop tard, les chier tout simplement, comme neufs.

— Accordez-nous une heure sup', dit Hanson, pour emballer toute la came. Chaque voiture de patrouille pourrait emporter une petite boîte de ballons, chacune ayant sa couleur distinctive. Ou bien, on pourrait les mélanger ; couleurs primaires, pastel, fluo, et les lancer par les vitres en roulant dans les rues. Ce serait comme distribuer des bonbons sur les chars pendant la parade du 4 juillet. Au lieu de détruire toute cette came, on pourrait l'utiliser pour assouplir cette mentalité « eux contre nous ». Les gens dans les rues seraient heureux de nous voir passer. Souriants, coopératifs... Fini la criminalité.

— Je doute que le chef soit d'accord, répondit le sergent Bendix, en essayant de sourire. J'ai encore deux ou trois choses à vous dire, mais on est déjà en retard. Essayez d'en prendre connaissance à la fin de votre service, ajouta-t-il en déposant les communiqués et les avis sur la longue table éraflée. Surtout, n'oubliez pas de jeter un œil au mémo interagences envoyé par le comté de Tillamook, dit-il en brandissant le portrait-robot de Hanson et de Doc, agrafé à un Télétype qu'il lut à voix haute : « Les suspects ont tout d'abord agressé et frappé deux individus, les blessant grièvement, sans raison apparente. Sans doute sous l'effet de la drogue. Ils ont ensuite agressé un certain nombre d'autres personnes en sortant du relais routier, et après avoir quitté les lieux, le suspect de race noire a menacé plusieurs individus avec une arme à feu. Des témoins les ont vus repartir ensuite vers l'ouest, au volant d'une Trans Am dorée, sans doute immatriculée en Californie. Les suspects sont armés et dangereux. »

— Des pédés poi... poivre et sel, bredouilla Larkin. Venus du pays des fous... et des f... f... folles.

— Le Blanc ressemble à Hanson.

— Je l'ai toujours dit. Tous les bérets verts ont le chromosome mâle en plus. Des dingues de la violence, dit Zurbo.

— Alors, Hanson. C'est qui ton pote ?

Le sergent Bendix traversa le parking avec sa planchette, pour l'inspection des voitures de patrouille. Zurbo et Neal attendirent qu'il approche de la voiture voisine de la leur pour placer les mains en coupe autour du nez et de la bouche, et se pencher au-dessus du générateur d'ozone en inspirant avec vigueur.

Bendix s'arrêta, les regarda haleter bruyamment, puis il frappa à la vitre fermée. Il récidiva. Zurbo rejeta la tête en arrière, en inspirant à fond et en gonflant le torse, puis il « aperçut » Bendix et baissa sa vitre.

— Ça va, les gars ?

— Oui, sergent, répondit Zurbo, le souffle court. On a eu...

— On a eu cette idée, enchaîna Neal, à bout de souffle lui aussi, à cause du mémo du chef.

— On s'est dit, reprit Zurbo, qu'en inspirant une bonne dose d'ozone, avant de commencer la journée...

— Ça nous rendrait plus cools, conclut Neal.

— Je ne pense pas que ces appareils aient été conçus dans ce but, dit Bendix. Une respiration normale durant la journée devrait maximiser les effets positifs.

Juste derrière la frontière de leur district, dans Fremont Street, le van de Fox sortit du parking du Hollywood Palms Motel, un endroit fréquenté principalement par les prostituées et leurs macs. Peetey riait, jusqu'à ce qu'il aperçoive la voiture de patrouille, mais Fox, qui ne souriait même pas, n'eut pas besoin de changer d'expression, les yeux fixés sur Hanson, tandis qu'ils passaient dans l'autre sens. Une des putes, vêtue d'un short en cuir et d'un débardeur noirs, ouvrait au même moment la porte d'une des chambres du premier étage. En entrant, elle se retourna vers la voiture de patrouille. C'était Asia.

C'est seulement lorsqu'ils se retrouvèrent dans l'Avenue que Dana dit :

— Ce portrait-robot, il ressemblait *vraiment* à ton pote et toi.

— Ouais. Effrayant, hein ?

Dana acquiesça.

Ils passèrent devant la Librairie Socialiste du Pionnier, avec un drapeau révolutionnaire dans une vitrine crasseuse, étoilée par des projectiles de carabine à air comprimé.

Un Blanc, dont la peau avait la couleur de la graisse de bacon froide, se grattait la poitrine devant le Centre national des donneurs de plasma ; il détourna la tête en voyant la voiture de police.

Ils passèrent devant une maison que le feu avait ravagée ; les planches de contreplaqué devant les fenêtres formaient des taches pâles sur la façade noire de suie, où des lattes de plâtre apparaissaient par endroits, telle une cage thoracique. La puanteur du bois carbonisé et humide et celle de la nourriture brûlée envahirent la voiture, puis se dissipèrent lentement, aspirées à travers les vitres baissées.

— Au cours de son trentième jour de perm', avant son deuxième séjour, Doc a tué un type qui brandissait devant lui un pistolet non chargé. Doc savait que le flingue n'était pas chargé. Il a tué le type pour s'amuser.

Quiconque regardait les yeux de Hanson à cet instant aurait pensé qu'il évoquait les souvenirs d'une enfance heureuse.

— Doc a dit qu'ils ne pouvaient pas prouver qu'il savait que l'arme n'était pas chargée. « Et de toute façon, disait-il, je suis un putain de héros de guerre, qui retourne combattre les méchants communistes. »

— Je ne te comprends pas, mec, dit Dana. Pas étonnant que les gens te regardent bizarrement parfois.

— La vie était dure, là-bas.

Un chat tigré, décharné, qui chassait dans les herbes hautes d'un terrain abandonné, les regarda passer.

— Et simple. C'est ça que j'aimais. Le « Bien », c'était de rester en vie. Le Mal, c'était tout le reste. Les bruits, les odeurs, les gestes. L'hésitation. La pitié. Tous ceux que tu ne connaissais pas, en qui tu n'avais pas confiance, tu les tuais. Doc et quelques autres étaient les seuls en qui j'avais confiance, sur des millions de personnes dans le monde. Les autres sont tous morts ; il ne reste plus que Doc et moi. Je n'ai jamais réussi à l'expliquer, mais on est comme soudés l'un à l'autre, et ça ne nous plaît pas, ni à lui ni à moi. Je n'ai jamais raconté ça à personne, pas même à moi. Je l'ignorais jusqu'à cet instant... Si l'un de nous deux meurt, l'autre se retrouvera seul, d'une certaine façon... Ça non plus, je ne peux pas l'expliquer. Pour toujours. C'est pour *ça* que j'ai tellement peur. Doc aussi. Et pourtant, il n'a peur de...

La faible odeur de fumée provenant de la maison brûlée, qui restait accrochée à l'uniforme de Hanson, l'interrompit.

— Il a peur du feu. D'être brûlé très grièvement.

Hanson tourna vers le nord dans Union, en plein milieu du vacarme et des hurlements venus de la tente du *revival* ; le bruit des haut-parleurs masquant tout d'abord la voix de l'évangéliste. Trois intersections plus loin, un feu rouge les immobilisa à une courte distance de la tente à rayures blanches et bleues. La rue était déserte, comme si les énormes haut-parleurs bosselés, rivés les uns aux autres, lacérant la voix de l'évangéliste, avaient chassé tous les gens.

« ... quand vous l'entendez, ou quand vous le voyez sur la page imprimée de votre livre de cantiques... »

Les chaises métalliques pliantes alignées sous la tente étaient toutes presque vides ; à peine une douzaine de personnes, toutes noires et âgées de plus de cinquante ans, étaient assises dans les premiers rangs. L'évangéliste les regardait de derrière son pupitre sur l'estrade, un micro dans une main, un mouchoir blanc dans l'autre.

Hanson remonta sa vitre pour faire obstacle au vacarme, filtrant une partie des parasites, et la voix de l'évangéliste leur parvint plus distinctement.

« ... ça ressemble à un simple mot, un mot de deux syllabes, joyeux, synonyme de foi. Mais séparez donc ce mot en deux : *Christian*[1], selon ses deux composantes, et vous verrez que c'est bien plus que ça. La première partie de ce mot, ce qu'un professeur de linguistique à Harvard appellerait la "racine", est *Christ,* Dieu soit loué ! Mais qu'en est-il du reste de ce mot, de ce mot d'apparence si simple qui nous relie à Dieu, ces trois dernières lettres, IAN ? »

Un peu plus loin dans la rue, Pharaon traversa le carrefour désert en poussant son chariot, avant de disparaître derrière un magasin de disques condamné par des planches.

Les haut-parleurs bourdonnaient et ronronnaient, tandis que l'évangéliste s'épongeait le visage, épongeait son micro, frottant la tête grillagée à l'intérieur de son mouchoir, et le bruissement amplifié faisait penser à une locomotive à vapeur qui démarre.

« ... Certains d'entre vous, ce monsieur, là, avec son beau costume, ou cette jeune femme peut-être, là devant, dit-il en s'essuyant le visage, et montrant une dame aux cheveux gris, se disent en ce moment : "De quoi parlez-vous, pasteur ? Même vous, vous ne pourrez pas vous tirer d'affaire avec votre sermon, car je sais bien que IAN, ça ne veut rien dire !" »

Le feu passa au vert, et Hanson redémarra, en passant devant la tente.

1. *Christian* : chrétien. *(N.d.T.)*

« ... Vous avez raison. Raison à cent pour cent ! s'écria-t-il, et son rire résonna dans les haut-parleurs comme des bangs supersoniques. Car IAN est l'abréviation de I Ain't Nothing[1]. I... Ain't... Nothing. Amen. Sans le Christ, comprenez-vous, nous ne sommes rien ! »

— *Cinq Soixante-deux, vous m'entendez ?*

— Cinq Soixante-deux, répondit Hanson.

— *Demande d'ambulance. 3-17 Wygant. Une fillette mordue par un chien. On essaye de libérer un code 3[2]. Mais toutes les unités de secours sont occupées par le carambolage sur la 80.*

— On y va, dit Hanson en écrasant l'accélérateur pour franchir le carrefour suivant, tout en visualisant le chemin le plus rapide ; les paroles du prédicateur s'éloignèrent dans leur dos, se fondirent de nouveau dans le vacarme, avant de disparaître.

Hanson avait déjà vu ce type. Un chauffeur de dépanneuse.

— Je lui ai répété des centaines de fois, nom de Dieu, s'exclama-t-il. Ne va pas emmerder King !

La petite fille, âgée de deux ans, était allongée sur un canapé crasseux ; elle regardait fixement le plafond.

— Cinq Soixante-deux, dit Dana dans son portable. Il nous *faut* ce code 3...

Aucune réponse.

Dana regarda le portable muet.

— Bon, je vais utiliser la radio de bord. Je rapporte une couverture et la trousse de secours, dit-il en poussant violemment la porte à moustiquaire.

Hanson s'approcha du canapé, sans se presser, en souriant, comme s'il s'agissait d'une visite de routine.

Une première plaie était visible dans les cheveux, irrégulière, elle traversait le front, passait par le sourcil, puis s'élargissait jusqu'à l'os d'un bleu nacré, descendant vers la tempe et l'oreille arrachée. La seconde blessure lui ouvrait la joue.

— Comment s'appelle-t-elle ? demanda Hanson.

---

1. *I ain't nothing* : « Je ne suis rien. » *(N.d.É.)*
2. Intervention prioritaire.

Il se pencha pour observer de plus près une chose enfoncée dans la plaie, sous la peau lisse, les muscles de la mâchoire déchirés et le sang coagulé. Des dents. De minuscules molaires blanches.

— Son nom ?

— Euh... c'est la gamine de ma nana... euh... Marcy. Elle aurait dû la surveiller. Je peux pas m'occuper de tout, bon Dieu !

— Bonjour, Marcy, dit Hanson, et son regard souriant était un mensonge. Tout va bien. On va s'occuper de toi.

Dès qu'il posa la main sur elle, l'enfant se mit à hurler ; le sang coagulé s'effrita, la blessure se rouvrit, un peu de sang frais s'écoula.

— Vous êtes pas doué pour rassurer les malades, mon vieux, commenta le chauffeur de dépanneuse, en s'écartant pour laisser passer Dana qui venait de rentrer.

Hanson aida celui-ci à envelopper la fillette dans la couverture en laine rugueuse, en la serrant bien autour des bras et des jambes pour l'empêcher de bouger et d'aggraver l'hémorragie.

Le chien, enfermé dans la penderie, se jetait inlassablement contre la porte, en poussant des aboiements étouffés, comme quelqu'un qui tousse.

— Je lui ai fait enlever les cordes vocales, expliqua le chauffeur. Je veux un chien qui aboie pas. Un chien qui attaque simplement.

— Alors, on a une ambulance ? demanda Dana au dispatcher.

Le portable fonctionnait de nouveau.

— *Elle arrive du West Side.*

Soudain, Marcy s'étouffa avec son sang, en se débattant dans la couverture, jusqu'à ce que Dana et Hanson parviennent à la redresser en position assise, pour qu'elle puisse déglutir. Par la fenêtre, Hanson vit une vieille Pontiac rouillée grimper sur le trottoir et s'arrêter dans le jardin. La femme qui était au volant en jaillit, trébucha, ôta sa chaussure dont le talon était brisé et se précipita vers la maison, en boitillant et en sautillant. Elle était mignonne, vingt-cinq ans environ, mais elle commençait à prendre du poids.

— Marcy ! hurla-t-elle en franchissant la porte. Mon bébé ! Donnez-la moi !

Elle bouscula Dana, puis se mit à le frapper pour récupérer l'enfant. Dana supporta les coups, en maintenant la fillette en position verticale pour ralentir l'hémorragie.

— Madame, dit Dana, on essaye de...

— Je suis sa mère !

— Laisse les flics faire leur boulot, nom de Dieu ! beugla le chauffeur de dépanneuse.

Hanson s'interposa entre eux.

— Madame, regardez-moi, dit-il en faisant barrage avec son corps. Regardez-*moi* !

Mais elle était aveuglée par la panique, et elle tendit le bras par-dessus l'épaule de Hanson, réussissant à agripper Dana par les cheveux ; l'enfant criait aussi fort que sa mère désormais.

— Tu vas m'écouter, bordel ! cria le chauffeur.

Il la saisit par le bras et la tira violemment en arrière, la projetant contre le mur.

— Tu m'entends, oui ? Si tu continues à faire chier, je me barre ! C'est fini !

En sanglots, elle tendit les bras vers lui ; il repoussa ses mains d'un geste brusque.

— Je t'ai dit cent fois de ne pas la laisser approcher de King. Tu es complètement conne ou quoi ? Hein ?

— Tant pis pour l'ambulance, dit Dana en prenant la petite fille dans ses bras. On l'emmène à l'hosto.

Hanson le suivit hors de la maison, en prévenant le dispatcher.

— ... et envoyez la fourrière sur place pour s'occuper du chien, ajouta-t-il.

— Hé ! Attendez ! s'exclama le chauffeur en les suivant sur le trottoir. C'est pas la faute de King ! Il est dressé pour faire un boulot. La gamine l'a provoqué !

Hanson se retourna et lui rentra dedans, manquant de le faire tomber à la renverse, l'obligeant à reculer vers la maison, en lui hurlant au visage :

— C'est *ta* faute, sale enfoiré ! (Il le heurta de la poitrine.) C'est *ta* faute !

— Allez, viens ! lui cria Dana, la chemise déchirée, les lunettes mouchetées de sang, tandis que la petite fille se débattait et hurlait dans ses bras, ensanglantée et folle de peur, sa mère hurlant elle aussi sur la véranda, pendant que Dana

307

essayait d'ouvrir la portière de la voiture pour déposer l'enfant à l'intérieur.

Elle se débattit encore lorsqu'ils lui attachèrent les jambes sur la table avec des sangles en cuir et lui glissèrent les bras dans une petite camisole de force bleue qu'ils fermèrent sur le devant. Quand ils lui sanglèrent la tête et commencèrent à injecter de la novocaïne dans son visage lacéré, Hanson quitta la pièce.

C'était le début de l'après-midi et les urgences n'étaient pas encore surpeuplées. Il y avait juste quelques patients derrière les rideaux en coton, qui attendaient la visite d'internes au regard vitreux après vingt-quatre heures de garde. Habituelle-ment, Hanson appréciait ces passages aux urgences ou dans l'unité psychiatrique. Cela voulait dire au moins une heure de repos, pour boire un café, rattraper le retard dans la paperasse et passer des coups de téléphone.

Dans quelques heures, les civières heurteraient les portes à double battant, traverseraient bruyamment les couloirs sur leurs petites roues caoutchoutées, les flacons d'intraveineuse ballottant au-dessus comme des lampions, transportant des blessés ayant reçu une balle ou un coup de couteau, des vic-times de crise cardiaque, des conducteurs ivres, ensanglantés, qui avaient traversé le pare-brise de leur Buick à 400 dollars, le teint grisâtre et le regard vague sous l'effet de l'hémorragie et du choc, ou agités de convulsions, vomissant, parlant dans toutes les langues.

Mais en début d'après-midi, tout était calme, presque pai-sible, tandis que Hanson, debout devant une des fenêtres grillagées et munies de barreaux, regardait au-delà de l'auto-route et de la zone industrielle, au-delà des limites de la ville et de la banlieue, les arbres lointains et les contreforts des collines, à l'horizon, là où le Stormbreaker se dressait à travers la brume et la chaleur scintillante, comme une menace.

Dana et Hanson achevaient de remplir les paperasses lorsque le médecin entra dans le bureau qu'il leur avait prêté, pour leur annoncer que la petite fille souffrait de graves trau-matismes nerveux. Ils feraient tout leur possible pour limiter les cicatrices, mais tout le côté gauche de son visage ne retrou-verait jamais ni les sensations ni la mobilité.

Hanson l'imagina allant à l'école, défigurée, le visage figé, bavant, honteuse.

— L'opération va durer un long moment, ajouta le médecin, mais je voulais vous voir avant que vous ne partiez. Il faut alerter l'Agence de protection de l'enfance, dit-il en ouvrant son carnet qui renfermait un formulaire de déclaration d'abus sexuels, sur lequel étaient dessinés, de manière simplifiée, presque grossière, un homme et une femme nus, de face, de dos, du côté droit, du côté gauche. Les dessins plus détaillés des parties génitales, en dessous, qu'il avait entourées avec un feutre, ressemblaient presque au genre de graffiti que l'on aurait pu trouver sur les murs de toilettes publiques.

— Les lacérations des parties génitales et autour de l'anus, dit-il en désignant les endroits en question, sont le signe de violences sexuelles fréquentes. Les brûlures, ici et ici, ont sans doute été faites avec des cigarettes. C'est généralement le cas.

Hanson ne parvint pas à s'endormir, même après avoir vidé la bouteille de cognac. La maison était totalement plongée dans l'obscurité, à l'exception d'une seule lampe allumée dans le salon, là où il était assis, le .9 mm en acier bleuté dans la main. Le pistolet projeta des reflets lorsqu'il tourna le poignet et fit glisser son regard le long du canon rayé, jusqu'à la balle à douille de cuivre, sinistre, qu'il avait introduite dans la chambre. Il abaissa le lourd pistolet et le fit basculer d'un côté à l'autre, pour tester l'équilibre, puis, avec le pouce, il arma le chien. *Clic.* En levant les yeux, il aperçut Truman qui se tenait juste à l'extérieur du cône de lumière, et l'observait.

« Si jamais il t'arrive un truc, lui avait lancé Fox, compte sur nous pour appeler la fourrière pour qu'ils s'occupent de ton chien. »

Il orienta le pistolet vers le mur, abaissa le chien et déposa l'arme sur la table.

— Comment ça va, vieux ? Toi non plus tu n'arrives pas à dormir ? Viens, on va se partager une bière dehors.

Lorsqu'ils rentrèrent dans la maison, Hanson prit le livre intitulé *Vapeur* et le feuilleta jusqu'à la page 55 :

TABLE DES COMBUSTIBLES

Combustible	Températures de combustion
Hydrogène	5750
Pétrole	5050
Charbon de bois	
Carbone-Coke	4850
Anthracite	
Charbon-Cumberland	4900
Coke bitumineux	5140
Houille	4850
Lignite	4600
Tourbe séchée au four	4470
séchée à l'air (25 % d'eau)	4000
BoisHickory, écorce	4469
Red Heart	3705
Chêne blanc	3281

Et ainsi de suite, avec l'épicéa, le pin du New Jersey, l'érable, sur toute la page, jusqu'au pin blanc, avant de recommencer avec l'hydrogène. Hanson regarda Truman.
— Monsieur Thorgaard, est-ce qu'il...
Il posa la main sur le dos du chien et reprit la lecture du livre, cherchant à travers les colonnes de combustibles, de températures et de valeurs thermiques une cohérence, une sorte de logique cachée sous les mots et les chiffres, une chose à laquelle il n'avait peut-être jamais songé, lisant à la lumière de la lampe, jusqu'à ce qu'il s'endorme, avec Truman à ses côtés, sur le canapé affaissé.

21

C'ÉTAIT LE JOUR DE CONGÉ de Hanson, mais il était venu témoigner devant le grand jury dans l'affaire du chauffeur de dépanneuse et de l'enfant de deux ans. Et comme il s'était déplacé, il s'offrit un bon steak dans un des restaurants chics de la « Vieille ville ». Il portait un jean, des bottes de cow-boy éculées, une chemise bleu ciel avec une cravate bleu marine, et une saharienne couleur kaki qu'il avait commandée par correspondance chez L.L. Bean et venait de recevoir. Il trouvait cette veste un peu prétentieuse, et il n'aimait pas le holster que le vêtement l'obligeait à porter.

Assis à une table près de la vitre, il commanda trois cognacs en guise de dessert, en regardant les poivrots dans la rue, et dans la vitre, le reflet d'une jeune et jolie femme assise au bar. Elle avait le teint pâle, des cheveux noirs coupés court et un rouge à lèvres sombre ; elle portait une robe noire retenue par de fines bretelles. Elle fumait avec élégance et recherche, en faisant de grands gestes avec sa cigarette et en rejetant la fumée sur le côté.

Après le troisième cognac, sa plaie récente sur l'arête du nez cessa de l'élancer.

Le repas lui coûta la moitié d'une journée de salaire, mais ça en valait la peine, se dit-il en réglant l'addition. Ayant jeté un dernier regard à la jeune femme, il quitta le restaurant et décida de parcourir à pied les huit ou dix blocs jusqu'au Blue Dolphin avant de rentrer chez lui. C'était une nuit agréable.

Un peu plus loin dans la rue, Champ sortit du hall du Nordic Seas Hotel, un asile de nuit où les pensionnaires

311

suspendaient leurs vêtements aux plafonds grillagés. Jeune recrue, Hanson avait été appelé un jour dans cet endroit, au sujet d'un cadavre, qui s'était révélé une mort naturelle.

— Hé, Champ ! Comment ça va ? demanda Hanson.

Champ pencha la tête sur le côté et le regarda ; la sangle de son casque de football pendait dans le vide.

— « Envoie-les au tapis, donne-leur une leçon ! », clama Hanson.

— Tu crois que tu peux entuber ce vieux Champ ? Espèce d'enfoiré ! dit-il en serrant les poings et en levant les bras.

— C'est *moi,* Hanson.

— Je vais t'éclater la gueule, grogna Champ, les poings dressés de chaque côté de la tête, la bave coulant sur le menton, dégageant une odeur aigre de vinasse et d'urine.

— Hanson ! Sans mon uniforme. Tu me reconnais ?

— T'as intérêt à faire gaffe, dit Champ en se rapprochant péniblement, tandis que Hanson reculait, en levant les mains devant lui.

Un gigantesque Indien, avec des cheveux jusqu'aux épaules, le menton et les joues zébrés de croûtes fraîches, sortit à son tour de l'hôtel.

— Qu'est-ce qui se passe, vieux ? demanda-t-il à Champ d'une voix pâteuse. (Il le prit par la taille.) Ce vieux Champ !

— Speeding Bull, dit Hanson. Tu me connais, pas vrai ?

— Pas vrai ? fit Speeding Bull. Qu'est-ce qu'est pas vrai ?

— Il a essayé de m'avoir, dit Champ.

Speeding Bull regarda Hanson de la tête aux pieds ; ses yeux étaient aussi noirs que des pierres.

— T'habites ici ?

— Souviens-toi...

— Retourne d'où tu viens.

Hanson acquiesça et continua de remonter la rue, en passant devant le centre du Secours populaire, et traversa la rue.

Il sentit l'odeur des livres avant même de franchir les portes ouvertes de la librairie Blue Dolphin qui occupait tout un pâté de maisons. Un néon bleu représentant un dauphin clignotait dans la vitrine, semblant sortir d'un vieux film policier.

Comme toujours, il s'arrêta dans la première salle pour jeter un œil sur les « Nouveautés ». Dans une des pièces du fond, une femme ne cessait de s'époumoner. Les mots n'étaient pas très clairs, mais elle s'exprimait comme une évangéliste dont le seul bonheur sur cette terre était de répandre la parole de Dieu. Finalement, il se faufila au milieu des tables jusqu'à l'origine de cette voix. Une lecture de poésie.

Toutes les rangées de chaises pliantes étaient occupées ; d'autres personnes restaient debout, adossées aux murs, ou étaient assises par terre en tailleur. L'officiante se tenait sur une sorte d'estrade, les bras écartés ; les longues manches de sa robe violette ressemblaient à des ailes. Elle était pâle et son fard à paupières mauve lui donnait un aspect de cadavre.

Elle souriait à son public.

— La guerre, disent-ils, est finie, les hommes qui nous observent d'en haut. De leurs salles de conférence. De leurs jets privés, trop éloignés pour qu'on les entende. De... leurs bureaux ovales.

Hanson observa les spectateurs, en les imaginant dans un jury, se demandant de quelle façon il pourrait les faire pencher de son côté. Les femmes les plus jeunes portaient des jeans, des t-shirts, des débardeurs, ou des chemisiers mexicains. Les hommes avaient des barbes, des chemises à carreaux et des bottes de bûcherons ; le genre de types, se dit Hanson, qui conduisaient des pick-ups avec des autocollants qui proclamaient : « Les joueurs de rugby mangent leurs morts » ou bien « L'alpinisme, c'est pas pour les mauviettes ! ».

De nombreuses personnes écoutaient la tête baissée, les yeux fermés afin, supposa Hanson, de se concentrer sur les mots.

— C'est ce qu'ils nous disent. Ils veulent nous faire croire que la guerre est terminée, mais elle se poursuit la nuit au fond de... mes yeux. Ouiii.

De jeunes couples portaient des enfants sur les épaules, comme des sacs à dos. Des femmes plus âgées, belles et visiblement riches pour la plupart, ressemblaient à des Russes exilées, avec leurs grandes bottes, leurs longues robes et leurs châles. C'étaient des auditrices attentives, penchées en avant sur leur chaise métallique.

— Comme un film que je ne peux arrêter. Diffusé de nuit. Et je croise les meurtriers chaque jour dans la rue, avec leurs costumes trois-pièces et leurs cravates club. Ouiii.

Il se pencha un peu plus dans l'encadrement de la porte, en déséquilibre, pour balayer le fond de la pièce, et faillit tomber lorsque son regard croisa celui de la fille rousse qu'il avait suivie avec la lunette du fusil l'autre soir chez Dana : Sara. Il lui adressa un petit salut, en se sentant ridicule, puis retourna dans la section littérature pour chercher un roman policier de James Crumley que lui avait recommandé Zurbo. Il longea les rayonnages : Crawford, Crews... et passa dans la rangée suivante où un grand type en tenue de cycliste se tenait devant la fin des C, en train de lire un livre. Plus âgé que Hanson, il portait une casquette, un maillot publicitaire pour une marque de bicyclette, un cuissard et de drôles de chaussures à bout carré.

Hanson ne pouvait pas voir par-dessus son épaule. Il fit un pas sur le côté, en essayant de regarder par-devant, au moment où le type cassait la tranche du livre pour l'ouvrir sur une photo double page au grain épais. Des villageois morts dans un fossé.

Peut-être est-il absorbé par le livre, se dit Hanson, et il ignore que je suis derrière lui. Il se glissa de l'autre côté, projetant une ombre sur le livre ouvert. Le cycliste se reporta à l'index situé à la fin de l'ouvrage, et le rouvrit à la même page.

Tu reviendras plus tard, se dit Hanson en observant le cycliste. Il était grand et visiblement en pleine forme, mais sans doute ne s'était-il jamais battu, sauf au lycée pour la frime, et il croyait que les fossés remplis de cadavres n'existaient que dans les livres.

En le voyant humecter son doigt pour tourner la page, Hanson imagina qu'il lui brisait l'index, mais chassa rapidement cette image de son esprit. Ne sois pas idiot, se dit-il. Ton haleine sent l'alcool, et tu as déjà suffisamment d'ennuis.

Le cycliste tourna légèrement la tête, montrant son profil.

Un nez « patricien », se dit Hanson. Long et fin. Facile à briser. Un début sanglant et spectaculaire. Ou bien, il pouvait aussi lui faire perdre connaissance en l'étranglant et le laisser s'écrouler par terre, comme il le faisait souvent avec des individus récalcitrants trop costauds pour qu'il puisse les maîtriser d'une autre façon. Généralement, ils crachaient tout l'air qu'ils avaient dans les poumons, ils se débattaient pour essayer de se libérer et paniquaient. Parfois, ils essayaient de crier, avant de s'évanouir, de mouiller leur pantalon et de heurter le trottoir, mais étant donné qu'ils n'avaient plus d'air et qu'on leur comprimait la trachée, le bruit qu'ils émettaient ressemblait à un sifflement aigu, comme un lapin blessé. Des gros Noirs de cent vingt kilos, des durs à cuire, couinant comme des lapins blessés aux tripes. C'était étrange, se dit Hanson, en regardant la gorge du cycliste.

Faire mal aux gens faisait régulièrement partie de son boulot, c'était *normal,* puisqu'il était flic. Ce type avec son short en Lycra ne saurait pas quoi faire si jamais Hanson le faisait pivoter et commençait à le frapper. Il perdrait du temps à se demander : « Pourquoi fait-il ça ? Ai-je fait quelque chose de mal ? », pendant que Hanson continuerait à le frapper. Ensuite, il essaierait de se *défendre,* au lieu de *se battre,* mais à ce moment-là, ce serait déjà terminé.

Si par extraordinaire il lui donnait du fil à retordre, Hanson pouvait lui balancer son genou dans les couilles ou son pouce dans l'œil, ou un coup de poing dans la gorge, ce qui, évidemment, risquait de le tuer.

Que dirait-il aux gars de la Criminelle ?

« Il était sur mon chemin, alors je l'ai tué. »

« Pourquoi ne pas lui avoir demandé de se déplacer ? »

Le cycliste tourna une autre page, et Hanson se demanda s'il ne pourrait pas le frapper suffisamment fort, juste une fois, dans les reins, pour le faire tomber. Au lieu de cela, il regarda fixement son oreille, en lui jetant LE regard. Il se concentrait, les yeux braqués sur l'oreille.

Le cycliste tourna lentement la tête.

— C'est quoi, votre problème ?

— J'en sais rien, répondit Hanson.

Il éclata de rire et le cycliste recula d'un pas, pivota sur ses talons et s'éloigna rapidement dans l'allée, le livre à la main.

— Un ami à vous ?

Hanson se retourna. C'était la rousse, Sara.

— Non, pas du tout. Il doit me prendre pour un cinglé.

— Pour quelle raison ?

— Regardez.

Hanson se mit à tourner en rond, entre les rayonnages de livres, la tête baissée, à petits pas.

— Vous dites quoi, docteur ? Mon problème ? J'en sais rien. J'en suis pas sûr, mais des fois, c'est comme si j'étais poursuivi par une créature monstrueuse. Là-bas dans l'obscurité. Elle me suit. Oh...

Il leva les yeux vers elle, en souriant.

— Vous voyez le genre ?

— Ça vous dirait d'aller dans une soirée ? proposa-t-elle.

— Vous n'avez pas peur que je sois fou ?

— J'aime mettre une petite dose de piquant dans ma vie privée, répondit-elle en lui rendant son sourire, la tête renversée, faisant apparaître la ligne bleue de la carotide sous sa peau pâle, juste en dessous de la mâchoire.

Hanson y appuya deux doigts, sentant battre son pouls.

— J'ai oublié votre nom, dit-il sans ôter sa main de son cou.

— Sara.

Il sentit sa voix au bout de ses doigts.

Ils prirent la Coccinelle noire de la fille. Dans l'obscurité de la voiture, sa peau était lumineuse. La soirée avait lieu dans les West Hills et il faisait plus frais là-haut. L'air sentait l'herbe et les sapins de Douglas.

— Les poèmes vous ont plu ? demanda-t-elle en débrayant pour passer la seconde.

— J'ai simplement jeté un coup d'œil pour voir qui récitait ce sermon.

— Vous n'êtes donc pas poète ?

Hanson ne put s'empêcher de rire.

— Et vous ?

— Non.

— Ravi de l'entendre. Dites, vous avez quelque chose à boire dans cette voiture ?

— Essayez dans la boîte à gants.

Il découvrit un demi-litre de vodka et brandit la bouteille plate, argentée.

— Servez-vous, dit-elle.

Il but une gorgée, et s'apprêta à remettre le bouchon, avant d'en boire une deuxième.

— Ah, merci mille fois.

— Je ferais peut-être bien d'en prendre un peu, dit-elle, et Hanson lui tendit la bouteille.

Le contact brûlant de l'alcool dans sa gorge était agréable, comme cette chaleur qu'il sentait s'installer dans la voiture entre eux. Il but une autre gorgée lorsqu'elle lui rendit la bouteille, avant de la ranger dans la boîte à gants. Il savait qu'il aurait dû se réfréner, mais il se sentait bien, mieux qu'il ne s'était senti depuis longtemps. Il se détendit et se renversa dans son siège.

316

— Si vous n'êtes pas poète, que faites-vous ? demanda-t-il en regardant les muscles de sa cuisse se contracter quand elle débrayait.

— Je peins, répondit-elle sans quitter la route des yeux.

— Quel genre de peinture ?

Hanson regardait les mains de la jeune femme agripper le volant.

Elle le regarda et sourit.

— Il faudra que je vous montre mes tableaux. Peut-être que je *vous* peindrai. Et vous, qu'est-ce que vous faites ?

Hanson prit une profonde inspiration ; il sentit le parfum de Sara, auquel se mêlait un soupçon de sueur, d'huile de moteur chaude, de vodka fruitée et de sapins.

— Moi, dit-il en fermant les yeux, en posant l'arrière de son crâne contre l'appui-tête.

Elle passa encore une vitesse et la petite voiture tremblota.

— ... Je travaille pour la municipalité.

— Ah ? fit-elle. Vous n'avez pas une tête à travailler pour la municipalité. Qu'est-ce que vous faites exactement ?

— Oh, c'est très intéressant. Je suis rattaché au bureau du procureur. Je suis une sorte d'agent de liaison avec l'ACLU.

Il se tourna vers elle, sans décoller la tête du dossier, et il lui sourit, avec ce sourire qu'il utilisait au tribunal quand il regardait le jury et voulait séduire les femmes. Il appelait ça son « beau sourire libéral ».

— Je suis une sorte de médiateur, je règle les problèmes.

— De quelle manière vous les réglez ? demanda-t-elle, et Hanson éclata de rire.

— Eh bien... j'examine les plaintes pour abus de pouvoir dans le cas de personnes nécessiteuses, j'enquête sur les accusations de brutalités policières dans la communauté noire. Ah, les flics. J'essaye de les faire marcher droit. Je les ai à l'œil, ceux-là, dit-il avec un nouvel éclat de rire, en sentant les effets de la vodka.

— Qu'est-il arrivé à votre nez ? demanda-t-elle.

— Je suis tombé de vélo.

C'était une grande maison de style ranch, qui dominait la ville. Hanson avait travaillé pendant quelque temps dans ce secteur des collines, à l'époque où il était affecté au commissariat central. Parfois, il était difficile de localiser une adresse parmi toutes ces rues sinueuses et ces culs-de-sac, mais c'était un quartier facile; il y avait principalement des rapports de cambriolage à rédiger quand des médecins, des avocats, des hommes d'affaires, des conseillers en communication ou des agents de change rentraient chez eux en fin d'après-midi. Généralement, ils adoptaient une attitude condescendante avec lui, le traitant comme le larbin d'une compagnie d'assurances, ce qu'il était d'une certaine façon.

Sa bonne humeur commença à s'assombrir dès qu'ils entrèrent dans la maison. L'endroit était bruyant, surpeuplé et enfumé. Il ne détestait pas la foule quand il travaillait. Au contraire, il aimait bien qu'il y ait du monde quand il dirigeait les opérations, sentir couler la sueur sous la poussée d'adrénaline. Quand il ordonnait à quelqu'un de se retourner « et mettez les mains sur la tête », la personne obéissait. Il observait les visage et les mains, la manière dont les gens réagissaient lorsque leurs regards se croisaient; ses yeux émettaient une menace, ils énonçaient clairement les règles : « Faites ce que je dis. »

Dans une soirée comme celle-ci, ses mêmes instincts opéraient, mais il était obligé de les réprimer, car ici, personne ne connaissait les règles.

— Je n'ai pas l'intention de rester longtemps, dit-il à Sara.

— Moi non plus.

D'un mouvement de tête, elle désigna une des femmes habillées en comtesse russe.

— Il faut que je lui parle. Allez-y. Je vous rejoins tout de suite, dit-elle en lui touchant le bras.

Hanson traversa prudemment la pièce, en rendant leurs sourires à deux étudiantes, pour se rendre dans la cuisine. Sans doute y avait-il de la bière, pensa-t-il, et cela lui donnait un but.

— Pardon... Pardon..., disait-il en se frayant un chemin au milieu de la foule du salon.

Il sentait la présence du pistolet dans le holster et les effets de la vodka.

C'était une grande cuisine avec un carrelage blanc et noir, une cuisinière et un plan de travail disposés au centre, comme un îlot. De grands couteaux en métal argenté, des couperets émoussés et de lourdes poêles en cuivre étaient suspendus par des crochets à un râtelier, au-dessus de l'îlot. Lors des bagarres familiales, la cuisine était l'endroit le plus dangereux de la maison. Le motif à damier du sol de la cuisine lui fit tourner la tête quelques instants.

Le réfrigérateur était rempli de bières étrangères ; Hanson en prit une et fouilla ensuite dans tous les tiroirs d'ustensiles, se piquant le doigt jusqu'au sang sur une broche à épis de maïs, jusqu'à ce qu'il trouve enfin un ouvre-bouteilles.

Le célèbre poète, celui dont la photo figurait sur les prospectus à la librairie, était assis sur une chaise de cuisine, contre le mur du fond, encerclé de personnes qui réclamaient son attention. Une fille vêtue d'une robe aux motifs africains, ses longs cheveux blonds attachés en queue de cheval, était agenouillée devant lui, cherchant à capter son regard.

— Cela a-t-il un sens ? lui demanda-t-elle.

Hanson les observait de son coin, près du réfrigérateur ; à l'intérieur de son bras gauche une veine battait contre le .9 mm. S'il était *obligé,* se demanda-t-il, serait-il capable de tuer les sept ou huit personnes présentes dans cette pièce avec les neuf balles que contenait son pistolet ? Non, sans doute pas. Il devrait viser la tête pour être sûr de son coup ; or, ils se mettraient à courir dans tous les sens. La meilleure solution — après avoir verrouillé la porte de la cuisine, d'une manière ou d'une autre — serait de sortir son arme et de les obliger à s'allonger à plat ventre sur le sol, les mains sur la tête. Il était probable qu'aucun d'eux ne résisterait, tandis qu'il les tuerait un par un, chacun faisant comme si tout cela n'était pas réel, comme s'ils ne pouvaient pas mourir de cette façon.

Hanson s'éloigna du réfrigérateur et le poète lui adressa un sourire poli, cherchant un prétexte pour échapper au regard fixe de la fille. Vêtu de sa saharienne, avec son regard vague, Hanson aurait pu se faire passer pour un poète lui aussi. Le fait qu'il porte une arme et qu'il envisage, même de manière théorique, de tuer tous ces gens, signifiait qu'ils couraient un vrai danger, et aucun d'eux n'en avait la moindre idée. Les habitants de l'Avenue, eux, savaient qu'il y avait des armes dans la rue et dans les maisons, en permanence. Les gens réunis dans cette cuisine vivaient dans un monde imaginaire.

— Je veux écrire sur cet été-là, dit la fille en robe africaine au poète. L'été que j'ai passé avec Head Start[1]. L'été dans le

1. *Head Start* : programme d'éducation destiné aux enfants défavorisés. *(N.d.T.)*

319

ghetto, essayant d'apporter mon aide, dit-elle. Pour leur montrer que tous les Blancs ne sont pas racistes.

— Oui, tu devrais le faire, dit le poète.

Hanson revint sur ses pas pour mieux entendre ; ses oreilles s'étaient mises à bourdonner légèrement, et il trébucha contre un type portant de petites lunettes rondes et un béret rouge.

— Oh, pardon, dit Hanson, et le type le regarda en fronçant les sourcils, rejetant sa fumée de cigarette du coin de la bouche.

Hanson but une gorgée de bière en se demandant si Dana pensait lui aussi, parfois, à des choses comme tuer des gens dans une soirée.

La fille se rapprocha des genoux du poète en se traînant par terre, l'agressant avec sa sincérité.

— Le fait que tu étais la seule femme à travailler là-bas lui donnera encore plus d'impact, déclara le poète.

Malgré ses efforts, Hanson ne put s'empêcher de tous les imaginer morts, le carrelage rouge de sang, la fumée de l'arme flottant dans l'air et les détonations qui continuaient de résonner dans ses oreilles. Que ferait-il ensuite ? Trop tard pour faire quoi que ce soit. Il n'aurait jamais dû s'autoriser cette pensée. Bon Dieu, ses oreilles bourdonnaient pour de bon maintenant. « Tirs d'artillerie », les avait-il entendus dire un jour, alors que les petites armes à feu et les hélicoptères en étaient la cause.

Le type au béret rejeta sa fumée de cigarette, qui monta vers les cheveux, les yeux et le nez de Hanson.

— Oui, c'est aussi ce que je pense, dit la fille, mais j'ai besoin de combler des espaces vides dans ma vie — cela a-t-il un sens ? — avant de me sentir prête à écrire sur ce sujet.

Le poète consulta sa montre.

Le bourdonnement devint plus insistant et les lumières dans la pièce semblèrent s'atténuer. Lentement, un pas après l'autre, Hanson ressortit de la cuisine.

La porte d'entrée, ouverte, paraissait minuscule et lointaine, tout au bout du tunnel dans lequel il avançait, et il ne cessait de la perdre de vue dans la pièce qui s'assombrissait. Il devait fixer son regard dessus, tandis qu'il passait au milieu des gens, dont les voix disparaissaient presque totalement derrière le bourdonnement.

— Pardon, pardon, disait-il en essayant de parler d'une voix calme.

Quelqu'un lui agrippa le bras.

— Hé, on a besoin de toi, dit un gars en riant. On fait un sondage...

Hanson ôta la main, sourit en direction de la voix, comme un aveugle, et répondit :

— Non, merci. Bonne chance.

— Lewis ne colle pas, dit quelqu'un, pendant que Hanson se dirigeait vers la sortie. Ce n'est pas un protagoniste, c'est un symbole.

Il sourit aux gens qui se trouvaient dehors dans le jardin, résistant à l'envie impérieuse de courir, et dès qu'il fut dans la rue, loin des lumières, il commença à se sentir mieux. La marche serait longue pour retourner en ville, mais tant pis. L'espace d'un instant, il avait bien cru qu'il n'atteindrait pas la sortie ; il avait craint de perdre tout contrôle de son corps et de tomber, de flotter jusqu'au sol, incapable de bouger et de parler. Les gens se seraient penchés au-dessus de lui, et lui auraient demandé ce qui n'allait pas, et lui, allongé par terre, il leur aurait souri. « Tout va bien. Je vous assure. Ne vous occupez pas de moi. »

Il prit une profonde inspiration. L'asphalte était solide sous ses pieds. La nuit agréable.

— Bon Dieu ! dit-il à voix haute, alors que la tension s'évacuait.

Il avançait d'un bon pas maintenant, les yeux levés vers les étoiles. Il était capable de marcher toute la nuit s'il le fallait. Il faudrait qu'il raconte ça à Truman en arrivant chez lui.

Cinq cents mètres plus bas environ, il entendit le moteur de la Coccinelle rétrograder dans les virages, puis des phares surgirent derrière lui, projetant son ombre sur la route. La voiture s'arrêta à sa hauteur, il se pencha pour regarder à l'intérieur.

— Pourquoi ne m'avez-vous pas dit que vous vouliez partir ? Je croyais que vous étiez d'accord pour aller dans cette soirée ? dit-elle.

— Désolé. C'était une mauvaise idée.

— Je vous raccompagne ?

Aucun des deux ne parla en redescendant de la colline, et finalement, Sara dit :

— Vous êtes un peu bizarre, c'est vrai. Si je n'avais pas fait votre connaissance chez Helen, je ne sais pas si je vous aurais abordé, là-bas dans la librairie.

— Ce doit être la vodka. Ça va mieux maintenant, dit-il en regardant la lumière des lampadaires inonder son visage. Vous êtes ce que j'ai vu de plus joli aujourd'hui.

Elle le regarda, puis rétrograda en arrivant à un carrefour.

— Ça vous dirait de voir mes tableaux ? Ouiii ? demanda-t-elle en imitant la poétesse de la librairie.

C'était une maison victorienne délabrée située au nord-ouest de la ville, un quartier sur la tangente, susceptible de s'embourgeoiser ou de se transformer en taudis. Des étudiants, des retraités et des employés vivaient ici, mais aussi des dealers blancs et au moins une bande de motards.

— J'ai travaillé dans ce coin pendant quelques mois, dit Hanson tandis qu'ils s'arrêtaient devant la maison. J'aimais bien.

Avec les dealers *blancs,* pas besoin de faire gaffe. Si vous les passiez à tabac, ils ne pouvaient pas vous accuser de racisme. Avec les enfoirés *blancs,* vous pouviez appliquer la justice de la rue, gagner du temps et vous épargner un tas de paperasses.

La maison tombait en ruine ; les racines des arbres faisaient gondoler le terrain en dessous, submergeaient les fondations. La porte en bois sculptée était voilée. De grandes pièces hautes de plafond s'ouvraient de chaque côté du vestibule. La pièce située sur la droite était plongée dans l'obscurité.

Une télévision éclairait celle de droite ; des volutes de fumée de marijuana s'élevaient paresseusement dans la lumière bleutée. Sur l'écran, Humphrey Bogart, les pieds posés sur son bureau, écoutait une femme debout devant lui qui se tordait nerveusement les mains.

Un type torse nu les regardait dans un canapé rembourré face à la télé. Il était d'une maigreur à faire peur, ses cheveux lui tombaient dans le milieu du dos, ses lèvres étaient violettes dans la lumière de la télé.

— Tiens, tiens, dit-il, qu'avons-nous ramené dans notre tanière ?

— Je te présente monsieur Hanson, dit-elle.

— Hanson, ça suffira.

— Ah oui ? fit le type avec une voix à la Humphrey Bogart.

322

Hanson, hein ? Juste Hanson. Les durs n'ont pas de prénom. C'est ça ?

— Plus le truand est minable, plus il jacasse fort, répondit Hanson, une réplique tirée du film *Le Faucon maltais,* qui passait à la télé.

Le type éclata de rire et tira sur son joint.

— Moi, c'est Timothy, dit-il en retenant la fumée. Enchanté, Hanson. Le film vient de commencer. On peut se le regarder à trois.

— Bonne nuit, Timothy, dit Sara en entraînant Hanson par le bras.

Bogart observa la femme, rejeta la fumée et la regarda se dissiper dans l'air. Quand il ouvrit la bouche, Hanson et Timothy prononcèrent les paroles en même temps : « Quand quelqu'un tue votre associé, vous êtes censé réagir. »

Timothy hurla de rire, tandis que Hanson et Sara montaient à l'étage.

— Je crois qu'il va me plaire, celui-là, douce Sara ! leur lança-t-il d'en bas.

Au moment où ils atteignaient le palier, Hanson crut voir quelqu'un d'autre endormi sur le canapé.

Les murs de la petit chambre étaient presque entièrement couverts de tableaux : des miniatures, certains de la taille d'une carte postale, d'autres plus grands, encadrés ou pas, certains inachevés, mais tous rassemblés comme les différentes pièces d'un puzzle.

Des lézards et des serpents, des insectes cuirassés, mi-animaux mi-machines, dessinés dans un style pointilliste, violet et bleu turquoise, orange et jaune, noir et rouge sang. Des reptiles dans des jungles vertes ruisselantes, en train de se battre, de manger ou de s'accoupler, difficile de différencier les activités ; crochets en avant, dents acérées et langues rouges fourchues, les yeux aux paupières tombantes, maléfiques.

— Alors, ça te plaît ? demanda-t-elle.

Il acquiesça en longeant le mur jusqu'au bout.

— C'était qui l'autre gars en bas ?

— Lojeck, sans doute.

Hanson se tourna vers elle.

— L'amant actuel de Timothy, un avocat au chômage, expliqua-t-elle en souriant.

323

Hanson acquiesça encore une fois, en songeant qu'il n'avait jamais fini la soirée chez une fille aussi jolie. Intelligente et riche, par-dessus le marché.

— Celui-ci, dit-elle en montrant un tableau, je l'ai peint l'année dernière, à l'époque où je prenais beaucoup d'acides.

C'était un autoportrait, on reconnaissait facilement son visage, mais elle avait le corps d'un gros lézard.

— Tu es choqué ? demanda-t-elle, assise sur le dessus-de-lit, un patchwork fait de pentagrammes. Parfois, des gens sont choqués, dit-elle en ôtant ses chaussures.

Ses jambes pâles flamboyèrent à travers ses bas noirs nacrés.

— Plus rien ne me choque, répondit Hanson. Depuis quelque temps du moins. J'ai décidé que les choses les plus dingues que je pouvais imaginer, des milliers de personnes étaient en train de le faire autour de moi au même moment. En fait, je ne travaille pas pour l'ACLU, avoua-t-il, encore un peu ivre, la bouche sèche.

Elle croisa les jambes, fit glisser une chaussure, puis les recroisa dans l'autre sens ; ses bas crissèrent ; comme une femme aux longs doigts qui se lave les mains, songea Hanson,

— Je m'en doutais, dit-elle en défaisant le premier bouton de son chemisier.

— Mais je travaille effectivement pour la municipalité. Ça c'était vrai. (Il se passa la langue sur les lèvres.) Quand tu ramènes quelqu'un chez toi comme ça, tu n'as pas peur de tomber sur un fou ?

— Quel boulot fais-tu pour la municipalité ? demanda-t-elle, tournée vers lui, tout en défaisant les deux boutons suivants.

Une sirène gémit au loin, et l'espace d'un instant, Hanson se demanda s'il avait vraiment envie de se trouver dans la chambre de cette femme. Il serait peut-être plus heureux au boulot.

— Je suis flic. C'est pour ça, dit-il en ôtant sa saharienne et en la déposant sur le dossier d'une chaise à côté du lit, que je porte cette arme.

— Formidable.

Elle sourit, avec ses dents parfaites, en se levant pour faire glisser sa jupe.

— On ne voit pas souvent des porte-jarretelles. De nos jours, dit Hanson dans une sorte de murmure.

Elle finit de déboutonner son chemisier, dont les pans se refermèrent entre ses seins, laissant apparaître toutefois quelques taches de rousseur dans le décolleté. La lumière qui se reflétait sur le tissu conférait à sa peau pâle une légère teinte verte.

Hanson sentit un poids énorme lui comprimer la poitrine, comme si son holster se resserrait autour de son torse.

— On ne voit pas souvent des holsters non plus, dit-elle. C'est très sexy. Ces sangles en cuir entre les épaules et de chaque côté du torse.

Elle l'enlaça ; ses seins frôlant la poitrine de Hansons, leurs deux pubis se touchant, et elle fit courir ses mains dans son dos, par-dessus les sangles, jusqu'à sa taille. Elle sentait le parfum, la fumée de cigarette, la sueur et la vodka.

— C'est quoi ça ? demanda-t-elle.

— Des menottes.

— Oh, encore mieux, dit-elle en les extirpant de sa ceinture. Des menottes dans une lecture de poésies.

Tenant un des bracelets argentés, elle balança le deuxième au bout de la courte chaîne. Elle fit ensuite coulisser la mâchoire crantée à l'intérieur du rochet, jusqu'à ce que les deux parties s'écartent.

— Et ça, c'est quoi ?

Elle brandit le bracelet dans la lumière pour montrer les petites taches brunes, comme de la rouille.

— Euh, l'autre jour on a été obligé d'arrêter un type qui refusait d'aller en prison. Il a un peu saigné avant d'accepter qu'on lui passe les menottes. J'avais l'intention de les nettoyer.

Elle passa le bracelet ouvert autour de son poignet gauche et le referma lentement, une dent à la fois, *tic, tic, tic.*

— J'espère que tu as la clé, dit-elle en souriant.

Elle ôta son chemisier, faisant passer les menottes par la manche, avant de l'étendre sur la saharienne.

— Tu devrais enlever ce gros pistolet, dit-elle en défaisant les boutons de sa chemise.

Elle avait des seins laiteux, parcourus de veines bleues. Hanson en souleva un dans sa main et l'embrassa.

— Oui, bonne idée, dit-il d'une voix rauque en faisant glisser les sangles de son holster comme une paire de bretelles. Il fait chaud ici.

Il déposa le holster et l'arme sur une commode derrière lui, puis ôta sa chemise et son t-shirt.

Elle tira sur sa ceinture pour la défaire, puis se plaqua contre lui et glissa la main dans son dos pour prendre le holster.

— C'est quoi comme arme ?

— Tu t'y connais en armes ?

— J'en ai vu à la télé.

— Tout est de la télé.

— Ça veut dire quoi ?

— Rien.

— Je te la montre, mais ensuite on la range. Et on n'y pense plus.

— Fais voir.

Quand il se retourna pour sortir le pistolet du holster, elle passa les mains autour de sa taille et les plaqua sur son entre-jambe. Le bracelet des menottes pendait à l'intérieur de sa cuisse.

— Smith & Wesson modèle 39, dit-il en ôtant le chargeur qu'il déposa sur la commode. Il contient neuf balles, huit dans le magasin et une dans la chambre.

Il renversa le pistolet, appuya sur le cran de sûreté avec son pouce et ouvrit la culasse. Il en jaillit une balle en cuivre brillante que Hanson récupéra de la main gauche.

— Laisse-moi voir, dit-elle en l'embrassant sur l'oreille.

— .9 mm parabellum, dit-il en déposant la balle dans sa main. Elles sortent du canon à plus de 300 m par seconde. Elles sont censées exploser au moment où elles entrent dans la chair, mais, dit-il avec un petit mouvement de tête de droite à gauche, ça ne marche pas toujours. C'est quand même une bonne balle. 115 « grains ». Une chouette arme.

— Je peux la tenir ?

— OK, dit-il en éjectant de nouveau le percuteur pour vérifier que la chambre était vide. Tant que le cran de sûreté est mis, tu ne peux pas tirer, expliqua-t-il en réintroduisant le chargeur.

Il lui tendit le pistolet.

— Tiens. Vise le mur et appuie sur la détente.

— C'est lourd !

Les jambes écartées, elle leva l'arme menaçante. Les muscles de son épaule et de son bras saillirent, tandis qu'elle visait le dessin d'un lézard bleu et pressait la détente.

Clic.

Tenant toujours l'arme à bout de bras, elle lui sourit, le visage luisant de sueur.

— Bon, dit Hanson en lui reprenant le pistolet pour le ranger dans le holster. Peut-être que je t'emmènerai tirer un jour.

Elle fit glisser les mains de chaque côté du torse de Hanson, jusqu'à la taille, et entreprit de déboutonner le jean.

— Tu es un amant brutal, hein ? Ça ne me gêne pas. J'aime ça, en fait. J'aime bien m'amuser avec ce genre de trucs, dit-elle en levant son poignet menotté.

— Je ne...

Elle lui prit le poignet, doucement, puis en serrant, l'obligeant à poser sa main sur ses seins, pour les malaxer de manière maladroite.

— Ce n'est pas une bonne idée, dit-il en ôtant sa main.

Elle enfonça les ongles dans son bras et plongea le visage vers sa main, saisissant avec ses dents le morceau de peau entre le pouce et l'index. Elle le regarda en souriant, et mordit.

Il lui saisit le poignet et le serra, jusqu'à ce qu'elle soit obligée de lâcher son bras.

— OK, dit-elle. OK..., dit-elle en riant. Tu es trop fort. Qu'est-il vraiment arrivé à ton nez ? demanda-t-elle, en caressant la croûte fraîche.

— C'est le type qui ne voulait pas qu'on lui mette les menottes. Il m'a poussé dans une portière de voiture.

Elle sourit, et frappa l'arête de son nez avec son index et son majeur repliés.

— C'est sensible ? demanda-t-elle, alors qu'il commençait à saigner. Viens, dit-elle en défaisant son jean. J'aime ça.

Elle lui prit la main de nouveau et la posa brutalement sur ses seins.

— Vas-y ! ordonna-t-elle en le regardant droit dans les yeux, tandis qu'elle glissait sa main dans son pantalon.

Hanson lui donna une tape sur le sein avec la paume, puis il recommença avec le dos de la main.

— Plus fort, dit-elle en sortant sa main du jean. Ne tapote pas comme un petit garçon effrayé. *Frappe !* dit-elle en le giflant.

Elle laissa retomber sa main, et tandis qu'elle le regardait, Hanson sentit le sang couler le long de son nez.

— D'accord? dit-elle.

Elle eut le souffle coupé quand il la frappa, puis elle sourit.

— Donne-moi ton autre poignet, ordonna-t-elle, et elle referma sèchement le bracelet des menottes.

22

LE VENDREDI APRÈS-MIDI, le temps était chaud et humide, et la circulation dense dans l'Avenue, où des arcs-en-ciel gras flamboyaient dans le monoxyde de carbone. Hanson avait la gueule de bois et il patrouillait dans son secteur en suivant un itinéraire qui lui évitait de rouler vers l'ouest, face au soleil. Installée sur le parking de l'ancien magasin JC Penney détruit par un incendie, la tente du prédicateur était déjà en pleine activité ; l'effet Larsen couinait dans les haut-parleurs, et Hanson leva sa vitre, étouffant la voix de l'évangéliste. «... me dit : "Donnez-moi une autre chance, pasteur. Donnez-moi juste une autre chance !" Alors, reviens vers l'église, je lui réponds. Car je crois qu'un homme peut se racheter. Mais viendra un jour, lui dis-je, viendra un jour où il n'y aura pas d'autre chance... »

Dana était au tribunal, ce qui obligeait Hanson à patrouiller seul pendant ses premières heures de service. Dans ces cas-là, il était supposé faire équipe avec un partenaire temporaire, un bleu ou un des gars de la patrouille volante, mais c'était se donner beaucoup de mal pour juste quelques heures.

Au moment où il passait devant le magasin de vins et spiritueux, à côté du « Mor-4-Less », un vieil homme vêtu d'un costume trop large descendit du trottoir pour l'interpeller, en agitant le bras. Hanson alluma son gyrophare pour arrêter la circulation, effectua un demi-tour et se gara en double file devant la boutique.

— Officier, dit l'homme en désignant l'avant d'une Pontiac verte. Regardez un peu ! Je veux que vous fassiez un rapport ! Ces dégâts viennent d'être commis !

Vieille d'une dizaine d'années, la voiture avait été bien entretenue. Elle était dotée de jupes et de bavettes, d'un pare-soleil et d'un tas d'autres accessoires.

— Il est rentré dedans en marche arrière et j'exige réparation ! dit-il en désignant la vieille voiture de police, peinte en noir avec des touches d'apprêt gris, garée devant la Pontiac. Je veux qu'on règle ça. Je n'étais même pas dans ma voiture.

Un phare était brisé et il y avait une grande traînée de peinture noire sur l'aile.

— Tenez, officier, c'est lui ! s'exclama le vieil homme en désignant Dakota, au moment où celui-ci sortait de la boutique de spiritueux, entièrement vêtu de noir, une bouteille de deux litres de vodka à la main. À l'intérieur de la boutique, une grande affiche montrait Jerry Lewis, tout sourire, brandissant une fillette dont les jambes étaient prises dans un appareil orthopédique.

— Bonjour, dit Hanson, qui se souvenait d'avoir vu ce type, en gardant ses distances, tout en le fouillant avec les yeux. Ce monsieur affirme que vous avez percuté sa voiture en reculant. C'est exact ?

Les yeux du type étaient injectés de sang, pourtant, il ne paraissait pas ivre. Il regarda le phare brisé, puis le vieil homme.

— C'est ce qu'il a dit ?

— Oui, monsieur. Parfaitement.

Derrière Hanson, la circulation était obligée de ralentir, car la voiture de patrouille garée en double file, avec le gyrophare allumé, créait un étranglement.

Dakota tourna le dos au vieil homme pour regarder Hanson, la bouche ouverte, comme s'il avait oublié ce qu'il voulait dire. Peut-être était-il véritablement ivre, se dit Hanson, en espérant que non. Une arrestation pour conduite en état d'ivresse lui prendrait le restant de l'après-midi.

— Dans ce cas, ça doit être vrai.

— Parfait, dit Hanson. Tout va s'arranger. Puis-je voir votre permis de conduire, je vous prie ?

Dakota sortit un portefeuille en cuir cousu à la main, du genre de ceux que les gosses fabriquent en colonie de vacances, et souleva un rabat pour montrer à Hanson l'insigne minable, acheté par correspondance, en le cachant avec sa main pour que personne d'autre ne le voie. Comme Hanson n'y prêtait pas attention, il l'inclina dans la lumière.

— Uniquement votre permis de conduire, dit Hanson.

Dakota ouvrit son portefeuille et fouilla à l'intérieur avec ses mains sales aux ongles rongés ; du sang séché avait formé une croûte au bout d'un de ses doigts. Finalement, il sortit un permis de conduire de Californie tout ratatiné.

— Et lui, alors ?

— C'est déjà fait, répondit Hanson en montrant le permis de conduire du vieil homme.

Dakota bloquait en partie la porte du magasin de spiritueux, et deux jeunes Noirs, tenant des bouteilles dans des sacs en papier, le regardèrent de la tête aux pieds.

— Je crois que ces deux messieurs aimeraient passer, dit Hanson.

Dakota se retourna vers les deux Noirs et s'écarta légèrement ; ils passèrent en se pavanant, et l'un d'eux frôla volontairement l'épaule de Dakota au passage. Puis ils s'éloignèrent de quelques mètres sur le trottoir, sachant qu'il fallait éviter de s'immiscer entre un flic et la personne qu'il risquait d'arrêter.

Hanson s'avança pour prendre le permis.

— Californie, hein ? dit-il en souriant. Quel coin ?

— Vacaville. C'est marqué dessus.

Hanson se pencha en avant pour sentir son haleine au moment où il parlait. Pas de trace d'alcool. Une odeur de pop-corn brûlé. Tu parles d'un boulot, se dit-il en remarquant le mauvais état des dents de Dakota. Renifler des haleines pareilles !

— Je suis sur une affaire, chuchota Dakota.

— Bien. Pendant que je vérifie quelques petites choses, échangez vos coordonnées tous les deux, et on pourra tous repartir.

Les Muslims se garèrent juste au coin de la rue, le long du trottoir d'en face. Quatre d'entre eux descendirent de voiture — costumes, nœuds papillons et lunettes de soleil — et restèrent plantés sur le trottoir, regardant autour d'eux. Hanson leur adressa un long regard, du genre « Allez vous faire foutre », tandis qu'il passait le bras par la vitre de la voiture de patrouille pour s'emparer du micro, et il entendit Dakota s'adresser aux deux jeunes Noirs qui venaient de sortir du magasin.

331

— Hé, qu'est-ce que tu regardes, négro ? Ouais, c'est à toi que je parle, bamboula !

— Vous êtes dingue ou quoi ? lui demanda Hanson par-dessus le toit de la voiture, en jetant le micro sur le siège, alors que les deux jeunes types marchaient vers Dakota. Restez où vous êtes, et ne bougez pas. C'est compris ?

Hanson contourna la voiture par-derrière, en roulant des yeux.

— Écoutez, dit-il, les bras écartés pour intercepter les deux types. Laissez-moi lui parler, OK ? Venez par ici une minute, dit-il en les entraînant vers le « Mor-4-Less », sans cesser de jeter des coups d'œil à Dakota par-dessus leurs épaules.

— J'ignore ce qui ne tourne pas rond chez ce type, dit Hanson. Regardez-*moi,* OK ? Soyez sympa, oubliez ce type. Je vais régler l'incident. Et ensuite, je l'emmènerai ailleurs. Là d'où il vient. Je vous serais reconnaissant, les gars. D'accord ? (Il les regarda l'un après l'autre, hocha la tête et recula.) Merci. Vous, venez par ici, dit-il en faisant un geste à Dakota, tandis qu'il contournait la voiture.

À l'aide de son portable, il lança une demande de renseignements pour savoir si Dakota ne faisait pas l'objet d'un mandat.

— ... vous pourriez peut-être envoyer une autre voiture également, si vous en avez une de disponible, ajouta-t-il en regardant les Muslims impassibles au coin de la rue. Ça ne va pas la tête ou quoi ? dit-il à Dakota à voix basse, sous le regard des deux jeunes Noirs arrêtés sur le parking du « Mor-4-Less ». Regardez un peu autour de vous. Combien d'autres Blancs vous voyez ? Aucun. Zéro. Et on a les Muslims au coin de la rue qui cherchent la bagarre. Si vous déclenchez une émeute raciale, on n'est pas en position de force. Alors, restez cool. D'accord ? Monsieur, dit-il en s'adressant au vieil homme, allons constater les dégâts, si vous le voulez bien. On va tout noter, comme ça tout le monde sera content et on pourra partir.

Ils s'agenouillaient devant le phare brisé lorsque Dakota s'écria :

— Quoi ? T'as quelque chose à dire, *boy* ?

Hanson se redressa et se retourna vers les deux jeunes Noirs, en faisant *non* de la tête. Il ouvrit la portière arrière de la voiture de patrouille. Les gens sortaient du « Mor-4-Less » pour voir ce qui se passait.

— Asseyez-vous donc dans la voiture en attendant qu'on ait terminé, d'accord ? dit-il à Dakota. On est devenus l'attraction.

— J'avais raison à votre sujet, dit Dakota. Vous avez rien pigé.

— S'il vous plaît, montez dans cette voiture, dit Hanson. Je n'ai pas besoin d'une émeute sur les bras. Je suis obligé de bosser dans le coin tous les jours, OK ? Alors, asseyez-vous, on s'occupe de ce phare cassé et on s'en va, *adios, no problem.*

Dakota sembla ne pas l'entendre ; il regardait les Muslims remonter le trottoir d'un pas nonchalant.

— Montez.

La grosse bouteille de vodka explosa dans la rue ; la douleur brûlante irradia dans la nuque de Hanson et éclata dans ses yeux, envahis tout à coup par l'obscurité et des étincelles rouges.

— *Le permis de conduire est valide. Aucune condamnation en cours,* annonça la petite voix dans le portable, très loin.

Dakota avait saisi Hanson par les cheveux, lui tirant la tête en arrière d'un coup sec, tandis que de l'autre main, il lui arrachait son pistolet glissé dans son étui à la taille.

— J'ai ton flingue, sale traître.

Le canon de l'arme s'enfonça dans ses côtes, dans l'interstice d'une dizaine de centimètres entre les deux pans de son gilet protecteur, les petits *clic clic clic* de la détente étouffés par sa chemise courant dans sa poitrine comme une crise cardiaque.

— *Appel d'une autre voiture ?* demanda le dispatcher dans le portable, au moment où Hanson, d'un geste latéral, l'abattait sur le crâne de Dakota.

Appel d'une autre voiture ? Tandis qu'il prenait son élan pour frapper à nouveau, en visant l'œil.

Le feu tricolore au carrefour passa du vert à l'orange.

Ça va faire mal, pensa Hanson, quand il aura trouvé le cran de sûreté. Le *clic* provoquerait un *boum* qui se propagerait à l'intérieur de sa cage thoracique, et ça ferait très mal. Il sentirait le goût de poudre et de cuivre de la balle brûlante qui pénétrerait en lui.

Le feu passa au rouge au moment où le portable rebondissait sur le crâne de Dakota, échappant à la main de Hanson, et tandis qu'ils s'effondraient tous les deux au milieu du bruit de la circulation, de la vodka et du verre brisé, heurtant le bitume en grognant, Hanson regarda un avion tout là-haut dans le ciel, jusqu'à ce qu'il disparaisse dans l'ombre d'une berline bleue aussi grande qu'un paquebot, qui se déplaçait sur d'énormes pneus noirs. L'arbre de transmission hérissé de boulons, le réservoir, le silencieux et le tuyau d'échappement passèrent au-dessus de sa tête en flottant, comme une station spatiale dans un film. Il se jeta sur Dakota, les deux mains sur le bras qui tenait l'arme, écartant le pistolet de son visage, alors que Dakota armait le chien avec son pouce.

Quelqu'un, vêtu d'un bleu de travail et chaussé de godillots dont le cuir fendu laissait voir la peau noire des pieds nus, se faufila au milieu des voitures, tandis que Hanson luttait pour récupérer son arme, et une épaisse main noire appuya le long canon d'un Webley .45 sur la tempe de Dakota.

— Je te fais exploser la cervelle, dit Pharaon.

Il enfonça le canon dans l'oreille de Dakota, qui roula les yeux pour le regarder.

— Parfaitement, mon gars, ajouta Pharaon. Je vais te faire sauter tes yeux bleus de salopard.

Dakota lâcha l'arme ; Hanson le retourna sur le ventre et lui passa les menottes. Après avoir récupéré et rangé son arme dans son étui, il fit se relever Dakota.

— *Cinq Quatre-vingts, nous avons un appel concernant un viol possible, la victime...*

Hanson ramassa le portable et l'accrocha à sa ceinture, baissa le son et entraîna Dakota vers la voiture dont la portière était restée ouverte.

— Allez, grimpe, ordonna-t-il en exerçant une torsion sur les menottes qui obligea Dakota à se plier en deux, puis il le poussa à l'intérieur et claqua la portière. Il s'appuya sur le toit chaud de la voiture, le souffle coupé, tandis que Pharaon, dont le casque jaune captait les rayons du soleil, disparaissait au coin de la rue en poussant son chariot.

Une voiture de police s'arrêta derrière celle de Hanson et son gyrophare s'alluma. Fuller en descendit tranquillement et observa la foule autour de lui. Affecté à la circulation, il doublait son salaire en faisant des heures sup' au tribunal.

— Qu'est-ce qui se passe ?

— Ce type, répondit Hanson en montrant Dakota d'un

mouvement de tête, a essayé de me descendre. Tu veux bien le tenir à l'œil pendant que je relève les noms des témoins ?

— Ouais, pas de problème. Je vais le surveiller, ce fils de pute.

Hanson releva les noms, les adresses et les numéros de téléphone d'une demi-douzaine de personnes ayant assisté à l'échauffourée.

— Qu'est-ce qu'il avait comme arme ? demanda Fuller.

— Smith & Wesson Model 39, répondit Hanson en brandissant son .9 mm.

— Tu devrais faire gaffe, ces...

— Ouais, je me suis déjà fait la réflexion. Plusieurs fois.

— C'est à cause de ces étuis que vous portez pour frimer ; la crosse du flingue dépasse. C'est trop tentant. C'est pour ça que moi, j'ai un vieil étui à rabat, dit-il en tapant dessus.

— Merci d'avoir fait le détour, dit Hanson. J'ai tous les noms dont j'ai besoin. Je vais emmener ce type en taule, et ensuite, j'irai voir les inspecteurs.

— Et moi dans tout ça ? demanda Fuller en passant la main dans ses cheveux gris coupés en brosse. Je suis le premier agent arrivé sur place.

— Je mettrai ton nom dans le rapport.

— Merci. J'ai besoin du maximum d'heures sup'.

Hanson remonta en voiture, effectua un demi-tour, éteignit le gyrophare et faillit griller un feu rouge au premier carrefour.

Quand le feu passa au vert, il jeta un coup d'œil à Dakota dans le rétroviseur.

— Bien, dit-il en reportant son attention sur la route. Tu as le droit de garder le silence. Tout ce que tu diras pourra être retenu contre toi devant...

— Tout ce que *toi* tu dis, sale nègre blanc, sale traître, sera retenu contre *toi* devant un tribunal bien plus élevé, répliqua Dakota, juste au moment où ils passaient devant le magasin Fred Meyer où Hanson avait effectué sa première arrestation, la première fois qu'on l'avait laissé travailler seul. Il était enthousiaste en ce temps-là et s'était porté volontaire pour prendre un appel en dehors de son secteur.

— Alors, je te conseille de trouver un moyen pour que je me tire de là.

La foule avait acculé le type au rayon ménager, Hanson s'en souvenait encore, un débile mental de cent vingt kilos, que les gens accusaient d'être un « agresseur d'enfants ». Il pleurait et son nez coulait lorsque Hanson l'avait conduit sur le parking en ordonnant à la foule : « Reculez tous ! Je ne plaisante pas. Cet homme est désormais sous ma responsabilité. » Il l'avait installé à l'arrière de la voiture de patrouille, et après s'être assuré que personne ne le regardait, il avait essuyé les yeux et le nez de l'homme qui avait les menottes aux poignets.

— Hé, t'as entendu ? beugla Dakota.

— Pourquoi je ferais ça ?

— Je vais te dire pourquoi, nègre blanc. Je vais peut-être faire de la tôle, mais je sortirai un jour. Et je te retrouverai.

Devant, un peu plus loin, se trouvait la station-service où ils avaient retrouvé le gosse avec le badge « Smiley » mort sur le siège de toilettes. Ils avaient enfoncé la porte verrouillée à coups de pied, ce qui avait mis le gérant en rogne. Le gamin s'était chié dessus, évidemment, et il était couvert de vomi.

— S'il y avait eu une balle dans le canon de ce putain de flingue, tu serais un nègre *mort !* dit Dakota. Les *vrais* flics seraient en train de tracer des traits à la craie autour de ton cadavre.

Le cinéma Pussycat projetait un film intitulé *Le plus dur de tous.* Il n'y avait jamais plus d'une douzaine de personnes dans cette salle. Elle servait en réalité à blanchir de l'argent, mais nul n'avait jamais réussi à le prouver.

— Hé ! Je te parle ! hurla Dakota.

Un jour, Dana et lui étaient entrés au Pussycat pour une agression au couteau. La victime était dans les toilettes pour hommes, en train de gémir et de saigner sur le carrelage sale d'un des cabinets, le pantalon autour des chevilles. C'était le projectionniste. Comme personne ne savait comment arrêter le projecteur, ils avaient écouté la bande son du film en attendant l'arrivée de l'ambulance, mélange de musique minable et de gémissements. C'était très amusant, la façon dont le type couché par terre gémissait lui aussi.

— Tu as une famille, hein ? Oui ou non ? demanda Dakota.

Hanson se demanda si Truman allait bien.

— Un soir, tu seras chez toi, toute ta petite famille sera endormie, tu les entendras respirer, et tu iras voir ta femme qui dort, ou ton petit gamin. Et moi, je serai là quelque part dans le noir. J'aime bien les petits garçons. J'aime les faire obéir.

336

Hanson se demanda s'il n'y aurait pas un moyen d'éjecter Dakota de cette bagnole pour lui tirer une balle dans la tête. Mais c'était trop tard maintenant. Les buildings de verre et d'acier se dressaient droit devant. Il aurait dû y penser plus tôt.

— Tu ferais mieux de me laisser foutre le camp.

Hanson tourna à droite à un feu rouge et parcourut encore deux blocs jusqu'au Justice Center, un bâtiment de douze étages.

— Hé ! hurla Dakota, et la voiture trembla.

Il s'était affalé au fond du siège et avec ses deux pieds, il frappait dans la paroi de la cage en plexiglass. Hanson s'arrêta devant la prison ; la voiture vibrait à chaque coup de pieds.

— Cinq Soixante-deux, dit-il dans le micro.

— *Cinq Soixante-deux.*

— Je suis garé devant la prison avec un prisonnier...

BANG. Les gonds de l'épaisse cage en plexiglass protestèrent.

— ... et je crois que j'aurai besoin d'aide pour l'emmener jusque là-haut.

BANG.

— *Oui, j'entends ça. La prison va vous envoyer quelqu'un pour vous filer un coup de main.*

— Merci. Si j'essaye de le monter tout seul, je serai probablement obligé de lui faire mal. Et c'est justement ce que j'ai envie de faire.

Dakota avait cessé de donner des coups de pied dans la cage. Il était recroquevillé au bord du siège, la bouche collé contre le plexiglass.

— Tu comprends pas ? J'oublierai *jamais.* Quand je ferai des pompes dans ma cellule, j'imaginerai ton gamin en train de regarder sa maman sucer ma grosse queue violacée. J'imaginerai son visage et ce que je lui ferai après avoir baisé son petit cul.

Un bus déposa des passagers un peu plus loin sur le trottoir, en majorité des Noirs et des Blancs âgés.

Une voiture du commissariat central passa et Hanson salua le conducteur, un type avec qui il était allé à l'école de police.

Les deux gardiens de prison franchirent les portes vitrées du Justice Center, et Hanson descendit de voiture. C'étaient deux types costauds avec des bedaines de buveur de bière : un Blanc et un Noir.

Tous les deux portaient le nom de Miller. Tout le monde appelait le Blanc « Miller Lite[1] ».

— Alors, Hanson, qu'est-ce que tu nous amènes ? demanda Miller Lite en regardant Dakota par la vitre.

— Cet enfoiré a essayé de me descendre avec mon flingue. Il fout des coups dans la cage et il menace ma famille. Si je le touche, j'ai peur de lui faire un peu mal.

Miller se pencha pour regarder à travers la vitre.

— On s'en occupe. (Il ouvrit la portière arrière.) Allez, sors de là, toi. T'as l'intention de nous poser des problèmes ?

— Je te poserai pas de problème à *toi*, négro. C'est *lui* que...

— Ferme-la, dit Miller en le tirant par les bras.

Hanson les suivit à l'intérieur du bâtiment, jusqu'à l'ascenseur grillagé conduisant à la prison. Il les regarda monter dans la cabine et refermer la porte.

— Tourne-toi face au fond, ordonna Miller.

— Va te faire foutre, *boy*.

Miller adressa un sourire à Hanson, puis il tira sur les bras de Dakota, en arrière et en hauteur, le soulevant sur la pointe des pieds.

— On s'en occupe, dit Miller Lite à Hanson, en appuyant sur le bouton.

L'ascenseur s'ébranla et commença à monter, tandis que Miller sortait une petite matraque.

Hanson tendit l'oreille jusqu'à ce qu'ils ne les entende plus, après quoi il appela North Precinct pour demander la permission de prendre sa demi-journée de repos.

Hanson portait un jean, des tennis et une chemise kaki lorsqu'il pénétra dans le bureau du procureur. Le sac en toile verte sur son épaule contenait son pistolet et ses menottes, un stylo et un petit carnet, un double du rapport concernant Dakota, et un roman sur la guerre de Sécession intitulé *The Killer Angels,* qui venait de sortir en poche.

La pièce sentait la peinture fraîche et les moquettes neuves. La femme assise derrière le comptoir tapait à la machine, et Hanson attendit qu'elle remarque sa présence. Finalement, il dit :

1. Miller Lite : Nom d'une célèbre marque de bière américaine. *Lite* étant la forme altérée de *light* qui signifie léger, avec moins de calories dans ce cas. *(N.d.T.)*

— Excusez-moi.

— Oui ?

— Bonjour, je suis l'officier Hanson de North Precinct. J'aimerais voir le procureur Werner.

— À quel sujet, je vous prie ?

— Je crois que j'ai rendez-vous.

— Hanson ? dit-elle en consultant son agenda. Non, je suis désolée.

Hanson sortit le rapport d'arrestation et lui montra la convocation rose qui y était attachée.

La secrétaire soupira.

— Nous avons des problèmes d'emploi du temps depuis que nous avons emménagé dans ces nouveaux locaux. Je vais voir s'il peut vous caser. C'est à quel sujet ?

— Un type qui a essayé de me descendre vendredi.

Elle prit son téléphone.

— Il y a là un officier Hanson qui voudrait vous voir.

Elle leva les yeux.

— Vous êtes de North Precinct ?

— Exact.

— ... Oui. Très bien.

Elle raccrocha.

— Asseyez-vous, je vous prie. Il va vous recevoir dans quelques minutes.

Hanson s'installa sur un canapé mauve, sous un tableau stylisé représentant une jolie petite fille tenant un bouquet de ballons. Il jeta un coup d'œil à la pendule, sortit le roman de son sac et l'ouvrit à la première page, où figurait une carte de Gettysburg[1]. Des flèches noires serpentaient vers le nord, des flèches blanches descendaient du nord-ouest en décrivant un arc de cercle, pour converger vers le champ de batailles où des milliers d'hommes allaient trouver la mort. C'était alors presque tous des vétérans, se dit Hanson, des hommes qui sauraient résister et mourir. De bons soldats.

Il en était à la page 15 quand deux hommes en costume entrèrent. Ils se serrèrent la main en riant. Celui en costume trois-pièces gris dit :

— Une mort subite, alors. Un contre un.

---

1. Ville de Pennsylvanie qui fut le théâtre d'une des plus importantes batailles de la guerre de Sécession. (N.d.T.)

Il fit semblant de viser un panier avec un ballon de basket.

— Pas de quartier. Tu lui diras de ma part.

— Je n'y manquerai pas, répondit l'autre, et il s'en alla.

— Officier Hanson ? dit l'homme en costume trois-pièces.

— Oui, dit Hanson en se levant.

— Je suis Bill Werner.

Il lui serra la main. C'était un bel homme, un peu plus âgé que Hanson.

— Comment ça va ? Suivez-moi.

Ils franchirent la porte et empruntèrent un couloir bordé de bureaux.

— Désolé pour cette confusion entre les rendez-vous, dit-il par-dessus son épaule. Mais ça vous fera des heures sup', pas vrai ? Entrez. Asseyez-vous. J'ai un rendez-vous à 11 h 30, mais ça nous laisse le temps de régler le problème.

Hanson prit le ballon de basket qui était posé sur le fauteuil.

— Oh, désolé, dit Werner. Posez-le donc par terre.

Il s'assit derrière son bureau, prit une chemise cartonnée, avec laquelle il tapota sur le bureau.

— Excellent rapport, Hanson. Permettez-moi de vous le dire ; je lis des tonnes de rapports, celui-ci est franchement bien écrit. J'imagine que ça a été une sacrée expérience. Je parie que vous vous êtes enfilé un ou deux petits verres après, hein ?

— Exact, répondit Hanson en essayant de sourire, sans y parvenir.

Le procureur jeta un coup d'œil à sa montre.

— Je n'irai pas par quatre chemins. Je ne peux pas pour-suivre pour tentative de meurtre. Pour une tentative de meurtre, il me faut des trous et du sang. Deux trous au moins, voire trois. Je vais l'inculper de comportement imprudent et dangereux. Avec ça, on peut l'envoyer au trou.

— C'est un délit mineur, dit Hanson.

— Il encourt une peine de neuf mois. On peut obtenir le max.

Hanson se leva, puis se rassit.

— Comportement imprudent et dangereux, c'est un type qui picole un peu trop. Il sort dans son jardin le soir du réveillon, il tire un coup de fusil en l'air pour fêter la nouvelle année, et la balle brise la fenêtre de son voisin.

— Certes, mais votre affaire est bien plus grave.

Hanson se leva de nouveau et fut sur le point de shooter dans le ballon de basket, mais il se retint. Il s'approcha de la fenêtre et regarda passer les voitures dans la rue.

— Oui, bien plus grave. (Il se retourna vers le procureur.) Cet enculé a essayé de me *tuer* ! Il m'a enfoncé un flingue dans les côtes et il a pressé la détente. Plusieurs fois. Il a tiré plusieurs fois ! Et ensuite, dans la voiture, il a dit : « S'il y avait eu une balle dans le canon, tu serais un nègre *mort*. »

— Pourquoi vous a-t-il traité de nègre ?

— Il est cinglé, j'imagine.

— Encore un problème potentiel si...

— J'ai six témoins. De bons témoins. Prêts à témoigner.

— Écoutez. Je comprends ce que vous devez ressentir. À votre place, je voudrais voir ce type sur la chaise électrique. Mais nous sommes confrontés aux réalités du tribunal. C'est ma partie, et je sais qu'un jury ne se contentera pas de ce qu'on a pour conclure à la tentative de meurtre. Il nous faudrait des *blessures graves*. Vous ne voyez donc pas qu'il est inutile de l'inculper d'un crime pour lequel on ne pourra pas le condamner ? Il sera relâché !

— Alors, je vais vous dire... Bill. Si vous refusez de l'inculper de tentative de meurtre, ne l'inculpez pas du tout, dit Hanson. Relâchez-le tout de suite.

— On peut peut-être essayez l'« agression sur la personne d'un officier de police ». Laissez-moi voir ça...

— Allez plutôt voir votre cul dans la glace, répondit Hanson en se dirigeant vers la porte, en sachant que sa réplique était idiote.

— Vous êtes sur les nerfs. Je comprends. Appelez-moi demain, dit le procureur en le suivant dans le couloir.

— Allez vous faire foutre.

Hanson faillit heurter une femme en tailleur qui le regarda comme s'il était un criminel.

Il avait été obligé de se garer à plusieurs blocs de là, dans le petit quartier chinois de la ville. Un certain nombre de Vietnamiens avaient ouvert des commerces et ils prospéraient ; c'étaient des travailleurs acharnés avec un sens profond de la famille, respectueux de la sagesse de leurs aînés. Hanson avait l'intention d'acheter un de ces petits hachoirs bon marché que l'on trouvait dans toutes les boutiques, en fer carburé et très tranchants. Il choisit un magasin au hasard, *La Nouvelle Épicerie vietnamienne,* et entra. La puanteur des cigarettes vietnamiennes et du *nuoc-mâm,* les gloussements et les sonorités aiguës de la langue, semblables au bourdonnement dans ses oreilles, le prirent par surprise et le replongèrent brusquement, l'espace d'un instant, parmi toutes les odeurs, tous les bruits de la guerre, et ses vieux instincts remontèrent en lui comme une lame de fond.

Mais il résista, une fois de plus, et se retrouva là où il était, légèrement étourdi. Une épicerie vietnamienne. Pas le genre d'endroit où les épouses de procureur venaient faire leurs courses pour leurs dîners exotiques. Seul non-Vietnamien, Hanson s'attirait des regards qui ne semblaient pas très amicaux, mais il s'efforça de les ignorer, tandis qu'il remontait les allées, au milieu des produits exotiques. Tout d'abord, il crut que ce léger sifflement et ces bruits sourds qu'il entendait provenaient de ses oreilles, de l'angoisse, mais il s'agissait en réalité d'une bassine remplie de tortues, recouverte par une cage grillagée. L'une des tortues était retournée sur le dos et elle agitait frénétiquement les pattes, pour essayer de se redresser.

Il passa devant la bassine et s'engagea dans une autre allée, mais il ne pouvait ignorer ce bruit. Alors, il retourna vers la bassine, vérifia que personne ne le regardait et s'agenouilla. Malheureusement, il ne pouvait pas atteindre la tortue à travers le grillage. Elle avait un regard dur, tel un faucon privé de ses ailes et prisonnier — allez savoir pourquoi — du poids mort de cette carapace, sans se lamenter, héroïque, se dit-il.

Il regarda de nouveau autour de lui, avant d'essayer de retourner la tortue avec son stylo, craignant que quelqu'un ne le soupçonne de vouloir tourmenter cette pauvre créature.

Il était sur le point de renoncer quand une paire de pieds difformes, chaussés de tongs en plastique s'arrêta devant la cage.

— Vous voulez toltue ?

Hanson leva la tête en souriant, encore un peu étourdi. Ces paroles n'avaient pas de sens.

— Toltue. Vous voulez ?

Hanson acquiesça, comme s'il comprenait, et se releva. Et soudain, il saisit.

— *Tortue*. Oui. Je prends celle-ci, dit-il en désignant la tortue qui était sur le dos. Mettez-la de côté. Je reviens tout de suite.

Et puis merde, se dit-il en s'éloignant dans l'allée. Je peux toujours la foutre dans le jardin.

Il sourit en se demandant quelle serait la réaction de Truman en présence de cette tortue.

Quand il se présenta à la caisse avec son hachoir, l'employé vietnamien déposa sur le comptoir un petit paquet enveloppé dans un papier de boucherie.

— Toltue. OK. Tlès bon.

Hanson le remercia, paya et balança le paquet de viande de tortue dans une poubelle au bout de la rue.

Doc l'appela trois soirs plus tard, d'une cabine.

— Non, ce doit être un *autre* Hanson, j'ai dit. Celui que je connais ne laisserait jamais un dingue lui piquer son flingue. Mais j'avais tort. Et le procureur qui le relâche ensuite ? On peut dire que tu bosses pour une drôle d'équipe. Si c'était moi...

Le vrombissement d'un avion qui atterrissait ou décollait couvrit sa voix pendant quelques secondes.

— ... balancé dans le vide... ou accidentellement...

Le vrombissement se transforma en murmure, noyé par les parasites de l'appel interurbain.

— ... trois étages jusqu'en bas et uniquement quelques fractures. Ils disent qu'il a peut-être sauté par-dessus la rambarde parce qu'il avait honte. S'être laissé enculer par tous ces nègres...

L'opératrice intervint pour réclamer de l'argent, et Hanson écouta le tintement des pièces de monnaie.

— Faut que tu sois plus prudent.

— J'essaierai.

— Au fait, le vieux clébard vit toujours ?

— Oui, il...

Il fut interrompu par le bourdonnement continu de la tonalité ; la communication avait été coupée.

23

— TU DIS QU'ELLE AIME *QUOI* ? demanda Sara.
— Les canards, répondit Hanson. Elle aime les canards. Pas les vrais canards. *L'idée* du canard. Les images de canards. Les... représentations de canards. Il y en a dans toute la maison.

— Qu'est-ce qui te plaît chez ces gens ?

— Zurbo est un bon flic, dit Hanson en changeant de voie pour doubler un pick-up chargé de bois de chauffage. Et il est très intelligent.

Hanson se sentait parfaitement bien, si l'on considérait qu'il n'était que neuf heures du matin. Il sourit à Sara et vit dans son regard qu'elle ne croyait pas qu'un flic, dans une banlieue ouvrière, puisse être « intelligent ». D'ailleurs, elle faillit le dire.

Il reporta son attention sur la route à quatre voies et inspira lentement ; l'odeur qu'elle dégageait était aussi particulière et reconnaissable que son apparence. Il ferma les yeux pour jouer les aveugles.

— Il m'a tout l'air d'un raciste, dit-elle.

— Pourquoi ? Parce qu'il dit « nègres » ?

— C'est une bonne indication.

Il ouvrit les yeux et jeta un regard dans le rétroviseur.

— Tu ne penses pas ? demanda-t-elle.

— La police est une armée d'occupation, répondit-il en se rabattant sur la voie de droite. Chaque nuit, c'est la guerre. On est blancs, ils sont noirs. Parfois, on les appelle nègres, et parfois, ils nous appellent poulets, sales enculés de flics ou enfoirés de Blancs.

Il rit.

— Au Vietnam, les Noirs, les « bamboulas », appelaient les Vietnamiens les bridés, les niakoués ou les Jaunes. Les Vietnamiens appelaient les Montagnards, comme moi, les « sauvages », et les Montagnards les appelaient *dook braak*, les singes bouffeurs de merde. Les gens sont comme ça. Ça ne veut pas forcément dire que tu es raciste.

— Hein ?

La camionnette gravissait péniblement une grande colline ; les camions la dépassaient sur la gauche, et la camionnette tremblait.

— C'est impossible à expliquer, dit finalement Hanson.

Sara se pencha pour lui lécher le cou, ses seins frôlèrent son épaule.

— Comment tu t'es fait ça ? demanda-t-elle en posant le doigt sur la croûte au-dessus de son œil.

Hanson sourit.

— Je n'ai pas été assez prudent, et un type nommé Eddie Delbert Moore m'a frappé avec une bouteille de ketchup.

— Pourquoi ? murmura-t-elle dans son oreille en suivant le tracé de la coupure sur le front avec son doigt.

— Il ne voulait pas manger les restes du poisson de la veille pour le dîner, alors il a cassé le bras de sa femme. Un des gamins a prévenu la police.

— Et que s'est-il passé après qu'il t'a frappé ? demanda-t-elle en appuyant plus fort sur la blessure, à tel point que le bout de son doigt devint tout blanc.

— Dana lui a filé une leçon, répondit Hanson, comme si elle ne lui faisait pas mal, comme s'il aimait ce jeu. Maintenant, il est à l'hôpital et... *Aïe*.

Elle aspira le sang au bout de son doigt, les yeux fixés sur Hanson, tandis que la camionnette franchissait la ligne médiane, face à un camion chargé de troncs d'arbre. Hanson donna un violent coup de volant, et les troncs maintenus par des chaînes passèrent à toute allure. Sara éclata de rire. Elle sortit le doigt de sa bouche et s'en servit pour caresser l'érection de Hanson à travers son Levi's.

Celui-ci jeta un coup d'œil à l'arrière de la camionnette où se trouvaient des couvertures et un sac de couchage. Un double semi-remorque les dépassa ; la cabine et les deux remorques ondoyaient comme un serpent, poussant la camionnette vers le bas-côté de la route.

— Il n'y a pas d'endroit pour s'arrêter, entre ici et chez lui, dit-il.

— Continue à conduire, dit-elle, en ouvrant la braguette de son jean et en plongeant la tête sous son bras.

— S'il est dingue des mitraillettes et tout ça, pourquoi il ne s'est pas engagé dans l'armée ? demanda Sara, tandis qu'ils marchaient vers la maison.

— C'était son idée, répondit Hanson en sonnant à la porte, mais il venait de se marier, et ensuite, Alice, leur fille, est née...

Zurbo vint leur ouvrir en tenant un épais disque en aluminium dans la main gauche et un autre coincé sous chaque bras. Il eut un coup d'œil rapide et poli pour Sara. Elle portait un jean moulant, des bottes en cuir souples et un t-shirt crème sans soutien-gorge.

— Salut, dit-il en lui serrant la main. C'est des déshumidificateurs, expliqua-t-il avec un mouvement de tête pour montrer les disques. Je vais les foutre dans le four pendant qu'on est absents.

Il y avait des canards partout, du papier peint canard, des paillassons canard, des dessins de canards encadrés, des portemanteaux canard, des motifs de canard sur la moquette, et un canard en fer forgé au-dessus de la porte qui disait : « Bienvenue dans notre foyer ».

Ils suivirent Zurbo dans la cuisine où il ajouta les trois disques à ceux qui se trouvaient déjà sur les grilles du four, tels des gâteaux en métal. Il referma la porte du four et alluma le gaz à l'aide d'une pince, car il n'y avait plus de bouton.

— Huit heures à feu doux et ils sont complètement asséchés, expliqua-t-il en penchant pour regarder les disques à travers la porte vitrée, comme une ménagère dans une publicité, un pistolet glissé dans la ceinture de son pantalon, dans le dos.

Zurbo utilisait ces disques de déshumidification dans son « bunker », le garage blindé avec des volets en acier, une porte à contrepoids de 150 kg et des systèmes d'alarme tout autour, dans lequel il conservait ses armes et ses munitions. Il avait des .22 et des .45, des .9 mm et 44 magnums, de gros revolvers et de petits automatiques. Colt, Smith & Wesson, Walther,

HK et Browning. Il avait aussi des fusils à pompe et un fusil de tireur d'élite à sept cents dollars. Et quatre mitraillettes. Dont deux munies de silencieux. Et tout ça dûment enregistré. Les formulaires de l'ATF avaient été signés par le shérif du comté, un ami de Zurbo.

— Tu te souviens de ce type un peu plus loin dans la rue ? demanda-t-il à Hanson, en rangeant la clé dans sa poche. Le Mormon qui emprunte des outils à tout le monde dans le quartier et qui oublie de les rendre ?

Hanson acquiesça.

— Je suis allé chez lui l'autre jour, pour récupérer ma grosse pince et cette clé, et il m'a montré toute la bouffe qu'il a stockée dans son garage. « Deux ans de réserves », il m'a dit. Maintenant, je sais que ces enfoirés de Mormons font ça. C'est une bonne idée, je l'avoue, mais je lui ai demandé : « Ça fait partie de vos croyances religieuses ? » Et il m'a répondu : « Oui. » « Vous avez des armes ? » je lui ai demandé. Il m'a dit : « Non. » J'ai regardé toute cette bouffe, comme si je réfléchissais, et je lui ai dit : « Vous avez toute cette bouffe et pas d'armes. Moi, j'ai des armes et pas de bouffe. Pas mal, hein ? » J'ai entendu dire qu'il avait mis en vente sa maison. Voilà, c'est bon, dit-il après avoir regardé encore une fois à l'intérieur du four. Chérie ! Tu veux bien jeter un œil sur le four de temps en temps, pendant mon absence ?

— Je croyais que cette caisse de .9 mm, c'était uniquement en cas d'urgence ! s'écria sa femme, quelque part dans la maison. Il en manque déjà la moitié.

— Oh, allez, dit Zurbo, j'en ai juste pris quelques boîtes...

— Il en manque plus de la moitié. Et tu as pioché dans la caisse des .45 aussi. Ces saloperies d'armes automatiques nous bouffent tout !

— Je préférerais qu'on discute de ça *plus tard,* OK ? cria Zurbo.

— Discuter de quoi ? On est à découvert une fois de plus, parce que tu aimes jouer avec...

— Je collectionne les armes, tu collectionnes les canards ! Si l'économie se casse la gueule, comme je pense que ça va arriver, et si les nègres débarquent pour tout piquer, c'est pas avec tes canards que tu vas défendre la maison. C'est ma femme, dit-il à Sara. On a eu une petite dispute avant votre arrivée.

— J'ai pas peur des nègres ! cria-t-elle. Cette saloperie de four pourri nous tuera avant.

— Ce four est parfaitement...

— Un matin, on va tous se réveiller morts.

— Allons dans le bunker, dit Zurbo en élevant la voix, *où on peut avoir une discussion normale, bordel ! Willkommen,* dit-il en ouvrant la porte coupe-feu du garage, *in meinen Bunker.*

Sur le classeur, le canapé défoncé et les cages de gerbilles s'empilaient de vieux numéros de *The National Riflemen* et de *Shotgun News.* Zurbo aimait répéter : « Le seul journal que je lis encore, c'est *Shotgun News.* » Au fond du garage, sa vieille Pontiac ployait sous le poids des armes et des munitions.

— Si le four provoquait un incendie, ce qui n'arrivera pas, et si les flammes franchissaient cette porte, ce qui est impossible, on parlerait de nous aux infos du soir. Même avec tout ce que je consomme, il y a encore de quoi raser tout le quartier. Surprise, surprise ! dit-il en riant tout seul. Un cratère fumant et plus de banlieue. (Il regarda par la fenêtre un homme en train d'arroser son jardin, de l'autre côté de la rue.) Si par hasard ça pète, dit-il en montrant la fenêtre du doigt, j'espère que ce type et son chien *Bruno* seront dans les parages. Bruno ! Ce sale klebs vient chier dans mon jardin. J'ai demandé au type, poliment : « Vous ne voudriez pas empêcher Bruno de déféquer dans mon jardin. Ce serait sympa. » Il s'est mis en colère. « C'est pas Bruno », il m'a répondu. D'accord ! s'exclama Zurbo en levant les bras au ciel. Il y a un autre chien dans le coin, un petit caniche qui appartient à une bonne femme. C'est pas lui qui fait des merdes grosses comme des pommes de terre dans mon jardin. Peut-être que les nègres amènent leurs chiens *en bus* du centre ville pour qu'ils chient dans les banlieues des Blancs. Je viens d'y penser. Formidable. Pendant deux cents ans, ils ont été esclaves, ils nous appartenaient. Maintenant, Tyrone amène ses dobermans pour les faire chier dans mon jardin.

— C'est... qui... Ty-rone ? demanda Alice en franchissant la porte dans son fauteuil roulant électrique ; elle avait la tête agitée de mouvements convulsifs, et le soleil se reflétait sur les verres épais de ses lunettes.

— Tu sais bien qui est Tyrone, dit Zurbo.

348

— Oui. C'était... pour... pour... te faire... marcher. Co... comment ça va... Hanson ?

— Très bien, Alice. Je te présente mon amie, Sara.

Alice adressa un sourire timide à Sara, essaya de dire quelque chose, puis fit rouler son fauteuil vers une des cages des gerbilles, dans laquelle le rongeur faisait tourner une roue grinçante. D'autres couraient entre des petits tas de copeaux de cèdre ; des milliers de cartouches et de balles étaient empilées dans des boîtes métalliques vertes, derrière les cages.

Zurbo appuya sur un bouton qui commandait l'ouverture de la lourde porte du garage.

— Hé ! s'exclama-t-il quand le vacarme de la transmission par chaîne eut cessé. Toi là-bas, dans le fauteuil roulant. Quand tu en auras marre de regarder ces foutus rats, n'oublie pas de brancher les détecteurs de mouvements, OK ?

— Essaye... de ne... pas... te tirer... une balle... dans le pied, répondit-elle.

Zurbo sourit en regardant le dos voûté d'Alice, les yeux brillants.

— Je vais essayer.

Puis il se retourna, droit comme un i, tendit la main droite vers la porte du garage ouverte et aboya :

— *Zum Front !*

Ils roulaient sur une route à deux voies creusée de nids de poule depuis une demi-heure, le vent s'engouffrant par les vitres ouvertes de la voiture, lorsque Zurbo porta sa main à son oreille.

— *Raus.*

Ils parcoururent encore cinq cents mètres avant que Hanson ne les entende à son tour : le crépitement des mitraillettes et des fusils d'assaut, et les détonations d'une arme de plus gros calibre.

— *Achtung !* dit Zurbo. Beaucoup d'armes automatiques... et le calibre .30 du chef qui canarde à l'arrière-plan.

Ça ne ressemble pas à une fusillade, se dit Hanson, en essayant de se détendre. Trop d'armes différentes, tirant de longues rafales au hasard, sans se soucier de la position des autres. Ce n'était pas le bruit de deux unités essayant de s'anéantir. Ils empruntèrent le chemin de terre conduisant vers les coups de feu, en passant devant le panneau amovible annonçant le rassemblement des amateurs d'armes de gros calibre.

Le champ de tir de Big Pine était une bande de terre nue, lacérée par les projectiles et bordée de petits bosquets de pin rabougris et de buissons. Une modeste tribune recouverte d'un toit, érodée par le temps et affaissée, se dressait face à la ligne de tir. Deux adolescentes avaient installé un stand de limonade à une extrémité, et elles adressèrent des signes de la main à Zurbo lorsqu'il franchit la barrière.

— Des sœurs, expliqua celui-ci. Leurs parents possèdent la ferme devant laquelle on vient de passer. Elles ne manquent jamais un rassemblement.

Zurbo se gara à côté d'une VW peinte de manière à ressembler à une voiture d'état-major de l'armée allemande.

— Surveillez le matos, dit-il. Il faut que je me renseigne auprès de l'organisateur.

Il s'éloigna, juste au moment où le bruit du calibre .30 fut masqué par une violente détonation. Hanson tourna brusquement la tête. C'était le calibre .50 du sergent Becker, de la taille d'une transmission d'Oldsmobile. Becker l'avait payé quatre mille dollars, et chaque balle de 6 pouces coûtait deux dollars.

Non, ça ne ressemblait pas à un combat rationnel, conclut Hanson. Il essayait de cacher sa nervosité, luttant contre l'envie instinctive de plonger sous la voiture, surveillant la position de chaque tireur par-dessus l'épaule de Sara. Il lui sourit, avec dans le nez l'odeur de la poudre comme une sale drogue à laquelle il avait survécu sans pouvoir tout à fait l'oublier.

— Il y a quelques mois, lui dit-il, j'ai demandé au sergent Becker *pourquoi* il voulait un calibre .50. *Pourquoi*? cria Hanson par-dessus le bruit des armes, en détachant son regard de celui de Sara.

— C'est un flic ? demanda-t-elle en haussant la voix.

— Oui. Il bosse dans le centre. Il m'a répondu... « Ce machin peut tuer n'importe quoi. À 5 kilomètres de distance. »

Sara ne sourit pas, et Hanson comprit que ce n'était pas une plaisanterie pour tout le monde. Peut-être, espéra-t-il, qu'elle ne l'avait pas entendu à cause des coups de feu. Il secoua la tête, comme pour dire « C'est complètement dingue », en sentant ce sourire idiot sur son visage, regrettant de ne pas être chez lui au lieu de se trouver dans ce champ de boue séchée, avec le crépitement et les détonations des armes qui se répercutaient sur son crâne et sa nuque comme les premières manifestations du mauvais temps à venir. Les bonbonnes de 200 litres dansaient dans la poussière, les balles ricochaient dans un bourdonnement et au bout du champ de tir, des cicatrices blanches zébraient le tronc des arbres. Des blessures par balle.

— Amusant, hein ? hurla-t-il à Sara par-dessus son épaule, juste au moment où le grand organisateur, assis derrière son calibre .30 dans un fauteuil de jardin en plastique, criait quelque chose dans un porte-voix, faisant cesser les coups de feu peu à peu. Dans le silence grandissant, Hanson n'entendait que des milliers d'oiseaux pousser des cris stridents dans ses oreilles, en essayant de lire sur les lèvres de Sara. Il hocha la tête, comme s'il comprenait ce qu'elle disait, heureux de voir revenir Zurbo. Celui-ci rit de ce que lui dit Sara ; et elle noua ses bras autour de son cou pour l'embrasser.

— ... tirer, dit-il en se rapprochant. Elle veut tirer.

Le responsable du pas de tir, un type corpulent, pâle, avec des lunettes de soleil et un chapeau de cow-boy sur lequel scintillaient des douzaines d'insignes et de badges, enfila une énorme paire de gants en amiante. Redressant les épaules, il souleva l'arme pesante par la crosse et le canon perforé, la bande de cartouches longues comme le doigt reposant sur ses bottes de cow-boy. Il trébucha, reprit son équilibre et pressa la détente, penché au-dessus de son arme comme s'il tenait un tuyau de pompe à incendie, en avançant, à la John Wayne. Il garda le doigt appuyé sur la détente, et la bande de cartouches pénétrait dans la culasse de l'arme fumante, les douilles de cuivre étincelantes jaillissant de l'autre côté.

Hanson se dit qu'il aurait eu droit à un an de corvée de cuisine s'il avait tiré de cette façon, bousillant le canon, au lieu de lâcher des rafales de trois balles.

Le maître de cérémonie appuya la crosse de l'arme sur sa hanche, se tourna vers les applaudissements et salua d'un coup de chapeau à travers les volutes bleu argent qui s'échappaient du canon.

— Cessez-le-feu ! cria-t-il en regardant à droite, puis à gauche en plastronnant avec son arme à la John Wayne. Dégagé à droite ! Dégagé à gauche ! La voie est libre !

Deux garçons d'une douzaine d'années accoururent des

351

gradins avec un panneau de contreplaqué sur lequel était peint CESSEZ LE FEU en lettres rouges dégoulinantes. Dès que le panneau fut planté, d'autres gamins s'élancèrent sur le champ de tir pour autopsier les bonbonnes de deux cents litres, secouant les bouteilles de propane bleu vert — à la recherche de balles écrasées — avant de les remettre debout comme des quilles de bowling explosées. Des garçons du coin et des fermiers en bleu de travail observaient la scène sur la touche.

Sara fit la queue devant les toilettes mobiles, pendant que Zurbo et Hanson déchargeaient le coffre, empilant les boîtes de munitions derrière la voiture. Hanson était penché à l'intérieur du coffre, sur le point de sortir deux autres boîtes de munitions, quand, à travers le bourdonnement de ses oreilles, il entendit Zurbo qui disait :

— La petite amie de ton pote du relais routier...

Il se figea un instant, agrippant les poignées des boîtes de cartouches, avant de les sortir du coffre pour les déposer sur les autres. Il hocha la tête.

— Hmm, fit-il en replongeant au fond du coffre pour prendre la toile goudronnée dont se servait Zurbo pour récupérer les douilles vides.

— Asia?

— Exact. Son ex-petit amie maintenant, dit Zurbo en tapota un chargeur de AK-47 dans sa paume pour aligner les balles. Elle fait des passes au Palms Motel. Et devine un peu qui l'a foutue sur sa liste de mouchards? J'ai entendu dire qu'elle avait déposé plainte contre ton pote, et Fox a obtenu un mandat pour agression de deuxième degré, mais il le garde en réserve. D'après Terry, le concierge du commissariat central, dit-il en se penchant sur le coffre, Fox travaille très tard en ce moment, toute la nuit parfois.

Ils déposèrent la toile goudronnée sur les boîtes, et Zurbo claqua le coffre.

— Je crois que je suis foutu, dit Hanson. J'ai l'impression que tous les flics savent que c'était moi l'autre soir au relais routier.

— Non. Juste une demi-douzaine, dit Zurbo avec un sourire. Dix ou vingt *pensent* que c'était toi, mais la plupart s'en foutent. Alors, pas de panique, ajouta-t-il en prenant une boîte de munitions dans chaque main. Peetey est idiot, mais pas Fox, et il est capable d'enfreindre le règlement s'il en a vraiment après quelqu'un. Et merde, chaque fois que tu te fais une nouvelle coupe de cheveux, on te donnerait douze ans. Je parie qu'on te demande tes papiers quand tu achètes de la bière.

— Parfois, répondit Hanson en soulevant lui aussi deux boîtes. Et au niveau des Affaires internes[1] ?

— Rivas et McCarthy pensent que tu es OK. Tu savais que McCarthy avait un gamin qui s'est fait tuer là-bas ? 101e aéroporté. Trois semaines après avoir débarqué, c'était sa première patrouille ; un connard a trébuché, ou je ne sais quoi, et il lui a tiré une balle derrière la tête. McCarthy, ça l'a complètement détruit. À partir de ce moment-là, il était bourré en permanence. Tout le monde a essayé de fermer les yeux pendant quelque temps, même au niveau des chefs. Mais un jour, il a merdé — sérieusement — dans une situation délicate, un truc qu'ils n'auraient pas pu ignorer, mais il se trouve que j'étais au bon endroit au bon moment, et je l'ai aidé à s'en tirer.

Ils se dirigèrent tous les deux vers les gradins et le « point munitions », en se déhanchant à droite, puis à gauche, à cause du poids des boîtes.

— Ces deux-là, reprit Zurbo, Rivas et McCarthy, ils connaissent les placards où sont enfermés la plupart des cadavres. Ils ont un œil sur les Stups et les Mœurs. La came et le fric des indics, ça conduit fatalement sur le mauvais chemin. Sans oublier les putes. Certaines sont plutôt mignonnes, au début. J'ai entendu dire que Fox avait peut-être une aventure avec cette Asia.

— Fox ?

— C'est ce que j'ai entendu.

— Il *déteste* les putes, dit Hanson, et je ne l'ai jamais vu avec une fille. Un moment, j'ai même cru qu'il était pédé.

Ils déposèrent les boîtes derrière le ruban jaune symbolisant le point munitions. Les mains sur les hanches, Zurbo se renversa en arrière, en faisant rouler sa tête sur ses épaules.

— Tout le monde est plus ou moins pédé, dit-il, d'une manière ou d'une autre. Certains le cachent mieux que d'autres.

— Bonsoir, officier Zurbo ! lança une des filles du stand de limonade.

1. Équivalent de l'Inspection des services, la « police des polices ». *(N.d.T.)*

353

— Shane et Blaine, nos deux cantinières, dit Zurbo. Chaque fois que je vous vois, vous êtes encore plus jolies. Pourriez-vous nous vendre deux limonades ? Super. Je vous présente mon copain, Hanson. Il était dans les Forces spéciales au Vietnam.

Hanson adressa un sourire timide à Shane et Blaine.

— Salut. (Il se pencha vers Zurbo.) Lâche-moi un peu.

— Quoi ?

— Tu m'as compris.

Zurbo eut un grand sourire.

— Je suis fier de toi. Tu as fait du bon boulot là-bas.

— C'était il y a longtemps.

— Allez, dit Zurbo, buvons une limonade et allons voir les armes automatiques. Mais avant que j'oublie, j'ai parlé avec un type qui bosse pour le bureau du shérif du comté de Tillamook, un adjoint avec qui j'allais à la chasse dans le temps. Il se trouve qu'on a évoqué l'histoire du relais routier. Il m'a dit que tous les communiqués interagences avaient disparu ; ils n'arrivent même pas à retrouver les rapports d'origine. Envolés.

Hanson le regarda.

— Voilà ce que j'ai entendu dire, reprit Zurbo. Mais en fait, tout le monde s'en fout, car les deux types, ceux qui ont fini à l'hôpital, sont des connards, bien connus dans le coin. Le gamin de cet adjoint s'est trouvé mêlé à une sale histoire avec une pute et un flingue, il y a quelque temps, dans le secteur du Cinq Quatre-vingt-dix. Il avait la poche remplie de Seconal par-dessus le marché. Ajoutez une troisième limonade, dit Zurbo en voyant Sara traverser le parking. Mais personne ne s'est fait descendre, ajouta-t-il en observant Sara par-dessus l'épaule de Hanson. Le flingue est retourné... à sa place, les pilules ont disparu et le mac de la pute a pensé qu'elle ferait mieux d'aller bosser en Californie pendant quelque temps. Elle est vraiment canon, commenta-t-il en souriant à Sara. Limonade maison pour tout le monde ! lui lança-t-il en passant son bras autour des épaules de Hanson. Et essaye de ne plus marcher sur ta queue à l'avenir. Pas tout de suite, du moins.

Après avoir bu leurs limonades, ils se dirigèrent en flânant vers les armes. Le calibre .50 du sergent Becker avait attiré la foule la plus nombreuse, le genre de types qu'on voit au salon de l'auto, autour d'un moteur V-8.

Un autre groupe, plus silencieux, examinait un pistolet mitrailleur allemand de la Seconde Guerre, le MP 38, une des plus belles armes de ce conflit. Exposé dans un étui peint en gris Panzer et tapissé de velours rouge, il avait la patine du vieil étain, et on aurait dit qu'ils admiraient une pâte de verre de chez Tiffany ou une flûte en argent. En voyant Sara, le propriétaire lui demanda de poser avec son arme.

— Du Seconal, dit Zurbo en secouant la tête et en regardant Sara coincer le pistolet à l'air menaçant contre sa poitrine. J'aurais préféré que ce soit des amphétamines ou de la codéine, un truc utile. Le Seconal, ça t'abrutit, c'est tout.

Sara était la femme la plus sexy de tout le rassemblement : une aristocrate décadente avec un pistolet mitrailleur, érotique et l'air dangereux, posant pour ces types d'un certain âge qui rappliquaient pour la photographier avec leurs Polaroïds à 50 dollars.

— Tanya ! lui lança l'un d'eux. Patty Hearst !

— Mets-le sur l'épaule avec la bandoulière ! s'écria un type avec une chemise en Orlon citron vert, en bousculant sa femme pour avoir un meilleur angle.

C'était comme n'importe quel autre rassemblement de collectionneurs ou de passionnés, se dit Hanson. Le club Corvair, la société Audubon des constructeurs de volières, les fanas de la guerre de Sécession, des gens que l'on s'attendait à rencontrer au Elks Club, ou traversant l'Arizona en convoi jusqu'au Splendorama annuel des caravanes Wally Bynum. Des gens qui ont tous une chose en commun, qui se réunissent le dimanche après-midi, avec le sentiment d'appartenir à quelque chose.

Mais il y en avait qu'on ne verrait jamais dans ces autres rassemblements, des solitaires qui ne souriaient jamais et parlaient rarement, vêtus de treillis et chaussés de rangers, les yeux cachés derrière des lunettes noires d'aviateur.

Le propriétaire du MP 38 fixa une bandoulière en cuir sur l'arme, puis aida Sara à la faire passer par-dessus sa tête, et entre ses seins.

— Viens, dit Zurbo. Allons voir les trucs sérieux.

Hanson adressa un signe de la main à Sara et ils se dirigè-rent vers les rangées de tables de jeu sur lesquelles étaient exposées des armes, posées sur des couvertures. Les collectionneurs, assis derrière les tables ou grouillant tout autour, cessèrent de sourire en apercevant Hanson. C'était à cause de son t-shirt. Il portait le t-shirt UNE AUTRE MÈRE POUR LA PAIX qu'il avait trouvé dans la prison, après une des manifestations contre la guerre — encore des personnes qui voulaient « appartenir à quelque chose ». Zurbo avait souri en voyant le t-shirt et dit : « Ces gens-là ne sont pas très portés sur l'ironie. » Mais parce que Hanson était venu avec Zurbo, ils acquiescèrent lorsqu'il demanda la permission de prendre une arme, et peu de temps après, ils souriaient et hochaient la tête d'un air approbateur.

Les armes étaient magnifiques, et Hanson prenait plaisir à les manier, les soupeser, à juger leur équilibre. Il fut adopté par les autres, grâce à son habileté et à sa familiarité évidentes avec les armes, à la joie qu'il éprouvait à les tenir.

Des pistolets mitrailleurs : des petits Mac 10 en métal estampé, calibre .45 et .9 mm, des Car-15, une Thompson solide et fiable, des Sten rudimentaires, des HK sexy et chers, des petites carabines M-1 à tir sélectif, des Uzi, et des K suédoises, tous destinés à tuer de petits groupes de personnes, de près, dans des tranchées, des restaurants, des couloirs, des living-rooms, des cuisines ou au volant d'une voiture.

Les fusils d'assaut étaient efficaces à plus longue portée : AK, FN, Galil, M-16, SIS et AUG, 308, 223, les 762 × 39 communistes... Hanson les connaissait tous, il les manipulait, il se déplaçait avec, comme un athlète professionnel d'une équipe sponsorisée par l'auberge locale. Il ne faisait pas attention aux gens qui se rapprochaient pour le voir, jusqu'à ce que Zurbo annonce :

— Il était dans les Forces spéciales au Vietnam.

Et il sourit en voyant le regard que lui lança Hanson.

— C'est vrai ? demanda un gros type costaud en pantalon noir, une chemise bleu ciel tendue sur son ventre.

— Oui, monsieur, répondit calmement Hanson en reposant le SIG exotique, cherchant un moyen d'échapper à cette foule, tandis que Sara approchait dans son dos.

— Moi, j'étais dans le 1er de Cavalerie aérienne.

Hanson leva la tête et sourit poliment, en acquiesçant.

— Missions de reconnaissance, ajouta le type, d'un ton de défi.

Il portait un pantalon de treillis trop large et un t-shirt avec une tête de mort, sous les mots LA MORT VENUE D'EN HAUT. Il avait des cheveux longs et une barbe épaisse, comme un motard ; c'était visiblement l'unique ancien du Vietnam du groupe. Sa femme, ou sa petite amie, qui portait un jean serré avec un ceinturon de rodéo, une chemise western moulante, des bottes et un chapeau de cow-boy, observa Sara de la tête aux pieds.

— Vous étiez dans la Zone de combats C ? demanda Hanson.

— Les montagnes. Frontière cambodgienne.

— Ah oui, dit Hanson en essayant de se montrer aimable. Vous avez fait du bon boulot là-bas, les gars.

Le type hocha la tête, faisant se balancer ses cheveux sur ses épaules, en regardant Hanson, qui essayait de ne pas croiser son regard, car ses yeux ne seraient pas aimables, et il ne voulait pas faire d'histoires ici, avec tous les amis de Zurbo.

— Si on allait chercher notre matériel ? dit-il en enlaçant Sara. Pour brûler quelques cartouches.

— C'était quoi cette discussion ? lui demanda Sara. Je croyais que vous étiez tous « potes » entre vous.

Hanson sourit, en se dirigeant vers la voiture de Zurbo.

— J'ai l'air d'un type qui pourrait être pote avec lui ? Je n'étais pas pote avec la plupart des autres types au Vietnam. Je n'étais pas pote avec un tas de types des Forces spéciales. Je ne sais même pas si ce gars-là avec ses cheveux longs est vraiment allé au Vietnam. Si ça se trouve, il était chauffeur de camion, ou cuisinier ou mécanicien. En tout cas, je *sais* qu'il n'était pas dans l'unité des missions de reconnaissance.

— Comment le sais-tu ?

— De la même manière que tu le saurais si sa petite amie affirmait qu'elle avait dansé au bal des débutantes de Baltimore.

— Quand est-ce que je pourrai tirer ?

Les gamins redressèrent les bouteilles de propane, comme des quilles de bowling, ôtèrent le panneau CESSEZ LE FEU, et la ligne d'assaut irrégulière des fanatiques ouvrit le feu. Une grosse femme qui tirait avec une mitraillette Thompson leva la main.

— Chéri, c'est encore coincé ! gémit-elle.

Son petit ami dégagea la culasse, introduisit un nouveau chargeur et recula, tandis qu'elle vidait le chargeur en une seule et longue rafale, en levant le canon de l'arme, arrosant de grosses balles de .45 les arbres agonisants, déchiquetés, au bout du champ de tir, le recul faisant trembloter ses seins et ses bras épais.

— J'espère que personne n'aura jamais l'idée de venir scier des arbres par ici ! cria quelqu'un au milieu des détonations.

L'ancien combattant avec le t-shirt LA MORT VENUE D'EN HAUT se tenait derrière sa copine ; il l'aidait à tenir un AK 47 comme s'il s'agissait d'une batte de base-ball. Elle tira une rafale et s'exclama :

— J'adore ce flingue. Ah, la vache, j'adore ce putain de flingue !

Zurbo sourit à Sara, tout en vissant un gros silencieux noir sur le canon court et épais de son pistolet mitrailleur MAC 10. Hanson le lui prit des mains, introduisit un chargeur de 32 balles et conduisit Sara à l'emplacement libre le plus proche du pas de tir, entre la grosse femme avec la Thompson et l'ancien combattant. Celui-ci ignora le signe de tête de Hanson, mais le regarda fixement à travers ses lunettes à verres réfléchissants, pendant que sa nana vidait le fusil d'assaut, et sa manière de tirer, sélective, au coup par coup, replongea Hanson dans les embuscades et les combats, la boue rouge, les sangsues, les hélicoptères de secours, les blessés qui cambraient le dos et tressautaient de douleur, les cadavres enveloppés dans les ponchos.

Hanson tenait le MAC étroit dans une main, pointé vers le ciel. Il vint se placer derrière Sara et abaissa l'arme, les bras passés autour d'elle.

— Prends la crosse, dit-il, les lèvres posées sur son oreille pour qu'elle l'entende malgré le bruit. Et tiens-le comme ça, dit-il en plaçant l'autre main de Sara sur le silencieux, la couvrant avec la sienne, et elle recula contre son sexe. Une fine pellicule grasse de sueur, de poussière et de parfum brillait dans son cou.

— Garde bien le canon baissé. Tu presses la détente et tu relâches. Des rafales de trois ou quatre balles.

Le canon se cabra dans la main de Hanson plaquée sur celle de Sara, comme s'il essayait de prendre son envol, recrachant sur le côté du cuivre brûlant.

Elle rit, une fois remise de sa surprise.

— J'ai pigé le truc, dit-elle en vidant le chargeur par petites rafales rapides, étouffées.

Hanson le remplaça par un chargeur plein, prit ses seins en coupe dans ses mains et murmura :

— Essaye comme ça.

Elle renversa la nuque contre sa mâchoire pour le regarder à l'envers, et il la *sentit* rire pendant qu'elle tirait. Elle écarta davantage les pieds, les muscles de ses cuisses gonflèrent sous la toile fine de son jean, vibrant contre Hanson.

Finalement, le responsable du pas de tir décréta une « minute de folie », et les quatre Browning calibre .30, le M-60 et le calibre .50 de Becker tirèrent tous en même temps, fixés sur des trépieds. Les rafales firent jaillir des tourbillons de poussière chargés de poudre, qui revinrent balayer le couple en tenues de camouflage assorties, qui marchait de long et large derrière les tireurs, le mari filmant avec une caméra Super 8, tandis que sa femme transportait un magnétophone sur son épaule en brandissant un micro parabolique en direction des armes.

— Cette guerre que tu as faite, cria Zurbo dans l'oreille de Hanson. Est-ce qu'il y avait vraiment un ennemi en face ?

— Oui, je crois. Mais ils étaient toujours morts quand j'arrivais pour les voir.

— J'ai parlé avec d'anciens copains du lycée, dit Zurbo. Ils y sont tous allés. On se soûlait ensemble, et une fois que toutes les histoires de guerre étaient épuisées, moi, je les interrogeais d'une certaine façon. Eh bien, aucun d'eux se souvenait d'avoir vu ceux qui les tuaient là-bas. Des types trébuchaient et se faisaient exploser la tête avec leur arme, ou bien ils s'effondraient raides morts, touchés par une balle venue de nulle part, ils se faisaient bombarder par leurs propres avions, ou ils se suicidaient...

Hanson ramena Sara chez elle. La maison victorienne délabrée était vide, sa voix résonna quand il lui demanda :

— Où est le petit Tim ?

Il la suivit dans l'escalier ; il avait mal aux jambes. La saisissant par les cheveux, il l'arrêta sur le palier, l'obligea à se retourner vers lui et embrassa sa bouche ouverte, avant de monter jusqu'à la chambre.

Ils se déshabillèrent, brûlés par les coups de soleil et épuisés, répandant l'odeur de la poudre dans la pièce. Il agrippa les épaules rougies de Sara et la regarda sourire de douleur à mesure qu'il serrait, laissant l'empreinte blanche de sa main sur le coup de soleil, un limon de sueur et de poussière entre ses seins. Son rouge à lèvres qui s'écaillait, ses lèvres craquelées par le soleil, salées, quand il l'embrassa.

— Attends, dit-elle, et elle se dirigea, nue, vers le petit réfrigérateur dans le coin de la chambre.

Plus tard, Hanson se souviendrait qu'il ressemblait exactement à celui que Doc possédait à Da Nang quand il faisait office de coursier pour le sergent-major, dans le bungalow payé par l'argent liquide de la CIA.

Elle ouvrit la porte, la lumière du réfrigérateur baigna d'une auréole ses cheveux humides et ses bras en sueur dans la pièce obscure, puis elle se retourna, brandissant un vibromasseur violet d'une main, et un deuxième objet de l'autre.

— J'aime bien quand ils sont froids, dit-elle.

Il était tard quand il rentra chez lui, pas ivre pour une fois, et il vérifia la présence du caillou sous sa porte, s'attendant à entendre Truman sortir des buissons de mûres derrière lui. Il regarda en direction de la grange, en faisant rouler le caillou dans sa main.

— Hé, Truman ! Où tu es, vieux ?

Il s'agenouilla et posa la main à l'endroit préféré de Truman sur la véranda. C'était chaud.

Il referma sa main autour du caillou, le secoua plusieurs fois, et entra dans la maison. Il tapota la toile d'araignée, et l'araignée apparut à l'extrémité tremblante de sa toile, cherchant la nourriture.

Elle se précipita vers le centre, en zigzaguant, s'arrêta et regarda Hanson.

— Où est Truman ? demanda Hanson.

L'araignée sauta dans le vide et s'enfuit en suivant un unique fil de soie dans l'obscurité.

Hanson ressortit sur la véranda en emportant une bière, qui s'ouvrit avec un chuintement, la tenant à bout de bras, en direction de la grange.

— Tu entends, Truman ?

Il but la bière, en attendant, appela Truman encore une fois, puis rentra. Il ressortit avec une torche électrique dans une main et son pistolet dans l'autre, juste au moment où Truman jaillissait bruyamment des buissons, haletant et clopinant, dans la petite clairière près des plantations.

— Où étais...

Les oreilles du chien se dressèrent et il se retourna, en grognant. Hanson promena le faisceau de sa lampe sur les herbes hautes, et les mûriers, jusqu'à la grange et au-delà, puis il l'éteignit et tendit l'oreille.

Truman cessa de grogner, grimpa sur la véranda en boitant et s'allongea à sa place, la tête levée, regardant le jardin. Son poil était mouillé, les épines des mûriers lui avaient égratigné la truffe. Il ignora le bol de bière que Hanson déposa près de lui.

— Qu'est-ce que tu as trouvé là-bas, vieux ? demanda Hanson en l'essuyant avec une serviette. Un serpent ? Je m'inquiétais pour toi, tu sais.

Truman refusa de rentrer dans la maison, alors Hanson bloqua la porte en position ouverte ; lui-même était parfaitement réveillé maintenant. Il se servit un petit verre de cognac, puis un autre, en feuilletant un numéro de *Shotgun News*. Mais il ne parvenait pas à se concentrer.

— J'ai décidé de rester dehors avec toi, dit-il à Truman en jetant un sac de couchage sur le sol, un fusil de chasse à la main. S'il y a quelque chose par là-bas, cria-t-il, ces chevrotines feront l'affaire !

Et il arma les deux chiens... *Clac-clac.*

— Réveille-moi si tu as besoin de moi, dit-il à Truman, et il s'endormit en lui parlant de surveillance de périmètre, de postes d'écoute, deux heures de garde, deux heures de repos, après que le camp avait été investi, des sapeurs viêt-congs dans les barbelés toutes les nuits.

Au matin, Hanson se souvint d'avoir vu un feu durant la nuit, là-bas dans les mûriers, bien au-delà de la grange. Mais il n'était pas certain que ce ne soit pas un rêve. Tenant son fusil près du corps, il se fraya un passage au milieu des buissons, s'arrêtant pour tendre l'oreille lorsqu'il perçut une odeur d'essence et de bois carbonisé. Il entendit des crickets, un avion de ligne tout là-haut dans le ciel, les oiseaux dans ses oreilles, et il continua d'avancer, jusqu'à ce qu'il découvre le feu de camp. Les cendres étaient encore chaudes. Quelqu'un était venu là, et Hanson suivit ses empreintes de pas jusqu'à ce qu'elles disparaissent sur le chemin de terre durcie par le soleil, le long du canal d'irrigation.

Le téléphone sonnait quand il revint dans la maison.

— Hanson ?

C'était Miller, le Noir, le gars de la prison.

— Je me suis dit que je devais te prévenir : il s'est échappé de l'hôpital la nuit dernière. Le bleu qu'ils avaient chargé de le surveiller vient juste de sortir de la salle d'opération. D'après ce que j'ai entendu, ils ont réussi à lui sauver un œil.

Truman se glissa par l'entrebâillement de la porte à moustiquaire et s'allongea dans une flaque de soleil.

— Ce salopard pourra pas aller bien loin, vu son état après sa chute. La moitié des équipes de jour est à sa recherche. Hanson ?

— Je suis là.

— Ce type te haïssait, c'est sûr, dit Miller. La consigne, c'est qu'il va mourir en tentant de résister. Cette fois. À moins qu'il se suicide avec une arme qu'il a trouvée quelque part. Ce petit jeune était un chouette gars.

— Merci de m'avoir appelé.

24

— JE ME SUIS DIT qu'il valait peut-être mieux vérifier, dit Rivas. J'espère que je ne vous dérange pas.

— J'aimerais vous dire que j'ai trouvé quelque chose, répondit Fox.

McCarthy attendait patiemment près de la porte, ignorant Peetey qui passait en revue une pile de rapports d'interpellations, le numéro de juillet du magazine *Police* ouvert devant lui, à l'envers.

— On peut aller déjeuner, alors ? dit McCarthy.

— Merci encore, dit Rivas, ignorant McCarthy. Si on peut faire quelque chose pour vous aider, les gars, dites-le nous.

— Entendu, dit Fox. Et si jamais je découvre du nouveau, je vous tiens au courant.

Une fois dans le couloir, Rivas dit :

— J'espère que tu me pardonnes d'avoir retardé ton déjeuner pour des histoires de boulot.

— Si tu promets de ne pas recommencer à l'avenir, dit McCarthy en appuyant sur le bouton de l'ascenseur.

— Toute cette graisse finira par te tuer.

— C'est un des dangers du métier de flic. (McCarthy tourna la tête vers le bureau de Fox au fond du couloir.) Ce salopard nous ment.

— Ouais, fit Rivas.

— Allez, merde ! s'exclama McCarthy en écrasant le bouton de l'ascenseur avec son pouce.

Les portes s'ouvrirent et ils montèrent.

— Je n'aime pas cet enfoiré, ajouta McCarthy. Il n'a aucun sens de l'humour. Et je me méfie de toutes les personnes de plus de cinq ans qui parlent encore sérieusement de « combattre le crime », dit-il, tandis que les portes se refermaient.

Pendant ce temps, dans le bureau des Stups et des Mœurs, Fox récupéra dans la corbeille à papiers le portrait-robot de Hanson et de Doc qu'il avait jeté quand Rivas était entré, et il poursuivit sa recherche.

Peetey reprit le magazine *Police*. Miss Juillet faisait tournoyer une paire de menottes argentées au bout de son doigt, un insigne de policier et un pistolet automatique calibre .25 chromé étaient glissés dans son porte-jarretelles noir. Le calendrier inséré au-dessus de son épaule gauche nue demandait : VOUS AVEZ COUR *(SIC)* AUJOURD'HUI ?

Peetey ouvrit le tiroir inférieur du bureau métallique et plongea la main à l'intérieur, les yeux fixés sur Miss Juillet. Il ouvrit davantage le tiroir pour fouiller parmi les vieux papiers et les formulaires. Au bout d'un moment, il pencha la tête pour regarder, referma le tiroir d'un coup de pied et inspecta les autres tiroirs, un par un, en les refermant brutalement.

Fox se retourna dans son fauteuil.

— Putain de merde ! grogna Peetey en ouvrant son sac de matériel dont il extirpa d'autres formulaires de rapports, des codes pénaux, des menottes en plastique jetables, des chaînes pour les chevilles, des gants et des munitions.

— Qu'est-ce qu'il y a ? demanda Fox.

— Le .45 nazi.

— Le flingue alibi ?

— Il a disparu.

— Il doit être dans le van, quelque part.

— Non, dit Peetey en rouvrant le tiroir du bas.

— On ira vérifier.

— Je sais qu'il est pas dans...

Il se redressa d'un bond sur son siège et regarda Fox.

— Ira Foresman, l'enfoiré ! Il était assis là hier soir. Quand on est sortis du bureau pour faire signer la demande de fric pour les indics.

— Il n'est pas con à ce point-là, dit Fox.

Peetey ne prit pas la peine de répondre.

— On lui posera la question, dit Fox en regardant le

portrait-robot, puis l'écran de l'ordinateur. Je crois être sur une piste. Mais faut que j'aille brancher le Télétype pour recevoir le rapport de ces ploucs du sud.

— Ouah, mince, Andy ! Tu crois qu'on va attraper ce vaurien ? dit Peetey en essayant d'imiter l'accent sudiste.

Sans lui prêter attention, Fox se rendit dans la salle du Télétype pour enregistrer sa demande sur un engin en métal gris de la taille d'une Studebaker deux portes, avant de retourner devant son ordinateur. Un quart d'heure plus tard, tout le bureau vibra lorsque le Télétype commença à imprimer la réponse.

DD WAG JU 16 H 51 MERCREDI 23 JUIN 75 KBZ 01#12 345090 DE #12 00516 S/14 GAFFNEY, S.C. À TOUTES UNITÉS -INFO SUR SUSP. MEURTRE. LOCAL. 15 FÉVRIER 74. VICT. RANDALL « JUNIOR » LOTT HOM. RACE BL. 5/3/46 PLUSIEURS BALLES .9 MM ARME DE POING. ÉPICERIE « RAND'S FILLUP » ; CAMBRIOLAGE NE SEMBLE PAS ÊTRE LE MOBILE. SUSPECT A SANS DOUTE RÉCUPÉRÉ LES DOUILLES POUR ÉVITER COMPARAISONS. PROJECTILES DÉCOUVERTS SUR LA VICTIME TROP DÉFORMÉS POUR COMPARAISON FIABLE. PAS DE VÉHICULE VU. PORTRAIT-ROBOT CI-JOINT BASÉ SUR RENSEIGNEMENTS FOURNIS PAR TÉMOINS ÉVENTUELS. *ATTENTION*. LE SUSPECT DOIT ÊTRE CONSIDÉRÉ COMME ARMÉ ET DANGEREUX.

La machine sembla hésiter ; elle changea de vitesse et imprima lentement un portrait-robot flou qui aurait pu correspondre à n'importe quel Noir d'Amérique entre quinze et soixante ans.

— Va déjeuner, dit Fox à Peetey. J'ai beaucoup de boulot.

— Tu veux que je te rapporte quelque chose ? demanda Peetey, vexé.

— Ouais. Un Coca light avec des chips. Goût barbecue.

— C'est noté.

— Hé ! Light, le Coca !

— Tu doubleras ta mise en trois ans, dit Dana.

Hanson froissa le sachet contenant le reste de frites et de Big Mac, ôta le couvercle de son gobelet de café et le déposa sur le tableau de bord crasseux.

— C'est à toi de voir, dit Dana en buvant une gorgée de café, mais pourquoi filer tout ce fric aux impôts quand ce n'est pas nécessaire ?

— Je trouve ça plus simple. La municipalité me file mon chèque, je le dépose à la banque. Le fisc me prend tout ce qu'il veut. Et moi, je m'occupe de rien.

— Ce que je veux t'expliquer...

— *Cinq Soixante-deux...*

— On n'a pas fini de déjeuner, dit Hanson en s'adressant à la façade de la radio de bord.

— *... appel interrompu. 410 Cook nord. Des hurlements de femme en fond sonore. Nous n'avons pas d'autre voiture disponible.*

— Merde !

Les gobelets de café encore fumant s'envolèrent par les vitres, tandis que Hanson décrochait le micro et que Dana mettait le contact.

— Cinq Soixante-deux, appel reçu, dit Hanson.

Dana brancha le gyrophare et se faufila au milieu de la circulation.

— Ouais, ouais, fit Hanson en raccrochant le micro. Hurlements en fond sonore. Un appel pour un chien qui aboie, hurlements en fond sonore. Vol de vélo, hurlements en fond sonore. Il y a toujours quelqu'un qui hurle en fond sonore.

Dana ricana ; il ralentit en arrivant au carrefour, regarda des deux côtés et grilla le feu rouge.

— *Cinq Soixante-deux, quand vous aurez fini avec cet appel, on en a deux autres dans le secteur.*

C'était au tour de Dana cette fois : un pavillon double avec une rangée d'arbustes morts sur le devant. Il frappa à la porte avec sa matraque.

— Police !

La tête penchée sur le côté, il tendit l'oreille, pendant que Hanson surveillait la rue, observait les fenêtres et gardait l'œil sur les deux coins de la maison.

Dana frappa de nouveau à la porte, plus fort cette fois.

— Police, ouvrez !

Il posa la main sur la poignée et se tourna vers Hanson. Celui-ci haussa les épaules, et Dana poussa la porte.

— Police !

— Police !

366

Dana poussa en grand la porte, qui alla heurter le mur, au moment où ils pénétraient dans le living-room ; il y flottait l'odeur familière de la sueur et du tabac froid, de la nourriture avariée et de l'urine.

Un téléphone rose était posé par terre, le fil du combiné formait des nœuds, l'autre fil avait été arraché du mur. La table basse en verre était brisée, la moquette bleue en dessous était imbibée d'un vin qui sentait le fruit pourri. Dana se tourna vers la cuisine ; quelqu'un respirait très faiblement. Hanson sortit sa matraque.

— Police !

L'évier de la cuisine était remplie de poissons-chats, dont beaucoup était encore en vie ; leurs corps se gonflaient et se ratatinaient, au rythme de leurs halètements, leurs petits yeux durs figés par la concentration. Des têtes de poisson aveugles et des colliers d'intestins irisés étaient éparpillés sur l'égouttoir et sur le sol en dessous, où un couteau de poissonnier, dont la lame étroite était brisée au niveau du manche, gisait dans une marre de sang épais. Des empreintes sanglantes de pieds nus, sur le linoléum sale, conduisaient à la porte de derrière, descendaient les deux marches en béton, avant de disparaître sur le trottoir.

Ils dégainèrent leurs armes pour inspecter la chambre ; ouvrant violemment la porte, ils fouillèrent la penderie, derrière les vêtements suspendus, et découvrirent sous le lit défait une bouteille de Black Velvet vide, un autoradio, des morceaux de poulet frit et un Tampax usagé. Personne dans la salle de bains.

Hanson alla sonner à la porte de la maison voisine, et un petit chien se mit à aboyer à l'intérieur. Une femme entrouvrit la porte de la largeur de la chaîne, en donnant un coup de pied au chihuahua chaque fois que celui-ci se jetait contre la porte.

— C'est pour quoi ? demanda-t-elle.

Derrière elle, la pièce était plongée dans l'obscurité ; avec les rideaux étaient tirés, il était difficile de déterminer l'âge de cette femme.

— Arrière ! brailla-t-elle en décochant un coup de pied au chien aux yeux globuleux qui continuait d'aboyer.

— Les gens d'à côté, dit Hanson, nous...

— Ils ont déjà foutu le camp. Vous arrivez trop tard. Beaucoup trop tard, dit-elle, et elle leur claqua la porte au nez.

Hanson notait l'adresse et l'heure dans son carnet, accompagnées des mots « beaucoup trop tard », lorsqu'il entendit le bruit de ferraille d'un caddie de supermarché un peu plus loin dans la rue et Pharaon qui chantait. « ... open our eyes, sweet Lord. So come on, come on, and open our eyes... »

— Hé, Pharaon ! s'écria Hanson.

— Yes, sir, jeune capitaine ! Comment va aujourd'hui ?

— Je voulais te remercier. Tu m'as sauvé la vie l'autre jour. Et ensuite, tu as disparu...

Pharaon esquissa un geste de la main.

— Salut !

Et il continua à pousser son chariot.

— Pharaon ! dit Hanson en le rejoignant. J'ai besoin de ta déposition...

— Je refuse de te mentir, jeune capitaine. Je pourrais te dire que c'était pas moi, mais je préfère te demander — respectueusement — d'oublier que j'étais là.

Les mouches tournoyaient autour de Pharaon et du chariot rempli de boîtes de bière et de soda vides. Le soleil se couchait derrière lui.

— Je suis qu'un vieil homme, capitaine. J'essaye de survivre.

— OK, dit Hanson. Pigé.

Pharaon hocha la tête. Il fit quelques pas en poussant son caddie, puis s'arrêta et se retourna vers Hanson.

— Jeune capitaine, on sait que tu as fait de ton mieux. Ne sois pas trop dur avec toi-même. Tiens bon, dit-il et il repartit en poussant son chariot, et en chantant : « *Leaning, leaning, leaning in the...* »

La petite ampoule rouge qui clignotait joyeusement sur la façade de l'émetteur-récepteur de la police hésita...

— *Cinq Soixante-deux...*

Puis elle disparut, le temps de refaire le tour de toutes les fréquences, balayant les canaux l'un après l'autre, telle une flèche de néon, avant de s'immobiliser, faiblement, lorsque Hanson enfonça le bouton pressoir du micro.

— Parlez.

— *Cinq Soixante-deux, on a un type allongé dans la rue*

au coin de la 39ᵉ et de Hawthorne. Aucune unité d'East Precinct n'est disponible. Vous pouvez jeter un coup d'œil en passant ?

— La voiture du Cinq Soixante-deux est toujours heureuse d'aider East Precinct quand ils ne sont pas capables de régler eux-mêmes leurs problèmes.

Hanson éclata de rire en entendant les crépitements dans la radio ; toutes les voitures d'East Precinct qui faisaient cliqueter leurs micros pour dire : « Allez vous faire foutre ! »

— Il est un peu tard pour aller ramasser des poivrots d'East Precinct, dit Dana. On a bientôt fini.

Hanson posa les pieds sur le tableau de bord.

— Ce n'est pas tes heures sup' favorites. Je m'en occupe. Tu as un max de retard dans tes paperasses.

— Tu es un bon flic et un type formidable, dit Dana en tournant à gauche pour remonter l'Avenue, en accélérant.

Le reflet du véhicule tremblotait sur les devantures sombres des magasins, à une vitesse qui paraissait invraisemblable, bondissant de vitre en vitre, par-dessus les portes et les carrefours, passant devant le Mor-4-Less et le Hollywood Market, sous le regard de Hanson qui essayait d'apercevoir son visage dans le reflet fragmenté.

Le Hollywood Market avait fermé ses portes peu de temps avant Noël, quand Aaron Allen avait tué le propriétaire d'une balle dans la tête, tirée avec un vieux .45 de l'armée, récupéré lors d'un cambriolage. Avec ses complices, ils avaient frappé à coups de pistolet et violé son épouse de soixante-douze ans, avant de retourner au collège Lincoln pour faire une petite partie de basket.

Au service des urgences, la vieille femme regarda ses mains lorsque les inspecteurs lui dirent qu'elle pouvait « éliminer ces monstres de la rue pour qu'ils ne recommencent jamais plus ».

Mais étant donné que Aaron et ses complices étaient encore des gamins, les policiers n'avaient pas de photos d'identité judiciaire à lui montrer, et ils abandonnèrent au bout de quelques jours, la laissant seule. Lorsqu'elle sortit enfin de l'hôpital, elle rentra chez elle (en taxi, pour la première fois de sa vie) et découvrit qu'on l'avait cambriolée.

Quelques nuits plus tard, Aaron fut obligé de balancer le .45 de l'armée dans le parc, en face de l'église de la Foi inébranlable, lorsque Hanson et Dana l'arrêtèrent pour conduite en état d'ivresse. Le lendemain, il chercha le pistolet, mais il avait disparu. Alors, il acheta une autre arme, un revolver .38 Spécial, à Quentin Barr, pour 8 dollars, mais il regrettait le vieux .45 avec la croix gammée sur la crosse.

— Sale enculé de Hanson, dit-il tandis qu'il chargeait le .38 Spécial, en le faisant tournoyer dans sa main comme ils le faisaient à la télé. La prochaine fois qu'il me fait chier, je lui explose sa sale gueule de salopard ! dit-il en braquant le pistolet par la vitre baissée de la Cadillac, sur une vieille dame qui attendait le bus. À cause de lui, j'ai paumé mon .45 de Hitler !

Doogie, douze ans, lui demanda qui était Hitler.

— Crétin ! dit Aaron, ignorant la question du gamin jusqu'à ce qu'ils pénètrent dans la ruelle derrière le magasin « Volume Shoes ».

— Hitler, reprit Aaron, c'était le putain de *président* dans le temps, et il butait tous les Juifs, mais il s'est fait descendre par les flics.

Le calendrier du mois de décembre, accroché au mur derrière la caisse du Hollywood Market, était couvert de poussière maintenant ; on y voyait la photo du pape bénissant des milliers de personnes dans un quelconque bidonville du tiers-monde. Difficile de dire dans quel pays, sur quel continent.

Dakota était couché derrière la caisse, sur un lit de cartons aplatis, et il contemplait le plafond avec son œil gauche. Son autre œil était gonflé et fermé au-dessus de sa pommette brisée ; toute cette partie de son visage était violette et boursouflée. Il portait un pantalon orange de prisonnier et une blouse blanche d'hôpital ornée de minuscules sapins bleus. La jambe gauche de son pantalon était déchirée à cause du plâtre qu'on lui avait posé avant qu'il ne s'échappe de l'hôpital. Il avait plaqué son bras enflé et décoloré contre sa poitrine à l'aide d'un rouleau de chatterton découvert dans l'arrière-boutique, ne perdant qu'une seule fois connaissance, brièvement, sous l'effet de la douleur.

Il se redressa et regarda le carton de boîtes de sardines sur l'étagère sous la caisse enregistreuse. « Produit de Finlande », lisait-on sur le carton. Il avait réussi à le déchirer avec ses dents et son bras valide. Tous les autres produits comestibles du magasin avaient été volés depuis longtemps. Des boîtes de sardines vides, éventrées, étaient empilées contre le mur du fond.

Il se rallongea, mit un certain temps à trouver une position confortable et demeura immobile ensuite. Une voiture passa, projetant des ombres au milieu des cloches et des couronnes, illuminant l'espace d'un instant les Rois Mages peints sur la vitrine. Après le passage de la voiture, une mouche se cogna contre le carreau.

Dakota se redressa d'un bond, heurtant son bras bandé, grognant sous l'effort.

Vingt minutes plus tard, assis sous la vitrine, les jambes écartées sur le sol, il regardait un journal de l'an passé dans la lumière de la rue. Le journal était replié sur une publicité pour le film *L'Homme au pistolet d'or*. La blonde Britt Ekland faisait la moue sur l'affiche, en appuyant un petit PPK/S sexy contre ses seins. Elle se déhanchait, et son pied était posé sur une pile de caisses de munitions, sa jupe moulante remontée jusqu'en haut des cuisses. Elle était couverte d'empreintes de doigts grasses.

Il observa le dessin, en extirpant un poisson argenté décapité de la boîte posée sur le sol. Il le mangea en deux bouchées, puis s'essuya les lèvres avec la main, qu'il frotta ensuite sur son entrejambe, avant de passer à la sardine suivante. Il poursuivit sur le même rythme, même lorsque la pile de boîtes de sardines vides s'effondra bruyamment derrière lui, même lorsque les phares de la voiture de patrouille Cinq Soixante-deux éclairèrent la devanture du magasin, tandis que Dana, au volant, remontait l'Avenue vers le nord.

« L'homme à terre » était inconscient, bras et jambes écartés, sur le dos. Deux couples d'adolescents se penchaient au-dessus de lui. L'un d'eux, un gamin efflanqué, torse nu, ses cheveux longs attachés dans la nuque par un lacet en cuir, tenait sur son épaule une radio de la taille d'une valise ; les guitares électriques hurlaient et sanglotaient dans les haut-parleurs fêlés, tandis que Hanson promenait le faisceau de sa torche électrique sur l'homme.

— Éteins-moi ça, dit-il.

L'adolescent adressa un grand sourire à ses copains. Il porta sa main à son oreille et hurla :

— Vous avez dit quoi ?

Hanson éteignit lui-même la radio.

— Vous savez ce qui est arrivé à ce type ? leur demanda-t-il.

Ils haussèrent les épaules et secouèrent la tête.

— Je sais pas ce qui lui est arrivé, dit le jeune avec la radio, mais c'est moche.

Un homme et une femme d'un certain âge, corpulents, sur une moto, portant tous les deux le même blouson publicitaire en satin, s'arrêtèrent à la hauteur de la voiture et grimpèrent sur le trottoir avec leur engin pour voir ce qui se passait. Le conducteur donna un coup d'accélérateur et la lumière du phare jaune, braqué sur l'homme allongé, s'intensifia avant de s'éteindre.

— Je voudrais pas baiser avec lui même pour un million de dollars, commenta une des deux adolescentes.

— Je réclame un code 3, dit Dana.

L'homme n'avait pas de nez, juste deux orifices irréguliers au milieu de ce qui avait été jadis un visage. On aurait dit qu'il grimaçait, car il n'avait pas de lèvres pour masquer ses dents, uniquement des amas de minuscules cloques autour des gencives. La peau, tendue sur son front, ses pommettes et dans son cou était brillante et raide, comme une sorte de plastique rose. Des touffes de cheveux noirs pendaient entre les plaques de peau greffée sur son cuir chevelu, et le sommet de son crâne palpitait faiblement, comme un cœur qui bat.

— Cet enfoiré a loupé le bus pour la cinquième dimension, dit le gamin à la radio, et ses copains s'esclaffèrent.

Hanson pointa son doigt sur eux.

— Allez, foutez le camp d'ici !

— OK, dit l'adolescent. Faut rester calme !

— Ne me dis pas de rester calme, petit salopard. Ou je t'expédie à l'hosto !

— OK, OK... Pigé.

— Et vous ! dit Hanson en se tournant vers le couple sur la moto, foutez-moi le camp également.

Ils firent reculer la moto maladroitement, et le phare

ballotta. Tenant sa grosse lampe torche sur l'épaule, à la manière d'une massue, Hanson contemplait l'homme sans visage.

Ses yeux étaient fermés, les paupières semblaient collées, mais elles étaient percées de deux fentes qui lui permettaient sans doute de voir. Un des yeux était grossi et déformé par les verres épais des lunettes accrochées à un des moignons d'oreille.

Un peu plus loin dans la rue, l'énorme radio se remit à pousser des cris stridents et à marteler.

— ... saloperie de monstre ! hurla la fille.

Hanson avait refoulé ses larmes le soir où Doc avait évoqué le bunker qu'ils avaient découvert lors d'une opération au sud du fleuve, avec tous les corps qui s'étaient recroquevillés dans un coin pour se protéger du feu. Voilà bien longtemps que Hanson ne s'était pas autorisé à revoir cette image : les corps reliés par les bras, les torses et les visages, comme des siamois, sous l'effet du napalm qui faisait fondre la chair humaine comme de la cire. Une plaisanterie circulait à ce sujet chez les I Corps, une variation sur le « signe de la paix », se souvint-il en s'agenouillant à côté de l'homme, à la recherche de blessures récentes.

Il n'y en avait aucune, et l'homme respirait : les trous de ses narines s'ouvraient et se fermaient comme des créatures aquatiques. Juste à côté d'un des bras étendus se trouvait une boîte avec le nom « Winchell Donuts » joyeusement imprimé en lettres jaunes. Des *donuts* avaient roulé dans l'herbe et sur le trottoir.

Au loin, une sirène hulula, le son se faufila entre immeubles.

Hanson avait lu quelque part que les individus défigurés finissaient souvent par éprouver le sentiment d'être invisibles. Personne ne les regardait, les gens faisaient comme s'ils n'existaient pas. Hanson s'imagina en monstre, entrant dans une boutique de *donuts*.

L'ambulance apparut au coin de la rue derrière lui, éclairant la cime des arbres, et coupa le gyrophare et la sirène au moment où elle s'arrêta le long du trottoir. Une rose peinte sur le flanc du véhicule blanc s'ouvrait, puis se refermait, rouge et noire, tandis que les feux de détresse clignotaient dans la rue redevenue paisible.

373

— Je ne sais pas ce que c'est, dit Hanson. Il respire. Je n'ai vu aucune blessure apparente.

Un des hommes en blanc s'accroupit près de l'homme. Un écusson sur son épaule représentait une rose.

— Nom de Dieu, dit-il, ça vous fout la trouille un truc pareil dans les rues, la nuit.

— Je vous rejoins à l'hôpital, dit Hanson. Vous l'emmenez au *Bon Samaritain* ?

— Exact.

Dana se gara à proximité de la grande porte à double battant du service des urgences, afin d'avoir assez de lumière pour rédiger ses rapports.

— Ça ne devrait pas être long, dit Hanson. On pourra taper le reste quand on sera rentrés au poste.

Après qu'ils eurent conduit l'homme sans visage en salle d'opération, alors qu'ils repliaient les extrémités de la civière, Hanson demanda aux ambulanciers s'ils connaissaient le nom de ce type. La couverture bleue frappée du dessin de la rose paraissait douillette et déplacée dans ce couloir vert glacial, pendant que l'ambulancier la pliait sur la civière, dont il abaissa les barreaux en aluminium.

— Radmer ? Non, pas Radmer. On l'a déjà transporté pourtant. (Il sortit un stylo à bille de sa poche, s'amusa à sortir et rentrer la pointe.) Crise d'épilepsie. Généralement, il porte toujours un casque de footballeur. Radke ? Oui, c'est ça. Radke.

— Vous connaissez son adresse ?

— Hé, Ron, on a l'adresse ? demanda-t-il à son collègue. Le dénommé Ron feuilleta son carnet.

— C'est quelque part dans Hawthorne, je crois. Un foyer.

— C'était pareil la dernière fois. Il n'a pas pris ses médicaments et il s'est effondré sur le trottoir, dit l'autre ambulancier.

— Non, j'ai pas l'adresse, dit Ron. C'est le foyer qui se trouve dans Hawthorne. Tous les jours, ils organisent la parade des monstres jusqu'au parc, à l'heure du déjeuner. Ce type a juste sa peau pour couvrir le trou de son visage. Faudrait lui foutre une plaque.

— L'histoire qu'on a entendue, dit l'ambulancier, c'est que lorsqu'il était bébé, sa mère l'a enveloppé dans une couverture et elle l'a foutu dans le four. Pour qu'il ait chaud. À basse température. (Il actionna deux fois le bouton pressoir de son stylo.) Elle était ivre. Elle l'a oublié dans le four et la couverture a pris feu. Une gentille maman.

— Sur ce, dit Ron, si vous n'avez plus besoin de nous, on ferait mieux de retourner au boulot. Ils nous font bosser douze heures d'affilée ce mois-ci. Encore deux heures à tirer, dit-il en consultant sa montre. C'est là que ça commence à devenir bizarre. Les monstres envahissent les rues.

— Rose City Ambulances, chantonna son collègue, sur le ton d'une publicité à la radio. 24 heures sur 24. On transporte la viande froide et tiède. Ouah ! dit-il en se donnant une gifle, réveille-toi ! À la prochaine. Faut qu'on y aille.

Ils s'éloignèrent dans le couloir en poussant la civière et l'ambulancier exécuta un petit pas de danse.

— Il est conscient, dit le médecin dans le dos de Hanson, si vous voulez l'interroger. Il a fait une crise, une fois de plus. Il n'a pas pris son Dilantin. Il s'appelle Arthur, ajouta le médecin, tandis que Hanson le suivait en salle d'opération. Comment vous sentez-vous, Arthur ? Cet officier de police veut vous parler, dit le médecin en ôtant le masque à oxygène en plastique vert transparent qui couvrait sa bouche et ses orifices nasaux.

Le bruit de sa respiration envahit la salle peinte en vert pâle, où des placards vitrés, alignés sur un des murs, renfermaient des clamps et des sondes argentées, des scalpels, des forceps, des seringues, des mèches, des bagues en acier et des spéculums chromés, aux angles arrondis.

Les pupilles d'Arthur roulèrent sous ses paupières, vers Hanson.

— Où habitez-vous, Arthur ?

Sa gorge rose et rigide se gonfla, les narines s'écartèrent. Les lèvres boursouflées essayèrent d'articuler un mot :

— Aughoo...

— Hawthorne ? demanda Hanson.

L'odeur douceâtre de l'alcool et du désinfectant flottait dans la pièce.

Un filet de bave roula sur les cloques des gencives et coula dans le cou d'Arthur.

— Aughoo, répéta-t-il, plus fort.

— Où ça dans Hawthorne, Arthur ? Vous connaissez le carrefour ?

375

— Aughoo.

— OK, Arthur, dit le médecin, alors que sonnait le biper fixé à sa ceinture. Calmez-vous. Il faut que je vous laisse, dit-il à Hanson en consultant son biper. Vous pouvez lui poser encore quelques questions.

Arthur regarda le pistolet de Hanson, en s'étouffant avec un mot qui était resté bloqué à l'intérieur de sa gorge, prisonnier, durant toutes ces années, depuis le soir où il s'était retrouvé couché dans le four, en feu, la fumée noire bouillonnant au-dessus de lui dans la lumière rouge des résistances électriques. Si jeune, pensa Hanson, que cette chaleur infernale avait dû lui paraître normale, pas plus terrible que la douleur de la naissance.

« Un autre enfer, pire que celui-ci, avait dit Doc. Ils sont de pire en pire. »

Hanson la voyait se débattre à l'intérieur de cette gorge brillante, sous l'orifice métallique de la trachéotomie, la voix de cette chose qui avait pris possession de lui, il y a si long-temps. Une voix que Hanson avait déjà entendue.

— Ooonth, grogna Arthur, en regardant de nouveau le pistolet, avant de fixer Hanson à travers les lésions de ses paupières.

Derrière les orbites fondues, ses yeux ressemblaient à ceux de Kraang-le-Faucon, ce jour-là, dans les barbelés et l'herbe en feu.

— Oonth...

Il leva la tête, le regard fixé sur celui de Hanson

— Oonth, répéta-t-il encore une fois, pour que Hanson ne puisse jamais démentir.

— Je ne peux pas, Arthur. Pardonne-moi.

Il pivota sur ses talons et s'éloigna en direction de la double porte métallique, en s'efforçant de ne pas courir, car s'il se mettait à courir maintenant, il ne pourrait plus s'arrêter avant de s'effondrer, à cinq ou dix kilomètres de là.

« Tout ce que vous savez faire, c'est tuer ! », lui avait crié la fillette.

Il s'arrêta et s'obligea à se retourner. Refermant son carnet, il regarda le crâne ravagé d'Arthur qui frémissait sous les pensées.

— Bonne nuit, Arthur. Je suis désolé.

Au bout du couloir, une infirmière blonde avec un rouge à lèvres foncé marchait vers lui. Jim Bell, un agent de patrouille d'East Precinct, lui lança :

— Dans une heure, d'accord ?

Elle croisa et soutint le regard de Hanson, tandis qu'ils avançaient l'un vers l'autre. Elle lut son nom sur son uniforme et lui sourit.

— Bonne nuit, Hanson, dit-elle en le croisant.

— Ah, la vache, dit Bell. Enfin ! Celle-là, je la travaille au corps depuis qu'elle bosse aux urgences. Un pédé a planté son petit copain avec un tournevis ce soir, et j'ai eu trois heures pour lui faire la cour, en attendant de savoir si le type allait y passer. Et hop, dans la poche !

Son service terminé, Hanson se rendit au bar de la police. Ils avaient organisé un réveillon de « Noël en juillet » et il dut acheter des billets à l'entrée qui donnaient droit à des boissons et à des lots de tombola. Quelques filles des archives et du standard s'étaient réunies pour louer des petits costumes d'elfes sexy. Le sergent Farmer était déguisé en Père Noël. Jim Bell, qui était venu accompagné de son infirmière, gagna un sapin en aluminium. Parmi tous les tickets de Hanson, aucun n'était gagnant.

En se levant pour partir, il salua Zurbo, Neal et les autres avec deux doigts, l'index et le majeur de sa main droite serrés l'un contre l'autre, à s'en faire mal.

— N'oubliez pas, messieurs, dit-il, le napalm soude les êtres humains.

Quand la porte du club se fut refermée derrière lui, il porta sa main à son visage, pour palper son nez et ses lèvres, se toucha délicatement les yeux. Il se réjouissait de l'heure tardive. Il n'avait envie de rencontrer personne en regagnant sa voiture.

Il venait de traverser Fremont Street pour retourner à North Precinct, lorsqu'il tourna la tête à droite et aperçut Fox et Peetey garés le long du trottoir dans leur van. Asia était penchée vers la portière.

25

IL ÉTAIT PRESQUE 22 HEURES lorsqu'ils réussirent enfin à s'introduire sur les fréquences radio surchargées pour annoncer qu'ils en avaient terminé avec l'histoire du faux chèque, et le central les envoya se renseigner au sujet d'un appel concernant « des bruits suspects ». La plainte datait déjà de deux heures, précisa le dispatcher, mais ils avaient été assaillis d'appels plus urgents.

— Et pourquoi pas un petit dîner après ça ? proposa Hanson.

— *Vous êtes les suivants sur la liste, Cinq Soixante-deux.*

— OK d'ac'. Merci beaucoup.

— À... *21 h 43.*

— Il serait temps que Dieu me laisse un peu respirer, avec tous ces putains d'appel ce soir, dit-il à Dana.

— Question de chance, répondit Dana. Je pourrais être un gars sympa et rédiger le rapport du deuxième cambriolage à ta place. Si tu promets de me traiter avec plus de respect devant les collègues.

Hanson rit.

— On règle celui-ci vite fait, et ensuite, code 3 dîner. « Alors, madame, ces bruits ? Diriez-vous qu'ils étaient *très* suspects, ou seulement un peu suspects ? »

Durant leur service, ils alternaient les appels, et jusqu'à présent, Dana avait eu droit à une femme ivre qui, furieuse après son ancien petit ami, l'accusait d'être un dealer, une bagarre familiale à l'issue de laquelle le mari avait accepté d'aller passer la nuit ailleurs, et un appel concernant une arme à feu qui était en réalité une plainte pour tapage. Au téléphone, le type avait parlé d'une arme pour que la police intervienne rapidement. Des appels qui pouvaient être résumés en quelques lignes sur un formulaire « divers ».

Hanson, lui, avait écopé de deux cambriolages et d'une prostituée qui avait essayé d'encaisser un chèque falsifié pour son mac au magasin « Safeway ». Cet appel à lui seul avait nécessité un rapport criminel, un rapport d'arrestation, l'enregistrement des dépositions des employés du « Safeway », un rapport de mise en dépôt pour le chèque. Ils avaient dû conduire la prostituée en prison et déposer le chèque au service des objets en instance. Depuis le début de leur service, ils n'avaient cessé d'enchaîner les appels.

Hanson sonna à l'adresse de Mississipi Street. On apercevait de la lumière par le trou de serrure de la lourde porte d'entrée qui semblait avoir été installée récemment. Il se balança d'un pied sur l'autre sur la véranda, faisant grincer les planches sur un rythme nerveux. Soudain, il s'arrêta.

— Merde, dit-il, il est trop tard pour aller bouffer chinois dans le secteur du Cinq Cinquante. Où veux-tu manger ?

— Chez French, la cuisine ferme à dix heures. Trop tard. Après, c'est le Mac Do ou des spaghettis au Town Square.

Hanson cogna à la porte avec sa torche électrique.

— Allez, vite.

Le trou de serrure s'obscurcit et quelqu'un s'attaqua à une succession de verrous, les faisant coulisser et claquer avec une efficacité mécanique. Une grosse femme noire, vêtue uniquement d'un slip et d'une perruque rouge qui lui descendait jusqu'à la taille, entrouvrit la porte de quelques centimètres.

— Bonsoir, dit Hanson. Alors, quel est le problème ?

La femme inclina la tête sur le côté gauche, puis détourna le regard dans la même direction, de manière aussi affectée qu'une danseuse de Kabuki. Elle revint sur Hanson, et comme celui-ci ne réagissait pas, elle récidiva ; la longue perruque synthétique retomba de part et d'autre de son épaule.

— Il faut m'expliquer, madame. Je ne suis pas autorisé à recueillir les déclarations non verbales.

Elle ouvrit plus largement la porte et se pencha à l'extérieur ; ses cheveux roux encadraient son visage et ses seins.

— C'était là-bas, dans le garage, murmura-t-elle avec une haleine sentant l'alcool. Mais ça s'est arrêté.

379

— Chérie ? lança une voix d'homme dans une autre pièce. C'est qui ?

— Ça s'est arrêté, murmura-t-elle à Hanson. Des gens qui se sont trompés d'adresse ! cria-t-elle, et elle referma la porte.

Hanson braqua sa lampe sur le garage délabré situé à côté d'une maison détruite par un incendie, sur le terrain voisin, tandis que, de l'autre côté de la porte, la femme refermait la série de verrous et remettait les chaînes.

— Des chiens, dit Hanson. Sans doute des chiens de nuit. Allons manger.

Il s'arrêta à mi-chemin de la voiture.

— Je ferais quand même mieux d'aller jeter un œil, juste pour pouvoir écrire dans le rapport que je l'ai fait. On a encore le temps.

Il ralluma sa torche en aluminium et la fit reposer sur son épaule comme un gourdin, balayant le sol devant lui. Lorsque la lumière faiblit, il la cogna dans la paume de sa main pour la faire revenir.

Il tira sur un des battants de la double porte qui s'ouvrit en raclant le sol et il promena le faisceau de sa lampe à l'intérieur du garage, sur les canapés et les matelas carbonisés et tachés par l'eau, empilés contre un des murs, sur les plateaux de table cloqués, les tas de vêtements roussis, les cartons de bouteilles d'alcool débordant de vaisselle, de chaussures et de livres.

— Ah, ces saloperies de piles coréennes qu'ils nous filent, dit-il.

— Tu veux que je te prête quelques dollars pour t'en acheter ?

Hanson ricana.

— Je pense que la municipalité devrait « acheter améri-cain ». Pourquoi est-ce qu'ils m'ont envoyé là-bas tuer tous ces Jaunes s'ils n'achètent pas américain ?

Dana rit.

— C'est la vérité, dit Hanson.

De la suie flottait dans l'air, dansant dans le faisceau lumineux qui éclaira successivement une cage à oiseau, une cafetière électrique fondue, et renvoya un éclair aveuglant en frappant l'écran d'un téléviseur noirci par la fumée. En entendant un gémissement, Hanson lacéra le brouillard noir avec la lumière, traquant le bruit, jusqu'à ce qu'il la découvre, au milieu des meubles brisés, le visage ensanglanté, les cheveux blonds collés, ses yeux. Elle le regarda, agenouillée sur le sol, les seins et les épaules nus, le dos cambré, la peau d'un blanc grisâtre.

— Cinq Soixante-deux, dit Dana dans son portable. Cinq Soixante-deux. (Il cogna l'appareil dans sa main.) Cinq Six Deux. Merde ! Je vais utiliser la radio de la bagnole pour réclamer un code 3 et des bagnoles en renfort. Le type est peut-être encore dans les parages.

Tandis que Hanson se frayait un chemin au milieu des débris, elle se redressa et se mit à hurler, ne s'arrêtant que pour reprendre son souffle.

Des ressorts de sommier accrochèrent Hanson par le pantalon, mais il continua d'avancer, en gardant la lumière braquée sur elle, traînant les ressorts derrière lui jusqu'à ce qu'ils se coincent contre autre chose. Ses joues et son menton lacérés laissaient voir les os nacrés, sa lèvre supérieure était fendue à partir du nez. Une des oreilles pendait au bout d'un morceau de peau, une boucle d'oreille en verre bleu s'y balançait. Une licorne qui tournoyait dans un sens, puis dans l'autre, en scintillant dans la lumière. Un fil électrique, noué autour de son cou, pendait entre ses seins, terminé par les restes d'une lampe en céramique brisée qui reposait sur son ventre pâle.

Hanson donna un coup de pied pour se libérer des ressorts.

— Ça va aller, cria-t-il

Il se cogna la hanche contre les ressorts. Quelque chose lui rentra dans la cuisse.

— Ça va aller.

Il lui faudrait une piqûre antitétanique.

— Ça va aller.

L'espace d'un instant, ce visage boursouflé, ensanglanté, lui parut familier. Il plongea vers elle, libérant son pantalon en arrachant le tissu, écartant une chaise d'un coup de pied. Elle leva les bras pour masquer son visage, et Hanson découvrit le tatouage grossier, *Billy,* sur son sein gauche.

C'était Brandy, la pute de Marcus Johnson. Quand il avait besoin de fric, Marcus l'envoyait dans les rues pour faire des passes. La dernière fois qu'il l'avait vue, c'était au deuxième étage du Sunset Hotel, après qu'il avait obligé trois Mexicains à payer leur chambre ou à déguerpir. Les toilettes étaient situées au fond du couloir, et la porte était ouverte au moment où Hanson descendait l'escalier.

Marcus, noir et musclé, entièrement nu, se tenait debout les jambes écartées, les mains appuyées contre le mur, au-dessus de la cuvette devant laquelle Brandy était agenouillée, lui tenant sa queue noire pendant qu'il pissait. On apercevait le tatouage fait en prison au-dessus de son débardeur.

Dans les vapes l'un et l'autre, le regard embrumé par l'héroïne, ils avaient regardé passer Hanson, avec son uniforme et son pistolet, la radio qui gazouillait à sa ceinture, comme s'il incarnait l'idée grotesque de la « justice » née dans l'esprit d'un bureaucrate blanc effrayé, trop insignifiant pour mériter même leur mépris.

Il avait détourné la tête et continué à descendre.

— Ça va aller, Brandy, dit-il en coinçant la lampe sous son bras. Tu n'as plus rien à craindre maintenant, dit-il en soulevant la lampe brisée et ensanglantée, essayant de tirer sur le fil. C'est avec ça qu'il t'a frappée ? demanda-t-il, conscient de répandre ses propres empreintes sanglantes sur la lampe.

La fille poussa un cri et recula brusquement ; la lampe entailla Hanson au pouce, dans la partie tendre, au moment où le fil électrique cédait.

— Bordel ! rugit-il en pulvérisant la lampe sur le sol. Tu ne crains plus rien !

Elle se mit à tousser, s'étouffant avec son sang. La tête baissée, elle leva les yeux vers Hanson, tandis que le sang s'écoulait de ses lèvres fendues. La deuxième boucle d'oreilles avait été arrachée de son lobe.

— Brandy, peux-tu me dire qui a fait ça ?

— Hatteton...

Quand elle essaya de parler, il constata, dans la lumière jaune, que ses dents avaient été brisées, par groupes de deux ou trois, et elles étaient restées accrochées à ses gencives, semblables à des morceaux de viande bouillie.

— C'était un Noir ou un Blanc ?

— Hatteton...

On aurait dit qu'elle parlait en mangeant, la bouche pleine.

— Hatteton...

— Noir ou Blanc ?

Reprenant son souffle, elle se remit à hurler.

— Blanc ou Noir ? cria-t-il.

Cet appel datait d'il y a deux heures. Pourquoi était-ce tombé sur *lui* ?

— Blanc ou Noir ? C'est difficile comme question ?

Il lui saisit les poignets d'une main, l'obligeant à baisser les bras, et il braqua la lampe sur son propre visage.

— Regarde-moi, nom de Dieu ! Regarde ! Tu me connais !

La lumière était brûlante sur son visage, aveuglante. Il ferma les yeux et une lueur rougeoyante dansa sur ses paupières.

Elle cessa de hurler.

— Hahn. Hahnthun..., dit-elle.

Hanson ôta la lumière de son visage. Il avait reconnu la sonorité de son nom.

Elle vint vers lui en sortant de l'obscurité, et contre sa volonté, il ouvrit les bras, comme dans un cauchemar, l'attirant contre lui. Le sang de Brandy gouttait sur sa joue et il essaya de se rappeler s'il s'était coupé en se rasant. Syphilis, blennorragie, hépatite. Dieu sait quelles autres maladies elle pouvait avoir. Il pourrait retourner au poste dès que l'ambulance serait là et prendre une longue douche pour se débarrasser de tout ce sang, mais il ne pourrait jamais enlever celui qui était sur son uniforme. 185 dollars pour le remplacer.

Sa mâchoire brisée produisait un raclement, tandis qu'elle sanglotait dans son oreille ; elle empestait l'urine, les excréments et le bois carbonisé. Il lui caressa les cheveux. Ils étaient gras sous ses doigts et sentaient la sardine.

— Ça va aller, Brandy.

Il lui en voulait d'être cette pauvre blanche misérable et irresponsable qui baisait avec des nègres. Ne savait-elle pas qu'il y avait des conséquences dans la vie ? Il lui en voulait de l'obliger à affronter toute cette souffrance. Pas la sienne, celle de cette fille. Qui a dit que ça faisait partie du boulot ?

— Je suis là. Ça va aller.

Qu'avait-il à voir avec la vie merdique de cette fille, qui ne ferait qu'empirer, même si elle ne le savait pas encore, mais *lui* le savait, et qu'est-ce qu'il était censé faire, nom de Dieu ? Trop tard pour changer quoi que ce soit maintenant, à part peut-être la tuer et mettre fin à sa vie misérable, inutile, bon Dieu, y mettre fin tout de suite et lui épargner toutes les années à venir.

— Ça va aller maintenant, Brandy, dit-il, et il se détestait, il la détestait elle aussi, car elle l'obligeait à mentir en disant que tout irait bien.

Qu'elle n'avait plus rien à craindre.

26

Juillet

CELA COMMENÇA TRÈS TÔT, presque au début de leur service, les *pop* des pétards, sporadiques et isolés tout d'abord, tels les prémisses d'une insurrection crépitant dans tout le secteur, puis de plus en plus nombreux, rapprochés, des rafales bégayantes de dix, douze ou même vingt détonations, se chevauchant, innombrables.

Hanson sentit l'odeur de poudre brûlée au moment où ils passaient devant des ormes agonisants de Woodlawn Park.

— On leur donne des parcs, mesdames et messieurs, dit Hanson. Des refuges de verdure pour se protéger de la canicule estivale, où les enfants du quartier peuvent rêver dans l'ombre mouchetée des grands ormes.

De fait, ça ressemblait davantage à une décharge qu'à un parc, maintenant que celui-ci ne figurait plus dans le budget municipal : sacs-poubelle noirs éventrés par les chiens, vieux canapés et téléviseurs abandonnés, caddies de supermarché, ivrognes ivres morts dans les hautes herbes, telles des victimes d'une embuscade.

— Que manigancent ces petits gangsters ? dit Dana.

Ils étaient rassemblés autour de quelque chose au milieu de la chaussée, sous l'arche de pierre à l'entrée du parc, des élèves de l'école primaire, certains même plus jeunes, portant des shorts ou des pantalons découpés, et des baskets énormes.

— Je parie qu'ils torturent un chat, répondit Hanson, en ralentissant, tandis que les gamins observaient par-dessus leurs épaules la voiture de patrouille. La torture est une simple forme de curiosité par ici, dans... la communauté noire.

— Tiens, c'est notre ami Russell le Musclé avec le t-shirt tigré, dit Dana.

Hanson sourit.

— « Appelez-moi Russell le Musclé, m'sieur les flics », dit-il en imitant le phrasé saccadé du jeune garçon.

Il donna des petits coups de frein.

— Allez, les gars...

Ils étaient regroupés en rond, têtes baissées, les yeux vifs comme des moineaux. Dansant d'un pied sur l'autre, les plus petits se faufilèrent à l'intérieur du cercle, lorsque la voiture de patrouille s'approcha.

Dana s'empara du micro et sa voix résonna dans le haut-parleur fixé sur le toit.

— On est désolés de vous déranger, jeunes gens, mais...

Ils déguerpirent immédiatement, se bousculant dans leur précipitation, et passèrent devant la voiture en poussant des cris stridents, les yeux remplis de peur et d'excitation.

En les observant dans le rétroviseur, Hanson s'arrêta au stop, juste au moment où la mèche s'allumait à l'intérieur du paquet de gros pétards Black Cat, recouvert d'ordures, sous la voiture de patrouille. De l'autre côté d'un petit bassin envahi de déchets, les gamins observaient la scène, prêts à repartir en courant, tandis que le premier chapelet de pétards libérait une succession d'explosions jaunes, irrégulières, dans un nuage de papiers lacérés zigzaguant et partant dans tous les sens.

— *Cinq Soixante-deux.*

— Cinq Soixante-deux, dit Dana en remontant sa vitre à cause du bruit.

Les gamins en basket bondirent et se tapèrent dans les mains en effectuant un demi-tour en l'air. Après quoi, ils firent le tour du bassin en se dandinant, les jambes arquées, les épaules dressées, tandis que les détonations des pétards résonnaient contre le silencieux et le réservoir de la voiture.

— *On a une demande d'ambulance. Quelque part dans les numéros 300 de Monroe Street. Problème inconnu.*

— On est tout près, dit Dana, alors que cessaient les explosions. Vous n'avez pas d'adresse plus précise ?

Les mains crispées sur le volant, Hanson regardait droit devant lui à travers le pare-brise crasseux, tressaillant à chaque *bang* sporadique. Sur un parking au bout de la rue, un travesti noir avec des jambes de footballeur américain était penché sur la vitre ouverte d'une Mercury 69 bleue, du côté conducteur, laissant voir les attaches de son porte-jarretelles et le haut de ses bas résille. Il fit la moue en se regardant dans la vitre et tendit sa minijupe en cuir sur ses hanches.

— *C'est tout ce qu'on a pu noter avant qu'elle raccroche.*

— « Hurlements en fond sonore », récita Hanson en imitant les intonations monotones du dispatcher, tandis qu'il tournait à droite pour revenir vers Monroe Street. « Présence possible de mitraillettes. »

Un M-80 explosa avec un bruit de roquette dans une poubelle, dans leur dos.

— Un peu tendu, n'est-ce pas ? dit Dana.

Hanson tourna à gauche en passant à l'orange, évitant un caddie abandonné au milieu de la rue.

— Un peu nerveux aujourd'hui ?

Hanson serra les dents et se tourna vers Dana.

— Nerveux ? dit-il les mâchoires fermées. Comment ça ? dit-il, les yeux exorbités. Qu'est-ce qui te fait dire ça ?

— L'œil du policier.

Hanson éclata de rire.

— C'est l'armée qui m'a rendu nerveux.

« ... *hold my hand, make me understand, I wake up, uh-uh-uh-uh, in a cold sweat.* »

Ils entendirent le bruit de la radio bien avant d'arriver : James Brown haletait dans les jardins derrière les maisons et les ruelles encombrées de détritus.

— Mister James Brown, dit Hanson en scandant comme Wardell le DJ, le bosseur le plus acharné du show business.

Derrière la voix, le groupe ralentit, faiblit, seuls la batterie et un saxophone gardèrent le tempo. Hanson s'arrêta à un feu rouge, alluma le gyrophare et pénétra dans les sanglots qui envahissaient l'atmosphère.

— Je le vois, dit-il en tournant dans Mason Street, sur scène. Affalé sur le micro, épuisé, la sueur qui coule de son nez. Est-ce qu'il a fini ? Peut-il continuer ?

— *Cinq Quatre-vingts. Appel concernant un fils qu'on a fichu à la porte et armé. 1614 Killingsworth. Soutien... ?*

— *On connaît le problème. Pas besoin de renforts.*

386

— Mais écoute, dit Hanson, la main en coupe derrière l'oreille, tandis que le groupe reprenait le tempo. Les saxophones... James Brown commence à bouger avec la musique, il relève la tête, comme s'il se souvenait où il est... « ... *need a little help now, Y'all Huh! Yeow! »*... et il explose sous les projecteurs, dans une gerbe de sueur; il repousse ses cheveux en arrière et il montre ses dents blanches. Oui! s'écria Hanson, et la musique venait du bout de la rue, il arrache le micro et il s'agite au rythme d'un millier de trompettes. Le revoici, mesdames et messieurs. Il a retrouvé l'énergie, la force!

— Ce doit être là, dit Dana.

Une vraie fête de 4 juillet. Rassemblés autour d'un grand barbecue, les gens remplissaient leurs assiettes en carton de travers de porc, de poulet et de hamburgers. Les plats étaient disposés sur des tables de jeu dans le minuscule jardin devant la maison. Les postes de radios étaient posés sur les marches du perron, sur les tables de jeu, sur le toit du vieux pick-up garé devant la maison, tous branchés sur la même station.

« ... *I just wanna, huh! tell ya bout your dos an'don'ts »*

— Mister James Brown, ladies and gentlemen! dit Hanson en s'arrêtant le long du trottoir derrière le pick-up. Une légende de son vivant, enregistré *live* au Apollo Theatre. James Brown!

Il coupa le moteur. Dana et lui descendirent de voiture, les yeux fixés sur la foule.

« *Yeow! Huuh! Owi »*

— C'est un amant. Un prédicateur. Un gangster et un prophète. Un tueur... et un homme de paix, dit Hanson en sortant la matraque de son compartiment, à l'intérieur de la portière; il exécuta un petit pas de danse en la glissant dans l'anneau fixé à sa ceinture. Celui que l'on surnomme... (Il claqua la portière.)... « Le Parrain de la Soul! »

« ... *when you miss me, ho-oh-old me tight... »*

Les hommes dans le jardin tenaient des bouteilles de Colt .45 et de bière Black Cat par le goulot, comme des armes. Les yeux fixés sur les flics, ils les observaient par-dessus les bouteilles en buvant; chaque gorgée était un défi.

Les femmes se tournèrent, se déhanchèrent, regardèrent les flics par-dessus leurs épaules, en aspirant de longues bouffées rageuses de leurs cigarettes. Dana sortit son émetteur portable.

— Cinq Soixante-deux.

— *Je vous écoute Cinq Soixante-deux.*

— On aura peut-être besoin d'une deuxième voiture ici, au 320 Monroe. On vous tient au courant.

Hanson jeta un regard à Dana, puis s'avança vers un type de cent cinquante kilos avec de longs cheveux filasses, Delbert Mack, « le nègre le plus pourri de l'ouest ». C'était aussi le plus costaud de tous les types dans le jardin ; il portait une salopette dont une des bretelles, cassée, pendait sur son énorme torse velu. Son sourcil gauche, déformé par une ancienne cicatrice, retombait sur un œil aveugle. L'extrémité de son nez avait été arrachée d'un coup de dents lors d'une bagarre pour un jeune Jamaïcain aux yeux de biche, et le toubib de la prison l'avait recousu sans anesthésie, pendant que Delbert tentait de se libérer de la vieille planche de chêne sur laquelle on l'avait attaché.

— Alors, Delbert ? demanda Hanson en hurlant pour couvrir la musique. C'est quoi le problème ?

Delbert le regarda avec son œil valide. Il cligna de l'œil.

— Je l'ai devant moi, le problème.

Hanson rit.

— Dis donc, fit-il en se rapprochant un peu, avec un sourire. J'ai entendu dire que tu te trimballais avec un fusil à canon scié.

Delbert fit rouler sa langue derrière sa joue, puis il enfonça son doigt au fond de sa bouche et fouilla à l'intérieur. Une des radios se tut.

— Sous le siège de ton vieux pick-up, précisa Hanson.

Delbert ressortit son doigt et l'examina.

— C'est vrai ?

Une autre radio se tut.

— C'est à quel sujet ?

— J'espère ne pas le trouver là quand je t'arrêterai à cause de tes plaques d'immatriculation périmées.

Hanson se tourna vers l'origine des pleurs, avant de revenir sur Delbert.

— N'oublie pas. Si jamais tu décides de vendre ton camion, fais-le moi savoir. J'ai besoin d'un pick-up.

— Votre fric vaut celui d'un autre. Mais les choses étant ce qu'elles sont, ça se pourrait que vous soyez obligé de payer un supplément.

— Tu vois comment ça se passe, dit Hanson à Dana, tandis qu'ils s'éloignaient. Je suis dur en affaire avec ces gens-là.

Dana riait encore lorsqu'ils se frayèrent un chemin au milieu de la foule, en direction des pleurs, et se retrouvèrent face à une femme très mince à la peau café au lait, avec des cheveux roux, vêtue d'un pantalon taille haute en satin et d'un débardeur. Elle avait les bras croisés sous les seins ; une cigarette se consumait entre les grands ongles rouges de sa main. Derrière elle, un petit garçon se tordait de douleur dans la boue, les merdes de chien et les touffes d'herbe sèche, en braillant avec sa voix d'enfant de deux ans ; un de ses pieds était enveloppé d'une croûte de boue sanguinolente. Dee Brazzle était accroupi à ses côtés, complètement ivre. Quand il tendit la main vers l'enfant, celui-ci la repoussa d'une tape.

La femme observait Hanson, des volutes de fumée s'échappant de ses narines, pendant que Dana réclamait une ambulance avec son portable.

— Que s'est-il passé ? demanda Hanson à la femme.

— Il a marché sur un pétard.

Elle avait des lèvres épaisses, qui semblaient peintes avec de l'apprêt. Des tâches de vin maculaient sa joue et son cou, comme des petits nuages violets. Sans quitter Hanson des yeux, elle porta sa cigarette à sa bouche et aspira une longue bouffée, emplissant ses poumons, faisant gonfler sa poitrine.

— Ils essayent de trouver une ambulance, déclara Dana. Tous les services d'urgence de la ville sont envahis. Au *Bon Samaritain*, ils ont installé des lits de camp dans le hall.

— Les victimes des jours fériés, commenta Hanson, en dévisageant la femme lui aussi.

— Je vais chercher la trousse de secours, dit Dana.

— Pardon, dit Hanson.

— On n'a pas appelé les flics que je sache ! dit la femme, alors que Hanson la frôlait pour passer, respirant sa fumée de cigarette et son parfum. Pourquoi est-ce qu'ils envoient toujours ces enfoirés de flics quand les Noirs réclament *une ambulance ?*

Dee portait un pantalon à pattes d'éléphant vert pistache, sans chemise ; une cicatrice sombre plissait sa peau juste au-dessus de la hanche, là où sa petite amie lui avait tiré dessus, deux ans plus tôt.

— Comment s'appelle-t-il ? demanda Hanson en s'age-nouillant à côté de Dee, en se demandant lequel des deux, de Dee ou du gamin, avait chié dans son pantalon.

— Je vous ai dit de foutre le...

Dee le regarda ; le blanc de ses yeux était d'un jaune cré-meux, injecté de sang.

— J'suis l'oncle de ce gosse !

Il perdit l'équilibre et tomba sur le cul.

— Hé, où est la maman de ce gosse ? beugla-t-il, sans s'adresser à personne en particulier, en essayant de ne pas avoir l'air ivre. Où est sa pute de mère ?

— Allez, viens, petit, dit Hanson en se relevant à moitié, les bras tendus vers l'enfant.

Brusquement, l'enfant se jeta à son cou, et Hanson, désé-quilibré, faillit basculer. L'enfant serra ses bras autour de son cou, en se remettant à hurler et donnant des coups à Hanson avec son pied ensanglanté. Finalement, c'était l'enfant qui avait chié dans son pantalon.

— Pourquoi *moi* ? lui demanda Hanson en le regardant. Et pas oncle Dee ? Hé, l'ami. Hé, mec, dit-il, la bouche près de l'oreille de l'enfant qui braillait. Regarde-moi. Je suis là, dit-il, prenant la tête de l'enfant entre ses mains et la tournant vers lui.

Ses lèvres et son menton étaient luisants de larmes et de morve séchée ; son regard était vide, un regard de demeuré. Hanson s'aperçut qu'il n'était pas étonné ; il s'y attendait.

Aussi idiot qu'une merde de chien, songea-t-il en regardant l'enfant. Pas l'ombre d'une chance dans la vie. Ils feraient aussi bien de le tuer immédiatement, pour en finir.

— Si c'était un bébé *blanc,* si ce bébé était *blanc,* l'ambu-lance serait déjà venue, et elle serait en route pour l'hôpital ! s'écria un homme.

Il arborait un petit bouc et ses cheveux étaient tressés sur son crâne. Il faisait trop chaud pour porter un col roulé à manches longues, et Hanson en conclut qu'il cherchait à dissimuler les traces de piqûre.

— Ouais, parfaitement ! ajouta-t-il en regardant Hanson à travers ses lunettes d'aviateur à verres teintés. C'est à vous que je parle.

— Comment s'appelle-t-il ? demanda Hanson à la femme aux taches de vin.

Elle souleva son sein gauche dans sa main pour ajuster la bretelle de son débardeur. Elle entrouvrit la bouche ; son rouge à lèvres lustré faisait comme du sang sur ses dents blanches, et elle tira sur sa cigarette.

— Il s'appelle Ali.

Un énorme pétard explosa. Hanson s'accroupit et se retourna brusquement en direction du bruit, prêt à s'élancer, l'enfant braillard accroché à son cou comme une malédiction vaudou. Dee tituba et rit, à travers le nuage de fumée blanche qui dérivait dans le jardin.

— Un tout petit pétard de rien du tout ! cria-t-il.

— Hé, Ali, dit Hanson en agrippant l'épaule de l'enfant. Ali. Regarde-moi.

Il plongea son regard dans les yeux larmoyants, rendus aveugles par la douleur. C'était comme essayer de voir à travers une eau boueuse.

— Regarde-moi. Juste devant toi.

Il montra son œil.

— ... Mais quand c'est des Noirs, ils prennent tout leur temps ! reprit le type avec le bouc. C'est pas vrai ce que je dis ? Hein ? Je raconte pas de mensonges. Pour un petit enfant noir, ils prennent leur temps.

— Allez, viens, mon pote, dit Hanson en parlant à l'enfant. Petit Ali. Je suis là. Ouais. Là, tu me vois maintenant, dit-il en massant le petit dos musclé de l'enfant qui haletait en silence.

— Vous avez rien à répondre à ça, hein ? Parce que vous savez que c'est vrai !

— Donne-moi ta douleur, dit Hanson à Ali. Regarde-moi, là dans mon œil, et donne-la moi. Oui, c'est ça. Bien. Bravo. Ça y est. Je l'ai. C'est moi qui l'ai maintenant..., disait-il d'une voix douce en sentant la respiration de l'enfant qui ralentissait.

— Donnez-moi mon bébé.

Hanson sentit une odeur de transpiration acide et de sperme lorsqu'elle s'approcha par-derrière, marmonna ces mots dans son oreille, et noua ses bras autour de lui — une étreinte de zombie — pour essayer de lui arracher l'enfant. Son haleine sentait la pourriture et le mauvais vin. Les bandes de gaze noires de crasse et usées se détachaient de ses poignets taillés ; les plaies empestaient le pus, qui suintait entre les points de suture. Collée contre le dos de Hanson, elle tendit ses bras émaciés, couverts de brûlures et de cicatrices, marbrés de plaques violettes et noires autour des traces de piqûres transformées en abcès suppurants.

— Donnez-moi mon bébé !

Ali se remit à hurler, en s'accrochant au cou de Hanson, aussi fort qu'un boa constrictor, l'empêchant de respirer.

— Madame ! dit Hanson. Madame !

Il se retourna afin de lui faire face, les bras écartés, pour bien montrer qu'il n'essayait pas de lui voler Ali, et que l'enfant s'accrochait à lui.

— Il est à vous. Attendez une seconde.

Mais la femme tirait sur les bras de l'enfant, et voyant que ça ne marchait pas, elle le saisit par les cheveux.

— C'est sa maman ! s'écria la femme aux taches de vin.

— Faites pas de mal à cet enfant !

— Madame ! Écoutez-moi ! cria Hanson, les bras toujours écartés, pendant qu'elle continuait de tirer le bébé par les cheveux. Écoutez ! grogna-t-il.

Il recula et saisit pour finir son poignet qui saignait.

Il avait l'impression de tenir un morceau de bois, aussi mort qu'un bras de momie, à cause de trop de piqûres d'héroïne, de méthadone vendue au marché noir, de Ritalin et de Demerol volés, de codéine, parfois même de Midol ou d'aspirine, réduits en poudre et chauffés dans une cuillère, ou même de l'eau, quand elle ne trouvait personne qui veuille bien la baiser en échange d'un peu de came.

— Vous allez laisser les flics torturer cet enfant ! hurla le type au bouc. Essayer de *tuer* cet enfant...

Ali hurla de douleur lorsque sa mère perdit l'équilibre et lui arracha une touffe de cheveux, tombant à la renverse au milieu des spectateurs.

— ... sa maman ! Qu'est-ce qui vous arrive, vous autres ? Allez-y ! Un peu de fierté ! Il faut descendre ces salopards de flics !

Hanson vit Dana essayer de se frayer un chemin, mais la foule lui barrait la route et le repoussait. Hanson savait que la bousculade allait bientôt dégénérer en bagarre, ou pire, à moins que l'un des deux ne parvienne à prendre son portable, en espérant qu'il fonctionne, pour appeler des renforts en urgence, mais il serait peut-être déjà trop tard.

La mère d'Ali se releva, ressuscitée, animée par une rage pure et irréfléchie. Elle saisit une des chevilles de l'enfant à

deux mains, comme une batte de base-ball, tirant brutalement Hanson vers elle ; déséquilibré par le poids de l'enfant
accroché à son cou, le policier vacillait sur la pointe des pieds.
Il fit un pas en arrière pour rester debout, et un poing s'écrasa
dans sa nuque.

Quelqu'un voulut s'emparer du pistolet, dans l'étui ; il
repoussa la main d'un coup de poing. Dans quelques
secondes, il le savait, il serait obligé d'ouvrir le feu, ou de
les laisser lui prendre son arme.

C'est alors qu'il entendit la voix puissante de Delbert Mack,
150 kg de nègre le plus pourri de l'ouest, couvrant les insultes
et les cris.

— Barrez-vous, nom de Dieu ! Laissez-moi passer, foutus
nègres.

Il entendit les énormes mains de Delbert gifler les têtes, les
bruits sourds et les grognements, tandis qu'il écartait tout le
monde sur son passage, fendant la foule pour se rapprocher.

— Barrez-vous, j'ai dit ! Toi, fous le camp ou je t'arrache
ta tête d'abruti !

Il bouscula Hanson pour passer, et la foule recula. Arrivé
devant la mère d'Ali, il l'obligea à lâcher la cheville de
l'enfant en lui tirant sur les mains.

— Occupez-vous de cette femme ! rugit-il, et ils l'emmenèrent.

Delbert Mack se retourna ensuite et désigna d'un signe de
tête l'enfant qui était toujours accroché au cou de Hanson.

— Pas de problème, dit celui-ci, qui se tenait tout raide, les
bras et la tête rejetés en arrière comme s'il s'offrait à Dieu.
Prends-le.

Ali desserra les bras et cessa de pleurer dès qu'ils sentit les
mains monstrueuses de Delbert se refermer sur lui.

— Viens, mon pauvre petit. Delbert va prendre soin de toi.

Il désigna le type au bouc.

— Toi, amène-toi ! Clarence, dit-il. Je vais te filer une
raclée un de ces jours.

— Une raclée ? J'ai seulement...

— La ferme.

— Je voulais juste...

— Qu'est-ce que j'ai dit ?

— Mais...

— Je le répéterai pas.

Clarence hocha la tête et détourna le regard.

— À cause de toi, y a des gens qu'ont failli se faire tuer, et je parle pas des flics. Eux, c'est ceux qui tirent. Avec ta grande gueule... dit Delbert. Fous-moi le camp !

Hanson regarda l'ambulance s'éloigner, emportant Ali et sa junkie de mère, dans tous ses états, en pleurs.

— Merci, Delbert.

Delbert Mack le regarda, secoua la tête et s'en alla.

Hanson démarra et repartit, en regardant la foule se disperser dans son rétroviseur

— Ouah, ça m'a ragaillardi, ce truc, dit-il, les yeux fixés sur la route, mais ça me fait toujours cet effet-là, ces affrontements avec une foule prête à te massacrer.

— Delbert avait raison, dit Dana. J'ai cru que j'allais être obligé de descendre quelqu'un.

— En ce qui me concerne, dit Hanson, il peut garder son fusil à canon scié.

— Et on commence à peine notre journée, commenta Dana.

— On a besoin d'un petit brin de toilette, dit Hanson en regardant sa chemise maculée de merde.

Il prit le micro, s'identifia et demanda l'autorisation de retourner au poste.

— *Négatif Cinq Soixante-deux. Pas pour le moment. Cinq Quarante réclame une voiture de renfort au niveau de Union et Dekum, et je n'ai que vous sur la main.*

— OK d'ac'.

Dana alluma le gyrophare.

— ... Ça roule !

— *Cinq Cinquante est juste à côté. On s'occupe du soutien.*

— *Cinq Cinquante prend le soutien. Cinq Soixante-deux, vous pouvez rentrer à North.*

— Merci, Cinq Cinquante, dit Dana dans le micro.

— Ah, bon Dieu, dit Hanson en se regardant dans le rétroviseur. Je vais me prendre une de ces douches !

Il tourna dans Failing Street, en passant devant le temple des Black Muslims au coin, devant lequel se tenaient quatre Muslims, épaule contre épaule, dans une posture militaire, à

394

l'entrée du bâtiment de briques rouges. Les cheveux coupés en brosse, ils portaient des costumes noirs, des chemises blanches et des nœuds papillons noirs. Grands et minces, le visage figé, les yeux cachés derrière leurs lunettes noires, ils semblaient contempler, à travers les immeubles situés sur le trottoir d'en face, une quelconque vérité spartiate et fondamentale.

Alors que Hanson tournait la tête pour plonger son regard dans leurs lunettes noires, un chien errant à poils longs jaillit de nulle part en hurlant, un chapelet de pétards attaché autour de la queue. Hanson pila au moment où le chien s'élançait devant la voiture, passant devant le temple, pour s'engouffrer dans Haigh Street. Les petits pétards crépitaient dans une succession de minuscules flammes orange, en laissant derrière eux un nuage de papier déchiré, tandis que le chien tournait en rond, essayant d'arracher avec les dents le fil de cuivre tressé autour de sa queue. Comme ça ne marchait pas, il tenta alors d'échapper aux pétards en se faufilant sous une voiture garée de l'autre côté de la rue sur ses quatre pneus à plat.

Les Muslims tournèrent légèrement la tête quand Cinq Cinquante, la voiture de renfort, déboucha au sommet de la colline dans Haight Street, fonçant en Code 2, gyrophare allumé. L'un deux sourit lorsque le chien jaillit de sous le véhicule en stationnement, en plein sur la trajectoire du véhicule roulant à toute vitesse.

Le chien produisit un *bang* métallique contre le pare-chocs et fut aspiré sous la voiture où il tressauta et tournoya sur lui-même entre le radiateur, la transmission et le silencieux, coincé contre le châssis, suspendu entre le réservoir et l'essieu arrière, ses pattes brisées battant sur les côtés, jusqu'à ce qu'il se retrouve projeté à l'intérieur de la roue et éjecté, pourchassant la voiture de police en exécutant des galipettes sanglantes ; finalement, un nid-de-poule le projeta en l'air, par-dessus le trottoir, dans une grosse boîte aux lettres en métal bleu.

Tout cela ne serait pas arrivé, se dit Hanson, tandis que le *bong* de la boîte aux lettres résonnait dans la rue, si je n'avais pas été obligé de changer de chemise. Si ce gamin ne s'était pas agrippé à mon cou. Si cet enfoiré de Dee Brazzle ne s'était pas amusé à balancer des pétards dans tous les coins.

Il enclencha la marche arrière et revint vers les Muslims qui regardaient dans le vide, par-dessus le toit de la voiture de police, les bras croisés sur la poitrine, comme si la police était une chose trop insignifiante pour qu'on la remarque.

— C'est marrant, le 4 juillet, hein ? leur lança Hanson.

Le soleil de l'après-midi se reflétait sur les verres de leurs lunettes, tandis qu'ils semblaient écouter une voix lointaine et furieuse.

— On se sent fier d'être Américain, pas vrai ?

Un pétard explosa dans la rue voisine. Un de plus.

— Que ça vous serve de leçon, dit-il en montrant, au bout de la rue, la boîte aux lettres dont le côté s'ornait d'un soleil sanglant qui gouttait sur le bitume. Ne bondissez pas devant les voitures de police.

— Pourquoi leur avoir dit ça ? demanda Dana, après qu'ils eurent parcouru quelques blocs.

— J'emmerde ces type et leur numéro de gros méchants. S'ils sont si méchants que ça, on va aller les...

— Hé, c'est toi qui aimes les Muslims. « Ils sont disciplinés. Ils se prennent en charge. Ils ne mendient pas. »

— *Cinq Cinquante.*

— *Je vous écoute Cinq Cinquante.*

— *Euh... Est-ce qu'on pourrait avoir quelqu'un pour une confirmation de chien tué au coin de Haight et Failing ? On vient de se faire notre quatrième klebs de la saison en allant couvrir Cinq Quarante.*

— *Cinq Quatre-vingts peut s'en charger. Rappelez-nous sur le canal 3 quand vous aurez terminé avec cet appel.*

— Tu veux bien conduire jusqu'à la fin du service ? demanda Hanson. Je te revaudrai ça.

— Cinq Soixante-deux, intervention terminée, déclara Hanson dans la radio, l'enseigne du restaurant Burgerville USA grinçant au-dessus d'eux, alors qu'ils sortaient du parking. On regagne notre secteur. Bon Dieu, dit-il en raccrochant le micro et en s'enfonçant dans le siège du passager. Beurk ! Toute la merde que j'avale dans ce boulot. Que du gras ! C'est du gras qui coule dans mes veines. J'ai peut-être l'air pas mal vu de l'extérieur. Je peux donner l'apparence d'un jeune et bel officier de police, mais à l'intérieur ? Je suis un piège à graisse ambulant. J'ai l'impression de boire du

Dran-O. Tu connais cette pub avec le lavabo et le conduit d'évacuation transparent plein de gras et de... cheveux et de poils ? Des poils ! Il y a certainement des poils de vache dans ces hamburgers. Dran-O[1]. Agent Dran-O. Quand je mange des saloperies comme ça, tu sais ce que je pense ?

— Je ne veux même pas essayer de deviner, dit Dana.

— Je me dis : « Je vous en supplie, mon Dieu, faites que je ne reçoive pas une balle dans l'estomac avant d'avoir digéré ce truc. » Faut que je prenne l'habitude d'apporter ma bouffe. De la salade et du pain complet. Des choux de Bruxelles. Des fruits pleins de vitamines. Dis, tu ne pourrais pas me prêter dix dollars ?

— D'abord, tu me demandes de conduire, et maintenant tu veux dix dollars ?

— J'ai rendez-vous avec Sara ce soir après le boulot, et j'ai oublié de prendre du fric.

— Helen m'a dit que vous sortiez ensemble. Elle trouve que vous ne semblez pas faits l'un pour l'autre.

Hanson rit.

— Les apparences sont trompeuses. Alors, ces dix dollars ? Je te les rendrai demain.

— Je ne suis pas inquiet, dit Dana. Tiens, en voilà vingt. Je n'ai pas de billet de dix.

— Tu devrais peut-être t'inquiéter, répondit Hanson en lui arrachant le billet de la main. Le droit de possession, dit-il en sortant son portefeuille, c'est neuf dixièmes de la loi.

— Oui, il paraît.

— Je le range dans mon compartiment secret pour les gros billets, au cas où j'en aurais besoin. Merci.

Il faisait presque nuit quand ils regagnèrent leur secteur. Le grand feu d'artifice de la ville allait bientôt débuter, là-haut dans les collines. Alors qu'ils passaient devant le lycée Jefferson, un couple de bombes aériennes préliminaires illuminèrent le ciel, projetant des ombres à travers la clôture grillagée qui entourait l'école, se reflétant dans les barbelés tranchants entortillés au sommet. Les détonations sourdes se répercutèrent dans tout le secteur, les échos ressemblant à des ondes de choc, alors que les dernières lumières faiblissaient.

1. Nom d'une poudre ou d'un liquide servant à déboucher les éviers ou les toilettes. *(N.d.T.)*

— Cinq Quatre-vingts.

— Cinq Quatre-vingts, j'écoute...

— Cinq Quatre-vingts. Appel concernant un client ivre et agité au Paradis du Cheveu...

— Cinq Quatre-vingts, reçu.

Il n'y avait pas beaucoup de lampadaires dans ce secteur, on avait démoli la moitié d'entre eux à coups de fusil ou avec des cailloux. Il n'y avait pas de lune. Seules quelques étoiles scintillaient à travers la brume : supernovae, soleils violents qui explosaient et fonçaient vers eux, venus d'un passé ou d'un futur lointains, se nourrissant du temps lui-même, des siècles, des années-lumière, propulsant l'histoire dans des trous noirs.

La voiture s'enfonçait vers le cœur du secteur au milieu de nuages de fumée âcre, cahotait sur la chaussée défoncée, parmi les enfants qui couraient; les cierges magiques qu'ils agitaient illuminaient leurs joues et creusaient leurs yeux, tandis qu'ils les faisaient tournoyer en cercles vrombissants.

— Police ! Police ! hurlaient-ils en courant à côté de la voiture, des cris remplis d'excitation, de terreur, et aussi, dans leur monde de fusillades de quartier, de prison, de pères morts, de mauvaises drogues, avec le bourdonnement de la télé allumée nuit et jour, quelque chose ressemblant à de la joie. Les cris dont Hanson se souvenait, ceux des films de monstres du samedi après-midi, quand les griffes de la créature jaillissaient de l'obscurité vers la gorge du héros. Et la manquaient. « Tout me semble normal », disait le héros en allumant une cigarette, tournant le dos à l'obscurité. « Ce ne sont que de vieilles superstitions. »

Hanson avait appris que la terreur et la fureur provenaient de la même source, et il se disait, maintenant, que la joie venait peut-être de là également. Et même peut-être l'amour aussi, songea-t-il en observant les voitures en stationnement, les entrées d'immeuble, les escaliers d'incendie et les fenêtres ouvertes, jetant des coups d'œil dans le rétroviseur.

Les cierges magiques avaient allumé des lueurs rougeoyantes à l'intérieur de ses paupières, des boucles et des arcs de cercle semblables à des tunnels cannelés qui s'enfonçaient dans une autre dimension.

— Cinq Soixante-dix. Interpellation de véhicule au coin de Mississipi et Grant. Pontiac rouge et blanche, immatri-

*culée À comme Albert M comme Michel K comme Koala
sept-trois-sept. Renforts non nécessaires.*

— *Interpellation notée Cinq Soixante-dix.*

Des chandelles romaines crachotèrent et jetèrent des boules de lumière sur les voitures éventrées, les trottoirs défoncés où des tubes en carton vomissaient des fontaines d'étincelles. Des batteries de fusées s'élevaient dans la brume en sifflant, des hélices enflammées jaillissaient des terrains vagues, planaient un instant, puis disparaissaient en vrille.

Des femmes de cent kilos flottaient dans la fumée et la lumière stroboscopique. De jeunes filles riaient, leurs yeux pétillaient, tandis qu'elles s'éloignaient en dansant, comme au ralenti, et les enfants sur leur vélo semblaient capables d'atteindre le ciel en pédalant.

Hanson sourit et le grand feu d'artifice tiré des hauteurs débuta pour de bon. Des doubles et triples gerbes explosaient, dans un bégaiement d'échos qui résonnait dans tout le quartier quelques secondes plus tard.

Un soleil d'argent brilla au-dessus des collines, se gonfla en une sphère fragile de points lumineux tremblotants. Juste au moment où il semblait sur le point de disparaître, alors que tous les spectateurs dans les rues, dans les jardins, sur les vérandas, s'étaient tus, un bouquet d'étoiles rouges s'embrasa à l'intérieur et s'ouvrit comme un cœur ; un soupir collectif parcourut tout le secteur.

— *Cinq Soixante-deux.*

— Cinq Soixante-deux, dit Hanson. Dans la fumée et les flammes.

— *Cinq Soixante-deux. Puisque vous êtes dans le coin, occupez-vous d'un déséquilibré éventuel. On a reçu plusieurs plaintes autour de Mississipi et de Fremont, concernant un homme de race blanche qui sème le désordre.*

— Qu'est-ce qu'il fait, au juste ?

— *Il traverse les jardins derrière les maisons. En hurlant des insultes raciales.*

— OK, dit Hanson, on va lui parler.

Ils parcoururent le secteur en roulant au pas ; des gamins aux yeux écarquillés traversaient la rue à toutes jambes, allumaient des pétards et s'enfuyaient en courant, tête baissée, en agitant furieusement les bras, sans prêter attention aux voitures.

— Des insultes raciales ? dit Dana. C'est un délit ?

399

— Pas encore. Mais c'est très mal, et je suis profondément choqué.

— *Cinq Soixante-deux, on a reçu un autre appel concernant le type. Il s'est exhibé devant un enfant. Euh... faites-en ce que vous voulez, mais un des plaignants a dit qu'il ressemblait à une momie.*

— Une momie ? Comme le film *La Malédiction de la Momie* ?

— *C'est ce qu'a dit le bonhomme.*

— OK d'ac'. Cinq Soixante-deux part à la chasse à la momie.

Là-haut dans les collines, d'énormes gerbes explosaient, argentées et vertes, se déployaient de manière majestueuse, s'élevaient en arc de cercle, avant de se disperser en milliers de minuscules étoiles qui essaimaient vers le secteur comme une épidémie, gagnant de la vitesse et s'éteignant ensuite, l'une après l'autre.

— C'est moi qu'ai appelé, dit l'homme au moment où ils s'arrêtaient le long du trottoir. Y a une sorte de satyre qui rôde dans le coin. Mais il avait déjà foutu le camp quand les gosses m'en ont parlé.

C'était un gros gars costaud vêtu d'un jean moulant et d'une chemise à carreaux bleue. Un petit garçon et une petite fille, très bien habillés, se tenaient à ses côtés sur le trottoir.

Quand les policiers descendirent de voiture, les deux enfants se cachèrent derrière l'homme.

— Allons, revenez, leur dit-il en les tirant par le bras. C'est la police. Vous allez leur répéter ce que vous m'avez dit.

Debout de chaque côté de l'homme, le garçon et la fillette levaient les yeux vers les policiers.

— Salut, dit Hanson en s'accroupissant devant eux. Cet homme, c'était un Blanc ?

— Dites au policier ce que vous avez vu.

Une autre bombe aérienne explosa et les deux enfants agrippèrent les jambes de leur père. La petite fille se mit à pleurer.

— Bon, rentrez à la maison, dit l'homme. Allez, ouste !

— Un Blanc fou ? leur lança Hanson, tandis qu'ils se précipitaient vers la maison.

— S'il avait eu le malheur de la toucher, je vous aurais pas appelé. Regardez ça ! dit l'homme en désignant le trottoir.

Dana braqua sa lampe sur le bitume fissuré.

— Là.

Le faisceau se refléta dans une flaque d'urine, dont l'odeur devint plus forte tout à coup.

— Il s'est planté là et il a pissé devant ma petite fille. Et elle m'a dit qu'il lui avait « parlé mal ».

— Je vais noter le nom de votre fille et sa date de naissance, dit Hanson en sortant son carnet de sa poche de pantalon. Et je vous ferai signer une plainte.

— J'ai déjà signé des plaintes. Ça n'a jamais servi à rien. Si ce salopard revient par ici, je m'occuperai de lui personnellement.

— Allons, ne faites rien qui pourrait vous conduire en prison, dit Hanson. Si vous voulez bien me donner votre nom...

— Je vous ai prévenus.

Hanson le regarda rentrer chez lui, nota « plaignant non coop. » dans son carnet et le rangea dans sa poche. En faisant demi-tour pour regagner la voiture de patrouille, il marcha dans la flaque d'urine.

— Il est passé dans mon jardin, leur expliqua un vieil homme vêtu d'un bleu de travail. En hurlant : « négro ceci, négro cela ». (Son visage était d'un noir luisant, ses yeux jaunis par l'âge.) Mais j'ai de quoi le recevoir, si jamais le revois par ici, dit-il, tremblant de rage, en fouillant dans la poche profonde de sa salopette. Je lui sauterai dessus sans lui laisser le temps de réagir. Il se tourna vers la maison et sortit un grand couteau pliant. Il l'ouvrit et le tint contre sa cuisse.

— Monsieur, dit Hanson, en reculant. Rangez ce couteau.

L'homme continuait de regarder sa maison comme si les flics n'étaient pas là et brandit son couteau, dont la lame avait été aiguisée à la meule.

— Monsieur, dit Hanson.

Le bruit de la matraque de Hanson glissant hors de l'anneau de sa ceinture fit se retourner le vieil homme, et l'espace d'un instant, le policier craignit d'être obligé de lui briser la main, ou pire.

— Levi ! Qu'est-ce que tu fabriques ? lui lança une femme aux cheveux gris sur la véranda. Rentre à la maison.

Le vieil homme sembla revenir sur terre tout à coup, et il regarda le couteau comme s'il avait oublié qu'il le tenait dans la main.

— Levi !

Il referma le couteau, le laissa tomber dans sa poche et adressa un sourire à Hanson.

— Le patron m'appelle. J'ai intérêt à rentrer. Y a une de nos émissions à la télé.

Il fit quelques pas vers la maison, puis se retourna vers les deux policiers.

— Merci, officiers. On vous remercie. Que Dieu vous garde, dit-il en s'inclinant légèrement, les yeux fixés sur les genoux de Hanson.

La femme les observait dans la lumière de la véranda, le regard dur comme de la pierre.

À peine avait-il parcouru une centaine de mètres qu'une femme accompagnée de deux adolescents leur fit signe de s'arrêter.

— C'est nous qu'on vous a appelés, dit la femme. Au sujet du dingue.

— On dirait une putain de momie, ajouta un des deux garçons, qui portait des bigoudis bleus dans les cheveux.

— Surveille ton langage, lui dit sa mère en lui donnant une claque sur le crâne, faisant tomber un rouleau bleu.

— Il avait du chatterton enroulé partout en haut. Et une jambe dans le plâtre, dit l'autre garçon, en se moquant de son frère. Il riait tout seul et il parlait fort. Comme ça... (Il plaqua un bras contre sa poitrine et marcha sur le trottoir en boitant, les yeux levés vers le ciel.) Il disait : « Ah, je savais que ce serait beau ! »

— Il était armé ? demanda Dana, penché sur le siège du passager à l'intérieur de la voiture.

— Non.

— Et mon cul, il est armé ?

— Je t'ai dit de... ! s'écria sa mère.

Cette fois, le garçon esquiva la claque.

Tandis qu'ils roulaient au milieu de la fumée et des ombres argentées aux contours précis des fusées, d'autres habitants du quartier les interpellèrent et leur firent signe de s'arrêter. Les gens s'étaient armés de battes de base-ball et de râteaux.

Deux bouquets d'étoiles bleues, mauves au centre, explosèrent au-dessus des collines et essaimèrent vers le district.

— Par là ! leur cria une femme avec une hachette. Je l'ai vu qui regardait par ma fenêtre !

402

— Vous n'avez pas besoin de cette hachette, madame, dit Hanson, il ne fera de mal à personne.

— C'est sûr, tant que j'ai ma hachette.

— Bon Dieu, dit Hanson, alors que Dana redémarrait, ils vont tuer ce type si on ne le retrouve pas avant.

Il éclata de rire.

— *Cinq Soixante-deux, allez jeter un œil sur un éventuel cambriolage. Le type qui a téléphoné semblait un peu barjo.*

— D'accord, dit Dana lorsque le dispatcher leur eut donné l'adresse.

— Ira Foreskin, dit Hanson. Mon dingue préféré.

— *Le plaignant se nomme Ira Foresman.*

Ira était un cambrioleur et un junkie qu'ils avaient arrêté l'an passé dans un Safeway fermé pour Thanksgiving. Lorsqu'ils arrivèrent chez lui, il les attendait sur le pas de la porte, vêtu d'un débardeur et d'un jean à pattes d'éléphant qui faisait des plis aux chevilles et couvrait totalement ses pieds. En les reconnaissant, il se raidit, comme s'il s'apprêtait à fuir, puis il sembla se rappeler que la plainte venait de lui, cette fois.

— Comment ça va, les gars ?

Il fumait une cigarette en mâchant un chewing-gum. Et il paraissait légèrement ivre.

— Ça va bien, Ira. Alors, quel est le problème ? demanda Dana.

— Je vais vous le dire !

Il jeta sa cigarette d'une chiquenaude, puis lissa en arrière ses longs cheveux roux, avec ses deux mains.

— ... Y a quelqu'un qu'a fouillé dans mes affaires.

D'un air distrait, Hanson alluma et éteignit plusieurs fois sa lampe ; il appelait ça « la lumière godemiché ». Dana se mordit la lèvre pour ne pas sourire.

— C'est-à-dire ? demanda-t-il.

— Venez, j'vais vous faire voir.

L'intérieur de la maison sentait la nourriture avariée et le tabac, le renfermé et l'humidité. Les fenêtres étaient clouées, les vitres recouvertes de peinture.

— Voyez vous-mêmes ! dit-il en passant la tête par la porte ouverte de la chambre.

Le lit était défait, les draps avaient viré au gris ; le sol était jonché de boîtes de bière, d'emballages de hamburgers et de piles de vêtements. Un gros chiot noir sortit de sous le lit en rampant, effrayé par les deux policiers, cherchant un moyen de s'échapper.

— Tu parles d'un putain de chien de garde ! grommela Ira.

Le chien s'accroupit et aspergea le sol d'un jet de pisse, avant de courir vers la porte. Ira lui donna un coup de pied au passage, et faillit tomber à la renverse.

— Alors, c'est quoi le problème ? demanda Dana.

— Vous voyez pas ? Regardez ce placard ! Et là, dit-il en se dirigeant vers une commode surmontée d'un miroir fêlé.

Les tiroirs de la commode étaient ouverts, et Ira saisit une poignée de chaussettes et de t-shirts.

— Quelqu'un est venu fourrer son nez dans mes affaires, et j'crois savoir qui c'est !

— Qui donc ? demanda Dana.

— Ma salope d'ex-bonne femme. Je veux qu'on l'envoie au trou ! C'est pas la première fois qu'elle essaye de m'arnaquer.

— Qu'est-ce qu'elle cherchait ?

— À votre avis ? (Ira referma violemment le tiroir et observa les deux flics dans le miroir fêlé.)... Le fric, bien sûr. Elle pensait peut-être que j'avais de la came aussi, mais ça, j'y touche plus à cette saloperie. Allons dans l'autre pièce, j'vais vous montrer un autre truc, dit-il en retournant vers la porte, tandis que Dana ouvrait un des tiroirs et regardait à l'intérieur d'un air dégoûté.

— Par ici, les gars.

— Et ça ? demanda Dana en brandissant une boîte de balles de .45.

— Je sais pas d'où ça vient. Oh, si, j'avais un flingue dans le temps, mais je m'en suis débarrassé. J'suis un ancien taulard ; ça veut dire : pas touche les armes. Moi, ça me fout la trouille les armes. Venez donc voir ça, dit-il en empruntant le couloir.

— Je n'éprouve pas le besoin de le coffrer au point de fouiller tous les tiroirs, dit Dana à Hanson.

— Au fait, s'exclama Ira, j'voulais vous dire. Vous avez fait sacrément vite. Je rentre chez moi, j'appelle police secours. Et hop, vous rappliquez illico. Formidable.

— Tu pourrais peut-être écrire une lettre de recommandation à notre capitaine, suggéra Hanson.

— Ouais, pas de problème. Excusez l'état de la cuisine.

En se retournant vers eux, Ira se cogna la tête dans la porte d'un placard ouvert.

— Ah, bordel de merde ! beugla-t-il en claquant la porte.

Le chiot s'enfuit de la cuisine ventre à terre.

Ira tira un rideau qui masquait une petite pièce attenante.

— Regardez-moi ça !

Une télé qui marchait sans le son projetait des ombres dans la pièce. On avait renversé tous les tiroirs d'une petite commode, et des vêtements se déversaient par la porte entrouverte d'une penderie. Hanson sentit le chien se frotter contre sa jambe.

— Hé, bébé. Viens, Spade. Allez, viens ! lança Ira d'une voix aiguë, en avançant à croupetons vers le chien.

Il agrippa le collier de l'animal.

— J'adore ce klebs, dit-il, et les griffes du chien raclaient le sol, tandis qu'Ira le tirait vers lui. Il vous juge jamais, lui, vous voyez c'que je veux dire ? Vous pouvez lui faire n'importe quoi, il vous aime quand même.

Ira tordit le collier du chien pour l'attirer plus près de lui.

— Pas vrai, Spade ?

— Tu veux bien t'occuper de ça à ma place ? demanda Hanson à Dana. Je retourne dans la bagnole pour remplir le rapport sur la gamine. À charge de revanche.

Dana acquiesça.

— Alors, Ira, demanda-t-il, je prends ta déposition ou quoi ? Qu'est-ce qui a disparu ?

— Oui, une déposition ! Et faut relever les empreintes aussi.

Au moment où Hanson sortait de la maison, une fusée verte et argent explosa dans le ciel derrière lui ; le reflet glissa sur le coffre et le toit de la voiture. Un pétard éclata au bout de la rue, alors qu'il s'installait. Il abaissa la petite lampe fixée sur le tableau de bord et l'alluma, éclairant l'habitacle d'une faible lueur rouge.

— *Cinq Cinquante. Jackpot adulte de sexe masculin.*

— *Reçu Cinq Cinquante. Jackpot.*

Une gerbe bleue illumina le ciel l'espace d'un instant, avant de s'éteindre, tandis qu'éclosaient les innombrables points lumineux, dont les reflets scintillèrent sur le pare-brise, et Hanson repensa à la dernière fois où il avait été commotionné.

405

Il fixa un formulaire de rapport « Divers » sur sa planche à pince.

L'explosion d'un gros pétard un peu plus loin dans la rue le fit tressaillir, au moment où il sortait son carnet de sa poche revolver. Celui-ci, humide de transpiration, avait pris la forme de ses hanches. Certaines choses qu'il avait notées à l'encre noire avaient coulé, et les feuilles commençaient à se détacher. La semaine prochaine, il en prendrait un nouveau.

Un autre pétard explosa juste derrière la maison d'Ira, puis un second, pendant que Hanson feuilletait le carnet, sorte de journal intime, faisant défiler les noms des victimes et des suspects, des tailles, des poids, des dates de naissance, des numéros d'immatriculation, des déclarations, des menaces, des plaintes, des numéros de téléphone, des adresses, des dates et des heures d'arrivée, des dessins de carrefours et de lieux du crime, des photos d'identité judiciaire et des mandats d'arrêt pliés en quatre.

Un gamin à vélo dépassa la voiture dans le sifflement des bouquets de cierges magiques qu'il tenait à deux mains au-dessus de sa tête.

— *Cinq Quatre-vingt-deux. Interpellation de véhicule au coin de la 8ᵉ et de Killingsworth. Thunderbird blanche. Immatriculée en Californie. D comme Daniel E comme Emilie Y comme Yvan Quatre-trois-deux. Renforts inutiles.*

— *Reçu Cinq Quatre-vingt-deux. Appel voiture suivante ?*

Hanson relut la déclaration d'un homme qu'ils avaient arrêté quelques jours plus tôt. Le type était assis sur le trottoir, en train de manger des fourmis. « Nous les morts, on est toujours et partout sans défense », leur avait-il dit.

La fumée des cierges magiques du gamin pénétra à l'intérieur de la voiture, et Hanson regarda par la vitre baissée comme s'il essayait de se souvenir de quelque chose.

— *Appel voiture suivante ?*

Hanson feuilleta le carnet jusqu'à ses dernières notes et entreprit de remplir son rapport. Ses doigts projetaient des ombres dans la lumière rouge, et il s'amusait à les faire bouger comme des marionnettes devant le formulaire. Il se retourna vers la maison et décrocha le micro, juste au moment où un autre émetteur interrompit le flot de parasites : quelqu'un actionnait le bouton de son micro sans parler.

— *Appel voiture suivante ?*

Hanson tapota avec son stylo sur la planchette.

— *Parlez, je vous écoute.*

Un étrange gargouillis répondit au dispatcher, rappelant à Hanson une chose qu'il avait déjà entendue, une chose désagréable. Il essaya de chasser ce souvenir, de le noyer, de l'égarer, avant qu'il n'ait le temps de prendre forme. C'était une astuce qu'il maîtrisait de mieux en mieux : tourner le dos au souvenir, regarder ailleurs et faire semblant de ne pas l'entendre qui gémissait, qui hurlait ou criait son nom, jusqu'à ce que, finalement, le souvenir renonce et reparte. Dans le rétroviseur, il regarda deux fusées plonger derrière les collines, alors que le même gargouillis se faisait entendre de nouveau dans la radio. Il tendit les mains dans la lumière rouge, paumes en l'air, doigts recourbés, les tournant dans un sens, puis dans l'autre, projetant des ombres symétriques, semblables à des taches de Rorschach, à des têtes d'insecte, sur le formulaire du rapport.

Cette fois, le souvenir refusait de s'avouer vaincu. Continuer à l'ignorer, ce serait comme ignorer un poivrot qui vous suit dans la rue en hurlant. Au bout d'une centaine de mètres, vous êtes obligé de vous retourner pour dire : « Bon, d'accord. C'est quoi le problème, bordel ? » Hanson leva la tête et laissa le souvenir envahir ses yeux.

Le Viêt-cong en pyjama noir était agenouillé, les coudes attachés dans le dos, de manière si serrée que son torse décharné saillait entre ses épaules presque disloquées. Le lieutenant vietnamien sourit à Hanson et lui fit signe en levant le pouce. Il s'adressa ensuite à ses hommes, et ceux-ci poussèrent le prisonnier sur le sol. L'un d'eux le saisit à la gorge et serra, en lui hurlant au visage, jusqu'à ce qu'il ouvre la bouche. Un autre soldat lui enfonça alors une serviette dans la bouche et se mit à verser des quarts remplis d'eau boueuse sur la serviette, en riant, tandis que le type s'étouffait lentement, suffoquant et agité de convulsions.

Hanson s'était éloigné, en essayant de se boucher les oreilles. Ce n'était pas son prisonnier. Il ne pouvait absolument rien faire.

Il referma le carnet et regarda au bout de la rue. Il tapota sur le carnet. Et soudain, il jaillit hors de la voiture, arme au poing, pour se précipiter vers la maison d'Ira.

La télé était toujours allumée, projetant des ombres dans

l'encadrement de la porte de la penderie, où Ira était étendu, sur le dos, les mains plaquées sur le ventre.

— Ambulance... gémit-il en regardant le plafond.

Lorsqu'il se mit à vomir par la bouche et le nez, il ne tourna même pas la tête, essayant de ne pas bouger. Mais il s'étrangla, s'étouffa et vomit de nouveau.

— *Appel voiture suivante ?*

Hanson se tourna vers la voix à la radio. Dana avait laissé une épaisse traînée de sang sur le sol en rampant jusqu'au mur pour pouvoir s'y adosser et surélever sa blessure. Il était assis dans une mare de sang, les jambes étendues devant lui, le portable sur ses genoux.

— Cinq Soixante-deux. Urgence ! cria Hanson dans son propre émetteur portable. Je réclame une ambulance en Code 3 à cette adresse. On a un civil et un officier de police grièvement blessés.

Sa voix résonnait dans le portable de Dana, comme un écho accompagné des gémissements du Larsen. Il raccrocha le sien à sa ceinture, pendant que celui de Dana continuait d'émettre.

— *Reçu Cinq Soixante-deux. Toutes les unités doivent quitter cette fréquence. Laissez le canal libre.*

Dana avait les yeux écarquillés, le visage moucheté par le sang qui jaillissait entre les doigts de sa main plaquée sur sa gorge. Sa chemise d'uniforme était noire et visqueuse dans la lumière bleutée du téléviseur. Gonflée de sang, elle pendait sur sa ceinture comme une bedaine de buveur de bière.

— *Cinq Soixante-dix est en chemin.*

— *Cinq Quatre-vingts également.*

Hanson s'empara d'un t-shirt sur une chaise et s'agenouilla devant Dana ; le sang chaud traversa le tissu de son pantalon. Ôtant la main de Dana, il appuya le t-shirt sur la plaie déchiquetée où tremblotaient le cartilage et les tendons ; il les sentait battre contre sa paume, tandis que le sang imbibait le t-shirt et coulait le long de son bras. De l'autre main, il éteignit le portable de Dana qui continuait de siffler ; ses doigts glissèrent sur le petit bouton chromé, gras de sang.

— Tu vas t'en tirer, dit-il.

Dana regardait la télé, par-dessus l'épaule de Hanson, comme s'il n'avait pas entendu, le regard parfaitement calme.

— *Cinq Soixante-deux ?*

— Tiens bon.

Dana acquiesça ; ses paupières papillotèrent comme s'il luttait contre le sommeil, puis il ferma les yeux et sa tête bascula vers l'avant. Le t-shirt imbibé de sang se déroula sur ses genoux.

Hanson se releva, en glissant dans le sang, et se tourna vers Ira.

— Qui a fait ça ?

Ira ne bougeait pas, les mains appuyées de toutes ses forces sur le ventre.

— Peux pas... parler.

— *Cinq Soixante-deux.*

Hanson coupa son portable avant de décocher un coup de pied dans la cuisse d'Ira.

— Qui a fait ça ?

Ira suffoqua, tourna la tête et fut pris d'un haut-le-cœur.

— Je t'achève à coups de pompe, dit Hanson en levant le pied.

— Un dingue.

Il s'étrangla, mais pinça les lèvres pour s'obliger à déglutir. L'odeur de merde qui se dégageait de lui envahit toute la pièce.

— Le type qui t'a cambriolé ? Il était caché dans la penderie ?

— Hmm.

Hanson regarda par-dessus son épaule Dana qui était affalé dans son propre sang, tel un monstrueux fœtus mort-né.

— Il a fait ça avec ton arme, hein ? Celle qu'il a piquée dans la chambre. C'est ça ?

— Oui.

— C'est quoi comme arme ?

— Un .45...

La luminosité changeante de l'écran de télé faisant danser les traits anguleux du visage blême d'Ira. Sa peau livide était couverte d'un fin duvet de poils blonds autour de la bouche et du nez. Des boutons blancs constellaient son menton, et ses dents étaient gâtées. Il leva vers Hanson ses yeux remplis de larmes.

— Il y avait combien de balles dans le chargeur ?

— Sept... Par pitié... dit-il en sanglotant, des bulles de morve jaillissant de ses narines et coulant sur ses lèvres.

Il se tenait le ventre à deux mains, en grognant de douleur, et l'odeur de merde s'amplifia.

— ... Aidez-moi.

Hanson pivota sur ses talons et quitta la pièce, laissant des traces de pas sanglantes dans le couloir jusqu'à la porte d'entrée, tandis que sirènes hululaient au loin.

Ce n'était pas difficile de le suivre. Les habitants du quartier indiquaient le chemin, en regardant Hanson comme si c'était *lui* le monstre.

— Ça va aller, mon gars ? demanda l'un d'eux. On dirait que vous avez eu un accident de bagnole.

Le sang, en séchant, avait durci son pantalon et sa chemise. Son visage, qui se refléta dans la vitre d'une voiture en stationnement, semblait maculé de taches de vin. Le volume de son émetteur-récepteur portable était si faible que les messages radio ressemblaient à un murmure angoissé, semblables à des voix au chevet d'un mourant, appelant Hanson, tandis que les forces de police se déployaient autour du domicile d'Ira. Hanson les ignora. Il ne s'agissait plus d'une affaire de loi, les règles ne s'appliquaient plus. Peut-être s'était-il trompé depuis le début, en croyant qu'un insigne et les lois écrites dans un livre permettaient de comprendre et de juger le monde, qu'il était juste, et même honorable, de porter une arme et de risquer sa vie parce qu'il *aidait* les gens. Doc avait eu raison de se moquer de tout ça, pensa Hanson, alors qu'un gamin sur un vélo lui indiquait le bout de la rue.

— Hé, vous lui courez après ? J'me doutais bien que quelqu'un lui courait après, mais j'pensais pas que c'étaient les flics.

Au moment où il passait au pas de course sous un lampadaire intact, une femme qui se trouvait dans son jardin regarda ce policier maculé de sang et s'empressa de prendre son jeune garçon dans ses bras, tandis que Hanson replongeait dans le noir.

Il avait franchi moins de trois carrefours lorsqu'il aperçut Dakota qui traversait la rue en courant, vers les lumières d'une laverie automatique et d'une petite épicerie. Sans prêter attention aux détonations et aux lumières du feu d'artifice, les gens faisaient leur lessive, et fumaient et en regardant tourner les gros sèche-linge comme si c'étaient des téléviseurs Ils étaient encadrés dans la vitrine qui occupait toute la façade, derrière l'inscription : LE LAVOIR DE BETTY, et une peinture d'amateur sur laquelle une femme noire souriait coiffée d'un turban rouge.

Dakota leva la tête lorsqu'une nouvelle fusée explosa dans les collines et plana de manière menaçante au-dessus du district ; son visage était d'une blancheur bleutée dans la lumière, comme éclairé de l'intérieur. Le chatterton argenté qui entourait sa poitrine scintilla comme des écailles, puis tremblota à mesure que s'éteignait la fusée, pour redevenir d'un gris terne. Dakota s'arrêta devant la vitrine de la laverie automatique, pointa son pistolet sur sa tête, et s'écria :

— Je rigole à l'intérieur ! Je rigole !

Quelques clients l'aperçurent alors, et tous les autres tournèrent la tête à leur tour, un par un.

— Tous les anges sont des purs esprits. Bons ou mauvais ! hurla Dakota. La réponse est « Vrai ».

Tous les clients de la laverie regardaient à l'extérieur, sans trop comprendre ce qui se passait, au moment où Dakota fit pivoter son arme et tira. La vitrine vibra et l'œil droit de Betty s'ouvrit, comme si elle se réveillait en sursaut après un long sommeil. Il fit jaillir une deuxième flamme jaune et un second trou apparut dans la vitrine, juste sous le nez de Betty.

À l'intérieur, les gens se figèrent, accroupis, essayant de comprendre, tandis que des fissures apparaissaient autour des impacts de balle et étoilaient la vitrine. Lorsque celle-ci finit par s'effondrer, les gens se jetèrent sur le sol et se précipitèrent vers les portes, derrière la pluie de verre.

Dakota continua à marcher sur le trottoir, en laissant pendre son arme le long du corps, comme s'il avait oublié son existence. Il s'arrêta soudain, regarda Hanson par-dessus son épaule, puis bifurqua dans une ruelle, passa devant des poubelles en fer blanc, et disparut.

Hanson détacha la bride de l'étui de son pistolet, afin de libérer la crosse. Du pouce, il ôta le cran de sûreté et traversa la rue en courant ; le verre crissait sous ses semelles épaisses, dans la laverie les gens hurlaient, et il pénétra à son tour dans la ruelle qui empestait les légumes pourris, le graillon et la vapeur brûlante des sèche-linge. Il esquiva les poubelles et un énorme container à ordures, mais il glissa sur un reste de cheeseburger et sa tête heurta le bord d'une échelle de secours.

Des étoiles noires et de la fumée explosèrent dans ses yeux ; malgré tout, il s'obligea à regarder au-delà, les sourcils froncés, et à continuer, avec le goût de la douleur dans les narines. Il franchit une porte ouverte pour pénétrer dans un jardin derrière une maison, tandis que les étoiles faiblissaient et s'éteignaient peu à peu, et que la fumée se dissipait devant ses yeux. Il s'accroupit à côté d'un Caddie renversé. Le portable chuchotait à sa ceinture. Il l'éteignit. Quelque chose agitait les fourrés dans l'ombre de la maison, juste devant.

Hanson scruta l'obscurité, au-dessus du bruit, puis au-delà, les yeux écarquillés, dans le vague, comme un aveugle, essayant de distinguer une ombre, un mouvement fugitif. Il s'approcha, le regard flou, passif. Il s'immobilisa. Écouta. Il ouvrit la bouche et inspira, goûtant l'air. Au loin, des sirènes hululaient.

Une lumière s'alluma derrière une fenêtre. Un homme marcha vers un réfrigérateur, sortit une bouteille de bière, puis ressortit du champ. La lumière s'éteignit, mais elle était restée allumée assez longtemps pour que Hanson aperçoive le buisson de l'autre côté de la maison, là d'où venait le bruit. Il continua d'avancer dans le jardin, et se figea de nouveau lorsque la lumière se ralluma. L'homme leva les yeux au plafond puis, sans faire de bruit, il ouvrit un placard, sortit une petite bouteille de vodka et but une gorgée. Et une autre. Il commença à revisser le bouchon, puis se ravisa et but une troisième gorgée, avant de ranger la bouteille à sa place et de refermer le placard. La lumière s'éteignit.

Un pas à la fois, s'arrêtant pour respirer l'air, écouter, la tête inclinée pour regarder du coin de l'œil et utiliser sa vision nocturne, Hanson progressa ainsi jusqu'au coin opposé de la maison, et longea ensuite une clôture grillagée. Il transpirait maintenant; ses aisselles, son ventre et son entrecuisse étaient poisseux, aux endroits où la sueur humectait le sang séché sur son uniforme, et son odeur douceâtre, métallique, s'accrochait à lui comme la mort.

La Cadillac d'Aaron Allen passa au ralenti dans la rue, devant la maison; la radio martelait une ligne de basse, et Hanson profita de ce bruit pour couvrir celui de ses pas. Une fois la voiture passée, il s'immobilisa et tendit l'oreille. Une faible odeur de chèvrefeuille flottait dans l'air.

Hanson entendit le grognement une fraction de seconde avant d'être percuté par le grillage. Le chien planta un croc dans sa chemise, puis bondit de nouveau pour s'offrir une meilleure prise à travers le grillage, tandis que Hanson essayait de conserver son équilibre. L'haleine de l'animal était chaude dans ses reins, alors qu'il se sentait plaqué contre la clôture. Il glissa le long du grillage qui tressautait, sa main armée plaquée contre sa poitrine, trébuchant tandis qu'il essayait de viser le chien sans se tirer dessus.

Réduit à une ombre, Dakota contourna le coin de la maison, et son arme scintilla; instinctivement, Hanson leva sa main gauche pour se protéger. Dakota apparut, puis disparut aussitôt, sa tête ressemblant à un feu follet, à un tour de magie, dans l'éclair jaune d'un unique coup de feu. Hanson sentit la chaleur de la détonation sur sa main, il entendit la balle fuser, au moment même où le chien glapissait derrière lui, et lâchait sa chemise. Dakota réapparut et Hanson trébucha, se cognant la tête contre une jardinière, avant de retomber sur une tondeuse à gazon, les côtes parcourues par une douleur fulgurante, et de laisser échapper son arme.

Six coups..., se dit-il, en glissant sur la tondeuse, avec un grognement, alors que le chien gémissait et se convulsait quelque part derrière lui.

Il se mit à genoux, puis debout. Sa tête rugissait, baignant l'univers d'une lueur rouge; et il s'efforçait de ne pas vomir pour ne pas attiser la douleur dans ses côtes. Très lentement, il marcha jusqu'au coin de la maison, en respirant à peine, alors qu'il retrouvait peu à peu sa vision, à chaque pulsation, et risquait un coup d'œil derrière la maison.

Il lui en reste une, pensa-t-il en regardant Dakota traverser la rue dans un clopinement; des morceaux de son plâtre s'écaillaient à chacun de ses pas. Il trébucha contre le trottoir et tomba avec un hurlement de douleur et de rage.

Hanson chercha dans sa poche sa lampe porte-clés et l'alluma par petits coups, pas plus d'une seconde, pour retrouver son arme dans le noir. De l'autre côté de la rue, Dakota parlait tout seul; les mots se mélangeaient, jaillissaient en de longues phrases qui s'interrompaient en plein milieu, avec les intonations d'un commissaire-priseur.

Hanson retrouva son pistolet, passa la courroie de la lampe autour de son poignet gauche et se remit debout.

— Très bien! hurla Dakota dans le vide. Frappez-moi!

Et il se remit à courir, trébuchant et hurlant chaque fois que sa jambe blessée heurtait le sol; puis il disparut entre deux maisons.

Hanson se lança à sa poursuite, avec des ahanements; ses côtes fêlées frottaient l'une contre l'autre. Il essaya d'ignorer la souffrance, de la laisser derrière lui, mais elle s'accrochait. Alors, il s'arrêta au milieu de la rue, respira à fond, se prépara, et *prit* la douleur, la fit sienne, l'aspira et l'utilisa pour qu'elle l'emporte de l'autre côté de la rue, au pas tout d'abord, puis au trot, hurlant à chaque souffle lorsqu'il se mit à courir. Des ronces accrochaient sa chemise et son pantalon, lui giflaient le visage, et il trébucha et tomba lorsqu'il força son chemin au milieu de branches de mûriers aussi épaisses que des cravaches, pour déboucher dans un autre jardin, derrière une autre maison.

Dakota se retourna à moitié, sans cesser de courir, et fit pivoter son arme. Une corde à linge tendue sur son chemin le cueillit à la gorge, le jetant à terre, et son arme cracha une flamme jaune qui frôla l'oreille de Hanson, aveuglé l'espace d'un instant.

Clic. Clic.

Dakota était assis par terre, le dos appuyé contre le poteau de la corde à linge, son arme pointée sur le visage de Hanson. Elle produisit un déclic, suivi d'un bruit sec, et la culasse demeura bloquée en position ouverte, comme une machine cassée, tandis que Dakota continuait à presser la détente. Hanson braqua sur lui sa petite torche électrique, et Dakota lui sourit, laissant voir des dents gâtées par la thorazine, un côté de son visage boursouflé, déformé comme une citrouille avariée, une boucle d'oreille plantée, tel un hameçon, sous l'œil fermé, la petite licorne bleue se balançant comme une araignée. Il lâcha son arme et tendit son bras valide.

— Allez. Les menottes.

Hanson respira son odeur. Sa sueur de psychopathe qui sentait le pop-corn brûlé masquait presque l'odeur de poudre et de chèvrefeuille.

— Trop tard, dit Hanson.

— Je me rends.

Hanson tira deux fois, plaquant Dakota contre le poteau de la corde à linge, creusant deux trous dans le chatterton qui enveloppait sa poitrine.

— ... ton prisonnier.

414

Hanson tira encore une fois dans le chatterton. Et encore. La fumée lui piquait les yeux et ses oreilles bourdonnaient.

— T'es... dans la... merde, dit Dakota en regardant le faisceau lumineux qui faiblissait. Hiiiiiii...

Il se mit à geindre, avec un grand sourire ; ses dents noires étaient rougies par le sang.

Il s'étouffa en riant, grogna, ricana, en agitant sa langue.

— Hiiii. Hiiii...

Appuyant la tête contre le poteau, il ferma son œil ; son souffle était rauque et humide. Quand Hanson se pencha pour mieux le voir, l'œil se rouvrit et rencontra celui de Hanson.

— Je sais un truc...

Les sirènes s'étaient rapprochées ; des lumières bleues et rouges balayaient le jardin, la licorne bleue rampait sur son visage.

— ... qui t'intéresse.

Hanson se pencha davantage, prêt à bondir en arrière, son arme à ses côtés.

— Quoi ?

Dakota sourit ; son œil attira Hanson vers lui. Il retroussa les lèvres comme s'il voulait embrasser le flic, l'œil étincelait, et il cracha du sang chaud dans les yeux et dans la bouche de Hanson.

— Une nuit, croassa Dakota, en respirant par la bouche, dans le noir...

Hanson cligna des paupières pour chasser le sang, et il tira deux balles dans la bouche ouverte de Dakota ; les projectiles à grande vitesse de pénétration firent exploser l'arrière du crâne et disparurent dans la nuit en hurlant.

La tête rasée de Dakota rebondit avec un bruit de gong contre le poteau, en vomissant du sang. Sa jambe plâtrée tressauta, frappa dans le vide, son pied s'agita comme un essuie-glace, puis Dakota bascula sur le .45 de l'armée, dont la crosse s'ornait d'une croix gammée.

27

C'ÉTAIT LA FIN DE L'APRÈS-MIDI, et Hanson était déjà un peu
ivre. Le bâtiment qui abritait les locaux du médecin
légiste ressemblait à un cabinet de dentiste : une maison d'un
étage en stuc avec une porte en bois blond. Quand il sonna,
une voix électronique au timbre féminin lui répondit à travers
les lamelles en aluminium rouillé de l'interphone encastré
dans la porte.

— Oui ?

Hanson déclina son identité et la porte s'ouvrit dans un
bourdonnement.

L'intérieur ressemblait aussi à un cabinet de dentiste. La
réceptionniste était assise à son bureau, de l'autre côté d'un
comptoir, en pleine conversation téléphonique. Une plaque
posée sur son bureau disait : « TAMMY. Que puis-je pour
vous ? »

— Non, je n'ai jamais dit ça, dit-elle au téléphone. Non,
j'ai dit *peut-être*.

Des petits cactus en pots se dressaient à chaque extrémité du
comptoir, et au milieu était posé un petit aquarium lumineux.
Des dessins humoristiques et des slogans photocopiés, le genre
de petits écriteaux que l'on trouve dans presque tous les
bureaux, étaient scotchés sur le comptoir. Des trucs du style :
« Il n'est pas obligatoire d'être fou pour travailler ici, mais ça
aide », ou encore « Vous voulez ça pour *hier* ? ». Un petit
« Smiley », maculé d'eau, disait : « Souriez, c'est contagieux. »

La réceptionniste avait de longs cheveux blonds, de jolies
lèvres et un petit nez parfait.

Une Californienne, songea Hanson, avec le nez refait. Elle lui adressa un petit sourire.

— Je suis à vous tout de suite, chuchota-t-elle, en faisant gonfler ses seins lorsqu'elle se tourna dans son fauteuil.

Hanson lui sourit aussi.

— OK d'ac'.

Il croisa les bras et regarda les poissons aller et venir dans l'aquarium, faire demi-tour, et se croiser de nouveau, en sens inverse.

— « *Well, the East Coast girls are hip, I really dig those styles they wear...* » chantonna-t-il, en se penchant pour regarder de plus près, bougeant les épaules au rythme de *California Girls*, la chanson des Beach Boys.

« *And the Southern girls, wi-ith the way they... talk, they knock me out when I'm down there...* »

— Il faut que je raccroche, dit la fille au téléphone. J'ai un client qui attend. (Elle écouta, sourit.) Ah bon ? Eh bien, d'accord. Je croyais que tu l'avais fait... Hmm... (Elle jeta un regard à Hanson.) Je m'en fous qu'ils nous entendent, dit-elle en baissant la voix. Je peux pas m'en empêcher. De toute façon, c'est de ta faute... Oui. Moi aussi.

Et elle raccrocha.

Elle fit glisser son sourire vers Hanson.

— Que puis-je pour vous, officier ?

— Ai-je le temps de me faire détartrer les dents ?

— Pardon ?

— Je plaisante. Cet endroit ressemble à un cabinet de dentiste.

Elle regarda autour d'elle, et Hanson éclata de rire.

— En tout cas, les gens ne souffrent pas ici, dit-il. Un dentiste pour les morts.

— Je vous demande pardon ?

— Comment se fait-il que la porte soit verrouillée comme ça ? Les gens viennent vous voler des cadavres ?

— Vous seriez surpris en voyant certaines personnes qui essaient d'entrer ici.

— Ah bon ? Des détraqués ?

— Avez-vous une pièce d'identité ?

— Certainement, madame, dit Hanson en sortant son portefeuille pour lui tendre sa carte de policier. Je suis un type normal. Je sais qui je suis, et ce que je représente.

La fille regarda la carte, puis Hanson.

— C'est à quel sujet ?

— Le légiste a dit que je pouvais passer prendre une enveloppe. Des vieilles pièces à conviction. Peut-être dans la boîte, là ?

La fille fit pivoter son fauteuil et fouilla dans une boîte en carton remplie d'enveloppes.

— Hanson, vous dites ?

— Oui, c'est ça.

Elle prit une enveloppe qu'elle déposa sur le comptoir.

— Il faut me signer un reçu, dit-elle en faisant glisser vers lui le carnet de rendez-vous.

Hanson signa le carnet et prit l'enveloppe. Sur le rabat, tamponné à l'encre rouge, on pouvait lire : INUTILE — À DÉTRUIRE. Il la secoua. Il y eut un petit bruit de ferraille.

— OK d'ac', dit-il. Merci beaucoup et *muchas gracias*.

Elle le regarda marcher jusqu'à la porte. Il se retourna.

— Et surtout, je vous souhaite une bonne journée.

Il ressortit dans le soleil triste de l'après-midi.

— Oui, je sais, Truman. Je sais, dit-il en ouvrant la portière de la camionnette. Je ferais mieux de me ressaisir... Truman ? dit-il en regardant le siège du passager vide. Truman ?

Sa voix était métallique à l'intérieur de la camionnette vide ; la panique envahit sa poitrine, jusqu'à ce que le chien sorte de sous le siège en rampant.

— Hé, vieux. Pendant une seconde, tu m'as foutu la trouille.

Il prit une vieille couverture en laine élimée coincée à l'intérieur de la roue de secours, à l'arrière ; il l'étala sur le siège passager et déposa Truman dessus.

— Désolé, vieux. Je sais que tu n'aimes pas voyager dans cette camionnette, mais j'avais pas envie de venir seul jusqu'ici aujourd'hui. On sera bientôt à la maison.

La circulation était dense sur l'autoroute : banlieusards et vacanciers. Des voitures familiales avec des porte-bagages et des coffres fermés par des sangles. Des véhicules 4 × 4. Des vans avec des hublots rebondis, carrosserie métallisée et pailletée, décorés de couchers de soleil en montagne, peints à l'aérographe. Un élan sur une crête. Des femmes musclées, aux fortes poitrines, en bikinis d'acier, brandissant d'énormes épées et combattant des loups. Hanson déboita pour doubler un camping-car Winnebago Apache, avec un VTT fixé à l'avant, et un autre à l'arrière, tractant un bateau. Le chauffeur le toisa, les yeux plissés à travers la fumée de la cigarette coincée entre ses lèvres, et accéléra. Hanson se laissa distancer. Les huit voies d'asphalte s'étendaient à l'infini, comme des traces de dérapages, d'où montaient des nuages argentés de chaleur et de gaz d'échappement. Sans quitter la route des yeux, Hanson se pencha pour gratter les oreilles de Truman.

— On est presque arrivés.

Dès qu'il eut quitté l'autoroute pour prendre la route à deux voies, la température chuta de plusieurs degrés. L'odeur des baies et des sapins remplaça peu à peu celle de l'huile chaude. Le Stormbreaker dominait l'horizon à l'est, le sommet toujours enneigé. Il tuait plusieurs skieurs chaque année. Solide comme un roc, la montagne était sereine, aussi indifférente que le temps qui passe ; pour elle, la haine, le chagrin et la puanteur du ghetto n'étaient rien d'autre qu'une mauvaise saison qui s'en irait. La mort de Dana était aussi insignifiante que celle d'un faisan que l'on canarde dans un champ de maïs.

Assis dans son fauteuil acheté dans une brocante, dans la faible lumière que dispensait une lampe à col de cygne, Hanson regardait les ongles de sa main droite. Un petit verre bleu rempli de scotch posé sur la table d'angle captait la lumière. Quelque chose de sombre était coincé sous l'ongle de son pouce. Ça ne pouvait pas être du sang. Il s'était douché et récuré deux ou trois fois par jour depuis... cette nuit-là. Dana était enterré depuis deux semaines.

Le livre *Vapeur* était ouvert sur ses genoux. Il avait lu et relu tant de fois le paragraphe de la page 9 que c'était devenu du charabia.

> *Un pied cube d'eau chauffée à une pression de 60 à 70 livres par pouce carré possède la même énergie qu'une livre de poudre à canon. Portée au rouge, à basse température, elle possède quarante fois cette quantité d'énergie, sous cette forme d'utilisation.*

Trop ivre pour lire maintenant, le Model 39 coincé entre sa cuisse droite et le bras du fauteuil rembourré, il écoutait le banjo et la mandoline sur sa chaîne stéréo. Il aimait le son mélodramatique de la mandoline, et quand le banjo et le violon s'y ajoutèrent, ils étaient à la fois gais et tristes.

Il posa le livre sur la table et se leva, but une gorgée de scotch et marcha jusqu'au poêle. Une photo de Falcone en uniforme, découpée dans le portrait de groupe de l'école de police, était appuyée contre une étagère au-dessus du poêle, là où l'enveloppe jaune était encore scellée, avec les tampons ronds PIÈCE À CONVICTION le long du rabat collé. Il revint s'asseoir avec l'enveloppe, la déchira et fit glisser les sept petits morceaux de plomb dans la paume de sa main gauche. Les balles récupérées dans le corps de Dakota. Avant d'avoir servi, elles étaient belles. Petits cônes de plomb, avec un trou percé au centre, enveloppées d'une chemise de cuivre festonnée. Mais celles-ci étaient déformées ; le noyau de plomb gris écrasé comme une coulée de cire sur la chemise de cuivre, sous l'effet de l'impact contre les muscles et les os. Celle qui avait traversé le crâne de Dakota était évasée comme un champignon.

Elles pesaient dans sa paume, tandis qu'il approchait sa main de son nez pour renifler. Elles puaient la mauvaise haleine, la sueur, la peur et la merde. La viande pourrie et la corruption. L'odeur de la mort.

D'infimes parcelles de tissu musculaire et de chair, et des paillettes brillantes de sang noir étaient coincées dans les rainures et les plis du plomb. Hanson inspira de nouveau et sourit ; il prit la balle en forme de champignon et l'appuya contre son front. Il lâcha ensuite la poignée de balles sur la table et les redressa sur leur base, une par une. Elles penchaient sur le côté, tels des petits trolls cruels, ivres, pions d'échec chancelants, dans un jeu où les règles ne cessaient de changer, et où perdre rapidement était ce qu'on pouvait espérer de mieux. Il les aligna comme un peloton d'exécution et, les bras croisés sur les genoux, penché en avant, il les observa, donnant à chacune d'elles le nom d'un soldat mort qu'il avait connu. Après les avoir baptisées, il les déposa, l'une après l'autre, dans une petite bourse en daim qu'il avait achetée aujourd'hui dans une de ces boutiques spécialisées qui vendaient des *bongs*, des pipes et de l'encens. Ils appelaient ça un « sac à herbe », destiné à transporter la came, mais maintenant, se dit-il en accrochant la bourse autour de son cou à l'aide d'une cordelette en cuir, c'était son *katha,* cette sorte d'amulette que les Montagnards portaient durant les combats.

Hanson but la dernière gorgée de scotch au goût fumé, en écoutant le Dobro[1] et l'harmonica faire leur entrée dans *Soldier's Joy*, jusqu'à ce que le morceau s'achève et que l'aiguille tourne sans fin en crépitant au centre du disque.

Il s'empara du pistolet, l'inclinant d'un côté, puis de l'autre, pour qu'il capte la lumière, en repensant au barbecue du 4 juillet dans le jardin, au petit Ali et à sa mère junkie. Il aurait dû les laisser s'emparer de son arme, mais chaque fois qu'il était menacé, quelque chose prenait le dessus et il luttait pour survivre. C'étaient ceux qui *voulaient* vivre qui mouraient.

Il avait entièrement démonté et nettoyé le pistolet, deux fois, avec du Hoppe n° 9, un goupillon en cuivre, des morceaux de coton et une vieille brosse à dents, après que les Affaires internes lui avaient rendu son arme, la semaine dernière. Il fit sortir la culasse, juste assez pour apercevoir la balle dans la chambre, puis il éjecta le chargeur plein, le tapota dans sa paume pour aligner les balles, et le remit dans la crosse où il se nicha avec un *clic*.

Un bon pistolet, se dit-il en ôtant avec le pouce le cran de sûreté qui lui avait sauvé la vie le jour où Dakota s'était emparé de son arme.

Il avait dit au psy tout ce que celui-ci souhaitait entendre, et la police lui avait accordé deux semaines de congé avec solde. Une meilleure affaire que les trois jours de vacances quand il avait tué Millon.

Il testa la course de la détente, puis pressa dessus juste assez pour soulever le chien de quelques millimètres. Oui, un sacrément bon flingue, se dit-il, même si lui non plus n'aimait pas la structure en alliage. Doc avait raison, pensa-t-il en soulevant le chien d'un millimètre supplémentaire, puis encore un autre, maintenant la tension de la détente, sur le point d'armer le chien, lorsqu'il sentit Truman se frotter contre sa jambe. Il baissa les yeux, au-delà du canon de l'arme.

— Comment ça va, vieux ? Je ne t'ai pas entendu entrer, dit-il en reposant le pistolet.

Truman bascula sur le côté, jusqu'à ce que ses pattes raides se dérobent ; il s'assit avec un bruit sourd et chercha une position confortable contre la jambe de Hanson.

— Ne t'en fais pas, lui dit Hanson. Je réfléchis, c'est tout.

---

1. Célèbre marque de banjos et de guitares. *(N.d.T.)*

Quelques jours plus tard, Doc débarqua après la tombée de la nuit. Ils partirent faire une ballade dans la Trans Am, une « virée », et le jour était presque levé quand ils rentrèrent. Truman attendait. Doc demanda à Hanson s'il pouvait lui confier quelque chose à garder en lieu sûr.

— Ne le fais pas si tu n'en as pas envie, dit Doc.

— Je te le mettrai à l'abri.

— Ce n'est pas ce que tu penses.

— Je ne sais pas ce que c'est, et je ne veux pas le savoir.

Doc ouvrit le coffre de sa voiture et sortit de derrière la roue de secours, une boîte en carton pas plus grande qu'un dictionnaire, enveloppée de ruban adhésif.

— Surveille tes arrières, dit Doc. Et ne fais confiance à personne.

— J'ai confiance en toi, dit Hanson. J'ai toujours eu confiance.

Doc regarda Truman, et l'espace d'un instant, Hanson crut qu'il allait dire quelque chose au chien, peut-être même le caresser, mais il pivota sur ses talons et repartit sans se retourner.

Hanson emporta la boîte à l'intérieur et alluma la lumière. L'inscription PRODUCT OF VIETNAM était à moitié recouverte par le ruban adhésif. Au-dessus, en lettres orange, plus grosses, figuraient les mots : LA TORTUE D'OR, et le dessin d'une tortue avec les yeux sereins d'un bouddha, s'élevant, tel un phénix, d'un bouillonnement de nuages de flammes. Truman vint renifler le paquet, puis il repartit en éternuant.

— Du chili, dit Hanson.

Ses yeux et son nez le piquaient lui aussi. Dans la cuisine, il ôta une plinthe, au-dessus des nouvelles fondations à demi achevées, là où une partie du plancher avait été arrachée, et il glissa la boîte derrière le mur, en la coinçant avec un morceau de tasseau. Le temps qu'il ait terminé, les premières lueurs métalliques de l'aube faisaient rougeoyer les madriers neufs des fondations.

Cet après-midi-là, il préparait du café avant d'aller travailler lorsqu'il aperçut la nouvelle toile d'araignée, tissée pendant qu'il dormait, tendue comme une main au-dessus de la partie de plancher et de mur manquante, là où il avait caché la boîte. Elle avait déjà capturé un bourdon au corps strié et pelucheux.

Assis sur les talons près du trou, sirotant son café, Hanson observa le gros insecte qui bourdonnait et s'enfonçait de plus en plus dans la toile à mesure qu'il s'agitait. Il devina la présence de Truman derrière lui, ou peut-être l'avait-il entendu respirer, ou bien il avait senti son odeur. Il ramassa un long clou, le fit rouler entre ses doigts comme s'il envisageait de s'en servir pour libérer le bourdon, mais finalement, il le laissa retomber par terre et se leva.

— La cruauté de la nature, dit-il. On ne peut rien y faire.

Truman le suivit dehors, par la porte de derrière.

Hanson avait l'intention de planter d'autres blettes et d'autres betteraves pour l'automne, et d'ajouter aussi une variété d'œillets robustes. Ceux qu'il avait plantés avec Falcone mesuraient déjà cinquante centimètres de haut ; des fleurs orange et jaunes, de la taille d'une boule de neige, dansaient dans une brise si légère qu'il la sentait à peine sur sa joue.

Les plants de tomates semblaient bien se porter eux aussi ; des tomates vert pâle, grosses comme des billes, pendaient aux feuilles d'un vert plus sombre. Certains poivrons étaient déjà assez gros pour être découpés en tranches dans des salades. Les plants de concombre, quant à eux, avaient donné des fleurs jaunes, et même quelques minuscules concombres qui semblaient doubler de volume chaque jour. Il les arrosa tous, en se servant de son pouce pour varier la puissance du jet sortant du tuyau ; il accrocha ensuite le tuyau sur le côté de la maison et, les mains dans les poches, il se retourna pour contempler les œillets, en pensant à Falcone, pendant que le téléphone sonnait dans la cuisine.

— Oui, oui, dit-il.

Il décrocha au milieu d'une sonnerie et porta le combiné à son oreille, juste au moment où la personne au bout du fil raccrochait.

Il retrouva le clou et s'agenouilla devant la toile d'araignée ; ses yeux s'habituant à la pénombre jusqu'à ce qu'il distingue le bourdon et ses yeux noirs globuleux à travers le cocon grisâtre qui l'enveloppait. Le bas de la toile trembla, l'araignée apparut, puis s'enfuit furtivement, pour disparaître sous le plancher, comme une sorcière sur son balai. Trop tard.

Quand Hanson arriva au poste le lendemain après-midi, il fut chargé de patrouiller avec Duncan. Lors de l'appel, Bendix lut un rapport du FBI concernant les deux Asiatiques non identifiés retrouvés morts à proximité de l'aéroport, leurs portefeuilles remplis de fausses cartes d'identité, tués l'un et l'autre d'une balle de .9 mm dans la tête et dans la poitrine. Il s'agissait en réalité de deux Vietnamiens travaillant pour la brigade des stupéfiants; l'un d'eux était capitaine dans la police nationale sud-vietnamienne. Tous les deux avaient été abattus avec la même arme qui avait servi à assassiner LaVonne Berry.

28

D**IS, TU N'EN AS JAMAIS MARRE** de voir tous ces Noirs, tous les jours ? Personnellement, ça me dérange pas de bosser par ici une fois de temps en temps, c'est même très intéressant, mais en permanence ? Non merci, dit Duncan, tandis qu'ils roulaient dans l'Avenue, vers le sud.

Pharaon était en train de ramasser des boîtes de sodas sur le parking du *Top Hat*, un night-club dont la porte d'entrée était découpée dans un gigantesque panneau de contreplaqué peint, représentant un chapeau haut de forme. Hanson brancha le système de sonorisation; le haut-parleur installé sur le toit de la voiture grésilla.

— Salut, Pharaon ! cria-t-il par la vitre baissée.

— Ouais, ouais, grogna Pharaon, sans lever les yeux de son travail.

— L'Avenue, dit Hanson, c'est mon chez-moi.

Au coin de la rue, Dee Brazzle se tenait à l'entrée de la salle de billard *Bon Ton*, les bras croisés et leur jeta un regard mauvais.

— Ah bon ? fit Hanson en croisant le regard de Dee à travers le pare-brise sale. Tu veux jouer les salopards aujourd'hui, Dee ?

Duncan se tourna vers Hanson, sourit et secoua la tête.

— Tu veux me *regarder* ? dit Hanson en ralentissant. Tu veux regarder ?

La voiture coupa la chaussée pour se diriger vers la salle de billard. Le sourire condescendant de Duncan s'évanouit. Dee se retourna *lentement* et disparut à l'intérieur.

425

— Oui, tu as raison, Dee, lança Hanson en direction de l'entrée vide. Tu as raison, dit-il en regagnant la voie de droite. Tu aurais peut-être besoin de faire un tour un prison bientôt.

— À quoi bon ? demanda Duncan. Rien ne changera jamais par ici. Ce n'est qu'un jeu.

— Tout n'est qu'un jeu, répondit Hanson.

— Pas pour moi. J'ai bien l'intention de gagner du galon et de quitter les rues. Et la seule façon pour y arriver, c'est de suivre les règles.

— Hmm.

— C'est pas comme ça que ça marche ?

— Si, si, dit Hanson. Le problème, c'est que...

Il adressa un signe de la main à un homme vêtu d'un tablier ensanglanté, devant chez *Gilbert's Country Kitchen*. L'homme regarda Hanson, ôta son cigare de sa bouche, et lui répondit d'un hochement de tête.

— Ce type-là, Maurice, il a descendu un connard qui le méritait. Si j'avais suivi les règles, il aurait écopé de dix à vingt ans de tôle. Il déteste les flics. Ça le *tue* d'être obligé de me saluer comme ça, mais il sait que je lui ai évité la prison. Ah, quel monde ! dit Hanson en riant.

Une Chevrolet Monte Carlo rouge flambant neuve était garée le long du trottoir, un peu plus loin ; une femme à la peau mate, vêtue d'un minishort en satin rose et d'un minuscule débardeur assorti, était penchée sur la vitre, perchée sur ses semelles compensées de dix centimètres de haut. C'était une des trois prostituées du secteur à s'appeler Candy. La photo d'elle que Hanson possédait dans sa boîte à chaussures la montrait avec une boursouflure sous l'œil droit, ornée de gouttes de sang écarlates.

En apercevant la voiture de patrouille, Candy se redressa et s'éloigna sur le trottoir en se déhanchant ; sa perruque rose argent scintillait dans le soleil. Le conducteur de la Chevrolet, un Blanc en costume cravate, se pencha sur le siège du passager pour lui crier quelque chose par la vitre.

— Trouve-moi à qui appartient cette Monte Carlo, dit Hanson, alors qu'ils passaient devant la voiture en question. Je vais te montrer un nouveau jeu.

Ils ne pouvaient pas faire grand-chose au sujet des putes du quartier. Chaque été, une association de citoyens se plaignait et les flics étaient obligés de les harceler plus qu'à l'accoutumée, mais cela ne servait qu'à les chasser dans la rue voisine ou dans un autre quartier pendant une semaine, après quoi elles revenaient.

Il existait cependant un code de bonne conduite que respectaient les flics et les putes. Une de ces règles interdisait aux putes de racoler en présence de flics. Si elles l'enfreignaient, elles recevaient une convocation chez le juge pour avoir traversé en dehors des clous, jeté un papier par terre, fait du stop ou gêné la circulation, et leur noms étaient fichés. En cas de mauvais comportement, elles étaient conduites au dépôt, ce qui les obligeait à marcher pendant plus d'un kilomètre pour trouver un téléphone afin de prévenir leur mac. C'était un long chemin avec le genre de chaussures qu'elles portaient. Dana et Hanson avaient toujours exigé la même discrétion concernant les jeux illégaux et la vente d'alcool dans les salles de billards et les cafétérias. Cette comédie empêchait que la situation devienne incontrôlable.

Alors qu'ils effectuaient le tour du pâté de maisons, la radio leur fournit le renseignement concernant la plaque d'immatriculation :

— ... *Chevrolet deux portes de 1975, enregistrée au nom de Caspar J. Edwards. 501 Price Place north, Oxford, Washington. Voiture également au nom de Betty C. Edwards, même adresse.*

Ils retrouvèrent la Chevrolet rouge en train de remonter Fremont Street au ralenti.

— Ce type traînait déjà par ici la semaine dernière, pour chercher des putes. Il va finir par se faire agresser, dit Hanson, et je serai obligé de me taper la paperasse. Et il me dira : « Ah, officier. J'étais arrêté au feu rouge et ce... » Là, il hésitera, ne sachant pas s'il peut dire le mot *nègre*... « ... ce nègre a bondi dans ma voiture, il a brandi un pistolet et m'a volé tout mon argent. » Je lui demanderai ce qu'il vient faire dans ce coin, et il m'expliquera qu'il s'est trompé de sortie d'autoroute et s'est perdu.

Hanson alluma le gyrophare. Le conducteur de la Chevrolet regarda dans son rétroviseur et se gara le long du trottoir.

— On s'arrête une minute au coin de Williams et Fremont, annonça Hanson à la radio. Pour vérification. Toi, tu ne dis rien, dit-il à Duncan. Tu le regardes simplement, comme si tu étais sur le point de lui rentrer dedans.

Hanson approcha de la vitre du conducteur et toisa celui-ci : un type costaud qui commençait à prendre de la graisse. Il avait encore des taches de rousseur sur le nez, et il portait une petite moustache fine comme un trait de crayon. Il leva les yeux vers Hanson avec un sourire de représentant de commerce. L'expression de Hanson resta la même, et Caspar se tourna alors vers Duncan. L'émetteur portable de Hanson siffla. L'homme reporta son attention sur Hanson.

— Quel est le problème ?

Hanson sortit son carnet et un stylo de sa poche de chemise. Il regarda l'homme, en tapotant le carnet avec le stylo.

— Que se passe-t-il ? demanda Caspar en se redressant sur son siège, essayant de la jouer au bluff.

— Vous cherchez des ennuis quand vous venez ici pour lever des putes, dit Hanson.

— Hein ? Quoi ? fit-il en essayant de paraître outré. Des putes ? Vous vous moquez de moi ?... Oh, vous faites allusion à cette fille noire là-bas ? Je lui ai juste demandé mon chemin. Voyez-vous, je me suis trompé de sortie d'autoroute.

Hanson continuait de tapoter le carnet avec son stylo ; il regarda Duncan par-dessus le toit.

— Je me suis perdu, vous comprenez ?

— Dites-moi, Caspar, Betty sait que vous venez chercher des putes par ici ?

Il hésita à peine.

— Hé, je vous ai expliqué !

Pas mal, se dit Hanson.

— Ne me mentez pas, Caspar. Peut-être que Betty devrait être mise au courant de... vos activités, avant que vous le refiliez la syphilis. Si ce n'est pas déjà fait.

— Quel est votre matricule ?

Son front était moite, une goutte de sueur roula sur sa tempe.

Hanson lui sourit.

— Donnez-moi votre matricule. Ma femme et nos relations conjugales ne vous...

— Je voulais être coulant avec vous, Caspar. Je n'avais pas l'intention de vous arrêter pour « commerce avec une prostituée », de vous conduire en prison et d'envoyer votre voiture à la fourrière. Malheureusement, vous avez choisi de me mentir. Vous pensez certainement que je suis stupide, mais...

— Non, pas du tout. J'ai simplement...

— ... mais plus grave encore — ne m'interrompez plus, Caspar —, vous avez cru que vous pouviez me menacer. Peut-être que vous vous foutez des conséquences pour votre réputation, là-bas à Oxford, quand les gens sauront que vous vous tapez des putes noires. Fellation sur le siège avant de votre voiture. Une pipe de négresse à l'endroit où s'assoit Betty quand elle conduit cette voiture. Elle sera ravie, vous ne croyez pas ? Et vous décidez de me mentir, car vous me prenez pour un pauvre crétin de flic, ajouta Hanson en faisant sortir la pointe de son stylo pour écrire dans son carnet.

— Non, officier. Je n'ai jamais pensé ça, et il ne me viendrait pas à l'idée de menacer un officier de police. Si j'ai dit quelque chose qui pouvait le faire penser, je suis désolé. Et je vous prie de m'excuser.

Hanson actionna le mécanisme de son stylo. Il regarda Duncan qui s'efforçait de ne pas sourire. Il rangea son stylo, se pencha en avant et regarda Caspar.

— Il vaut mieux pour vous que je ne vous revoie jamais par ici. Allez chercher vos putes ailleurs, OK ?

— Oui, monsieur. Merci, dit l'homme en enclenchant la marche avant.

Il mit son clignotant, regarda dans le rétroviseur et déboîta prudemment dans la rue.

— Formidable, commenta Duncan.

— Il n'y a qu'un problème : si l'enregistrement de la carte grise n'est pas à jour, tu donnes au type le nom de quelqu'un d'autre, et tu as l'air d'un imbécile. Mais avec une bagnole toute neuve comme celle-ci, enregistrée dans une petite ville, je me suis dit qu'il y avait peu de risques. À moins, ajouta-t-il en riant, que le type soit dingue, ivre ou complètement défoncé ; il prend peur et il me flingue. Dans ce cas, c'est moi qui me fais avoir.

Hanson vit qu'il y avait un problème bien avant d'arriver, à en juger par les gens massés devant l'entrée de la *Dekum Tavern*, un bar d'ouvriers blancs. Sur le trottoir d'en face, à l'autre coin de la rue, des Noirs sortaient en masse par la porte du *Soul Train*, un bar installé dans un cube de béton peint avec des carreaux rouges, noirs et verts, les couleurs du drapeau de la Libération noire.

— Seulement la moitié des gens qui fréquentent ces deux bars sont armés, dit Hanson.

Duncan s'empara du micro.

— Non, attends, dit Hanson. On n'a pas besoin de soutien pour l'instant. On leur dit simplement que c'est une inspection de routine.

Hanson et Dana avaient effectué des inspections régulières dans ces deux bars, et ils s'entendaient bien avec les propriétaires et les barmen. Tout le monde savait parfaitement bien, dans un endroit comme dans l'autre, qu'en cas d'incident, les choses deviendraient très vite *sérieuses*. Les Blancs et les Noirs étaient généralement polis les uns envers les autres quand ils se croisaient sur le trottoir, pour regagner leurs voitures.

Une société armée est une société polie, se dit Hanson.

Lorsque Duncan annonça à la radio qu'ils effectuaient une descente au bar, le sergent Bendix intervint sur les ondes.

— *Je suis à la sortie de l'autoroute, tout près de cet endroit. Il faut que je contacte rapidement le Cinq Soixante-deux. Je me rends sur place.*

— Merde, dit Hanson.

Le problème se situait à la *Dekum Tavern*. Les clients du *Soul Train* se contentaient de regarder. Pour l'instant. Hanson se gara devant le *Soul Train* et descendit de voiture.

— Comment ça va, Arthur ? demanda-t-il au patron, appuyé contre un panneau de stationnement, un cigare à demi consumé et éteint dans la bouche.

— Tout va bien. De ce côté-ci de la rue.

— Et là-bas, que se passe-t-il ?

Arthur haussa les épaules.

— Comment va, Lonnie ? demanda Hanson au barman, vêtu d'une tunique africaine rouge et vert, et qui observait la *Dekum Tavern* à travers d'énormes lunettes de soleil enveloppantes.

Lonnie ignora la question.

La tête penchée sur le côté, Hanson l'observa en plissant les yeux.

— Avec ces lunettes noires, tu sais que tu ressembles à... une sorte d'insecte. Tu le sais, Lonnie ?

Arthur éclata de rire.

— C'est exactement ce que je lui ai dit. Il ressemble à un gros insecte. (D'un mouvement de tête, il désigna le trottoir d'en face.) Tu connais le gamin qui conduit la vieille fourgonnette « Serrures Secours » ?

— Dewey Davis ?

— Je connais pas son nom, mais un enfoiré que j'ai jamais vu par ici lui a pété la gueule méchamment, juste à l'entrée, à l'instant. Et tous ses *amis* sont restés sans bouger, dit-il en secouant la tête.

— Le problème avec vous autres, les Blancs, dit Lonnie, c'est que vous faites pas front contre l'ennemi commun. C'est ça qui causera votre perte.

— Tu as peut-être raison, Lonnie.

— Tu veux que je m'en occupe ? demanda Duncan.

— Évidemment. Les Blancs, c'est ta spécialité, répondit Hanson, alors que le sergent Bendix se garait de l'autre côté de la rue.

Hanson le rejoignit juste au moment où Bendix décrochait son micro pour réclamer un soutien.

— Pas la peine, sergent. Rien de très grave.

— Vous êtes sûr ? demanda-t-il en observant la foule massée devant le *Soul Train*. Ça m'a l'air plutôt explosif.

— Le problème vient de la *Dekum Tavern*. Ces types sont juste là pour regarder. Ils veulent voir les flics maltraiter un Blanc. C'est Duncan qui s'en occupe.

Dewey se tenait à l'entrée du bar, tout près de la porte, à l'ombre ; il discutait avec un type vêtu d'un bleu de travail maculé de graisse. Il avait le visage en sang ; ses lunettes brisées pendaient à une oreille.

— Ça va, monsieur ? interrogea Duncan. Dois-je appeler une ambulance ?

— Non, bas la beine, dit-il en respirant par la bouche, des bulles de sang jaillissant de son nez cassé.

— Vous êtes sûr que vous ne voulez pas une ambulance ? demanda Bendix.

Dewey hocha la tête.

— Que s'est-il passé, monsieur ?

— Rien.

— Allons, monsieur, dit Duncan. Il s'est visiblement passé *quelque chose*.

Dewey secoua la tête et se retourna pour s'en aller.

431

— Dewey, dit Hanson en lui bloquant le passage. Regarde-moi.

— Tout va bien, dit-il. (Il avait un œil complètement rouge.) Je peux m'en aller ?

Hanson acquiesça.

— OK.

Quelqu'un dans le bar s'exclama :

— On appelle les flics, hein ?

Il avait un accent new-yorkais, et une voix forte.

— Tiens, pourquoi ai-je le sentiment que c'est notre homme, dit Hanson.

— Où est votre casquette ? lui demanda Bendix.

Hanson se retourna vers l'extérieur, puis vers Bendix.

— J'y vais.

Il traversa la rue en courant et récupéra sa casquette coincée derrière l'appui-tête du siège.

— Et maintenant, tu vas voir ce que tu vas voir, Lonnie, dit-il en claquant la portière. (Il se pencha au-dessus du capot et regarda le barman.) Je mets ma casquette spéciale « on ne badine pas avec la loi », dit-il en l'enfonçant au maximum sur son front, faisant ressortir ses oreilles.

— Je vais voir mon cul, oui, répondit Lonnie, sans même tourner la tête.

Duncan et Bendix discutaient avec un type râblé vêtu d'une chemise jaune, près des tables de billard. Adossé contre le bar, Hanson les observa. Darla, la barmaid, s'approcha, en ôtant sa cigarette de sa bouche, et s'accouda sur le comptoir. Elle portait un jean moulant, un ceinturon de cow-boy et un t-shirt gris à col en V, sans soutien-gorge.

— Voilà le genre de bar merdique pour les trouducs que c'est ici, clama le type à la chemise jaune. Des minables même pas capables de régler leurs problèmes eux-mêmes. Faut qu'ils appellent la flicaille !

— Un vrai connard, glissa Darla à l'oreille de Hanson. Il a cassé la gueule à Dewey. Parce qu'il l'avait « regardé », il paraît.

— Tu es disposée à déposer plainte ? demanda Hanson en se renversant sur ses coudes, et se souvenant du parfum qu'elle portait.

— De quoi qu'on m'accuse ? beugla le type. C'est quoi mon crime, hein ?

Darla tira sur sa cigarette.

— Dewey est un chouette gars, mais c'est à lui de décider. Moi, j'ai pas le temps d'aller au tribunal. Je veux juste que ce sale con foute le camp d'ici et qu'il retourne chez lui à New York ou je ne sais où.

— Tout le monde a peur de lui ? demanda Hanson, en regardant la barmaid par-dessus son épaule.

— Regarde-le ! Et en plus, ajouta-t-elle en se penchant en avant, faisant bâiller le col de son t-shirt, regardant Hanson dans les yeux, il a parlé d'une arme dans sa voiture.

Elle cracha la fumée du coin des lèvres.

— Une GTO rouge. Immatriculée à New York. Un peu plus haut dans la rue.

Hanson sourit.

— OK d'ac'.

— Ça fait plaisir de te revoir, dit-elle. Tu sais sûrement que Frank est de retour ?

— Ouais, dit-il en se retournant vers la table de billard. Navré de l'apprendre.

— Passe donc nous voir un de ces jours.

— Si vous avez rien à me reprocher, dit le type, j'ai d'autres choses plus intéressantes à faire.

— Je pense toujours à toi, tu sais ?

Bendix déclara :

— Nous essayons de déterminer exactement ce que...

— Décidez-vous, bordel !

Duncan jeta un regard vers Hanson, et haussa les épaules.

— Je ferais bien d'y aller, dit Hanson en se redressant. (Il se tourna vers Darla.) Moi aussi, je pense à toi.

— Qu'est-ce que vous me chantez là ? demanda le type à Duncan, alors que Hanson approchait, et en voyant le regard de Bendix, Hanson s'aperçut qu'il avait toujours sa casquette enfoncée sur les oreilles.

Il la laissa comme ça.

— J'entre ici pour boire une bière, et aussitôt, voilà un petit salopard qui veut me sucer la queue ! Demandez-lui donc ses papiers à lui !

— Certainement, monsieur, mais...

— Encore un ? s'exclama en voyant approcher Hanson derrière Duncan. Il ne manque plus que les commandos antiterroristes !

Hanson lui sourit.

— Si vous avez des accusations à formuler, faites-le, dit le type en prenant sa bière qu'il vida d'un trait. Sinon, je fous le camp de ce bar de pédales. Je connais mes droits, bordel ! Quelqu'un a quelque chose à dire ? lança-t-il à la cantonade. Alors ? demanda-t-il à Duncan.

Il reposa son verre sur la table de billard et passa devant le policier pour sortir.

— Excusez-moi, monsieur, dit Hanson en le suivant dehors, se déplaçant de manière à garder le soleil dans le dos.

Sur le trottoir d'en face, Arthur affichait un large sourire. Lonnie assistait à la scène tel un lézard vert et rouge aux yeux d'insecte.

— Quoi encore ? dit l'homme en se retournant.

Sa chemise était assombrie par les taches de transpiration sous les bras, les pans sortaient de son pantalon, au-dessus des poches. Il n'avait pas la démarche d'un homme ivre.

— Hanson, hein ? dit-il en plissant les yeux pour lire le nom sur la plaque. Officier Hanson. Qu'est-ce que vous voulez ? demanda-t-il en l'observant lentement de la tête aux pieds, avec une sorte d'outrance théâtrale.

Il avait des avant-bras épais, et un visage qui avait subi pas mal de dommages au fil des ans.

— J'aimerais sincèrement voir vos papiers, monsieur.

— Ah bon ? dit-il avec une ébauche de sourire. Et pourquoi donc, Hanson ?

— Fichtre, j'ai besoin de connaître votre nom pour rédiger mon rapport. Comme ça, j'aurai pas d'ennuis avec mon sergent, dit Hanson avec un sourire chaleureux, comme un bon fonctionnaire, les oreilles décollées sous sa casquette.

— « Fichtre » ? répéta l'homme. « *Fichtre ?* » (Il éclata de rire.) Pour votre rapport ?

— Oui, monsieur, dit Hanson en riant avec lui, la poitrine gonflée de bonheur.

Il ne s'était pas senti aussi bien depuis des jours.

L'homme marcha vers Hanson, comme s'il allait le percuter, mais il s'arrêta juste avant que leurs poitrines se touchent, et il le regarda droit dans les yeux en respirant par les narines, comme un taureau.

— D'accord, dit-il en reculant d'un pas. Je vais vous montrer mes papiers. Pourquoi pas ?

Il tendit la main gauche, ferma lentement le poing et le

434

brandit tout à coup entre leurs deux visages, en le tournant pour montrer à Hanson la montre qu'il portait au poignet, dont le verre venait, semble-t-il, d'être brisé. La bague en argent qu'il arborait à un doigt, une tête de lion avec des yeux en rubis, scintilla dans la lumière.

— Et ça, ça vous va comme papiers ?

— Je préférerais un permis de conduire. N'importe quel document avec une photo, ce sera parfait.

— Et vous serez heureux ? demanda-t-il en sortant de sa poche un paquet de cartes de crédit et d'identité, maintenues par des élastiques, le permis de conduire se trouvant sur le dessus.

— Oui, monsieur.

— Eh bien, régalez-vous, dit-il en lui brandissant le paquet sous le nez.

— Formidable, dit Hanson en observant l'homme par-dessus le permis de conduire, tout en lisant le nom. Morris Martin Murphy ?

— Bravo, mon vieux.

Quand Hanson voulut prendre le permis de conduire, Murphy l'éloigna et le rangea dans sa poche.

— Vous l'avez assez vu.

— New York, hein, monsieur Murphy ?

— Tout juste, Auguste. Et j'y retourne de ce pas. C'est la zone par ici.

— Vous êtes certainement d'origine irlandaise, je suppose ?

— Le pape est-il catholique ?

— Oui, monsieur.

— Vous n'êtes pas très intelligent, hein ?

Hanson sourit et secoua la tête.

L'homme se tourna vers toutes les personnes regroupées devant le *Soul Train*.

— Qu'est-ce que vous regardez, vous autres, nom de Dieu ? leur cria-t-il. Vous manquez pas de nègres par ici, hein ? dit-il en s'adressant à Hanson, en gardant les yeux fixés sur le trottoir d'en face. On se croirait à Newark, bordel de merde !

— J'ai lu quelque part, dit Hanson en se rapprochant, et en baissant la voix, que les Irlandais étaient les nègres de New York dans le temps, avant l'arrivée des autres nègres. Quel monde !

Murphy le regarda.

— Et je suppose, ajouta Hanson, que votre grand-mère était une sorte de négresse.

— Vous me croyez stupide à ce point ? Allez vous faire voir, dit Murphy en descendant du trottoir.

— Monsieur Murphy, dit Hanson en haussant la voix. Pour votre propre sécurité, je vous prie de remonter sur le trottoir en attendant que le feu passe au rouge.

— Je vous emmerde !

Le feu vert brillait à l'intérieur de son capuchon jaune, telle une idée joyeuse alors que Hanson descendait du trottoir pour rattraper Murphy, en se sentant comme un danseur qui est entré dans la musique ; comme s'il s'observait de l'endroit où il se tenait quelques instants plus tôt, en sachant que les secondes suivantes lui appartenaient.

— Monsieur Murphy ! S'il vous plaît ! s'entendit-il dire, en agrippant le coude de l'homme, un geste inoffensif aux yeux de tous les témoins.

La douleur enflamma le regard de Murphy, tandis que Hanson, sans se départir de son sourire, appuyait avec son pouce sur la tendre poche de tendons du coude de Murphy, jusqu'au minuscule groupe de nerfs qui contrôlaient l'articulation, les écrasant contre l'os.

« Tu aurais dû voir ça, dit-il à Zurbo le lendemain. J'étais une vedette de cinéma. Tu sais, ces foutus points sensibles qui ne marchent pas une fois sur deux ? Tu appuies avec ton pouce à cet endroit, et il ne se passe rien. Tu appuies plus fort et le type te regarde comme si tu étais pédé et que tu essayais de le tripoter ou je ne sais quoi. Eh bien, pas cette fois, votre Honneur. Cet enfoiré s'est redressé comme si je lui avais filé un coup d'aiguillon électrique à bestiaux. »

Hanson sentit Murphy basculer le poids de son corps pour décocher un coup de poing et il se baissa pour l'esquiver, en se glissant derrière lui. Il lui tordit le coude dans le dos et, se servant de l'élan de son adversaire, le projeta la tête la première dans le mur de brique de la *Dekum Tavern*. Après cela, il le décolla du mur, lui faucha les jambes et le plaqua sur le bitume, la tête la première. Il se laissa tomber sur lui, en lui enfonçant son genou dans les reins, pour lui passer les menottes, avant de se relever d'un bond, les bras au ciel comme un champion de rodéo. Des applaudissements s'échappèrent du seuil de la *Dekum Tavern*, et Hanson envisagea de saluer, mais jugea préférable de ne pas en faire trop. Il se tourna vers le sergent Bendix, et dit :

— Je me demande ce qui lui a fait perdre la tête tout à coup.

Duncan se pencha pour venir en aide à Murphy, mais Hanson l'arrêta.

— C'est bon, dit-il. Je m'en occupe. Allez, monsieur Murphy, dit-il en saisissant d'une main la chaîne des menottes. Laissez-moi vous aider.

Il lui tira les bras en arrière et en hauteur, exerçant une traction douloureuse sur les articulations des épaules.

— Je crains de devoir vous arrêter pour agression sur la personne d'un officier de police, monsieur Murphy.

Ce dernier se releva à genoux, en grognant.

— Allez vous faire foutre, Hanson. Espèce d'enfoiré.

— Allons, calmez-vous, monsieur Murphy, dit Hanson en accentuant encore un peu la pression des menottes. Pouvez-vous vous relever ?

Il tira d'un coup sec sur la chaîne pour le soulever.

— Allez vous faire foutre ! hurla-t-il en se retournant pour lui cracher dessus, mais Hanson souleva davantage les menottes, obligeant Murphy à se mettre sur la pointe des pieds, plié en deux au niveau des hanches, tel un plongeur sur le point de s'élancer du plongeoir, et il lui cogna la tête dans le mur.

— Je vous conseille de vous calmer, monsieur Murphy, dit Hanson en lui repoussant les jambes avec son pied, pour que tout le poids de l'homme repose sur son front. Monsieur Murphy, pourriez-vous écarter les jambes ? dit-il en l'aidant à s'exécuter. Juste un peu ? Pour la sécurité et la commodité de chacun ?

Il trouva les clés de voiture dans la poche de Murphy et les tendit à Duncan.

— On va être obligés de remorquer sa voiture. Va donc faire l'inventaire...

Murphy essaya de se relever, mais Hanson le repoussa contre le mur.

— La GTO rouge un peu plus haut dans la rue. Avec une plaque new-yorkaise. Regarde bien partout à l'intérieur.

Après avoir fini de fouiller Murphy, il lui fit traverser la rue, sur la pointe des pieds, les jambes tendues, et l'installa à l'arrière de la voiture de police.

— Joli travail, dit Bendix.

Il sourit à la foule devant le *Soul Train*.

— Ça va bien aujourd'hui, messieurs ?

Personne ne lui répondit.

Bendix hocha la tête, essayant de réprimer un sourire.

— Tant mieux. Je ferais mieux de retourner au boulot, dit-il à Hanson. Je vous verrai une prochaine fois.

— Je vous emmerde ! cria Murphy à deux adolescents noirs qui l'observaient à travers la vitre de la voiture. Saloperie de négros !

Ils s'esclaffèrent et plaquèrent leurs visages contre la vitre qui déforma leurs nez et leurs joues, et grimacèrent et grognèrent comme s'ils observaient un animal en cage.

Murphy se tourna vers la vitre, en tirant sur les menottes, à croire qu'il espérait briser la chaîne.

— Aaargh !

Il y mettait toutes ses forces, le visage cramoisi et déformé.

— Enfoirés de nègres !

Il leur cracha dessus jusqu'à ce qu'il n'ait plus de salive, la bave lui dégoulinant sur le menton.

— Je vous emmerde ! Je vous emmerde ! beugla-t-il en se décollant du siège.

Il se jeta la tête la première vers les adolescents hilares, et s'ouvrit le cuir chevelu contre la vitre zébrée de crachats, la maculant de sang.

— Ce dingue va se briser le cou, commenta Arthur.

Hanson monta dans la voiture de patrouille et observa Murphy dans le rétroviseur.

— Essayez de vous contrôler, monsieur Murphy.

— Allez vous faire mettre !

Il balança ses jambes sur la banquette en se trémoussant et se contorsionnant, tel un paraplégique devenu fou, tandis que Duncan traversait la rue, avec un grand sourire, un Chief's Special .38 dans une main et un petit flacon de poudre blanche dans l'autre.

— Fichtre, monsieur Murphy, dit Hanson, on dirait que ça fait *deux* motifs d'inculpation.

— Aaargh ! rugit Murphy, comme un cri prisonnier de sa poitrine, en continuant à s'agiter pour finir par s'accroupir sur la banquette. Allez vous faire enculer ! hurla-t-il, alors que Duncan montait à son tour dans la voiture, et il donna un grand

438

coup de tête dans la paroi en plexiglass, faisant vibrer le véhicule.

Bang.

— J'ai peur qu'il finisse par se faire mal, dit Hanson, suffisamment fort pour que des témoins puissent confirmer ses craintes si jamais l'affaire finissait devant le tribunal. Et je suis responsable de sa sécurité.

— Je vais vous tuer !

Bang.

— Je déteste être obligé de balancer du gaz lacrymogène sur un prisonnier attaché, dit Hanson, mais je ne vois pas d'autre solution pour le calmer.

— Dans la bagnole ? dit Duncan.

— On prendra l'autoroute et on ouvrira nos vitres, répondit Hanson en décrochant la bombe de « Mace » de sa ceinture, tout reviendra sur ce connard derrière.

— Les Affaires internes vont...

— Je les emmerde, dit Hanson en descendant de voiture en agitant la bombe de gaz pour qu'elle soit plus efficace.

Il se pencha pour regarder Murphy à travers la vitre, en tenant la bombe dans son dos.

— Juste une petite giclée, dit-il.

Bang.

Il ouvrit la portière, aspergea le devant de la chemise de Murphy et s'empressa de refermer la portière avant qu'il ne puisse bondir au-dehors.

Lorsqu'il démarra, Hanson ouvrit son déflecteur pour que l'air souffle sur son visage, mais déjà, ses yeux commençaient à larmoyer, alors que le gaz lacrymogène se répandait à l'avant par les côtés de la cage de plexiglass.

— Vous valez pas mieux que moi ! hurla Murphy, recroquevillé comme une gargouille sur la banquette arrière, le visage ruisselant de sang.

Jetant un coup d'œil dans le rétroviseur, Hanson croisa les yeux rougis, le visage livide et sanglant.

— Parfaitement ! sanglota Murphy qui pleurait de rage, bulles de morves sortant de ses narines à chacune de ses respirations affaiblies.

Hanson reporta son attention sur la route, le visage en feu, lui aussi. Les effluves piquants du gaz s'infiltraient dans son nez, dans sa gorge, s'accrochaient à son uniforme, lui brûlaient les aisselles et l'entrecuisse.

— Vous vous croyez mieux que moi, mais c'est pas vrai !

Hanson pensa que Murphy avait raison, mais il s'en foutait.

Son service terminé, il se rendit chez Sara, sans quitter son uniforme. Tiny Tim vint lui ouvrir la porte.

— Oh, Seigneur, dit-il en reconnaissant Hanson. C'est vous. J'adore votre uniforme. On a le temps pour quelques brutalités policières ?

— Ça se pourrait, répondit Hanson.

Le rictus idiot de Tiny Tim se crispa, se transforma en un grand sourire forcé.

— Je vais la chercher, dit-il.

Hanson entendit les talons hauts traverser l'immense et sinistre living-room.

— Je ne pensais pas te revoir un jour, dit-elle.

Quelques secondes plus tard, elle émergea de la pénombre, vêtue d'une de ses tenues « de travail », chères et sexy, et elle hésita en découvrant Hanson en uniforme. Elle s'approcha, en le dévisageant.

— Mais j'en suis ravie, dit-elle. Tu as l'air différent. Et pas uniquement à cause de l'uniforme.

Alors qu'ils gravissaient l'escalier, quelque part au-delà du living-room, derrière les épaisses portes coulissantes, une lumière scintilla, puis s'intensifia, accompagnée du ronronnement d'un petit projecteur de cinéma.

En haut, dans sa minuscule chambre qui sentait le renfermé, elle voulut l'embrasser.

— Non, dit-il en la saisissant par les poignets. Pas maintenant.

— Que t'est-il arrivé ?

Il la lâcha.

— Ne bouge pas, dit-il d'une voix qu'il employait avec les suspects armés.

Elle obéit, le regarda pendant qu'il la déshabillait ; le parfum chaud du « Mace » émanait de lui, telles des vapeurs d'essence. Elle laissa échapper un petit cri quand il l'attira contre lui, le gaz séché sur son uniforme, se mélangeant à la sueur, lui brûlait la peau. Puis elle sourit, se plaqua contre le pantalon en laine, remonta le long de ses cuisses, se frotta contre la lourde ceinture, défit la cravate, les boutons de la chemise.

Plus tard, les marques rouges de sa boucle de ceinture et des fermoirs de sa bourse contenant les balles, imprimées sur le ventre de Sara, il la chevaucha, totalement nu, à l'exception du *katha* autour de son cou. Leurs cuisses, leurs ventres et leurs poitrines en feu, elle lui sourit, le visage rougi et mouillé de larmes à cause du gaz, les yeux brillants.

— Vas-y ! dit-elle. Vas-y !

29

AYANT PRÉVENU LE DISPATCHER, ils reprirent la direction de North Precinct. Il était encore un peu tôt pour envisager de rentrer, alors, au lieu de prendre l'autoroute, ils roulèrent vers le nord en traversant tout le secteur.

Hanson entendit la Cadillac d'Aaron Allen avant de la voir, entendit la voix de Wardell le DJ dans les haut-parleurs volés, fissurés et crachotants, en train de délirer comme un évangéliste prédisant la fin du monde. « ... eh oui, eh eh ! On est en direct de chez 'Fred's Total Detail', le roi de l'accessoire auto ! Et on est avec Fred en personne, Detail Fred, le mec plus ultra de l'aaavenue ! Quand je me pointe chez Fred avec ma caisse, je sais que je serai traité comme un roi, et quand je repars dans ma bagnole super classe, je sais que ce soir je vais impressionner quelques jeunes daaaaaames !... »

Hanson transmit leur position par radio, et vint se placer derrière la Cadillac. Il lança un coup de sirène, mais Aaron ne jeta même pas un coup d'œil dans le rétroviseur.

— Si on allumait le gyrophare ? proposa Hanson, en observant la tête et les épaules d'Aaron.

— Et si ça se finit au tribunal, dit Duncan, tu évoqueras quel motif pour l'avoir arrêté ?

— Il roule en zigzaguant.

— Je n'ai pas remarqué.

Hanson se tourna vers son collègue et faillit percuter la Cadillac. Duncan alluma le gyrophare, mais l'énorme voiture constellée de croûtes de rouille continua à avancer comme un bateau sur une mer agitée, les pare-chocs enfoncés, les pneus presque à plat, la vitre arrière en forme de losange inondée de lumière bleue et rouge, et Wardell qui beuglait à la radio.

« ... Fred, parle à tous ces gens qui écoutent leur ami Wardell de ton offre spéciale "Autour du Monde" de cette semaine. »

« Eh bien, Wardell, on offre un... »

Chaque fois que la Cadillac passait dans un nid-de-poule, un mauvais contact dans les haut-parleurs de la radio coupait la voix de Wardell pendant quelques secondes.

« Et combien tu prends pour ce "Tour du Monde", Fred ? »

Hanson s'apprêtait à annoncer à la radio qu'ils avaient une « tentative de fuite », bien que la Cadillac n'ait nullement accéléré, lorsque celle-ci pénétra sur un parking obscur, à l'ombre d'un entrepôt désaffecté.

« Wardell, pendant une semaine seulement, on... »

« Vingt dollars pour le tout. C'est bien ça, Fred ? »

« Euh... ouais, c'est... »

« Génial ! Merci, Fred. Et maintenant, on retrouve les B.T. Express avec *I'll Take You There*. »

Les portières de la Cadillac s'ouvrirent en grand et cinq, ou peut-être même six, gamins jaillirent dans le noir, alors que la voiture n'était pas encore immobilisée. Aaron resta assis derrière le volant, illuminé par les lumières tournoyantes du gyrophare, pendant que la radio crachait des basses.

— Descends de là, ordonna Hanson en ouvrant la portière, le faisceau de sa torche braqué dans les yeux d'Aaron.

Duncan se tenait juste derrière la portière arrière ouverte, la main sur son arme dans l'étui.

La voiture était pleine de barres Twinkies, des centaines de paquets, certains en vrac, d'autres encore dans des boîtes de vingt, sur les sièges et par terre, ainsi qu'une demi-caisse de vin Annie Greensprings. Il flottait une forte odeur de marijuana.

Aaron regardait droit devant lui à travers le pare-brise, comme s'il était seul dans un espace infini, les pupilles dilatées, noires et glacées comme celles d'un faucon estropié.

— Descends de cette voiture.

Il semblait ne pas remarquer la présence de Hanson, jusqu'à ce que celui-ci coupe le contact.

— Hé, touche pas à ma caisse, mec ! dit-il en repoussant la main de Hanson.

443

Hanson l'extirpa de la voiture avant qu'il n'ait achevé sa phrase; il le cogna contre la portière et le plaqua sur le capot, à plat ventre.

— Tu me touches encore une fois, sale petite merde, grogna Hanson en le cognant contre le capot et en lui écartant les jambes avec son pied, je te pète la main !

Duncan lui passa les menottes et l'installa à l'arrière de la voiture de patrouille. La patrouille Cinq Quatre-vingts, Zurbo et Neal, passèrent au moment où Hanson interrogeait le fichier. Ils jetèrent un coup d'œil à l'intérieur de la Cadillac et coupèrent le contact, faisant taire la radio. Zurbo fit tinter les clés qu'il avait récupérées sur la Cadillac, tandis que Neal et lui marchaient vers la voiture de Hanson.

— Twinkies et Annie Greensprings, commenta Zurbo. Voilà qui couvre tout l'éventail des principaux groupes alimentaires. Il est défoncé?

— Il ne sait même pas dans quelle ville on est, répondit Hanson. On sera ravis de vous refiler l'arrestation pour conduite en état d'ivresse.

— Non merci, sans façon, dit Zurbo en riant.

— Deux plombes de paperasses, dit Neal en se penchant pour braquer sa lampe sur Aaron. Pour rien.

— En plus, c'est l'heure d'aller au club, ajouta Zurbo. Peut-être qu'on vous y verra plus tard. Ça devrait pas vous prendre plus de deux ou trois heures pour faire l'inventaire de tous ses Twinkies et aller les déposer au central.

— Des Twinkies? Quels Twinkies?

— Prenons une photo et rentrons à la maison, dit Zurbo quand ils eurent cessé de rire. J'ai pas de photo d'Aaron.

Ils éteignirent toutes les lumières et Hanson sortit Aaron de la voiture de patrouille.

— Qu'est-ce que tu as avalé comme pilules ce soir, Aaron? demanda Neal, tandis que Hanson ramenait l'adolescent vers l'avant de la Cadillac.

— Je touche pas à la dope.

— Tu vas pouvoir repartir, dit Hanson en lui ôtant les menottes, dès qu'on t'aura tiré le portrait.

Aaron se retourna pour le regarder, faisant appel à toute la volonté nécessaire pour combattre la came dans son organisme.

— Suce ma bite, Hanson. Tu peux m'emmener en tôle si

t'as un motif d'inculpation, mais t'as pas le droit de me prendre en photo avant que j'ai dix-huit ans.

Les yeux d'Aaron brillaient dans l'obscurité du parking, tandis que Zurbo reposait son appareil photo et approchait de la Cadillac.

— Et d'ici là, je ferai le mac à LA, dit-il en se prenant les parties génitales à deux mains. Des salopes blanches me suceront la queue pendant que je boirai du Chivas Regal, et toi, tu seras toujours là, à foutre des contraventions sous la pluie, comme un pauvre con.

— C'est pourquoi faire ça ? demanda Zurbo en sortant un démonte-pneu de sous le siège.

— Pour changer les pneus, mec.

Zurbo le posa sur le toit.

— Hé, faites gaffe à la peinture, bordel !

Lorsque Zurbo fit glisser l'extrémité pointue du démonte-pneu sur le toit de la Cadillac, Aaron bouscula Hanson pour intervenir.

— Ne lève pas la main sur moi ! dit Hanson en le saisissant à la gorge.

Les yeux d'Aaron papillotèrent ; sa gorge palpitait dans la main de Hanson. Il serra plus fort, en enfonçant ses doigts derrière la trachée. Aaron voulut le frapper, alors Zurbo et Neal se jetèrent sur lui, rapides et efficaces. Quelques secondes plus tard, Aaron vomissait sur son pantalon et sur ses chaussures.

— Viens par ici, dit Zurbo, en récupérant le démonte-pneu sur le toit.

Il braqua la lampe sur le visage d'Aaron où des restes de gélules rouges pas digérées se mélangeaient au vomi qui coulait de son nez et sur son menton. L'odeur âcre se mêlait à une autre.

— Je crois que tu as chié dans ton froc, Aaron, dit Neal.

— Essuie-toi la figure avec ta chemise, ordonna Zurbo.

— On va prendre ta photo, enfoiré. Je pourrais te descendre et dire que tu as essayé de me frapper avec ce truc, dit-il en abattant le démonte-pneu sur le toit de la Cadillac. Si tu préfères ça, ajouta-t-il en plantant l'extrémité pointue du démonte-pneu dans le toit.

— On ne bouge plus !

Le flash le surprit avec sa chemise dans la main.

— Encore une, dit Zurbo.

Le flash éclaira l'image d'un Aaron affichant un sourire, la main plaquée entre les cuisses. Du moins, il prenait ça pour un sourire. Aaron ne souriait jamais. Personne ne lui avait jamais appris à se brosser les dents, il n'était jamais allé chez le dentiste, alors il essayait de masquer ses dents gâtées.

Zurbo lança les clés de la voiture par-dessus l'entrepôt, puis, en regardant Aaron, il retira le démonte-pneu planté dans le toit de la Cadillac, avec un grincement.

— Fous le camp d'ici, dit-il.

Comme Aaron ne bougeait pas, il brisa la vitre arrière.

— La prochaine fois, c'est le pare-brise.

Aaron fit quelques pas, en essayant de se pavaner, malgré ses jambes tremblantes.

— La chasse au négro avec flingue et appareil photo, dit Zurbo en remettant le cache sur l'objectif. Je vous filerai un tirage, les gars. Allons boire une bière.

Hanson prit son carnet de citations pour contraventions sur le tableau de bord de la voiture de patrouille.

— Autant en profiter pour en remplir deux ou trois, dit-il.

— La justice de la rue ! s'écria Zurbo en repartant.

Hanson revint vers la Cadillac, regardant Aaron passer sous le seul lampadaire intact de la rue, puis disparaître dans la nuit.

— Tu ne l'as pas vu rouler en zigzag ? demanda Hanson en se retournant vers Duncan. Que dirais-tu de... feu arrière défectueux... ? demanda-t-il en le brisant avec sa lampe torche. Voilà un motif, non ?

Il rédigea un PV pour excès de vitesse et un autre pour « refus de priorité », en coinçant sa lampe sous son bras, et il les jeta sur le siège du conducteur, aussi large qu'un canapé, taché et déchiré au niveau des coutures. La rouille avait rongé les jantes de l'énorme et vieille Cadillac et transpercé la peinture rouge, un enduit s'écaillait sur les ailes cabossées, mais les protège-jantes, coûteuses et volées, étaient étincelantes.

Hanson éteignit sa lampe. La tête penchée sur le côté, il tendit l'oreille. À l'autre bout du parking, quelque chose faisait un bruit de cage métallique.

— Pharaon ? s'écria-t-il.

La voix de Pharaon résonna :

— On est tous dans le noir ce soir, mais je sais que tu es là, Hanson...

Hanson sourit ; le bruit de ferraille du Caddie de Pharaon s'éloigna. Au moment où il claquait la portière de la Cadillac, la radio se fit entendre de nouveau. Wardell parlait comme s'il ne s'était jamais arrêté pour reprendre son souffle.

« ... on est avec DeRoin, élève au lycée Lincoln », dit Wardell, alors que Hanson s'éloignait. « Depuis combien de temps tu écoutes cette émission, DeRoin ? Hein, qu'est-ce que tu dis ? Éloigne ta radio du téléphone pour que je t'entende... Tu veux savoir à quoi ressemble M. Jones ? »

Hanson s'arrêta.

« Je l'ai jamais vraiment rencontré. Personnellement. Mais les frères qui, eux, l'ont rencontré, prononcent son nom avec respect. Tu piges, DeRoin ? On dirait qu'il passe son temps à bosser. Pas facile d'avoir un rendez-vous avec lui. C'est un gars très puissant, il paraît. Mais il saura que tu t'intéresses à lui... Voici le nouveau tube des Commodores que tu as réclamé... »

Hanson regagna la voiture de patrouille ; la radio d'Aaron martelait son dos.

— Zurbo a raison. Sans la justice de la rue, il n'y aurait *aucune* justice. Le tribunal ne leur fait pas peur. Il faut qu'ils aient peur de nous.

— Quelle importance ? Je refuse de foutre ma carrière en l'air à cause d'une pauvre petite merde comme lui. J'ai rien vu. Si on me demande pourquoi, je dirai que je cherchais des formulaires dans le coffre. D'ac' ?

Hanson acquiesça.

— Cinq Soixante-deux opérationnels, annonça-t-il par radio. S'il n'y a pas d'appels en attente, on rentre au bercail.

— *Ça pourra attendre la deuxième équipe de nuit. Cinq Soixante-deux rentre au bercail à... 23 h 57.*

— J'espère que tu ne le prendras pas mal, dit Duncan, mais j'ai demandé au sergent Bendix si je pouvais pas travailler dans un autre secteur. Ce n'est absolument pas une critique contre toi.

Au club, Hanson descendit plusieurs Bushmills avec sa bière, sans quitter la pendule des yeux. Il redoutait d'affronter Helen depuis la mort de Dana, repoussait cet instant le plus possible. Lorsqu'il repartit, il croisa deux types de la deuxième équipe de nuit qui montaient l'escalier en riant.

Quelqu'un, lui dirent-ils, avait foutu le feu à la voiture d'Aaron Allen.

— Ils lui ont piqué ses protège-jantes et ils ont fait cramer sa bagnole.

Toutes les lumières étaient allumées lorsqu'il passa devant chez Dana. Il fit deux fois le tour du pâté de maisons, en essayant de trouver ce qu'il allait dire à Helen.

— Salut, dit-il lorsqu'elle vint lui ouvrir la porte.

Elle resta immobile.

— Tu es ivre, dit-elle.

Des gens parlaient et riaient dans le living-room derrière elle. On entendait de la musique classique.

— C'est gentil d'être venu, mais il n'y a rien à dire. Dana t'aimait beaucoup, mais il est mort. Bonne nuit.

Au moins, se dit Hanson, elle a attendu que je sois au pied des marches avant de fermer la porte.

30

Août

IL ÉTAIT TROIS HEURES DU MATIN lorsqu'il se gara devant chez lui ; voilà trois semaines qu'il réussissait à tenir le coup depuis qu'il était retourné dans les rues. Il patrouillait seul désormais.

Il coupa le moteur et se laissa aller dans son siège, épuisé, l'odeur de Sara montant de sa chemise et de son pantalon. Il était persuadé qu'elle baisait avec Tiny Tim, mais il n'avait pas la force de prendre ses distances, ni même d'évoquer le problème avec elle.

En découvrant que le caillou n'était plus sur le seuil de la porte d'entrée, il dégaina son arme, redescendit de la véranda, dans l'ombre de la lune, et tendit l'oreille.

Ils auraient pu lui tendre une embuscade au moment où il arrivait, ou bien le tuer lorsqu'il était assis à l'intérieur de la camionnette, pensa-t-il. L'abattre de la fenêtre ou de la véranda. Il *méritait* d'être tué. Il s'allongea à plat ventre, et, la joue posée sur le sol, aperçut, de l'autre côté du chemin, des traces de pneus encore fraîches, mises en relief par l'éclat de la lune. Des traces qui arrivaient et repartaient, et un seul groupe d'empreintes de pas, une jambe qui semblait traîner légèrement. Doc.

Il rampa jusqu'à la fenêtre, se redressa pour jeter un œil à l'intérieur, et Truman, qu'il avait laissé sur la véranda cet après-midi en partant, se dressa derrière le carreau.

Hanson entra, toujours sur ses gardes, inspectant toutes les pièces une par une, s'arrêtant à chaque porte pour écouter. Il n'y avait personne dans la maison, à part Truman. Il ne remarqua rien d'anormal, jusqu'à ce qu'il entre dans la cuisine.

L'araignée était en train de tisser une nouvelle toile. Hanson l'évita soigneusement pour accéder aux fondations. Le carton avait disparu.

Doc débarqua peu de temps avant l'aube, visiblement mal en point. Il ne se plaignait pas, mais Hanson comprit que ses jambes le faisaient souffrir.

— J'ai besoin d'un endroit pour disparaître un jour au deux. Deux jours maximum, mais si tu ne veux pas...

— On ferait mieux de planquer ta bagnole, dit Hanson.

Ils la rentrèrent en marche arrière dans la grange, après quoi Hanson redressa l'herbe avec un râteau pour masquer les traces de pneus. Il ne demanda pas ce qui se passait, car il ne voulait pas le savoir. Il ne demanda même pas à Doc comment il avait découvert la boîte.

Doc dormit presque toute la journée, se levant à peu près au moment où Hanson partait travailler. Le soir, après s'être couché, Hanson l'entendit se déplacer en boitant au rez-de-chaussée, fouiller dans les rayonnages de livres et parler à Truman.

En sentant l'odeur des allumettes brûlées, il comprit que Doc faisait chauffer une drogue quelconque. De l'héroïne certainement, pour la douleur.

Le troisième matin, quand Hanson se leva, Doc était parti. Il avait laissé quelques grammes de cocaïne, accompagnés d'un mot : « Faut que je parte. J'ai pensé que tu aurais sans doute besoin de ça. » Dessous, il avait hésité, semble-t-il, tapotant plusieurs fois sur la feuille avec la pointe du stylo, avant d'ajouter : « Prends soin du chien. »

Hanson avait une telle gueule de bois en arrivant au travail qu'il comprit qu'il avait eu tort de ne pas se faire porter malade. Durant le briefing, il s'efforça de paraître moins mal en point qu'il ne l'était réellement, tandis qu'il notait les renseignements concernant des suspects et des numéros de plaque d'immatriculation. En sueur, et s'obligeant à sourire, il récupéra son fusil et prit soin d'éviter le sergent Bendix lorsqu'il regagna sa voiture.

Mais dans la rue, c'était pire. Le soleil de la fin d'après-midi semblait hurler dans ses oreilles à travers le pare-brise maculé d'insectes écrasés, faisant bouillonner l'asphalte comme du kérosène. La voiture de patrouille surchauffée empestait le tabac, le vomi et le sang. Il s'arrêta dans les toilettes d'une station-service et se força à rendre dans la cuvette dégoûtante. Il s'aspergea le visage d'eau et se regarda dans le miroir fendu et écaillé au-dessus du lavabo ; son reflet vague, emprisonné par le verre sale.

— Hé ! Comment ça va, officier ? demanda le jeune pompiste au moment où Hanson ressortait des toilettes.

— Très bien, répondit Hanson. Très bien, dit-il en se dirigeant vers le sanctuaire de sa voiture.

L'adolescent lui emboîta le pas.

— Qu'est-ce que vous pensez de vos nouvelles Chevrolet ?

— Parfait, dit Hanson. J'aimerais juste qu'ils les lavent de temps en temps.

— C'est des petits bolides, hein ?

Le gamin mâchait un chewing-gum en fumant une cigarette ; la fumée agressait le visage de Hanson comme des émanations d'égout.

— Ouais, dit-il en montant dans sa voiture, c'est mieux que les Ford.

— Vous savez, j'ai l'intention de passer les tests pour entrer dans la police dès que j'aurai vingt et un ans. J'ai toujours rêvé de devenir flic, depuis que je suis gosse.

— Ah bon ? fit Hanson en mettant le contact. J'ai un appel qui m'attend. Faut que j'y aille. Bonne chance pour les tests. À un de ces jours.

Sur ce, il s'en alla, alors que le gamin était encore penché en avant pour lui parler par la vitre.

Hanson heurta le trottoir en cherchant ses lunettes de soleil, et une voiture qu'il n'avait pas vue arriver dut faire un écart important pour l'éviter.

Formidable, pensa-t-il, un bon exemple pour ce futur combattant du crime qui me regarde.

Il aurait dû se montrer plus sympathique avec ce gamin, se dit-il. Il ne réussirait jamais le test écrit et l'entretien, mais pourquoi ne pas lui laisser son rêve minable jusqu'à ce que les connards et sa propre stupidité le lui enlèvent ? Moi aussi, je suis un connard, se dit-il, mais il y avait quelque chose d'anormal à rêver de devenir flic depuis l'enfance. Quelles idées à la con avait-il dans la tête ? Sans doute avait-il installé un scanner de la police dans sa voiture ; il faisait partie de ces types qui débarquent sur les lieux d'un accident de la circulation, à bord d'un break avec des lumières sur le toit, pour « aider », comme ils disent.

Droit devant lui, un camion de location, empli de fauteuils roulants pliants, roulait en zigzag sur la bande blanche de la file de droite. Hanson déboîta pour le doubler et au même moment, le camion fit une embardée qui l'obligea à empiéter sur la voie des véhicules venant en sens inverse, les fauteuils roulants s'entrechoquant dans un bruit de ferraille au-dessus de sa tête, comme une sorte de langage de terreur. Il réussit à doubler malgré tout, et tourna dans la première rue à gauche, face au soleil, avec l'espoir que le camion ne le suivrait pas. Il n'avait pas envie de perdre deux heures à verbaliser un conducteur ivre qui transportait des fauteuils roulants.

Il passa devant des jardins jonchés d'ordures et des vérandas délabrées, où de vieux Noirs restaient assis du matin au soir, à regarder les voitures et à boire au goulot, les bouteilles cachées dans des sacs en papier. Soudain, tout au bout de la rue, la silhouette d'un coureur se découpa dans la lumière aveuglante, émergea du soleil et avança vers lui, en scintillant comme une apparition spectrale. Aaron Allen. Un parpaing dans chaque main, son torse nu couvert de sueur, il soulevait alternativement les deux gros parpaings, en se faufilant au milieu de la circulation et des voitures en stationnement.

Il traversa le carrefour à toutes jambes, droit sur la voiture, regardant Hanson avec une haine absolue. Il continua à courir, jusqu'à ce que Hanson freine brutalement, et au dernier moment, il esquiva la voiture, sans s'arrêter. Hanson le chercha dans le rétroviseur, mais il avait disparu, évanoui comme le feu follet du Ghetto.

Peut-être que la haine pourrait le sauver, songea Hanson. Peut-être la haine était-elle l'unique échappatoire pour chacun ? Sans doute ne servirait-elle qu'à provoquer sa mort, mais c'était déjà un moyen de s'échapper.

— *Cinq Soixante-deux.*

— Cinq Soixante-deux, j'écoute.

— *Cinq Soixante-deux, nous avons reçu un appel de la Tri-Met. Leur chauffeur dit qu'un des passagers lui crée des ennuis. Et que ce n'est pas la première fois.*

— Un gars très créatif. OK, indiquez-moi l'endroit. Je vais aller lui parler.

452

Le bus de la Tri-Met était stationné le long du trottoir, devant le banc vert d'un arrêt d'autobus, le moteur tournait au ralenti, crachant des bouffées de diesel. Hanson s'arrêta devant et revint à pied, vers les portes en accordéon.

La conductrice du bus se tenait en haut des marches en aluminium, en train de se disputer avec un type portant un costume crasseux. Il avait une peau mate toute séchée et craquelée. Un œillet métallique était enfoncé dans sa gorge. Chaque fois qu'il parlait, il couvrait l'orifice avec son doigt et éructait ses paroles.

La conductrice était une de ces jolies et robustes femmes noires qui semblaient conduire la moitié des bus de la ville. Elle portait le tailleur gris de la Tri-Met; sa pince à composter était glissée dans un petit étui noir.

Hanson avait la tête en feu, et il avait l'impression qu'il aurait pu boire des litres d'eau glacée.

— Vous n'avez qu'à appeler la compagnie des autobus, disait-elle au type. C'est eux qui dirigent tout ça.

Son rouge à lèvres et son vernis à ongles étaient de la même nuance sombre.

— Tout le monde veut quelque chose, ajouta-t-elle. Moi, j'aimerais mieux être tranquillement chez moi, au lieu d'être dans ce bus! Qu'est-ce que vous avez de différent des autres?

Hanson gravit les marches; les passagers avaient les yeux fixés sur lui, attendant de voir ce qu'il allait faire.

— Je refuse de descendre de ce bus, déclara l'homme, en regardant la conductrice, puis Hanson, sans avoir un reçu!

La conductrice jeta un regard à Hanson, avant de revenir sur l'homme.

— Maintenant que la police est là, je vous repose la question. Vous voulez un reçu pour *60 cents*? Pour un trajet en bus? Pour quel genre d'entreprise vous travaillez? Ils m'ont l'air sacrément radins! Fallait prendre le taxi! *60 cents*? Me faites pas rire!

L'homme se lança alors dans une litanie répétitive qui évoquait le coassement des grenouilles.

— J'exige un reçu, j'exige un reçu...

— Je suis déjà en retard! s'exclama une grosse femme vêtue d'un sweat-shirt sans manches, assise au fond du bus. Cet abruti nous fait perdre du temps.

— Hé, mec, faut que j'aille bosser ! dit un gamin en uni-forme Dairy Queen. La dernière fois que je suis arrivé en retard, ils m'ont dit : « Si tu arrives encore une fois en retard... »

— OK, OK ! dit Hanson en levant la main. Calmez-vous...

— ... un reçu, j'exige un reçu...

— Hé ! cria Hanson à l'homme au trou dans la gorge. Arrêtez. J'ai mal à la tête.

L'homme interrompit sa litanie.

— Officier, croassa-t-il, je ferai tout pour faire respecter mes droits.

— Vos droits ? s'exclama la conductrice. Quels droits ? De quels droits vous parlez ? Celui de jouer les abrutis ? Celui d'emmerder tout le monde ?

— Madame, dit Hanson. Madame ! Écoutez-moi une minute.

— Je vous écoute.

— Pourquoi ne peut-il pas avoir de reçu ?

— Parce qu'il est monté dans le bus avec un billet de correspondance. Voilà pourquoi. Un billet de correspondance, ça vaut rien. Il a pu le ramasser dans la rue. Je *peux pas* donner un reçu pour un billet de correspondance. Un billet, *c'est* un reçu. Lui, il avait pas de billet...

— J'exige un reçu...

— Silence ! s'écria Hanson en pointant son doigt sur l'homme.

— Je dois suivre le règlement..., dit la conductrice.

— J'ai un rendez-vous ! cria quelqu'un dans le bus.

— J'en ai marre de cette histoire, dit la conductrice. Je veux que vous arrêtiez cet homme.

— Un instant. (Hanson sortit son carnet.) Écoutez, dit-il à l'homme. Je vais vous faire un reçu, d'accord ?

— Vous pouvez pas faire un reçu pour la compagnie de bus, déclara la conductrice.

— Si, je peux, répliqua Hanson en la foudroyant avec des yeux injectés de sang. Écoutez-moi bien. Je le fais sous *ma* responsabilité. OK ?

Il avait des nausées. Il aurait voulu s'allonger dans un endroit sombre, frais et tranquille. Un endroit que personne ne connaissait. Un endroit sûr. Une grotte au bord d'une rivière, par exemple, où il pourrait écouter le bruit de l'eau.

— Quel est votre matricule ? demanda la conductrice, et Hanson se tourna pour lui montrer son insigne.

— Très bien, dit-elle, on verra ça.

Elle se dirigea vers l'avant du bus et s'assit pour écrire quelque chose dans un carnet.

— Bon, fit Hanson en se retournant vers l'homme. Comment vous appelez-vous ?

— Pourquoi vous voulez mon nom ? J'ai rien fait de mal ! C'est *elle* qui est dans son tort !

— Il me faut votre nom pour rédiger le reçu.

— Duane Thomas. D.U.A.N.E.

— Merci.

Hanson écrivit : « REÇU : Un trajet en bus pour Duane Thomas. 60 cents. » Il ajouta l'heure et la date, son matricule et son nom, et le numéro de téléphone de North Precinct.

— Ça vous va comme ça ? Si jamais vous avez un problème avec votre patron, ou votre femme. Avec le fisc. Avec n'importe qui. Demandez-leur de m'appeler à ce numéro, OK ?

Duane examina le reçu.

— OK ? demanda Hanson.

— Ça m'a pas l'air très officiel, dit Duane.

— Si, c'est très officiel. C'est parfait. Vous descendez là ?

— Oui...

— Très bien, au revoir. Vous avez votre reçu. N'oubliez pas vos affaires, dit-il en lui tendant un sac posé sur le siège à côté de lui.

— Mais...

— Très bien. Au revoir. Laissons ces gens poursuivre leur trajet, dit-il en conduisant Duane vers la porte du fond. Salut, Duane, et merci.

Il remarqua son visage déformé dans le miroir concave au-dessus de la porte ; c'était exactement comme ça qu'il se sentait.

— Je vois pas comment la police peut donner un reçu de bus ! dit la conductrice, tandis que Hanson revenait vers l'avant. Vous travaillez pas à la Tri-Met.

Hanson déposa deux *quarters* et une *dime* dans la caisse, en regardant les visages lunaires des présidents morts dégringoler, *ding ding ding* à travers la succession de glissières et tomber au fond de la boîte comme si la chute les avait tués.

455

— Vous avez sans doute raison, dit-il. Voici 60 cents pour le ticket de Duane et son reçu. Faut que j'y aille, ajouta-t-il en descendant du bus. Merci pour tout.

Une fois le soleil couché, et après avoir réussi à avaler un Big Mac et un milk-shake, il commença à se sentir un peu mieux. La circulation était plus fluide, les gens furieux de faire un travail qu'ils détestaient étaient tous rentrés chez eux. Il n'avait plus le soleil en plein visage, et il pouvait cesser désormais de parcourir la ville du nord au sud et passer plus de temps dans les rues qui allaient d'est en ouest. Il y avait même une légère odeur de sapin qui soufflait des collines. C'était un soir de semaine, la ville tournait au ralenti.

Il s'éloigna du secteur pour descendre jusqu'au fleuve, où on était en train de charger du blé à bord d'un gros cargo de haute mer. Les grains dorés jaillissaient d'énormes pompes branchées sur des silos, pour se déverser dans les cales, dans la lumière des projecteurs ; ils avaient presque la couleur des cheveux de Falcone, pensa-t-il. Il regarda en amont, espérant apercevoir la maison de celle-ci, mais les collines s'étaient assombries.

Des remorqueurs et des barges passaient sur le fleuve ; leurs lumières rouges et vertes glissant dans la nuit, patients et sûrs de leur but, se déplaçant avec détermination. Hanson s'imagina roulant jusqu'à la côte, abandonnant son uniforme et tout son équipement sur la plage, pour nager vers un de ces navires. « Prenez-moi à bord », dirait-il, et ils accepteraient. Au matin, ils lèveraient l'ancre pour prendre le large, ils nettoieraient les ordures et la crasse de la terre sur les ponts, avec de l'eau de mer, bleue et écumante, jaillissant des tuyaux à haute pression. Il regarderait l'ombre obscure des côtes s'éloigner puis disparaître. Alors, il débuterait un emploi du temps régulier, quatre heures de travail et huit heures de repos, ponçant et peignant dans la journée, pilotant le bateau et faisant le guet la nuit à la proue, tandis qu'ils vogueraient vers l'ouest, loin de tous ceux qui l'avaient connu, loin de tout ce qu'il avait fait et été, et avant longtemps, plus personne ne se souviendrait même de son nom.

— *Cinq Soixante-deux.* La petite lumière verte de la radio de bord variait d'intensité à chaque syllabe.

Hanson prit le micro.

— Cinq Soixante-deux.

— *Oui, Cinq Soixante-deux... euh, on a une sorte de querelle de voisinage dans le secteur de Cinq Quatre-vingts. Mais ils sont sur un autre appel et...*

— Je m'en charge. Quelle adresse ?

En regagnant le commissariat à la fin de son service, il reçut un appel pour seconder la police de la route sur les lieux d'un accident, sur l'autoroute. Un accident mortel, précisa-t-on. Il se réjouit d'apercevoir les signaux lumineux, les voitures de la police de la route et les ambulances en débouchant sur l'autoroute. Il n'avait aucune envie de passer son temps à remplir des paperasses pour un accident mortel, surtout en pleine nuit.

La circulation était ralentie, à cause des gens qui essayaient de voir. Il roula sur la bande d'arrêt d'urgence, le gyrophare clignotant en silence, pour pénétrer dans l'entonnoir sifflant des feux de balisage. Le gyrophare semblait triste, songea-t-il. Les lumières tournaient lentement sur le toit, dans un grincement qui était comme un gémissement au-dessus de sa tête.

Il s'arrêta derrière une voiture de la police de la route et descendit, en enfilant sa casquette. Il y avait certainement un sergent ou un lieutenant dans les parages, et ils lui passeraient un savon s'il ne portait pas sa casquette.

Un des policiers de la route, coiffé de son chapeau à large bord, appuyé contre la voiture, regardait une remorqueuse soulever un pick-up pulvérisé. Les feux rougeoyaient et dégageaient une fumée âcre qui piquait les yeux et flottait au-dessus de l'autoroute, emprisonnant les faisceaux jaunes des phares en se dissipant dans le noir. Hanson se dit que son uniforme empesterait encore demain matin.

— On dirait que vous avez la situation en main, dit-il au policier de la route.

Au milieu des nappes de fumée, un autre flic, coiffé du même chapeau, marchait de long en large sur la chaussée, en poussant son arpenteur à roulettes comme une sorte de jouet. Un gars du labo prenait des photos au flash. Chaque éclair mettait en relief les nuages de fumée et semblait arrêter le temps, l'espace d'un instant.

457

— Ouais, fit le gendarme. Je vais passer ma nuit à remplir des paperasses. Merci quand même d'être passé.

Police d'État et flics municipaux ne s'aimaient guère, mais généralement, ils s'efforçaient de demeurer courtois. On ne savait jamais quand on pouvait avoir besoin d'un coup de main.

— Des travailleurs émigrés, dit le flic en montrant les trois formes recouvertes de couvertures grises, dont une plus petite que les deux autres. Des Mexicains. Le camion en était plein. Ils allaient sûrement dans le Nord pour cueillir des pommes.

Les hommes des urgences installaient à l'arrière d'une ambulance une femme allongée sur une civière.

— *Alicia,* gémit-elle. *Alicia. Pobrecita...*

— Merde, dit le flic, je parie qu'aucun d'eux parle anglais. Je vais passer toute la journée de demain à recueillir les dépositions. Et à coup sûr, c'est des clandestins. Va falloir se coltiner les services d'immigration, par-dessus le marché. (Il laissa échapper un petit rire.) *Pobre me.* La vie, c'est de la merde, et ensuite, on meurt. Je ferais mieux de cesser de me lamenter et me mettre au boulot.

— Je ne peux rien faire ? proposa Hanson, par pure forme.

— Non. Merci quand même. Faites gaffe à vous, dit-il en s'éloignant au milieu de la fumée et des phares, vers l'ambulance, une planchette à la main.

Il avait l'air d'un brave type, se dit Hanson, pour un flic de la route.

Un semi-remorque ralentit et rétrograda avec des sifflements et des grincements, pour passer au pas, suivi de près par une décapotable blanche, teintée de rose dans la lumière des feux arrière du camion. Les quatre filles de la décapotable se penchaient pour essayer d'apercevoir l'épave. Elles étaient toutes blondes. Des étudiantes. Rentrant chez elles après une soirée. Elles étaient énervées ; elles parlaient fort et se dévissaient le cou pour voir. La fille assise à l'avant s'était levée, en s'accrochant au haut du pare-brise. Hanson pivota sur ses talons pour regagner son véhicule, puis il s'arrêta pour se retourner vers les filles dans la décapotable. Elles étaient belles toutes les quatre.

Hanson remonta en voiture et, le gyrophare balayant l'asphalte et les ordures sur le bas-côté de l'autoroute — rouge et bleu, rouge et bleu —, il passa devant l'épave. Il envisagea de monter vers le Nord pour cueillir des pommes. Il ferait chaud, sans doute, mais l'air serait plus frais dans les vergers, odorant, les bruits seraient étouffés par les feuilles et les branches, comme dans un paysage enneigé. Des voix douces s'appelleraient en espagnol d'un arbre à l'autre, comme si les arbres se parlaient entre eux.

Il constata que son gyrophare était toujours allumé ; les voitures s'écartaient pour le laisser passer. Il accéléra et emprunta la première sortie, pour donner l'impression de savoir où il allait.

Il prit une des artères qui traversaient le ghetto. Il était déjà en heures supplémentaires, et les rues étaient désertes. Les vitrines des commerces, protégées par des barreaux ou condamnées par des planches, étaient obscures ; la moitié d'entre eux avaient fait faillite. Des stations-service délabrées, avec des pancartes « En panne » sur les pompes, écrites à la main sur des morceaux de carton. Hanson imagina la joie, l'espoir des gens qui avaient ouvert ces commerces, et la façon dont leurs rêves s'étaient ternis, en même temps que la peinture des devantures. Peut-être était-il préférable de n'avoir aucun rêve, plutôt que de le voir agoniser. Le vent soufflait de l'autoroute, charriant avec lui la puanteur fétide de la gigantesque fabrique de biscuits Holsum, à la lisière du district.

C'est à peu près à l'endroit où les commerces devenaient plus rares pour laisser place aux quartiers résidentiels que Hanson aperçut les chiens. Tout d'abord, il crut que c'étaient des ombres sur la chaussée, éclairées par la lumière qui filtrait à travers les arbres rabougris. Mais c'étaient des chiens, une meute de vingt-cinq ou trente chiens, qui avançaient au milieu de la rue comme si elle leur appartenait. Tel un troupeau de moutons, là-bas dans l'est de l'État, que l'on conduit vers les pâturages d'hiver et qui encombrent une route de campagne.

Hanson ralentit et roula derrière les chiens, des gros et des petits, des bâtards et des chiens de race, beaux ou laids. Certains portaient des colliers, tandis que d'autres étaient visiblement redevenus sauvages, abandonnés, leur fourrure aussi ébouriffée et emmêlée qu'une tignasse de poivrot. Semblables à une bande de malfaiteurs : les chefs, les lieutenants et les parasites, certains courant devant tels des éclaireurs, les leaders marchant d'un pas tranquille, comme s'ils s'apprêtaient à un affrontement. Hanson klaxonna et fit des appels de phares. Un ou deux chiens se retournèrent, mais ils demeurèrent tous au milieu de la chaussée, en continuant d'avancer, comme s'ils savaient que Hanson ne les écraserait pas, que c'étaient eux qui détenaient le pouvoir.

Chaque fois qu'ils passaient devant un chien derrière un grillage, une demi-douzaine d'entre eux se jetaient sur la clôture. Ils grognaient et aboyaient en bondissant sur leurs pattes avant tendues, la truffe retroussée comme un groin, déformée, les babines relevées sur leurs dents et leurs gencives violettes, se collant au grillage, tels des serpents. Puis, semblant obéir à un signal, ils faisaient demi-tour et s'éloignaient au trot pour rejoindre les autres.

Hanson accéléra légèrement, jusqu'au milieu de la meute. Il avait l'impression de flotter dans un canot de sauvetage à travers un banc de requins, comme sur ces illustrations dans les encyclopédies, où toutes les espèces de requins nagent dans la même petite parcelle d'océan : le grand requin blanc, le chien de mer, le requin bleu, le requin tigré, le requin pèlerin, le requin-marteau avec sa tête tout en largeur. Les chiens s'écartèrent lentement pour laisser passer la voiture, comme s'il s'agissait d'un désagrément mineur parmi tant d'autres au cours de leur brutale existence nocturne. Un scottish-terrier arrogant leva les yeux lorsque Hanson passa à sa hauteur, puis mordit sauvagement un épagneul efflanqué qui glapit et courut se réfugier sous la voiture. Hanson pila et klaxonna. Il envoya un coup de sirène, et sortit la tête par la vitre.

— Foutez le camp, nom de Dieu. Ou je vous roule dessus ! hurla-t-il, la peur dans la voix. Je vais vous écrabouiller, bande de salopards, et je demanderai qu'on vienne confirmer le carnage...

Un bâtard de doberman bondit tout à coup, en montrant les dents, et ses griffes raclèrent la portière de la voiture. Hanson rejeta la tête en arrière. Le doberman avait perdu une oreille, tout le côté de sa gueule était lacéré et pelé. Il retomba sur la chaussée et, en inclinant sa tête estropiée, il observa Hanson avec un rictus qui ressemblait à un sourire.

Hanson continua d'avancer au milieu des chiens pour finalement ressortir de la meute, les yeux fixés sur le rétroviseur jusqu'à ce qu'ils disparaissent derrière lui.

Le parking de North Precinct était calme ; l'équipe de nuit

était déjà partie sillonner les rues. En déchargeant son fusil, il se demanda s'il avait réellement vu les chiens.

Même s'il se pressait, le bar de la police serait fermé avant qu'il y arrive ; Debbie Deets et les autres filles des archives et du standard seraient rentrées chez elle, avec quelqu'un d'autre. Après la dernière fois, il s'était promis de ne plus rappeler Sara, mais il n'avait pas envie de dormir seul ce soir.

Il composa le numéro et un homme décrocha. Hanson lui demanda si Sara était là. Elle parut étonnée, mais heureuse de l'entendre. Elle lui demanda « d'attendre une demi-heure » avant de venir.

Il commença à consommer la cocaïne pour chasser les effets de l'alcool avant de rentrer chez lui, après la fermeture du club de la police. Les soirs où il n'allait pas chez Sara, il restait assis toute la nuit, à étudier les tables dans le livre intitulé *Vapeur,* ou à lire des ouvrages sur la guerre, en comparant les récits contradictoires des offensives ennemis et des sièges des sites d'artillerie, dans l'espoir de découvrir une « vérité » faisant l'unanimité. Truman l'observait à l'autre bout de la pièce, écoutant, reniflant l'air.

Il essaya de s'abstenir d'aller chez Sara, mais là-haut dans sa petite chambre, tandis que les lézards sur les murs les regardaient, il parvenait à oublier les stridulations dans ses oreilles, le nœud dans son ventre. Les marches de l'escalier grinçaient quand il essayait de repartir sans bruit, ensuite, en passant devant les amis de Tiny Tim endormis sur le canapé ou par terre, la fumée de marijuana flottant dans l'air épais. Trop de gens savaient qu'il était flic.

Quand il se réveillait après trois ou quatre heures de sommeil enfiévré, groggy et nauséeux, il sniffait encore un peu de cocaïne et il partait travailler, en résistant, dans un premier temps du moins, à la tentation d'en emporter un peu avec lui pour plus tard.

Il s'observait de plus en plus attentivement à mesure que les jours passaient, mais dans les rues, c'était dangereux. À force de réfléchir rétrospectivement à ses actes, de remettre en question ses choix, il risquait d'hésiter à un moment où il ne pourrait pas se le permettre.

31

IL ÉTAIT PRESSÉ, il rentrait à North Precinct. Sara lui avait dit de venir plus tôt que d'habitude, pour « un truc spécial ». Il s'était arrangé pour échanger ses deux dernières heures de patrouille contre des heures à récupérer, mais un appel au sujet d'un chien qui aboyait s'était transformé en agression au couteau, et maintenant, il était en retard. Il serait passé en heures sup' à cause des paperasses si Zurbo n'avait pas pris l'appel à sa place. L'état de la victime était stationnaire. Une plaie à la poitrine, un poumon perforé.

Par pitié, ne mourez pas, se dit Hanson en tournant dans Shaver Street. Il serait emmerdé pour balancer l'appel aux oubliettes, si jamais cet abruti passait l'arme à gauche.

Un feu rouge à l'angle de Mississipi Street l'obligea à s'arrêter.

— Bordel de merde !

Ses oreilles sifflaient et bourdonnaient.

— Allez, allez...

Il avait emporté la cocaïne au travail, finalement. Elle était dans sa poche, mais il n'avait pas le temps de trouver un endroit sombre pour en sniffer un peu.

Dee Brazzle l'observait à l'entrée de la salle de billard *Bon Ton,* en buvant sans se cacher une bouteille de Colt .45, que Hanson fit semblant de ne pas voir. Il n'avait pas le temps de rédiger un PV, et si jamais cela se transformait en arrestation, il serait coincé pendant au moins une heure. Le feu passa au vert et il redémarra.

— La prochaine fois, enfoiré, dit-il entre ses dents, épuisé et tendu, la main crispée sur le volant.

— *Cinq Quatre-vingts, jackpot,* annonça Duncan dans la radio. (Il faisait équipe avec Zurbo pendant que Neal était en vacances.) *Après la prison, on fonce au* Bon Samaritain.

Duncan avait certainement raison, songea-t-il. Quelle importance tout ça ? Poignarder quelqu'un à cause d'un putain de chien qui aboie. Merde à tous ces gens, merde à... Il jeta un coup d'œil dans Mason Street, s'apprêtant à griller le feu rouge, lorsqu'il vit le chien, qui lui tournait le dos, occupé à déchiqueter un morceau de fourrure et de viande morte, qu'il essayait de décoller de la chaussée. Hanson regarda sa montre, éteignit ses phares et tourna dans Mason, en serrant les dents.

— À gauche, décida-t-il.

Ils avaient mis au point une théorie à North Precinct. La meilleure façon de dégommer un chien de la nuit avec sa voiture, c'était de deviner de quel côté il allait s'enfuir et de foncer de ce côté-là, une seconde avant que le chien s'élance. Pour une raison inconnue, les chiens ne changeaient jamais de direction une fois que leur décision était prise ; vous aviez donc une chance sur deux de les percuter si le timing était bon. En allumant le gyrophare et en faisant couiner le haut-parleur au moment de l'accélération, vous pouviez provoquer une seconde d'hésitation chez l'animal.

Le quadruple carburateur ronronna, propulsant la Nova bleue et blanche dans une embardée que Hanson redressa d'une main. De l'autre, il brancha le gyrophare, poussa à fond le bouton du haut-parleur et alluma les phares, en visant un point situé à gauche du chien. Le haut-parleur fixé sur le toit poussa un hurlement strident dans la rue silencieuse.

Le chien leva la tête, dans la lumière des phares, les yeux rouges en fusion, puis il bondit vers la gauche et disparut avec un grand *bang* sous la voiture. Hanson gémit, comme s'il avait reçu un coup de poing.

Le chien ressortit de sous la voiture, le bassin et le dos brisés, traînant ses viscères. Enroulées et luisantes, elles semblaient animées d'une vie propre, songea Hanson en braquant sa lampe dessus.

Des chiots mort-nés, minuscules et parfaits. Deux, trois, la mère agonisante, rampant vers l'obscurité. Encore un autre. Plusieurs autres.

Hanson ne se souvenait pas d'être descendu de voiture, mais il se souviendrait à jamais de la suite : enjambant la chienne, traînant les pieds comme un prisonnier entravé par des chaînes, au-dessus d'elle, frappant avec sa lampe qu'il tenait à deux mains, le bruit mat de l'aluminium sur les os, essayant de tuer la souffrance qu'il avait provoquée, jusqu'à ce que l'ampoule se brise, et continuant à frapper dans le noir, derrière la voiture. Quelque chose se mit à hurler tout là-bas, sous les rayons de lumière, virant au bleu et rouge, cognant contre les maisons abandonnées et condamnées par des planches, les épaves de voitures et les graffiti, bleu et rouge, infatigable, au-delà de la fureur et de l'assouvissement, une roue bleue et rouge de douleur et de châtiment, et de nuits hurlantes, infinies.

Ses deux heures de rab s'étaient volatilisées lorsqu'il se gara devant la maison victorienne délabrée, en retrait de la rue. Elle était plongée dans l'obscurité, masquée en partie par les sapins centenaires et malades. Une faible lumière grise venant de la fenêtre de Sara, tout en haut, se déversait sur les cimes infestées d'insectes. Hanson monta et ouvrit la porte de la chambre de Sara.

Un petit projecteur de cinéma bruyant anime d'un cauchemar muet le mur situé en face du lit : une femme dodue, blanche, nue et les yeux bandés, s'agite violemment en tirant sur les cordes qui la ligotent sur un gros fauteuil en bois. Les cordes écrasent et cisaillent ses seins, des pinces à linge en bois sont accrochées à ses mamelons. Ses cuisses écartées, relevées, sont attachées par-dessus les bras du fauteuil, et une balle en caoutchouc est enfoncée dans sa bouche, faisant gonfler ses joues, maintenue par une ceinture en cuir. La femme est couverte d'hématomes, de brûlures et d'empreintes de morsures. Un réseau de conduites surgit d'une vieille chaudière à l'arrière-plan ; la poussière flotte dans l'air. Un sous-sol, quelque part.

— Je pensais que tu ne viendrais plus, dit Sara.

— Tous les autres boute-en-train sont rentrés chez eux, dit Tiny Tim, mais il n'est jamais trop tard.

Des clous ayant servi à accrocher des tableaux hérissaient le mur derrière le film et dans le film ; un damier flou de carrés et de rectangles, plus clairs que le reste du papier peint sale, telle une radiographie de leur agencement. Au-delà du carré de

464

lumière mouvante, des lézards rampaient sur les murs, entrant et sortant de l'obscurité.

— Saluuuut, roucoula Sara.

— Je crois, dit Tiny Tim, que ton policier chéri est aux anges. C'est ce qu'il aime.

La lumière s'intensifie, puis s'atténue tour à tour, tandis que le projecteur poursuit son caquetage, et un vilain souvenir prend forme maintenant derrière les yeux de Hanson.

Une ombre s'abat sur la femme ligotée, puis disparaît en glissant au moment où une personne hors-champ passe devant l'éclairage.

— J'espère que tu as apporté tes menottes, dit Tiny Tim.

La femme tire sur ses liens, soulevant les pieds avant du fauteuil, qui retombent bruyamment. Elle recommence, semblant obéir à un ordre, et Hanson détourna le regard, pour se détourner du souvenir qui s'intensifiait, comme l'ombre dans le sous-sol.

Sara et Tiny Tim étaient assis sur le lit, les oreillers appuyés contre le mur derrière eux, portant l'un et l'autre une des culottes de soie de Sara.

— Et la matraque ? demanda Tiny Tim en roulant des yeux et en souriant à Sara.

— Sors d'ici, lui dit Hanson.

— Ooooh, gémit Tiny Tim, en se trémoussant contre le matelas. J'adore cette voix autoritaire. Pourquoi tu ne te joins pas à nous ? demanda-t-il en se déplaçant sur le côté et en tapotant les draps roulés en boule.

Hanson sentait leur odeur dans la pièce étouffante. Il sentait le goût du film chaud, de l'essence et de l'électricité qui émanaient du projecteur. Il avait chaud. Il avait du mal à respirer.

— Tu ferais mieux de sortir.

Cette fois, Hanson vit, pas encore de la peur, mais le doute, dans les yeux de Tim ; la supposition qu'il était peut-être en train de commettre une grosse erreur.

— Ne joue pas les petits garçons bêtes et jaloux, dit Sara en se dressant sur les coudes, et ses seins s'agitèrent lorsqu'elle se renfonça dans les oreillers, en prenant une position plus confortable. Elle était belle. Malgré tout le reste. Il devait le reconnaître. Sa culotte scintillait comme de l'étain sur la bosse de ses poils pubiens qui bouclaient dans les creux de ses cuisses.

— On n'a rien fait, dit-elle, en enfonçant davantage ses épaules dans les oreillers. Rien du tout...

La lumière sur le mur s'intensifia, et Hanson tourna la tête de ce côté, un réflexe de défense, tandis que la caméra faisait un gros plan sur les seins ligotés et martyrisés de la femme.

— ... on s'amusait, c'est tout.

Un gros plan, flou, mais suffisamment net malgré tout pour constater que ce n'était pas un hématome, ni une tâche de vin, qu'il avait aperçu sous les cordes, mais un tatouage grossier.

— Hé, tu m'entends ?

Une étoile filante, ou la lettre W, ou une fleur. Peut-être une rose. Et le souvenir qu'il avait essayé d'ignorer se jeta sur lui... *la puanteur du bois humide et carbonisé dans le garage où Brandy était recroquevillée, nue, dans le faisceau de la lampe, le cordon de la lampe noué autour de son cou et pendant entre ses seins, le tatouage grossier. Le son de son nom lorsqu'elle l'avait prononcé avec la bouche pleine de dents cassées.*

— Ce n'est qu'un jeu, dit Sara. Elle *aime* ça.

Le poids de ses seins contre lui lorsqu'il l'avait enlacée.

— Lui aussi, il aime ça, dit Tiny Tim lorsqu'un type petit et maigrelet, avec une moustache et une vilaine peau, pénètre dans le cadre et se penche au-dessus de la femme. Il ôte de sa bouche un long et fin cigare et s'adresse à elle, riant en silence sur le mur lorsqu'elle se cabre, agite la tête dans tous les sens, en balançant le fauteuil d'avant en arrière. Il souffle sur la cendre rougeoyante du cigare, en le faisant tourner entre ses doigts.

Sa propre voix froide lui disant que ça va aller, sa répulsion et son dégoût, son mépris, honteux d'éprouver ces sentiments, se haïssant plus que tous les autres : le violeur, le mac ou la pute pathétique dans ses bras.

Le rire de Tiny Tim cessa brusquement lorsque Hanson éteignit le projecteur, plongeant la chambre dans l'obscurité.

Hanson traversa la pièce en deux enjambées, la dernière image du film encore imprimée au fond de ses yeux, mais s'atténuant. Tiny Tim poussa un grand cri quand Hanson le souleva du lit et le lança contre le mur. L'adrénaline faisant palpiter ses épaules, ses bras et ses cuisses, Hanson continua sans peine à le cogner contre le mur, jusqu'à ce que les gémissements eux-mêmes cessent; Tiny Tim s'affaissa dans ses bras. Hanson le traîna hors de la chambre par le poignet, et ferma la porte.

— Et puis quoi, encore? s'écria Sara.

Elle parvint à le gifler une fois avant qu'il ne saisisse ses poignets. Il la coucha de force sur le ventre, lui arracha sa culotte, écarta ses cuisses avec ses genoux.

— Non! hurla-t-elle, en essayant de le griffer, tandis qu'il lui enfonçait le visage dans le matelas, se servant de son autre main pour s'introduire en elle.

— Non!

Il lui reprit les poignets et la maintint dans cette position, à plat ventre sur le lit, les jambes écartées, sa bouche tout près de son oreille.

— Non? Trop tard maintenant.

Il ferma les yeux et vit Brandy, hurlant une fois de plus dans le garage détruit par le feu, Dana se vidant de son sang sur le plancher d'Ira, dans la lumière bleue vacillante de la télé. Les gémissements de Sara et le martèlement du lit le ramenèrent à la petite fille au visage déchiré, le chien qui se jetait contre la porte de la penderie, ses aboiements enroués.

Le dos cambré, en grognant, il se laissa emporter par le souvenir des lèvres cloquées d'Arthur, Noël en juillet et la puanteur des cadavres brûlés au napalm. « Le napalm soude les gens. » Le labo des chiens. Les yeux morts et gluants de Millon. Hanadon qui patauge dans les flammes blanches. Les hélicoptères de combat. Les attaques aériennes. Les morts et les blessés qui se contorsionnent, alors que vous passiez au milieu d'eux pour vous assurer qu'ils étaient bien morts. La mort souriante.

D'accord, c'était un monstre. Très bien. Parfait. Comme tout le monde.

Sara poussa un cri, moite de sueur, se cabrant sous lui comme Krang-le-Faucon pleurant dans le poncho ensanglanté, implorant le soulagement...

Hanson ouvrit les yeux.

Elle riait.

— Oui, dit-elle, en se contorsionnant sous lui, les muscles de son cou tendus à craquer, sa bouche plaquée sur la sienne maintenant, sa langue à l'intérieur de lui.

467

Il était plus de trois heures quand Hanson s'arrêta en dérapage dans l'allée de graviers, derrière la maison. Il ouvrit la portière et descendit, alors que la camionnette était encore en prise. Elle tressauta et fit un bond en avant, le projetant à terre, avant de s'immobiliser avec un dernier soubresaut dans la haie de mûriers sauvages, éclairée par les phares. Hanson se releva à genoux, avant de se remettre debout et de marcher en titubant jusqu'à la véranda ; la porte moustiquaire béait, cassée, la porte d'entrée était entrouverte.

Des rats détalèrent sur le plancher de la cuisine, et quand il trouva enfin l'interrupteur, des cafards sautèrent des murs et des meubles, pour s'éparpiller et disparaître entre les lattes du plancher. L'endroit était répugnant : vaisselle sale, ordures et bouteilles d'alcool vides. Il ouvrit les tiroirs, les portes des placards, dans l'espoir de découvrir un peu de cocaïne qu'il aurait cachée là et oubliée ; regardant à l'intérieur des boîtes de sucre et de farine, dans les vieilles boites de café, sous le poêle crasseux. Il découvrit une petite boule de papier aluminium dans le réfrigérateur, qu'il déplia soigneusement sur la table, les mains tremblantes, manquant de vomir à cause de la puanteur de la viande pourrie qui se trouvait à l'intérieur.

Il savait que Truman l'observait pendant qu'il fouillait le living-room, titubant devant les rayonnages de livres, tandis qu'il essayait de lire les titres sur les tranches, prenait un livre, puis l'autre, le tenait à l'envers et le feuilletait, le laissant tomber par terre, pour en prendre un autre. Le sol était jonché de livres quand il découvrit un sachet contenant un résidu de cocaïne entre les pages d'un exemplaire des *Bérets verts*. Il le déchira, racla un petit tas de poudre blanche, inspira tout ce qu'il pouvait, avant de lécher l'intérieur du sachet.

— Qu'est-ce que tu connais à tout ça ? Qu'est-ce que tu connais à tout le reste ? demanda-t-il en se retournant face à Truman. Dehors, c'est une saloperie de monde cruel. Je n'ai fait qu'épargner une vie de souffrances à ces putains de chiens. Ils ont eu de *la chance*. Tu n'es rien du tout. Un fardeau ! hurla-t-il.

Truman dressa les oreilles, mais il ne bougea pas ; ses yeux nacrés restaient fixés sur Hanson.

— J'aurais dû laisser la fourrière s'occuper de ta vieille carcasse, toi aussi. Allez, hop, bon débarras. Je me serais pas emmerdé la vie ! Fous le camp ! brailla-t-il, en avançant vers le chien et en agitant le bras. Fous-moi le...

Il ravala une bulle de vomi ; ça cognait dans sa tête. Lorsqu'il frappa Truman sur l'arrière-train, le vieux chien se leva, franchit la porte de la cuisine et sortit de la maison, tandis que le téléphone sonnait, et continua de sonner, jusqu'à ce que Hanson déniche l'appareil derrière le canapé.

— Allô. Ouais ? dit-il, essuyant le sang sur sa joue, là où il était tombé sur les graviers, éjecté de la camionnette. Le combiné plaqué contre l'oreille, il observa le bout de ses doigts maculés de sang, comme s'il lisait un message dans les méandres de ses empreintes. Un avion de ligne en route pour Los Angeles passa au-dessus de la maison, à 35 000 pieds, laissant derrière lui une paire de traînées de condensation éclairées par la lune.

— Quelle heure...

Le général Sherman le foudroyait du regard sur le sol, à travers le verre brisé du cadre de la photo.

— Exact. J'en sais rien, dit-il, et il raccrocha.

Il resta allongé sur son lit pendant une heure ou deux, à contempler le plafond, essayant de quitter son corps, de flotter loin de la cocaïne et de la gueule de bois de l'alcool. Finalement, il descendit dans la cuisine. Les bols de nourriture et d'eau du chien étaient vides et répugnants de saleté, mais il parvint, malgré la nausée et sa tête en feu, à les nettoyer et à les remplir. Quand il essaya de se faire vomir dans l'évier, rien ne sortit.

Il repoussa la porte moustiquaire branlante et déposa les bols sur la véranda.

— Truman ! Reviens. Je suis désolé, vieux.

Il se réveilla avec le soleil sur le visage, couché à côté des bols de nourriture et d'eau intacts. La première chose qu'il vit en ouvrant les yeux, à travers les branches d'un pommier, ce fut le Stormbreaker, puis Truman, marchant vers lui dans l'herbe.

— Salut, vieux. Je vais essayer de me ressaisir. Au moins, il n'y a plus de cocaïne, dit-il en se redressant en position assise. La dernière chose dont je me souviens hier soir...

Il regarda ses mains, les jointures à vif, les graviers plantés dans ses paumes. Il caressa les éraflures sur son visage.

— Je dois avoir l'air d'un poivrot.

Il se mit debout, en s'aidant d'un des piliers de la véranda et regarda la camionnette dans les buissons de mûres.

— Je vais m'en tenir à la bière pendant quelque temps. Je laisse tomber les trucs durs.

Quand Truman entra dans la maison à son tour, Hanson posa le sac-poubelle qu'il était en train de remplir.

— Je l'ai tuée. Et ses chiots aussi. J'ai essayé de me dire « Si ça n'avait pas été moi, ça aurait été quelqu'un d'autre », mais c'est des conneries. Je suis désolé. Plus que désolé. Je ne sais pas auprès de qui m'excuser, à par toi.

Il s'agenouilla pour ramasser une bouteille de bière vide coincée sous le réfrigérateur.

— Ça aurait pu être toi.

Il ramassait les livres dans le living-room quand il donna involontairement un coup de pied dans le téléphone, se figeant en entendant le tintement métallique de la sonnerie, et repensant subitement à l'appel qu'il avait reçu cette nuit.

Assis par terre, il contempla le téléphone pendant cinq minutes avant de composer le numéro de North Precinct, se souvenant de ce que lui avait dit Norman la veille, pendant que le sergent Doan, au bout du fil, lui répétait la même chose.

Zurbo et Duncan étaient morts, tués par un chauffard ivre, un chirurgien-dentiste défoncé à la vodka russe mélangée à sa propre cocaïne pharmaceutique. Il avait grillé un feu rouge, en roulant à au moins cent à l'heure et percuté de plein fouet la voiture de patrouille.

— Il a tué Duncan sur le coup, dit Doan.

Adieu les plans de carrière, songea Hanson, la tête en feu.

Zurbo parvint à s'extirper de l'épave et à traîner ce qui restait de son bassin et de ses jambes — les deux artères fémorales étaient sectionnées — jusqu'à la Mercedes du dentiste avant de se vider de tout son sang.

— Une épaisse trace de sang allait de la voiture de patrouille à la Mercedes de ce salopard, dit Doan. Zurbo s'est hissé jusqu'à la vitre. D'après ce qu'a pu dire le légiste, cet enculé de dentiste avait juste des côtes fêlées et le nez cassé. Avant que Zurbo lui tire une balle dans la tête.

Plus tard cet après-midi-là, Truman et Hanson marchèrent jusqu'à la route pour aller prendre le courrier, pour la première

470

fois depuis plus d'une semaine. À cause des camions chargés de bois qui passaient à toute allure, il garda la main posée sur le dos de Truman, glissa les quelques enveloppes à l'intérieur du dernier numéro de *Shotgun News* et retourna vers la maison.

— Tu sais que tu ne dois jamais approcher de cette route sans moi, hein ?

Il s'assit sur la véranda pour passer son courrier en revue : une facture d'électricité, une déclaration d'impôts, un truc des Anciens combattants, des prospectus, un catalogue de couteaux et une carte postale.

— Du Montana, dit-il à Truman en lui montrant la carte, un masque indien en bois sculpté et peint, en cuivre martelé et en coquillages verts transparents.

— C'est trois masques en un, expliqua-t-il. Ça ressemble à un poisson, mais quand tu tires sur ces ficelles... là, les mâchoires s'ouvrent et on découvre un corbeau... tu vois le bec et la tête ? Le bec s'ouvre, et à l'intérieur, c'est un homme.

Il gratta les oreilles du chien.

— Parfois, je me dis que tu es peut-être comme ça.

Il retourna la carte. Elle venait de Falcone.

— Tu te souviens d'elle ?

Il faillit dire que Falcone était à peu près la seule personne de sa connaissance qui ne pensait pas qu'il aurait dû faire piquer Truman, mais se ravisa.

— Elle t'aimait beaucoup, tu sais, vieux. Elle écrit : « Il a neigé la nuit dernière, là-haut dans les montagnes... »

Hanson leva les yeux vers le Stormbreaker, dont le sommet était encore blanchi par la neige de l'an passé.

–... « Tout semblait scintiller, le silence était infini. J'ai regardé la neige tomber, et je me suis surprise à penser à toi, en regrettant que tu ne puisses pas voir ça. Sois prudent, et prends soin de toi. Ton amie ex-flic. PS : Dis bonjour à Truman. »

— Eh... fit Hanson en regardant la carte, puis le Stormbreaker.

Il sourit, se leva et glissa la carte dans sa poche de chemise. Il la tapota du bout des doigts.

— Allons manger un morceau.

Ils mangèrent sur la véranda, en regardant le Stormbreaker virer au rose lorsque le soleil se coucha.

32

APRÈS AVOIR FAIT ENREGISTRER un fusil de ball-trap volé, à canon scié, au service des objets en instance, Hanson alla porter ses rapports au bureau des inspecteurs. Alors qu'il redescendait, l'ascenseur s'arrêta au deuxième étage. Fox y pénétra et appuya sur le bouton du parking, au sous-sol.

— J'ai entendu dire que tu perdais les pédales, dit-il, en restant de dos. À ta place, je limiterais les dégâts et je plaquerais tout dès maintenant. Viens donc tout me raconter, pendant que tu le peux encore, ajouta-t-il, tandis que l'ascenseur descendait. Dis-moi tout ce que tu sais sur ton pote le négro, « Doc », et *peut-être* que tu n'iras pas en prison.

Hanson descendit au premier étage.

— Ce type n'est pas ton ami, dit Fox avant que les portes de l'ascenseur se referment.

Il ouvrait la portière de sa voiture lorsque Bishop, la lesbienne, prononça son nom.

— Aucune idée de ce qu'il y a sur ces feuilles d'imprimante, dit-elle en glissant à Hanson une enveloppe de papier kraft, mais tu voudras peut-être y jeter un œil.

— J'apprécie ton geste.

— Je ne le fais pas pour toi.

— Comment va Falcone ?

— Va te faire foutre.

Sur ce, elle repartit.

Dans vingt minutes, il pourrait quitter son secteur et retourner à North Precinct. La radio était calme depuis 23 heures, et Hanson avait envie de terminer ces deux rapports avant de rentrer. Il pouvait laisser tomber la bagarre conjugale, ayant convaincu le mari de quitter la maison. Celui-ci reviendrait quand les bars seraient fermés, mais les types de la deuxième équipe de nuit pourraient l'embarquer. Ils avaient plus de temps pour rédiger les paperasses.

Le rapport sur le cambriolage qu'il avait mis de côté depuis le début de son service prendrait plus de temps : il fallait décrire la manière dont les types étaient entrés et sortis, le chemin qu'ils avaient suivi à l'intérieur de la maison, s'arrêtant dans la cuisine pour boire trois bières appartenant à la victime et manger une boîte de chili con carne, avant de repartir finalement en emportant un téléviseur « RCA 19 avec son meuble en plastique imitation bois ». Et un magnétophone à cassettes. « Marque inconnue. En plastique noir et finitions argentées — le bouton du volume manquant —, valeur 49,95 dollars. »

Il s'arrêta sous un lampadaire, en face de Unthank Park. Victime des coupes budgétaires, les terrains de basket du parc étaient laissés à l'abandon, jonchés d'ordures, et servaient principalement au trafic de drogue, ou pour un viol de temps à autre.

Tout en écrivant, Hanson jetait parfois un coup d'œil à travers le pare-brise ou les vitres baissées, dans le rétroviseur extérieur et le rétroviseur intérieur — « comme un moineau sur un parking », avait-il dit un jour à Dana —, et il écoutait l'obscurité et les appels radio.

Il rétracta la pointe de son stylo. Quelque chose bougeait au fond du parc. Un type costaud, qui émergeait des fourrés rachitiques, un gros sac de toile sur l'épaule et une radio dans l'autre main. Il était trop tard pour s'emmerder avec une arrestation, au moins une heure sup', mais il glissa son stylo dans sa poche et décrocha le micro.

— Cinq Soixante-deux, dit-il. Je crois avoir repéré un cambrioleur dans le coin est de Unthank Park. Pouvez-vous envoyer une autre voiture sur place ?

Un véhicule chargé de la circulation, avec à son bord Fuller et son stagiaire en quête de conducteurs ivres, intervint sur les ondes.

— *Trois Soixante. On peut y aller.*

— *Reçu. Trois Soixante en renfort de Cinq Soixante-deux à Unthank Park.*

473

— Je vais parler à ce type, déclara Hanson. Homme de race noire, environ 1 m 85, 90 kg. Il porte un t-shirt blanc et... un jean noir, on dirait.

Il descendit de voiture, sans oublier de prendre sa matraque qu'il tint plaquée le long de son bras gauche.

— Hé, toi là-bas !... Toi ! cria-t-il en pointant sur l'homme le bout de sa matraque. Pose tout ça et laisse tes mains bien en évidence, ordonna Hanson en avançant vers lui. Je t'ai dit de poser tout ça !

Lorsque le type posa la radio et le gros sac de marin, Hanson constata qu'il était musclé et semblait âgé d'un peu plus de vingt ans. Il ne fallait pas plaisanter avec ce gars. En continuant d'avancer, Hanson imaginait l'endroit où il allait le frapper, à deux mains, avec sa matraque.

— OK, dit Hanson en arrivant près de lui, retourne-toi. Tourne-toi, bon Dieu ! Mets tes mains sur la tête.

Le type se retourna et leva les mains.

— Sur la tête, j'ai dit ! Les mains sur la tête ! Les doigts entrelacés.

Le jeune type posa les mains sur la tête et Hanson s'approcha dans son dos.

— Bon, écarte les jambes maintenant. Plus que ça !

D'un coup de pied, il lui écarta une jambe, puis recula, tenant sa matraque à deux mains, prêt à la lui enfoncer dans les reins.

— Oui, monsieur. Pardon.

Hanson glissa sa matraque dans sa ceinture, saisit les mains entrelacées du type et recula, le maintenant en position de déséquilibre, prêt à le tirer en arrière et à lui faucher les jambes. Le jeune type sentait mauvais, ses mains étaient couvertes d'une sorte de croûte.

— Tu as une arme à feu ou un couteau ? demanda Hanson. Je te conseille de le dire.

Il entreprit de le palper.

— Non, monsieur. J'ai rien de tout ça.

— J'espère pour toi.

Hanson fit courir sa main sur la poitrine de l'homme, autour de sa taille, descendit jusqu'à l'entrejambe, aux cuisses et aux chevilles.

— Bien, dit-il en reculant de nouveau. Garde les mains sur la tête et tourne-toi.

474

Grâce aux rares lampadaires autour du terrain de basket qui n'avaient pas été brisés, Hanson le regarda droit dans les yeux.

— Comment tu t'appelles ?

— James. James Morton, officier. Qu'est-ce que j'ai fait de mal ?

Dans le silence de la nuit, Hanson entendit la voiture du Trois Soixante qui accélérait, à deux ou trois coins de rue d'ici, ralentissait à un croisement, puis Fuller accéléra de nouveau.

— Qu'y a-t-il dans ce sac, James ?

— C'est mes affaires, répondit-il en ôtant ses mains de sa tête, et s'empressant de les y remettre. Je peux vous montrer.

Hanson entendit la patrouille Trois Soixante s'arrêter derrière sa voiture. Sans même se retourner, il leva la main pour faire signe que tout semblait OK.

— Tu as des armes là-dedans ?

— Non, monsieur, uniquement des vêtements et mes affaires.

Les portières de la voiture Trois Soixante claquèrent ; Hanson entendit les bruits de pas approcher dans son dos.

— Vas-y, dit-il. Ouvre.

James sortit tout d'abord un ballon de basket, qu'il coinça sous son bras, et vida le reste sur le bitume lézardé : des vêtements sales, des chaussures, un nécessaire de rasage, et un vieux numéro de *Playboy*.

— Qu'est-ce que tu fous par ici ? demanda Fuller.

James regarda Fuller par-dessus l'épaule de Hanson, en s'efforçant de sourire.

— Je suis bon au basket. (Il brandit le ballon à deux mains et regarda Hanson.) Et j'entretiens mon potentiel.

— C'est quoi cette histoire ? demanda Fuller.

— Eh bah... quand vous êtes doué pour un truc, vous...

— Le parc ferme à 22 heures.

James acquiesça ; il se tourna vers Hanson.

— Je voulais coucher au refuge. J'y ai été, mais ils avaient déjà distribué tous les tickets. J'aurais dû y aller plus tôt, mais j'étais à Jefferson pour tirer des paniers et quand j'ai regardé l'heure, ils avaient déjà plus de lits.

— Et alors ? demanda Fuller.

James fit rebondir le ballon.

— Je me suis dit que je pourrais venir tirer quelques paniers ici. Histoire de tuer le temps et de me réchauffer. Pour entretenir mon potentiel. Mais je peux m'en aller s'il faut que je m'en aille. Je peux retourner à Jefferson. Pas de problème. L'hiver dernier, on m'avait piqué mon ballon, alors je marchais toute la nuit. Mais j'ai un nouveau ballon, alors si...

— Il est à toi, James, déclara Hanson en désignant le terrain de basket déformé et jonché d'ordures. Désolé de t'avoir embêté. Bonne nuit, dit-il en s'éloignant.

Fuller foudroya James du regard, et Hanson dit :

— Allons nous-en. Il est inoffensif.

— C'est ton secteur, répondit Fuller.

— Merci pour le soutien.

Il les regarda repartir, avant de remonter dans sa voiture. Les appels radio reprirent peu à peu. Les bars allaient bientôt fermer, les ivrognes sortiraient dans les rues. Il avait besoin d'une feuille annexe pour continuer à dresser l'inventaire des objets volés lors du cambriolage, et lorsqu'il en sortit une de sa mallette, il jeta un regard à l'enveloppe que lui avait remise Bishop. Il avait déjà lu certains documents qu'elle contenait. Fox savait tout sur lui. Tout était vrai. Coupable sur toute la ligne, Votre Honneur.

Le ballon rebondissait à un rythme régulier, alors que James dribblait d'un panier à l'autre, interrompu par un *bong* métallique chaque fois qu'il tirait au panier. Il zigzaguait entre les déchets de fast-food et les éclats de verre bruns et verts des bouteilles d'alcool. Voyant que Hanson l'observait, il lui sourit et lui adressa un signe de la main, puis s'élança à toute allure et bondit dans les airs pour exécuter un bras roulé. Le ballon entra dans le panier et Hanson s'en réjouit.

Il reporta son attention sur son rapport, en observant James du coin de l'œil, pour ne pas le gêner. La nuit promettait d'être glaciale. Déjà, le brouillard montait du sol. Hanson pensait à James, qui dribblait et tirait des paniers, durant toute la nuit, patient, sans se plaindre, tandis que les étoiles apparaissaient, que la lune s'élevait dans le ciel, et que le soleil faisait lentement le tour vers une nouvelle aube.

Il était temps de rentrer. Il pourrait finir le rapport au poste. En redémarrant, il regarda James qui tentait un nouveau tir. Il savait qu'il ne pourrait pas dormir cette nuit, en sachant que

James était dans ce parc, pendant que lui était dans son lit. À moins d'être complètement ivre.

Il regarda dans son portefeuille. Un billet de cinq dollars et deux d'un dollar. Et un billet de vingt. Les vingt dollars que lui avait prêtés Dana le 4 juillet étaient toujours glissés dans la poche latérale. Quand il descendit de voiture, James interrompit son dribble.

— James, rends-moi un service, dit Hanson en tendant le billet de vingt dollars, prends-toi une chambre pour la nuit. OK ?

James regarda le billet dans la main de Hanson.

— Je peux trouver une chambre pour moins que ça.

— Tant mieux, dit Hanson en fourrant le billet dans la poche de son jean. Paye-toi un petit déjeuner en plus. Bonne nuit. Ah, au fait, dit-il, l'hiver dernier, quand tu passais tes nuits à marcher. Tu n'as jamais croisé un Noir, de mon âge environ, toujours habillé en treillis ? Un type nommé Millon ?

James sourit, comme s'il était heureux de connaître la réponse, et de pouvoir rendre service à Hanson.

— Oui, bien sûr. Le vieux Marcelle. Je le voyais souvent. C'est même lui qui m'a acheté ce ballon.

— Bon, il faut que j'y aille.

Hanson fit demi-tour pour regagner la voiture dont le moteur tournait au ralenti.

— Dites, lui lança James, vous saviez qu'il avait gagné la Silver Star à la guerre ?

— Oui, je le savais. Ils ne les distribuent pas à n'importe qui. C'était un véritable héros. Va donc dormir. La journée sera longue demain.

— Oui, monsieur.

Hanson lui adressa un signe de la main, monta en voiture et démarra, en regardant dans le rétroviseur James qui lui faisait signe lui aussi.

— Cinq Soixante-deux de retour, annonça Hanson dans la radio.

— *Reçu. Cinq Soixante-deux rentre au bercail.*

Il remonta vers le nord en empruntant Mississipi Street, et il perçut les accords d'une guitare blues qui s'échappaient du Club des Vétérans où se réunissaient les vieux du quartier, des gens qui avaient quitté Chicago et Detroit pour travailler sur les chantiers navals durant la Seconde Guerre, en quête d'une

477

vie meilleure. Il ralentit pour voir qui traînait là ce soir, juste au moment où Fast Freddie sortait du club. Il lui sourit, avec un petit geste de la main, un « Salut » discret que personne d'autre ne pouvait voir. « Attention, c'est la police. »

Deux blocs plus loin, Pharaon était toujours au travail. Hanson ralentit, s'arrêta le long du trottoir.

— Hé, Pharaon ! Quoi de neuf ?

— Le temps change, répondit Pharaon en poussant son Caddie. Va y avoir de l'orage et des éclairs sur ce vieux Stormbreaker, avant longtemps.

Hanson se mit au point mort.

— Pharaon...

— J'ai pas de réponses...

La voix de Pharaon fut avalée par l'obscurité.

Hanson continua dans Mississipi jusqu'à Killingsworth, après quoi il bifurqua vers le fleuve, en passant devant les roseraies, où il capta le parfum des dernières fleurs agonisantes, dans l'air vif.

La route surplombait le grand fleuve ; une longue portion de route qui conduisait au commissariat, bordée de lampadaires tout neufs, là où il avait dit à Dana, il n'y a pas si longtemps : « Je peux prendre le chien. »

Tandis qu'il roulait, en regardant les bateaux, les remorqueurs et les ponts tout en bas, il ne pouvait plus s'empêcher de penser à Dana, déplorant qu'il ne soit plus de ce monde. C'était le chemin qu'ils empruntaient ensemble chaque nuit pour rentrer à North Precinct, en évoquant les événements survenus durant leur service, les individus qu'ils devraient rechercher le lendemain. Maintenant qu'il était sur le chemin du retour, la radio avait un effet presque apaisant. Tout ça, c'était le problème de quelqu'un d'autre, à présent. La radio émettait un flot ininterrompu, 24 heures sur 24, à l'image du fleuve, envoyant des voitures de patrouille et les faisant rentrer toutes les nuits.

Il négocia le dernier virage ; North Precinct se dressait droit devant, menaçant comme une forteresse dans la zone industrielle obscure. Une lumière jaune brillait à travers les barreaux des fenêtres, et le drapeau, éclairé par des projecteurs devant le mémorial dédié aux policiers morts en service, ondoyait dans le vent. Le nom de Dana figurait sur le bloc de granit désormais, une plaque de cuivre plus brillante que les autres, vissée dans la pierre. Mais il ne faudrait pas longtemps avant que la pluie, la neige et le temps ne lui donnent un aspect verdâtre et terne, comme toutes les autres.

Il s'arrêta à mi-chemin de l'escalier, et redescendit vers le mémorial de granit, où des papillons de nuit dansaient dans les projecteurs, et où la drisse du grand drapeau tintait contre le mât au-dessus de lui, semblable à un chant funèbre. Hanson appuya son fusil contre la pierre et tapota la plaque de Dana, comme on frappe à une porte, puis il récupéra son arme, traversa l'herbe et gravit l'escalier.

Neal était au club, déjà ivre. Tout le monde avait été compatissant après la mort de Zurbo. Ce soir, Neal avait coincé Norman dans un des boxes, et Hanson ne put s'empêcher d'écouter, debout au bar.

— Il est mort en héros, mon gars, disait-il à Norman. J'aurais dû être avec lui.

— Il aurait pas voulu que...

— C'était mon équipier ! Si j'avais été là, à la place de Duncan...

— Tu serais mort toi aussi. Tu crois que...

— Qu'est-ce que je vais faire ? Qu'est-ce que je vais faire maintenant ?

Hanson vida sa bière d'un trait et se dirigea vers le téléphone à pièces. Il décrocha, colla le combiné contre son oreille, puis raccrocha et s'en alla.

« ... ici, au-delà des ondes. Fidèle au poste. Mister Jones a repris du service ce soir, mes amis. Il est de retour parmi vous. Je serai là pour passer vos disques. Si vous voulez écouter un truc, appelez-moi. Mais pour l'instant, voici Mississipi John Hurt, et son *Stagger Lee*... »

La guitare de John Hurt débloula et résonna à l'intérieur de la camionnette de Hanson, sur le chemin de l'autoroute

« Hé ! s'exclama Mister Jones. Écoutez-moi cette guitare. On dirait quelqu'un qui supplie qu'on lui donne les réponses, qui cherche une sorte de justice... Ah, messieurs les officiers de police, comment est-ce possible... Vous pouvez arrêter n'importe qui, mais pas le cruel Stagger Lee ? Ce petit salopard de Stagger Lee... »

479

Hanson tourna à gauche pour revenir vers le centre.

Il savait où était la station de radio. Il était déjà passé devant en voiture, tard le soir. Il descendit de la camionnette et leva les yeux vers les fenêtres éclairées au premier étage. La lourde porte en acier résonna lorsqu'il frappa pour entrer, et au bout de plusieurs secondes, elle s'entrouvrit de quelques centimètres.

— Vous vous trompez d'adresse, lui dit quelqu'un, avant de refermer la porte.

Il frappa de nouveau, plus fort cette fois.

— Hé, mec ! dit l'homme en rouvrant la porte. T'as pas entendu ?

— Je veux voir Mister Jones, dit Hanson.

— En enfer, tout le monde rêve d'eau bien fraîche, répondit le type, et il claqua la porte.

Hanson continua de frapper. Finalement, la porte s'ouvrit de nouveau, en grand cette fois. Deux colosses portant des t-shirts sans manches et des bonnets bleus le toisèrent.

— Va falloir qu'on appelle les flics ?

— Allez-y, appelez les flics, répondit Hanson. Appelez-les, ces enfoirés ! C'est ce que font tous les gens qui sont pas capables de régler eux-mêmes leurs problèmes.

Celui qui avait parlé sourit. Il se tourna vers son camarade.

— Parfait, dit-il en reportant son sourire sur Hanson. J'avais justement besoin de me réveiller un peu.

— Attendez ! s'écria quelqu'un à l'intérieur. Comment il s'appelle ?

— Je m'appelle Hanson.

— Laissez-le monter.

Hanson gravit l'escalier obscur jusqu'à un palier en cul-de-sac et une porte close, ne sachant que faire ensuite. Mister Jones parlait : « ... le Jimmy Hendrix de Seattle, un vétéran du 101e aéroporté... »

— Vas-y, entre ! lui lança une voix au pied de l'escalier. Il t'attend.

Hanson poussa la porte.

Mister Jones était assis dans un fauteuil roulant, tournant le dos à Hanson. Il était gigantesque ; du moins ce qui restait de lui. À l'arrière de son crâne, la peau brûlée formait des plis, et dans la faible lumière des cadrans de la console, Hanson constata qu'il avait perdu ses jambes.

« ... rentré au pays, mais qui n'a pas réussi à survivre dans ce monde », dit Mister Jones en soulevant le disque, avec un crochet brillant à l'endroit où aurait dû se trouver sa main.

Il se renversa dans son fauteuil roulant, sans se retourner.

— Comment ça va, frère ?

— Pas très bien.

— Tu écoutes l'émission ?

— Tout le temps.

— Ça me fait plaisir. Merci de la suivre.

Hanson regarda ses pieds.

— Rares sont les gens qui montent jusqu'ici au studio. Tu as dû faire une sacrée impression sur les frères en bas.

La guitare de Hendrix rugit, grogna, hésita... Hendrix rit, et fit plastronner sa guitare dans la rue.

Hanson s'essuya les yeux de la main.

— Qu'est-ce que je peux faire pour toi, frère ?

— Comment est-ce que... tu tiens... ?

— J'ai cette émission à faire tous les soirs. Y en a plein qui comptent sur moi, là, dehors.

— Je suis rentré sans une égratignure.

— La chance. C'est tout. Appelle ça le destin. C'est la faute de personne. Tu peux rien y faire, à part être celui que tu es censé être. À toi de trouver qui.

— Il vaut mieux que je te laisse travailler, dit Hanson en pivotant sur ses talons.

— Attends une minute, dit Mister Jones en déposant un autre disque sur la platine avec son crochet. Personne m'interdit d'en passer deux à la suite.

— Trop tard, dit Hanson.

— Reviens et assieds-toi une minute. Tiens, là, dit Mister Jones en tirant une chaise à côté de son fauteuil. Pharaon m'a dit que tu viendrais peut-être faire un tour ici. Faut voir comme il parle de toi. Et j'avais envie qu'on bavarde un peu, si tu as le temps.

Mister Jones fit pivoter son fauteuil roulant pour lui faire face. Il tendit son crochet.

— Parle-moi de ce vieux chien...

— On les fera brûler dès que le temps se refroidira, dit Hanson en sortant les feuilles imprimées par Fox de la grande enveloppe kraft que Bishop lui avait remise, pour les fourrer

481

dans le poêle à bois. Qu'est-ce qu'ils peuvent me faire ? demanda-t-il à Truman. M'expédier au Vietnam ? Me virer, pour que je ne circule plus dans le ghetto la nuit, en tabassant des gens qui font ce que je ferais si j'étais à leur place ? Très bien. Virez-moi, bande d'enfoirés. *Tuez-moi.* Regarde un peu ça, dit-il en lisant un des documents. Le PV pour excès de vitesse que j'ai reçu quand j'avais seize ans. Nous voilà dans la merde, dit-il en riant. Et ça... mon livret scolaire au lycée. La fois où j'ai été renvoyé pour m'être battu. Des bulletins de notes. Oh, un C en psychologie ! dit-il en jetant la feuille dans le poêle. Préparation militaire. « Expert » avec le M-14, mais seulement « Passable » avec le M-16 en plastique. École d'infanterie. Regarde ça. École de parachutisme. Rangers... Nom de Dieu. Commandos et espionnage à Hollabird. Ces saloperies étaient classées Top Secret. Labo des chiens...

Il froissa la feuille et la lança dans le poêle.

Des ordres de mission, dit-il en feuilletant les pages, l'air inquiet soudain. OK. Très bien. Je ne pensais pas qu'il pourrait fourrer son nez dans ces dossiers. Tout ça n'a jamais eu lieu, bordel. Aucun trou dans les états de service. Officiellement, j'étais à Da Nang à ce moment-là, à plus de cent bornes. Et comme l'a dit Doc, tout a cramé quand ces sales vieux communistes ont pris... Oh.

La dernière feuille était un formulaire du FBI. Juste une couverture de dossier avec son nom et sa date de naissance. Il la jeta avec le reste.

Il y avait autre chose dans l'enveloppe. Une lettre adressée à Bishop. De la part de Falcone. Sous l'adresse de l'expéditeur, dans le Montana, Bishop avait écrit quelques mots à l'attention de Hanson, au crayon : « Lis ce qu'elle dit sur toi... »

Il regarda Truman, et se mit à lire.

33

NUL NE SAIT d'où viennent les orages. Née dans les eaux profondes au-delà de la courbe de la terre, dans quelque canyon sans fond ne figurant sur aucune carte et que les rayons du soleil n'atteignent jamais, là où des poissons sans yeux que personne n'a jamais vus remplis de dents et de toxines, traînant des leurres de lumière noire, se pourchassent à travers la nuit infinie, une bulle remonte à la surface, aussi dense qu'une étoile morte, grossit, s'élève à travers les atmosphères écrasantes de l'océan, comme une lune, jaillit hors de l'eau, en un millier de kilomètres de tonnerre et de lumière, tourne vers l'est, par-dessus les plages et les autoroutes, jusqu'à la côte, déracine les arbres et les enflamme en se déplaçant vers l'intérieur des terres, vers la face déchiquetée du Stormbreaker.

Hanson était assis sur un des bancs en bois inconfortables au premier étage du palais de justice, en compagnie d'une demi-douzaine d'autres flics de l'équipe A, attendant de témoigner dans une affaire d'ingérence avec agression de policiers et émeute, dans laquelle la quasi-totalité de la famille Barr, qui occupait tout le banc de quatre mètres de long installé de l'autre côté du hall, était inculpée : Reba Barr, la grand-mère de quarante-huit ans, sa fille Laticia, et les quatre fils de Laticia, nés de trois pères différents. Le fils cadet, Kenny, était assis à côté de sa petite amie, un bébé sur les genoux.

Le bébé, adorable dans sa robe d'été rose, les cheveux tressés sur le crâne, ne ressemblait à aucun membre de la famille Barr. Les accusés empruntaient ou louaient fréquemment un bébé pour se rendre au tribunal, afin de jouer le grand numéro de l'affection paternelle devant le jury.

Les Barr avaient brisé la clavicule de Norman, intervenu dans le cadre d'une violente dispute familiale, et celui-ci avait lancé un appel de détresse. Lorsque les premières voitures étaient arrivées sur place, Norman était couché sur le sol, en position fœtale, essayant d'empêcher ses agresseurs de lui prendre son arme.

— Le jour de l'homme noir est pour bientôt, glissa Kenny à Norman, qui sortit son carnet pour noter ce que disait Kenny. Connard, ajouta Kenny. Vous pouvez noter ça aussi.

Le bébé faisait du charme à Hanson, la tête inclinée sur le côté, en le regardant d'un air timide, sur les genoux de Kenny. Hanson s'efforçait de l'ignorer.

— Où est-ce que vous avez loué cette gamine ? demanda Bond.

— C'est le bébé de la semaine, dit Norman.

— Tu sais dire areuh, areuh, Kenny ? demanda Bond.

— Et vous, vous savez dire « Suce ma queue noire » ?

Le bébé ferma les yeux en fronçant les sourcils, et les rouvrit tout grands, en regardant Hanson, qui finit par lui sourire, en penchant la tête.

L'inspecteur Farmer sortit de la salle d'audience, et les flics qui étaient penchés en avant, prêts à la bagarre, se rassirent sur le banc.

— Hanson ?

C'était une des secrétaires du bureau du procureur.

— C'est moi.

— Une de vos collègues vous demande au téléphone. Elle a dit que c'était urgent.

Il s'agissait de Bishop.

— Qui ça ? demanda Hanson en essayant d'entendre ce qu'elle disait à travers la friture, craignant de couper la communication en enfonçant une des touches qui clignotaient sur l'appareil.

Il était dans un box vitré. Deux bureaux plus loin, un jeune junkie, un Blanc vêtu d'une combinaison bleue maculée d'huile, se passait les doigts dans ses cheveux longs, une main crasseuse après l'autre, en se disputant avec son avocate commise d'office, une femme rondelette.

— Hein? Le mieux qu'on puisse faire? Trois à cinq ans? *Peut-être* trois? Putain de...

L'avocate faisait partie de ces gens qui sourient toujours quand ils parlent, quoi qu'ils disent.

— Je suis affreusement désolée, mais...

Hanson plaqua le combiné contre son oreille, penché au-dessus du téléphone, en plissant les yeux comme si cela pouvait l'aider à mieux comprendre les paroles de Bishop à travers les grésillements et le bourdonnement dans sa tête. Tournant le dos au mur, il levait la tête chaque fois que quelqu'un franchissait les portes en bronze au bout du couloir, et il gardait un œil sur le junkie, sur son propre reflet dans la vitre du box constellée d'empreintes de paumes et de doigts; cercles concentriques, tourbillons et courbes, minuscules pétrographes.

— ... pas votre gros cul qui risque d'en prendre pour trois ou cinq ans.

— J'aurais peut-être pu faire mieux, sans ces aveux, répondit l'avocate, dont le sourire se lézarda légèrement. Si seulement vous n'aviez pas...

— Je le sais, nom de Dieu!

Le junkie passa une main dans ses cheveux, puis l'autre, et ce tic rappela à Hanson un coyote qu'il avait vu dans un zoo itinérant quelque part, sur le parking d'un supermarché, marchant de long en large au fond d'une cage minuscule, jonchée de merdes, les épaules et les côtes en sang à force de les frotter contre les barreaux.

— Je suis pas un...

— Attends une seconde, dit Hanson à Bishop, et il plaqua le combiné du téléphone contre sa cuisse en se redressant et en se tournant vers le junkie.

— Si, justement! hurla-t-il à travers la paroi vitrée.

Le junkie s'immobilisa, une main dans les cheveux, puis, lentement, il se tourna vers Hanson.

— Tu es complètement con, dit Hanson. On le sait, et tu le sais aussi. Pas vrai?

Le sourire crispé de l'avocate disparut; la bouche pincée par la colère, le rouge à lèvres sec et écaillé, tandis que Hanson brandissait le combiné.

— C'est un appel très important. Arrêtez de faire tout ce bruit. S'il vous plaît. Cette bonne femme t'a négocié la plus petite peine possible, dit-il en portant le combiné à son oreille.

L'avocate rougit lorsqu'il prononça les mots « bonne femme ».

— Allô, Bishop ? Je vais essayer d'améliorer la qualité de la communication. Si jamais on est coupé, rappelle-moi aussitôt. J'attendrai.

Il enfonça la touche « Attente », et passa sur une autre ligne. Bishop était toujours là.

— Quand ? demanda-t-il en consultant la gigantesque pendule en bronze au-dessus de la double porte, la Justice aux yeux bandés, vêtue de sa toge, semblable à une épouse d'un certain âge subissant un rite d'initiation pour rentrer au Elks Club.

— Merci, dit Hanson à Bishop. Oui, je te revaudrai ça.

Il ouvrit la porte mal ajustée du bureau de verre, faisant trembler toutes les cloisons jusqu'au bout de la rangée, comme des dominos.

— Merci, lança-t-il au junkie et il traversa la foule au petit trot, vers la sortie.

— J'ai relevé son matricule, dit l'avocate. Il a franchi les bornes ; il n'a pas le droit de vous parler de cette façon.

— Allez vous faire foutre. Je veux retourner dans ma cellule.

Au fond du couloir, juste derrière les grandes portes, une foule s'était rassemblée à l'endroit où l'ancien combattant de la Seconde Guerre qui tenait le stand de journaux regardait une petite télévision en noir et blanc. Un journaliste local apparaissait et disparaissait tour à tour de l'écran neigeux, tel un fantôme, en surimpression d'une carte météorologique diffusée par une autre chaîne.

« ... nous rejoignent à l'instant, deux officiers de police sont morts, ainsi qu'une... jeune femme noire. Tous tués par balle, semble-t-il. De plusieurs balles. La fusillade a eu lieu dans une des chambres que vous voyez derrière moi, ici au Desert Palms Motel, haut lieu de la prostitution et du trafic de drogue. Nous n'en savons pas davantage pour l'instant, mais... Officier ? Excusez-moi, officier... Oui. Très bien. Apparemment, les policiers présents sur place essayent de protéger les lieux du drame, et les esprits sont... Pardonnez-moi. »

Le journaliste s'adressa à une personne hors-champ. Derrière lui, des enfants et des adolescents faisaient de grands signes à la caméra, hilares.

Hanson se fraya un passage au milieu de la foule grandissante, résistant à l'envie de pousser tous ces gens hors de son chemin. Pour eux, il avait moins d'existence réelle que les images tremblotantes sur l'écran de télé.

« D'après des témoins, un suspect, sans doute grièvement blessé lui aussi, aurait pris la fuite à bord d'une Trans Am jaune, en direction de... »

Quelqu'un, hors-champ, lui tendit un papier.

« ... la police a localisé le véhicule suspect, abandonné par le... le supposé... »

Hanson descendait déjà l'escalier vers le parking souterrain. Doc avait tué Fox, Peetey et Asia.

Un flic lui fit signe de contourner la voiture de patrouille qui bloquait la rue. La brise brumeuse charriait les échos des appels radio, semblables à des chuchotements maléfiques, dans les émetteurs portables et les voitures de police stationnées dans tout le secteur. Pendant un instant, Hanson crut que ce bruit provenait uniquement de sa tête ; des voix métalliques murmurant des ordres. Il se gara le long du trottoir et parcourut à pied les cent derniers mètres jusqu'au command-car du SWAT[1]. L'odeur douceâtre des gaz lacrymogènes flottait dans l'air comme du pollen.

Se tenant juste derrière le van du SWAT, sur le côté, les bras croisés, il contempla la maison en flammes, dans Missouri Street. Les nuages s'assombrissaient, venant de l'ouest, la brume froide se transformant en pluie, et le visage de Hanson luisait comme s'il transpirait.

C'était la dernière maison encore debout dans la rue ; à la place du jardin de derrière, tronqué, un à-pic de trente mètres donnait directement sur la nouvelle autoroute. Elle avait déjà brûlé auparavant ; le premier étage était un fouillis de poutres et de charpentes calcinées. Les gars du SWAT approchaient de la maison par-derrière, et débouchaient au sommet de la falaise comme s'ils émergeaient des entrailles de la terre, rampant sur le sol, en combinaison noire, fusil d'assaut au creux des bras, au milieu des herbes grises et hautes.

1. SWAT : équivalent américain du GIGN. *(N.d.T.)*

Les volutes de gaz lacrymogènes s'échappaient des fenêtres du rez-de-chaussée, d'une surprenante blancheur sur le fond noir du ciel. Une flamme jaune tremblota derrière une des fenêtres, avant d'être avalée par la fumée. Une grenade de gaz lacrymogène, chauffée à rouge, avait mis le feu à quelque chose.

— Hanson !

Se retournant vers le van, Hanson aperçut le lieutenant Brannon, chargé de jouer les négociateurs.

— Lieutenant.

— Que faites-vous ici ? interrogea Brannon.

— Je connais le gars qui est dans la maison. On a fait l'armée ensemble.

Deux membres de l'équipe de soutien du SWAT tournèrent la tête, à l'abri du van. Ils buvaient du Coca ; leurs mitraillettes noires étaient appuyées contre le véhicule.

— Hé, Hanson ! lança l'un d'eux, tu vois un peu tout ce que tu loupes en refusant de venir bosser pour nous ?

— Salut, Mickey, répondit Hanson. Oui, je vois.

— Vous pouvez aller parler à ce type ? demanda Brannon.

Les flammes faisaient rage maintenant derrière une des fenêtres, qu'elles noircissaient. Sous le regard de Hanson, elle finit par voler en éclats dans une éruption de fumée, alimentant un peu plus les flammes en oxygène.

— Je crois qu'il ne se rendra pas, dit Hanson.

— Non, il ne se rendra pas, dit Mickey. Il a tué deux flics. Il va finir grillé ou se suicider.

— Allons, Mickey, dit Brannon.

— Pardon, lieutenant. J'oubliais. On va le « livrer à la justice ».

La fumée grise encadrait la porte d'entrée et les flammes firent exploser une deuxième vitre sur le devant.

— Hé ! s'exclama l'autre membre du SWAT, en abaissant sa paire de jumelles. Il y a des chiens là-haut. Sur le toit ! Regardez ! dit-il en tendant la main qui tenait le Coca.

— Bon Dieu ! dit Mickey. Va y avoir du hot-dog bientôt. Au fait, demanda-t-il à Hanson, par-dessus son épaule, vous faites toujours ce concours avec les chiens ?

Les buissons qui bordaient un côté de la maison, mouillés par la pluie, commencèrent à fumer.

— Hanson ? dit Mickey.

Hanson marchait au milieu de la rue, vers la maison en flammes. La pluie glacée avait redoublé de violence et lui piquait le visage. Il passa devant des voitures de patrouille garées en travers, des flics accroupis derrière, qui lui adressaient de grands gestes et l'appelaient, avec angoisse, confusion et autorité. Le lieutenant jaillit pour l'attirer à l'abri d'une voiture, mais Hanson ôta la sécurité de son holster en faisant non de la tête.

Lorsqu'il eut dépassé les voitures, il se sentit mieux. Voilà bien longtemps que les choses n'avaient pas eu autant de sens, que son devoir n'était pas aussi clair. Les flammes sifflaient sous la pluie ; il frissonnait sous l'effet du froid et de l'adrénaline.

Un des types du SWAT accroupis derrière la maison écoutait son émetteur portable plaqué contre son oreille. En voyant approcher Hanson, il voulut le chasser d'un geste rageur.

Hanson sourit et se mit à chanter : « *Daisy, Daisy, give me your answer, do...* »

Les gaz lacrymogènes pesaient dans l'atmosphère, mêlés à la puanteur de la maison en flammes, du bois mouillé et des ordures.

« *I'm half crazy, all for the love of you...* »

Le feu avait envahi les fenêtres, et les flammes, telles des stalagmites, grimpaient le long des murs. Hanson ouvrit la porte d'un coup de pied et recula devant les nuages de gaz lacrymogène qui lui brûlèrent les yeux et lui mouillèrent le visage. De la morve emplit ses narines, tandis qu'il traversait la première pièce, passait devant des monticules d'ordures à hauteur d'épaules, marbrés de plastique et de polystyrène en ébullition, de canapés en flammes, un pouf rafistolé avec du ruban adhésif, des matelas, des tapis et des vêtements qui se consumaient, empilés contre le mur du fond, contournait des pyramides de sacs-poubelle verts, pour pénétrer dans un couloir où une seringue se brisa sous sa chaussure, tandis que sa chemise en laine humide dégageait de la vapeur. Au bout du couloir, une porte blanche cloqua et vira au marron au moment où il passait, des rayures verticales brunes traversèrent le papier peint à fleurs, comme une écriture invisible.

Le plafond avait été détruit par un précédent incendie, qui avait ravagé le premier étage, si bien qu'il était possible de voir et de respirer. Une fumée plus sombre, filtrant sous la porte autrefois blanche, se mêlait à la fumée rasante et claire provenant de la première pièce, et formait une vrille, *comme des tourbillons de caramel dans une glace à la vanille,* songea Hanson. Il entendit soudain un cliquetis, clic-clic-clic, s'accroupit en se protégeant la tête, levant les yeux vers les poutres et la charpente en feu. Des chiens. Des chiens au-dessus de lui, sur ce qui restait du premier étage, là où ils avaient élu domicile depuis le premier incendie. Des chiens courant sur le plancher éventré et carbonisé, sautant par-dessus les solives du toit, refoulés par les flammes. Des éclairs lumineux soulignaient le puzzle noir de poutres calcinées, entre lesquelles bondissaient les chiens. Un berger bâtard, affolé, dont on apercevait les côtes à travers le poils gris mouillé, trébucha, heurta un chevron avec ses pattes avant, et se releva aussitôt.

La fumée de plus en plus dense s'échappait par le toit en tourbillonnant, noire, brune et grise. Hanson avança encore d'un pas ; le plancher était spongieux sous ses pieds, conséquence du précédent incendie. Toute la maison gémissait ; les poutres et les solives du plancher bougeaient. Elle soupira et Hanson la sentit remuer sur ses fondations. Il demeura totalement immobile. Là-bas derrière lui, dans la première pièce, les sacs-poubelle les plus proches des flammes commencèrent à se fendre, lacérés par la chaleur qui ouvrait des plaies d'où s'échappaient des bouteilles et des emballages de Big Mac, des journaux de l'année dernière. Là-haut sur le toit, les flammes et la fumée repoussaient les chiens vers un îlot de sécurité qui rétrécissait. Ils couraient d'un bout à l'autre, de long en large comme des requins patrouillent dans un bassin, essayant de se mordre entre eux, car ils n'avaient personne d'autre à combattre.

Hanson contourna soigneusement la partie carbonisée du plancher et continua dans le couloir jusqu'à une porte de chambre. Il voulut tourner la poignée, mais retira sa main juste à temps. Il sentait sur sa peau la chaleur du contreplaqué. D'un coup de pied, il enfonça le battant qui s'ouvrit à demi. De l'autre côté, il n'y avait pas de flammes, mais l'air tremblait comme au-dessus d'une autoroute en été, tel un mirage argenté, aussi fragile que l'*idée* d'une chambre avec ses rideaux poussiéreux et tachés, son lit brisé et sa télé aveugle. Des plaques de papier peint noircissaient, dessinant un triste motif de rêve perdu, avec juste un soupçon de flammes autour

490

des auréoles noires. Soudain, les rideaux s'enflammèrent et un drap de feu apparut au-dessus du matelas crasseux.

Le lit de plage recouvert de plastique, dans le coin de la pièce, sembla rétrécir et se tordre de douleur, en cloquant et en bouillonnant, tandis que la fenêtre juste derrière explosait vers l'extérieur, aspirant au-dehors les rideaux enflammés accrochés à la tringle. Il y eut une sorte de souffle, un bruit semblable à un tir d'artillerie lointain, et la porte se referma bruyamment, au moment où Hanson se jetait à terre, la vague d'air surchauffé arrachant la porte de ses gonds derrière lui. Il rampa vers le couloir, jusqu'à une autre chambre. La porte était fraîche au contact de sa main. Il l'entrouvrit prudemment, avant de l'ouvrir en grand.

À l'intérieur, il faisait sombre ; la pluie entrait par les vitres brisées, le vent agitait les rideaux en lambeaux. Un éclair illumina brièvement la pièce. Doc était debout près de la fenêtre, il regardait dehors.

— Doc...

Doc se retourna brusquement, un pistolet à la main. Ses cheveux étaient tout roussis d'un côté. Il essaya de sourire.

— Je ne pensais pas tomber sur toi ici, dit-il.

— Je peux te faire sortir. On peut sortir ensemble.

— Tu tues un flic, ils te tuent. C'est un truc que je peux comprendre, dit-il en toussant. Je respecte ça.

Le feu progressait dans le couloir, derrière eux, et la fumée pénétrait dans la pièce. Hanson revint vers le seuil, là où une lueur rouge projetait des ombres dans le couloir. Il referma la porte.

Doc reprit son souffle.

— J'ai cru que le feu allait m'avoir.

La maison grogna encore une fois, et bougea. Les flammes dans le couloir aspiraient l'air par-dessous la porte fermée, avec un sifflement.

— Tu as ton .9 mm ? demanda Doc.

Hanson acquiesça. Il le sortit de sa ceinture ; la poignée était brûlante dans sa main.

— Je ne te demande pas de me tuer. File-moi juste quelques balles, dit Doc. J'ai utilisé toutes les miennes pour descendre ces salopards.

La fumée envahissait la pièce. Hanson avait les yeux en feu, il pleurait et son nez coulait. Il avait la gorge gonflée, comme s'il avait respiré trop de poussière un jour de canicule. Il repensa à la saison sèche dans les Northern I Corps, à cette poussière rouge qu'ils avaient là-bas.

À l'époque où les deux compagnies de Nungs avaient exigé qu'ils leur livrent le commandant vietnamien. Quand il était assis avec son lance-roquettes sur les genoux, avec l'artillerie braquée sur eux, prêt à tuer des gens, un tas de gens. Prêt à mourir, en chantant : « Daisy, Daisy, give me your answer, do... » Le moment le plus heureux de son existence.

— J'aimerais tenter une sortie, faire quelque chose, dit Doc.

Il se tourna vers Hanson, et ajouta, d'une voix différente :

— Mourir en homme.

Hanson éjecta le chargeur de son Model 39. On entendait maintenant des sirènes lointaines, par-dessus le rugissement des flammes.

— Les pompiers, dit Doc. Ils tardent toujours à arriver dans ce quartier.

Avec son pouce, Hanson fit glisser les petites balles brillantes dans la paume de son autre main. Il tendit ensuite la main et Doc la recouvrit avec la sienne, pour récupérer les balles. Il les introduisit dans le chargeur de son arme. Au moment d'introduire la dernière, il s'arrêta et la rendit à Hanson.

— Il vaut mieux que tu en gardes une.

Il remit le chargeur dans le pistolet et l'enclencha en tapant contre sa cuisse.

— Merde, dit-il, le visage blanc de douleur et d'épuisement.

Plongeant la main dans sa poche, il en sortit un petit flacon de cocaïne qui lui échappa et roula par terre.

— File-moi un coup de main, tu veux ? dit-il en désignant le flacon. J'ai besoin d'un petit remontant.

Hanson ramassa le flacon et approcha une petite cuillerée de poudre du nez de Dawson.

Doc l'inspira.

— Remettez-moi ça, officier. Ah, ça va beaucoup mieux.

Il regarda autour de lui, glissa le pistolet dans sa ceinture et souleva un vieux téléviseur renversé contre un mur.

— Comme à la télé, dit-il en riant et en toussant, soulevant le téléviseur au-dessus de sa tête et le jetant à travers la fenêtre ; une tache de sang frais s'épanouit sur sa chemise. Je peux avaler toute la douleur qu'ils veulent me faire bouffer ! Tu es le *dernier* désormais, dit-il à Hanson, puis il se tourna vers la fenêtre.

Il pleuvait à torrent, il faisait nuit ; des buissons laissés à l'abandon masquaient en partie la fenêtre. Doc ôta les morceaux de verre coincés sur les côtés et en bas de la fenêtre, puis il passa une jambe à l'extérieur, comme un homme qui s'apprête à sauter par-dessus le plat-bord d'un canot de sauvetage, dans la mer. Il regarda encore une fois Hanson, sourit et dit :

— On se reverra en enfer. J'arrive, bande de salopards ! hurla-t-il en ouvrant le feu, au moment où il sautait par la fenêtre, dans les buissons.

Les flammes de son arme tracèrent une lueur orangée dans le ciel obscur.

La riposte ressembla à un combat d'artilleries. M-16, fusils à pompe, le *pop* des armes de poing. Quelques projectiles atteignirent la maison, des dessins de chevrotines et de balles sifflantes grêlèrent les murs. Hanson resta devant la fenêtre, tandis que les détonations s'estompaient, puis cessaient totalement. Ses oreilles bourdonnaient à cause des coups de feu et du rugissement des flammes dans son dos lorsqu'il enjamba la fenêtre à son tour pour sortir sous la pluie battante. C'était un véritable déluge maintenant. Son visage et ses bras l'élançaient comme de vilains coups de soleil ; il sentait l'odeur de ses cheveux roussis. Renversant la tête en arrière, il laissa la pluie nettoyer les larmes et la morve sur son visage. Il cracha des glaires marron, et ouvrit sa bouche à la pluie qui grésillait sur son insigne chauffé à blanc.

Doc était couché à moitié sur le trottoir, à moitié sur la chaussée. Il avait presque atteint la rue. Deux types du SWAT braquaient des fusils à quelques centimètres de son visage, tandis qu'un autre flic en combinaison noire passait les menottes au cadavre ensanglanté, dont les bras avaient été brisés par les cartouches de gros calibres.

Un des membres du commando de pointe se tordait de douleur sur le sol, en tenant sa jambe à l'endroit où Doc l'avait atteint, en beuglant :

— Bordel de merde ! Le salopard ! Bordel de merde !...

Hanson sentait la chaleur dans son dos, mais il continua à marcher, en passant devant le corps de Doc, dans la rue, frôlé par les camions de pompiers qui arrivaient. Un sergent et un lieutenant l'appelèrent — il vit leurs bouches remuer —, mais il n'entendait rien à cause du bourdonnement dans ses oreilles. Il se retourna.

La maison était maintenant enveloppée par les flammes, qui éclairaient à contre-jour les nuages de fumée et d'étincelles s'élevant dans le ciel noir rempli de pluie. Une douzaine de chiens couraient dans les décombres du premier étage, s'attaquant mutuellement, empêchant les pompiers d'intervenir, le feu couvant dans leurs poils, encore en vie grâce à la pluie.

Un gros berger bâtard, noir et gris, sauta du toit, au milieu des étincelles et de la fumée, et atterrit dans le jardin près du cadavre de Doc. Le poil en feu, hurlant de douleur, une patte brisée, il courait comme un cauchemar en direction de l'équipe du SWAT qui lui tira dessus à plusieurs reprises, alors qu'il passait devant eux en titubant, pour finalement s'effondrer dans la rue, aux pieds de Hanson. Malgré les terribles blessures provoquées par les fusils, le chien n'était pas mort ; il montrait les dents, son pelage ressemblait à du chaume brûlé sur son arrière-train. Puis il fut pris de convulsions et se raidit ; ses pattes s'agitèrent dans le vide, comme un chiot qui rêve d'une poursuite. Sa gueule s'ouvrait et se refermait, s'ouvrait et se refermait, sous l'effet des spasmes musculaires, le sang moussait sur ses crocs. Il respirait encore ; ses côtes se tendaient à chaque respiration.

Le chien se contortionna une dernière fois et cessa de respirer ; ses pattes raidies se détendirent, et la pupille de son œil s'ouvrit lentement, comme un clapotis dans une eau sombre, jusqu'à ce que tout son œil ressemble à un liquide noir, un miroir en onyx, et Hanson se vit dans l'œil agonisant, puis mort, seul et presque perdu dans les tourbillons de lumière rouge et bleue des voitures de police et des camions de pompiers.

Hanson jeta un dernier regard autour de lui. La maison était plus propre qu'elle ne l'avait jamais été ; tout ce qu'il possédait, et qu'il n'avait pas donné, était rangé dans des cartons empilés dans le living-room.

— Dommage que M. Thorgaard n'ait pas eu le temps de ranger ses affaires. Peut-être que s'il... Non, ils auraient tout balancé à la décharge de toute façon.

Il ouvrit la porte grinçante du poêle à bois, frotta une allumette et la jeta à l'intérieur. La photo de Falcone prise à l'école de police était toujours posée contre l'étagère au-dessus du poêle. Hanson la contempla pendant que les tirages informatiques de sa vie commençaient à se consumer dans le poêle ; il sourit, puis il poussa la porte en fonte et ferma le loquet.

— Je crois que c'est bon, vieux. Le moment est venu.

Hanson sourit, en tenant la porte à moustiquaire ouverte pour laisser passer Truman. C'était une belle journée, un parfum d'automne flottait dans l'air. Le Stormbreaker se détachait de manière bien nette sur le fond du ciel sans nuages.

— C'est une journée idéale.

Ils empruntèrent la route goudronnée conduisant au Stormbreaker, jusqu'à l'endroit où elle s'achevait par une barrière métallique verte et une grille destinée à empêcher le passage du bétail.

— Je reviens tout de suite, dit Hanson en descendant de la camionnette avec des cisailles provenant d'un surplus militaire.

Il prit le temps de refermer la barrière derrière lui, cachant les deux bouts de la chaîne derrière le panneau qui disait : « Accès réservé aux personnes autorisées », après quoi il enveloppa les cisailles dans une couverture, les glissa sous le siège, et repartit. Truman était assis avec raideur sur le siège du passager, peu habitué à voyager à bord de cette camionnette, qui aurait eu besoin de nouvelles suspensions et d'un nouveau silencieux. D'ailleurs, il n'était pas habitué à voyager en voiture, quelle qu'elle soit, et les mouvements le désorientaient, mais Hanson vit qu'il essayait de se montrer courageux.

— C'est ce qu'il y a de mieux, dit-il. Pour tous les deux.

Une fois la barrière franchie, la route devenait plus raide, l'asphalte cédait la place au gravier, et la pelle à l'arrière de la camionnette cognait bruyamment, tandis qu'ils continuaient à gravir la montagne, vers la limite des arbres, laissant la chaleur derrière eux comme un souvenir de l'été qui s'efface ; l'air était léger et frais, des lambeaux de neige sale s'accrochaient sur le côté nord des pierres, éparpillés à l'ombre des arbres.

Finalement, ils durent s'arrêter en arrivant devant une berme de terre, là où s'achevait la route. Hanson récupéra la pelle à l'arrière et un petit sac de marin. Lorsqu'il ouvrit la portière du passager, Truman dressa les oreilles, pendant que Hanson sortait le pistolet de la boîte à gants et le coinçait dans sa ceinture.

— Fin du chemin.

Il prit le chien sous le bras, la pelle et le sac de marin sous l'autre. Il grimpa sur la berme et reposa le chien.

— La route n'est pas dure, viens.

Le chien suivit le bruit de ses pas et de sa voix, vers la limite de la neige.

— J'ai repoussé ce moment pendant trop longtemps. J'en ai marre de toute cette merde. Regarde, dit-il, légèrement essoufflé. La neige de l'an dernier. Ça va, tu suis ? demanda-t-il en se retournant vers le chien. Allons jusque là-bas... on dirait une petite pâture.

Ils grimpèrent pendant encore un quart d'heure, pour atteindre un endroit où le sol s'aplanissait. Hanson regarda autour de lui.

— Ici, on est à l'abri du vent. Respire cet air. Il y a plein d'eau dans le ruisseau là-haut. Écoute...

Le chien leva les yeux vers lui, la tête légèrement inclinée pour capter le bruit de l'eau sur les rochers.

— Tu sais quoi ? Le bourdonnement a disparu. J'entends parfaitement le ruisseau !

Il rit.

— Formidable. On voit tout, d'ici. Regarde, tout en bas, derrière ces vieux sapins de Douglas.

Le chien tourna la tête dans la direction qu'il indiquait.

— C'est notre maison. Tu la vois ? C'est un chouette endroit.

Le chien semblait regarder Hanson qui creusait le trou, en prenant soin de faire des angles bien carrés. Un mètre de profondeur, trente centimètres de large et soixante centimètres de long. Hanson contempla Truman.

— Ça devrait aller, dit-il en jetant la pelle dans le trou.

Il sortit le pistolet de sa ceinture, éjecta le chargeur, plongea la main dans sa poche, d'où il sortit une seule balle de .9 mm.

— Celle que Doc m'a laissée, dit-il, en l'introduisant au-dessus des douze autre balles.

Il fit glisser la balle dans la chambre et regarda Truman, puis il remit l'arme dans sa ceinture.

Il ouvrit le sac de marin et en sortit la boîte avec l'inscription REGARDE LES LYS COMME ILS POUSSENT gravée sur les côtés, fouilla parmi les médailles, les insignes, les écussons et les photos, frotta le béret contre sa joue, le remit dans la boîte et la referma.

— *Adios*, dit-il en déposant la boîte dans la tombe qu'il avait creusée.

Il sortit son insigne de sa poche et le déposa sur la boîte, arracha le *katha* autour de son cou et le jeta avec le reste, puis il s'agenouilla près de la tombe, déposa le pistolet à côté de l'insigne et reprit la pelle. Il s'apprêtait à lancer la première pelleté de terre dans la tombe, puis il se ravisa.

— Je perds la tête, dit-il à Truman, en se penchant pour récupérer le pistolet. Merde, on va pas affronter ce monde désarmé.

Il enterra la boîte, le *katha* et son insigne, aplanit la terre et, appuyé sur la pelle, contempla cette pâture protégée par le Stormbreaker.

La carte postale envoyée par Falcone était tachée de sueur, l'encre avait coulé ; elle avait pris la forme de sa poche revolver. Hanson la tapota contre sa paume et la remit dans sa poche.

— Viens, vieux, dit-il, emballons toutes nos saloperies et allons dans le Montana.

Le vieux chien trottina à ses côtés, escalada la berme, et laissa Hanson le remettre dans la camionnette.

*Photocomposition CMB Graphic
(Saint-Herblain)
Achevé d'imprimer en février 1998
sur les presses de Brodard et Taupin
à La Flèche
pour le compte des Éditions Calmann-Lévy
3, rue Auber, Paris 9ᵉ*

N° d'impression : 6562T-5
Dépôt légal : mars 1998
N° d'éditeur : 12561/01